더
강해지는
고등영문법

학습자의 마음을 읽는 동아영어콘텐츠연구팀

동아영어콘텐츠연구팀은 동아출판의 영어 개발 연구원, 현장 선생님,
그리고 전문 원고 집필자들이 공동연구를 통해 최적의 콘텐츠를 개발하는 연구조직입니다.

원고 개발에 참여하신 분들

김효신 김현아 윤승남 최진영

교재 기획에 도움을 주신 분들

김기현 김미화 김태승 김하나 민승규 박찬경 송병민 이지혜 임기애 장성훈 한춘수

시험에 더 강해지는 고등영문법

#등급
#상승
#비법

Structures & Features 구성과 특징

개념 학습

문법 포인트 / 시험에 강해지는 포인트

핵심만 집어낸 문법 포인트

고등학생이 이해하기 적절한 단위로 문법 포인트를 제시하여 빠르고 효율적으로 문법 개념을 학습할 수 있습니다.

간결한 문법 설명과 이해하기 쉬운 예문

꼭 알아야 하는 내용만 간결하게 설명하고, 해당 문법이 명확하게 드러난 예문을 제시하여 이해를 돕습니다.

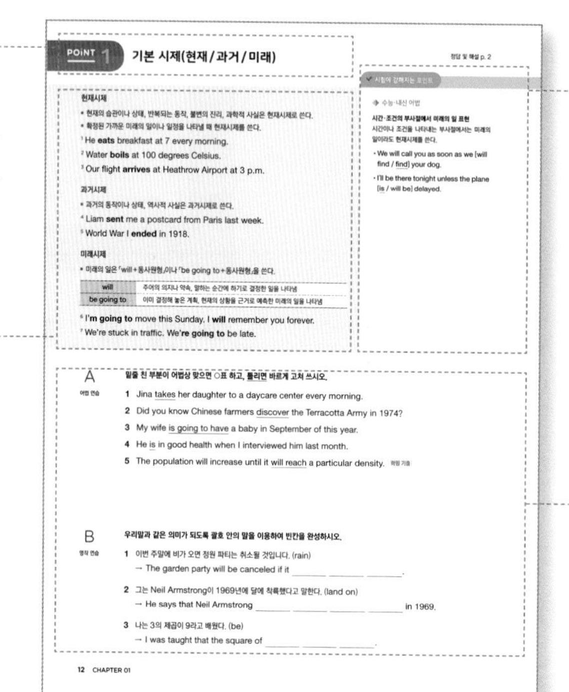

고득점을 위한 시험에 강해지는 포인트

수능과 학교 내신·서술형 시험에 대비하기 위해 꼭 알아야 하는 어법, 서술형 빈출 포인트를 제시하여 고득점을 위한 시험 대비를 가능하게 해줍니다.

문법 확인 연습 문제

문법 이해도를 확인하고 수능과 내신 시험에 바로 적용 가능한 연습 문제를 어법과 영작 두 가지 유형으로 제시합니다.

실력 확인

문제로 Review

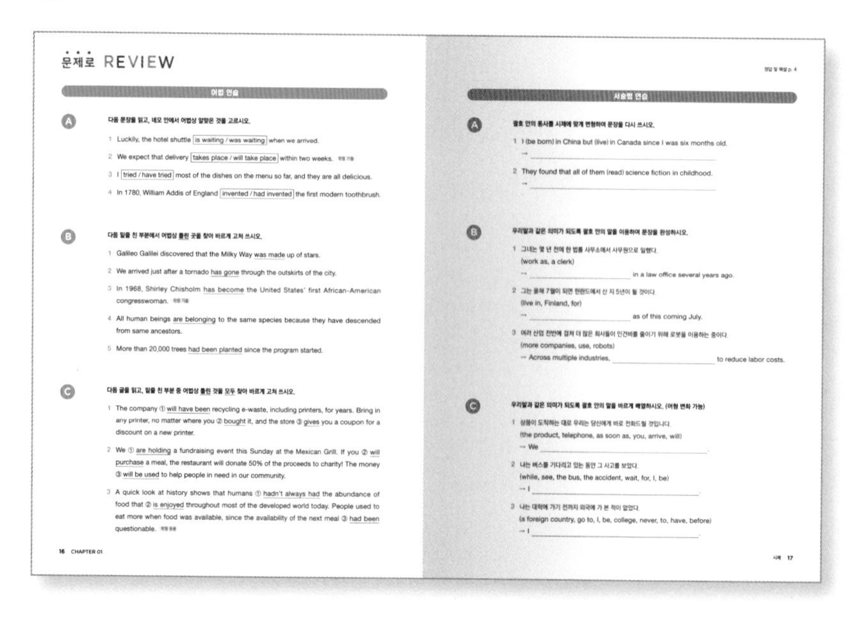

전체 이해도 확인을 위한 통합 REVIEW

문법 포인트별 문제가 아닌, 단원 전체의 종합적인 이해도를 확인할 수 있는 문제를 어법형과 서술형으로 나누어서 제시합니다.

실전 대비

실전 모의고사

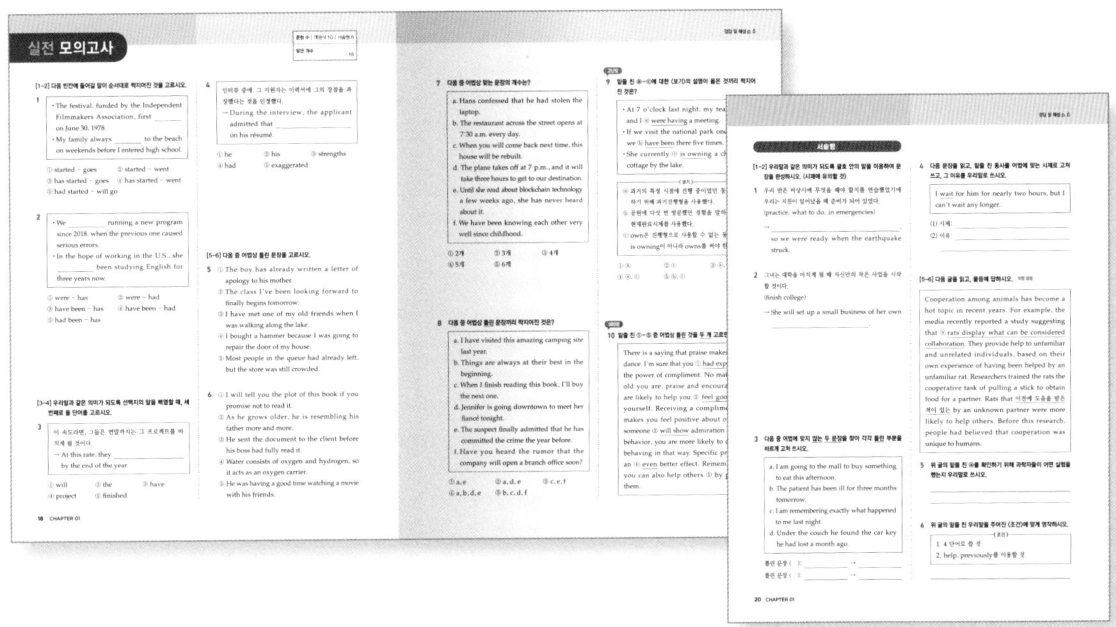

내신 기출 유형 문제로 시험 대비

실제 고등학교 시험에서 공통으로 출제되는 어법, 고난도, 서술형 문제로 구성된
실전 모의고사를 통해 각 단원에서 학습한 내용을 총정리하고 학교 시험도 대비할 수 있습니다.

서술형 집중 훈련 워크북 제공

실제 고등학교 시험에 자주 출제되는 유형의 서술형 문제로 구성된 워크북을 제공하여 본 책에서 배운 내신 빈출 서술형 구문 54개를 집중 훈련할 수 있습니다.
서술형 워크북으로 내신 만점 도전이 가능합니다.

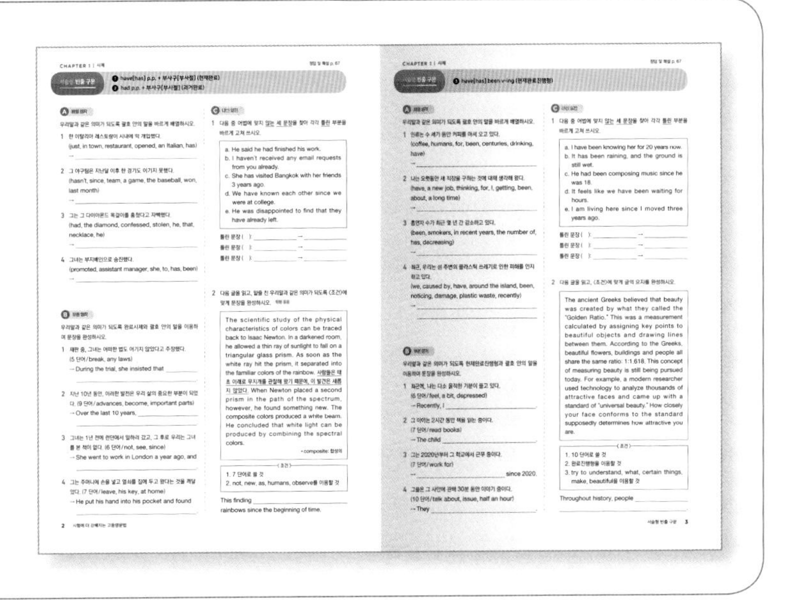

Contents 목차

CHAPTER 01 시제

CHAPTER 02 수동태

CHAPTER 03 to부정사/동명사

CHAPTER 04 분사

CHAPTER 05 접속사/전치사

CHAPTER 06 관계사

CHAPTER 07 명사/관사/대명사

CHAPTER 08 형용사/부사/비교

CHAPTER 09 조동사

CHAPTER 10 가정법

CHAPTER 11 일치/화법

CHAPTER 12 주의할 구문

■ 별책 | 서술형 집중 훈련 WORKBOOK

Sentence Structures 문장의 구조와 형식

1 문장의 구성

주부와 술부

Artificial intelligence will contribute to changing our lives.
(Artificial intelligence: 주부 / will contribute to changing our lives.: 술부)

주부(Subject) 문장의 주체가 되는 부분으로 '~은/는, ~이/가'로 해석된다. 주부의 중심은 주어이다.
술부(Predicate) 주부를 설명하는 부분으로 '~하다, ~이다'로 해석된다. 술부의 중심은 동사이다.

B

문장 성분

Today, the weather center advised the islands to be alert for a tsunami.
(Today,: M / the weather center: S / advised: V / the islands: O / to be alert for a tsunami.: OC)

주어 (Subject)
동작이나 상태의 주체가 되는 말로 '~은/는/이/가'로 해석된다.
주어가 될 수 있는 어구: 명사, 대명사, 동명사, to부정사, 명사절

동사 (Verb)
주어의 동작이나 상태를 설명하는 말로 '~하다, ~이다'로 해석된다. 동사에 따라 뒤에 목적어와 보어가 온다.
동사가 될 수 있는 어구: 동사, 조동사+동사, 구동사

목적어 (Object)
동사의 동작이 미치는 대상을 나타내며, '~을/를'로 해석된다. give와 같은 수여동사가 쓰이면 간접목적어와 직접목적어 두 개의 목적어가 온다.
목적어가 될 수 있는 어구: 명사, 대명사, 동명사, to부정사, 명사절

보어 (Complement)
주어나 목적어를 보충 설명하는 말로 주격보어와 목적격보어가 있다. 목적어와 목적격보어는 의미상 주어와 술어의 관계로 '~이 …하다'로 해석된다.
보어가 될 수 있는 어구: 명사, 대명사, 형용사, to부정사, 원형부정사, 동명사, 분사, 전치사구

수식어 (Modifier)
다른 문장 성분을 꾸며주는 말로 명사를 수식하는 형용사적 수식어구와 동사, 형용사, 다른 부사, 문장 전체를 수식하는 부사적 수식어구가 있다.
수식어가 될 수 있는 어구: 형용사(구), 부사(구)

2 구와 절

A 구

두 개 이상의 단어가 하나의 품사 역할을 하는 것

명사구 문장에서 주어, 목적어, 보어 역할을 하며 '~하는 것'으로 해석된다.

To know everything is to know nothing. (주어/보어)
My bad habit is staying up late at night. (보어)

형용사구 명사를 수식하거나 보어 역할을 하며, '~하는'으로 해석된다.

Look at the mountain covered with snow. (명사 수식)
She has the ability to do the job. (명사 수식)
He found the roller coaster extremely thrilling. (목적격보어)

부사구 문장에서 동사, 형용사, 다른 부사 또는 문장 전체를 수식한다.

She went to the market to buy some fruit. (동사 수식)
Judging from his report, the problem seems to be serious. (문장 전체 수식)

B 절

주어와 동사를 포함하며 하나의 품사 역할을 하는 것

명사절 문장에서 주어, 목적어, 보어 역할을 하는 종속절로 '~하는 것'으로 해석된다.

We learned that the Earth rotates. (목적어)
What matters is whether they are alive. (보어)

형용사절 (대)명사를 꾸며 주는 역할을 하는 관계사절로 '~하는'으로 해석된다.

The player who defeated his competitor jumped with joy. (명사 수식)
That's the time when I feel the most natural and the happiest. (명사 수식)

부사절 시간, 조건, 양보, 이유 등을 나타내는 접속사가 이끄는 부사절로 문장에서 부사 역할을 한다.

We have known each other since we were in elementary school. (시간)
If you help me with the project, I'll take you out to dinner. (조건)

3 문장의 형식

문장의 형식과 동사

동사에 따라 보어나 목적어의 필요 유무가 결정되며 문장의 형식이 나뉜다.

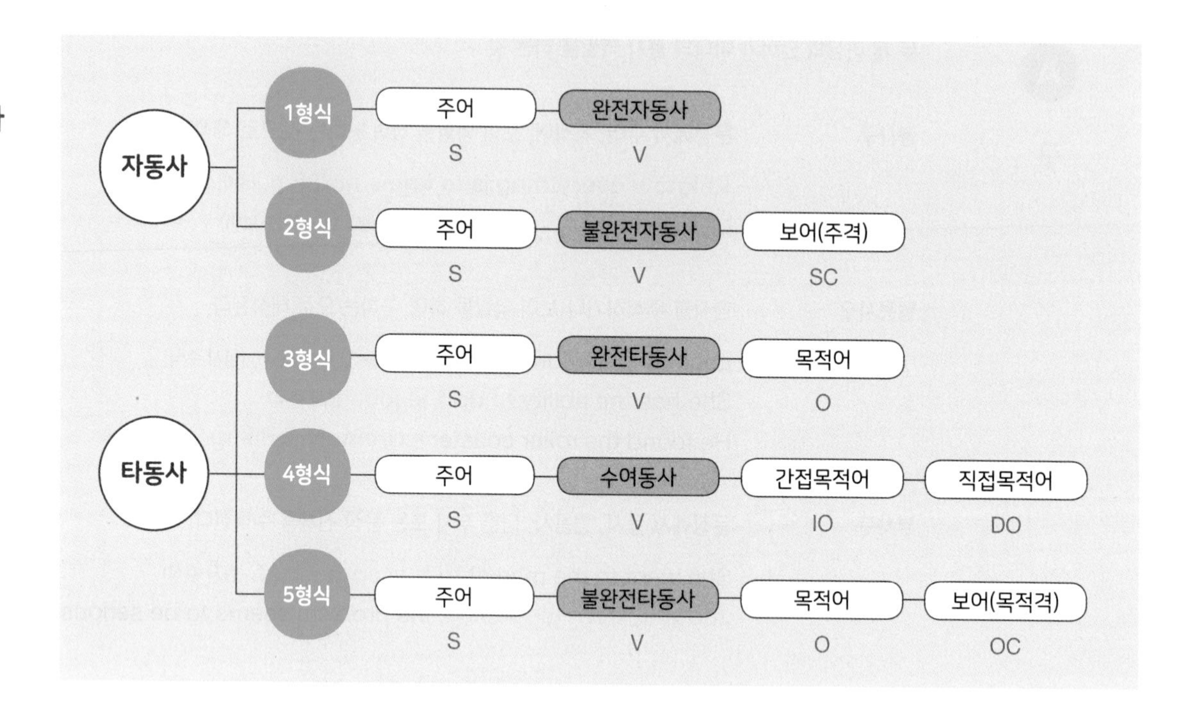

B

문장의 5형식

1형식 SV 주어+동사 (+수식어)

주어와 동사만으로 완전한 문장이 성립되는 문장 형식이다. 수식어(구)가 함께 오기도 한다.

The opening ceremony begins at nine o'clock.
(The opening ceremony: S, begins: V)

대표 동사 go, come, stay, remain, appear, disappear, happen, occur 등

2형식 SVC 주어+동사+주격보어

동사 뒤에 주어를 보충 설명하는 주격보어가 필요한 문장 형식이다. 주격보어로는 명사나 형용사가 온다.

The kids playing on the jungle gym look so happy.
(The kids: S, look: V, happy: C)

대표 동사
- 상태, 변화를 나타내는 동사: be, keep, remain, stay, become, get, grow, turn, go 등
- 감각동사: look(seem, appear), feel, taste, smell, sound 등

3형식 SVO　주어+동사+목적어

동사 뒤에 행위의 대상이 되는 목적어가 필요한 문장 형식이다. 목적어로는 명사, 대명사, to부정사, 동명사, 명사절 등이 온다.

All the members greeted me with big smiles.
S　V　O

I hope to visit the Louvre Museum someday.
S　V　O

대표 동사
- 동명사를 목적어로 취하는 동사: enjoy, finish, stop, mind, deny, put off, avoid 등
- to부정사를 목적어로 취하는 동사: want, hope, expect, decide, plan, agree, promise 등
- 자동사로 착각하기 쉬운 타동사: enter, attend, resemble, answer, attend, discuss, approach, survive 등

4형식 SVOO　주어+동사+간접목적어+직접목적어

동사 뒤에 간접목적어와 직접목적어 두 개의 목적어가 차례로 오는 문장 형식이다

cf. 4형식 문장은 간접목적어와 직접목적어의 순서를 바꾸어 3형식 문장으로 바꿔 쓸 수 있다. 이때 간접목적어 앞에 전치사 to, for, of를 쓴다.

Angela showed me her portrait. → Angela showed her portrait **to** me. (3형식)
S　V　IO　DO　　S　V　DO　IO

대표 동사
- 3형식 전환시 to를 쓰는 동사: give, send, show, write, read 등
- 3형식 전환시 for를 쓰는 동사: make, buy, cook, get 등
- 3형식 전환시 of를 쓰는 동사: ask 등

5형식 SVOC　주어+동사+목적어+목적격보어

동사 뒤에 목적어와 목적어를 보충 설명하는 목적격보어가 오는 문장 형식이다. 목적격보어로는 동사에 따라 명사, 형용사, 분사, to부정사, 원형부정사 등이 온다.

Judy named her cat Mona Lisa.
S　V　O　OC

His text message made me upset.
S　V　O　OC

My parents want me to be a professional golfer.
S　V　O　OC

대표 동사
- 목적격보어로 명사나 형용사를 쓰는 동사: make, keep, call, name, choose, elect, think, find, consider 등
- 목적격보어로 to부정사를 쓰는 동사: want, force, allow, cause, enable, tell, warn, persuade 등
- 목적격보어로 원형부정사를 쓰는 동사: 사역동사(make, have, let 등), 지각동사(hear, see, watch, feel 등)

CHAPTER

시제

- POINT 1 기본 시제 (현재 / 과거 / 미래)
- POINT 2 진행형 (현재 / 과거 / 미래)
- POINT 3 현재완료 / 과거완료
- POINT 4 미래완료 / 완료진행형

VISUAL GRAMMAR

기본 시제

현재	am[are/is] / 일반동사 -(e)s 현재의 상태나 습관, 사실
과거	was[were] / 일반동사 -(e)d 과거에 일어난 일, 사건
미래	will[be going to]+동사원형 의지, 앞으로 일어날 일

진행형

현재진행	am[are/is] v-ing 말하는 시점에 일어나고 있는 일
과거진행	was[were] v-ing 특정한 과거 시점에 일어나고 있던 일
미래진행	will be v-ing 특정한 미래 시점에 일어나고 있을 일

완료 시제

기준 시점 이전에 일어나서 계속되거나 완료된 이후에도 영향을 주고 있는 일

현재완료	have[has] p.p.
과거완료	had p.p.
미래완료	will have p.p.

완료진행형

이전 시점부터 계속되었으며 그 시점에도 계속 진행되고 있는 일

현재완료진행	have[has] been v-ing
과거완료진행	had been v-ing
미래완료진행	will have been v-ing

POINT 1 기본 시제(현재 / 과거 / 미래)

정답 및 해설 p. 2

현재시제

- 현재의 습관이나 상태, 반복되는 동작, 불변의 진리, 과학적 사실은 현재시제로 쓴다.
- 확정된 가까운 미래의 일이나 일정을 나타낼 때 현재시제를 쓴다.

1 He **eats** breakfast at 7 every morning.

2 Water **boils** at 100 degrees Celsius.

3 Our flight **arrives** at Heathrow Airport at 3 p.m.

과거시제

- 과거의 동작이나 상태, 역사적 사실은 과거시제로 쓴다.

4 Liam **sent** me a postcard from Paris last week.

5 World War I **ended** in 1918.

미래시제

- 미래의 일은 「will+동사원형」이나 「be going to+동사원형」을 쓴다.

will	주어의 의지나 약속, 말하는 순간에 하기로 결정한 일을 나타냄
be going to	이미 결정해 놓은 계획, 현재의 상황을 근거로 예측한 미래의 일을 나타냄

6 I'**m going to** move this Sunday. I **will** remember you forever.

7 We're stuck in traffic. We'**re going to** be late.

✔ 시험에 강해지는 포인트

◆ 수능·내신 어법

시간·조건의 부사절에서 미래의 일 표현
시간이나 조건을 나타내는 부사절에서는 미래의 일이라도 현재시제를 쓴다.

- We will call you as soon as we [will find / find] your dog.
- I'll be there tonight unless the plane [is / will be] delayed.

A

어법 연습

밑줄 친 부분이 어법상 맞으면 ○표 하고, 틀리면 바르게 고쳐 쓰시오.

1 Jina takes her daughter to a daycare center every morning.

2 Did you know Chinese farmers discover the Terracotta Army in 1974?

3 My wife is going to have a baby in September of this year.

4 He is in good health when I interviewed him last month.

5 The population will increase until it will reach a particular density. 학평 기출

B

영작 연습

우리말과 같은 의미가 되도록 괄호 안의 말을 이용하여 빈칸을 완성하시오.

1 이번 주말에 비가 오면 정원 파티는 취소될 것입니다. (rain)
→ The garden party will be canceled if it ________ ________ ________.

2 그는 Neil Armstrong이 1969년에 달에 착륙했다고 말한다. (land on)
→ He says that Neil Armstrong ________ ________ ________ ________ in 1969.

3 나는 3의 제곱이 9라고 배웠다. (be)
→ I was taught that the square of ________ ________ ________.

POINT 2 진행형(현재 / 과거 / 미래)

정답 및 해설 p. 2

현재진행형: am[are/is] v-ing

- 말하는 시점에 진행되고 있는 일시적인 동작을 나타낼 때 현재진행형을 쓴다.
- 확정된 가까운 미래의 일을 나타낼 때 현재진행형을 쓴다.

1 Olivia **is posting** some pictures on her blog.

2 I **am meeting** Steve for dinner tonight.

과거진행형: was[were] v-ing

- 과거의 특정 시점에 진행 중인 동작을 나타낼 때 과거진행형을 쓴다.

3 I **was waiting** for the bus when a man came over and greeted me.

4 Some students **were dozing** off while the teacher **was talking**.

미래진행형: will be v-ing

- 미래의 특정 시점에 진행 중일 일이나 미래의 예정된 일을 나타낼 때 미래진행형을 쓴다.

5 We **will be playing** board games next Saturday night.

6 The author **will be signing** books at the library at 5 p.m. tomorrow.

cf. 소유(have, belong, own, possess 등)나 상태(appear, seem, look(~해 보이다), resemble 등), 감정(like, hate, love, want 등), 인식(know, believe, remember, forget 등)을 나타내는 동사는 진행형으로 쓰지 않는다.

✔ 시험에 강해지는 포인트

◆ 수능·내신 어법

진행형으로 쓰지 않는 동사

소유, 상태, 감정, 인식을 나타내는 동사는 진행형으로 쓰지 않는다. 단, 다른 의미를 갖는 경우는 가능하다.

- I [have / am having] quite a lot to say. (가지다)
- I [was having / had] lunch when she called me. (먹다)

A

어법 연습

다음 문장을 읽고, 네모 안에서 어법상 알맞은 것을 고르시오.

1 We [are / will] visiting the Natural History Museum this weekend.

2 Cindy [is doing / was doing] her hair when she got a text from Jinsu.

3 My grandson Michael [resembles / is resembling] his father in appearance.

4 From next week, you will be [work / working] in the marketing department. 학평 기출

5 She said, "Your voice is not [blend / blending] in with the other girls." 학평 응용

B

영작 연습

우리말과 같은 의미가 되도록 괄호 안의 말을 이용하여 빈칸을 완성하시오. (진행형으로 쓸 것)

1 그들은 요즘 소득을 늘릴 방법을 찾고 있는 중이다. (look for ways)

→ They ________ ________ ________ ________ to increase their income these days.

2 전기가 나갔을 때 나는 샤워를 하는 중이었다. (take a shower)

→ I ________ ________ ________ ________ when the electricity went out.

3 내일 이 시간에 우리는 발표 준비를 하고 있는 중일 것이다. (prepare for)

→ At this time tomorrow, we ________ ________ ________ ________ the presentation.

POINT 3 현재완료 / 과거완료

정답 및 해설 p. 3

현재완료: have[has] p.p.

- 과거에 일어난 동작이나 상태가 현재와 연관이 있거나 영향을 미칠 때 현재완료를 쓴다.

용법	완료	경험	계속	결과
해석	막[이미/아직] ~ 했다	~한 적이 있다	계속 ~해 왔다	결국 ~했다

1 He **has** just **returned** from the medical conference. (완료)
2 **Have** you ever **seen** an eclipse of the sun? (경험)
3 She **has worked** as a fashion designer for 20 years. (계속)
4 One of our members **has left** his passport in the hotel. (결과)

cf. 현재와는 무관한 과거의 사실만을 말할 때는 과거시제로 쓴다.

5 One of our members **left** his passport in the hotel *last summer*.

과거완료: had p.p.

- 과거의 특정 시점까지의 완료, 경험, 계속, 결과를 나타낼 때 과거완료를 쓴다.
- 과거보다 앞서 일어난 일인 대과거를 나타낼 때 과거완료를 쓴다.

6 The bus **had** already **left** when we reached the terminal. (완료)
7 I lost the book that I **had borrowed** the day before. (대과거)

✔ 시험에 강해지는 포인트

◆ 수능·내신 어법

명확한 과거를 나타내는 부사(구)와 현재완료
ago, last ~ 등과 같이 과거의 특정 시점을 나타내는 부사(구)는 현재를 나타내는 현재완료시제와 함께 쓰지 않는다.

- The train [left / has left] *a few minutes ago*.

◆ 서술형 빈출 구문

❶ **have[has] p.p. + 부사구[부사절]**
❷ **had p.p. + 부사구[부사절]**
부사구[부사절]와 함께 쓰인 현재완료, 과거완료 시제의 문장을 바르게 쓸 수 있는지 묻는 문제가 출제된다.

- 그는 18세 이후 모델로 일해 왔다.
→ He **has worked** as a model **since** the age of 18.
- 내가 극장에 도착했을 때 영화는 이미 시작했다.
→ The movie **had** already **started** **when** I **arrived** at the theater.

A 어법 연습

밑줄 친 부분이 어법상 맞으면 ○표 하고, 틀리면 바르게 고쳐 쓰시오.

1 I forgot to repay him the money he has lent me the day before.
2 They raised the little boy since his parents left shortly after his birth.
3 David has come back to England last week after finishing his military service.
4 Throughout time, communities have forged their identities through dance rituals. 학평 응용
5 She continued to paint but never recaptured the fame she has enjoyed before. 학평 응용

B 영작 연습

우리말과 같은 의미가 되도록 괄호 안의 말을 이용하여 문장을 완성하시오.

1 그녀는 50살 이전에 외국에 가 본 적이 전혀 없었다. (never, be, abroad)
→ ______________________ before she was 50.

2 이 마을로 이사온 이후로 나는 도서관에서 일 해 왔다. (work, at the library)
→ ______________________ since I moved to this town.

3 2010년에 그들은 불우한 어린이들을 위한 재단을 설립했다. (establish, a foundation)
→ In 2010, ______________________ for poor children.

미래완료/완료진행형

정답 및 해설 p. 3

미래완료: will have p.p.

- 미래 어느 시점까지의 동작이나 상태의 완료, 경험, 계속, 결과를 나타낼 때 미래완료를 쓴다.
- 미래완료는 by, next ~, tomorrow나 조건절과 자주 쓰인다.

1 She **will have done** yoga for 10 years next month. (계속)

2 I **will have seen** the movie five times if I see it again. (경험)

완료진행형

- 이전 시점에 일어난 동작이 계속될 때 완료진행형을 쓴다.

현재완료진행형	have[has] been v-ing	(과거부터 현재까지) 계속 진행 중이다
과거완료진행형	had been v-ing	(과거의 한 시점까지) 계속 진행 중이었다
미래완료진행형	will have been v-ing	(미래의 특정 시점에도) 계속 진행 중일 것이다

3 They **have been working** on the project since last month.

4 Oliver and his brother **had been playing** computer games when their parents came home.

5 Prof. Smith **will have been teaching** physics for 20 years next month.

✔ 시험에 강해지는 포인트

◆ 서술형 빈출 구문

❸ **have[has] been v-ing**

현재완료진행형 문장을 바르게 쓸 수 있는지 묻는 문제가 출제된다.

- Ann은 3시간째 만화책을 읽고 있는 중이다.
  → Ann **has been reading** comic books for 3 hours.

A

어법 연습

다음 문장을 읽고, 네모 안에서 어법상 알맞은 것을 고르시오.

1 I know you [have / had] been having a hard time since you met him again. 수능 응용

2 Jeremy and his wife will [live / have lived] in Seoul for 10 years next year.

3 Call me after 8 o'clock. We will [be / have] finished dinner by then.

4 They will [be / have been] watching TV for 3 hours when the program ends.

5 I realized he [has / had] been trying to contact me since I had left the airport.

B

영작 연습

우리말과 같은 의미가 되도록 괄호 안의 말을 바르게 배열하시오. (어형 변화 가능)

1 내일 저녁이면 그 호수의 얼음은 녹아 있을 것이다. (will, melt, have, tomorrow evening, by)
→ The ice on the lake ______________________.

2 그녀는 5시간째 계속 서 있어서 다리가 아프기 시작했다. (she, for, stand, had, be, 5 hours)
→ ______________________, so her legs started to hurt.

3 우리는 오전 6시 이후로 계속 등산을 하고 있다. (be, since, we, the mountain, climb, have, 6 a.m.)
→ ______________________

문제로 REVIEW

어법 연습

다음 문장을 읽고, 네모 안에서 어법상 알맞은 것을 고르시오.

1 Luckily, the hotel shuttle [is waiting / was waiting] when we arrived.

2 We expect that delivery [takes place / will take place] within two weeks. 학평 기출

3 I [tried / have tried] most of the dishes on the menu so far, and they are all delicious.

4 In 1780, William Addis of England [invented / had invented] the first modern toothbrush.

B

다음 밑줄 친 부분에서 어법상 틀린 곳을 찾아 바르게 고쳐 쓰시오.

1 Galileo Galilei discovered that the Milky Way was made up of stars.

2 We arrived just after a tornado has gone through the outskirts of the city.

3 In 1968, Shirley Chisholm has become the United States' first African-American congresswoman. 학평 기출

4 All human beings are belonging to the same species because they have descended from same ancestors.

5 More than 20,000 trees had been planted since the program started.

C

다음 글을 읽고, 밑줄 친 부분 중 어법상 틀린 것을 모두 찾아 바르게 고쳐 쓰시오.

1 The company ① will have been recycling e-waste, including printers, for years. Bring in any printer, no matter where you ② bought it, and the store ③ gives you a coupon for a discount on a new printer.

2 We ① are holding a fundraising event this Sunday at the Mexican Grill. If you ② will purchase a meal, the restaurant will donate 50% of the proceeds to charity! The money ③ will be used to help people in need in our community.

3 A quick look at history shows that humans ① hadn't always had the abundance of food that ② is enjoyed throughout most of the developed world today. People used to eat more when food was available, since the availability of the next meal ③ had been questionable. 학평 응용

서술형 연습

A **괄호 안의 동사를 시제에 맞게 변형하여 문장을 다시 쓰시오.**

1 I (be born) in China but (live) in Canada since I was six months old.
→ ______________________________

2 They found that all of them (read) science fiction in childhood.
→ ______________________________

B **우리말과 같은 의미가 되도록 괄호 안의 말을 이용하여 문장을 완성하시오.**

1 그녀는 몇 년 전에 한 법률 사무소에서 사무원으로 일했다.
(work as, a clerk)
→ ____________________ in a law office several years ago.

2 그는 올해 7월이 되면 핀란드에서 산 지 5년이 될 것이다.
(live in, Finland, for)
→ ____________________ as of this coming July.

3 여러 산업 전반에 걸쳐 더 많은 회사들이 인건비를 줄이기 위해 로봇을 이용하는 중이다.
(more companies, use, robots)
→ Across multiple industries, ____________________ to reduce labor costs.

C **우리말과 같은 의미가 되도록 괄호 안의 말을 바르게 배열하시오. (어형 변화 가능)**

1 상품이 도착하는 대로 우리는 당신에게 바로 전화드릴 것입니다.
(the product, telephone, as soon as, you, arrive, will)
→ We ______________________________.

2 나는 버스를 기다리고 있는 동안 그 사고를 보았다.
(while, see, the bus, the accident, wait, for, I, be)
→ I ______________________________.

3 나는 대학에 가기 전까지 외국에 가 본 적이 없었다.
(a foreign country, go to, I, be, college, never, to, have, before)
→ I ______________________________.

실전 모의고사

문항 수 | 객관식 10 / 서술형 6
맞은 개수 / 16

[1-2] 다음 빈칸에 들어갈 말이 순서대로 짝지어진 것을 고르시오.

1

- The festival, funded by the Independent Filmmakers Association, first ________ on June 30, 1978.
- My family always ________ to the beach on weekends before I entered high school.

① started – goes ② started – went
③ has started – goes ④ has started – went
⑤ had started – will go

2

- We ________ running a new program since 2018, when the previous one caused serious errors.
- In the hope of working in the U.S., she ________ been studying English for three years now.

① were – has ② were – had
③ have been – has ④ have been – had
⑤ had been – has

[3-4] 우리말과 같은 의미가 되도록 선택지의 말을 배열할 때, 세 번째로 올 단어를 고르시오.

3

이 속도라면, 그들은 연말까지는 그 프로젝트를 마치게 될 것이다.
→ At this rate, they ________________ by the end of the year.

① will ② the ③ have
④ project ⑤ finished

4

인터뷰 중에, 그 지원자는 이력서에 그의 장점을 과장했다는 것을 인정했다.
→ During the interview, the applicant admitted that ________________ on his résumé.

① he ② his ③ strengths
④ had ⑤ exaggerated

[5-6] 다음 중 어법상 틀린 문장을 고르시오.

5
① The boy has already written a letter of apology to his mother.
② The class I've been looking forward to finally begins tomorrow.
③ I have met one of my old friends when I was walking along the lake.
④ I bought a hammer because I was going to repair the door of my house.
⑤ Most people in the queue had already left, but the store was still crowded.

6
① I will tell you the plot of this book if you promise not to read it.
② As he grows older, he is resembling his father more and more.
③ He sent the document to the client before his boss had fully read it.
④ Water consists of oxygen and hydrogen, so it acts as an oxygen carrier.
⑤ He was having a good time watching a movie with his friends.

7 다음 중 어법상 맞는 문장의 개수는?

a. Hans confessed that he had stolen the laptop.
b. The restaurant across the street opens at 7:30 a.m. every day.
c. When you will come back next time, this house will be rebuilt.
d. The plane takes off at 7 p.m., and it will take three hours to get to our destination.
e. Until she read about blockchain technology a few weeks ago, she has never heard about it.
f. We have been knowing each other very well since childhood.

① 2개 ② 3개 ③ 4개
④ 5개 ⑤ 6개

고난도

9 밑줄 친 ⓐ~ⓒ에 대한 〈보기〉의 설명이 옳은 것끼리 짝지어진 것은?

• At 7 o'clock last night, my teammates and I ⓐ were having a meeting.
• If we visit the national park once more, we ⓑ have been there five times.
• She currently ⓒ is owning a charming cottage by the lake.

〈보기〉
ⓐ 과거의 특정 시점에 진행 중이었던 동작을 묘사하기 위해 과거진행형을 사용했다.
ⓑ 공원에 다섯 번 방문했던 경험을 말하기 위해서 현재완료시제를 사용했다.
ⓒ own은 진행형으로 사용할 수 없는 동사이므로, is owning이 아니라 owns를 써야 한다.

① ⓐ ② ⓒ ③ ⓐ, ⓑ
④ ⓐ, ⓒ ⑤ ⓑ, ⓒ

8 다음 중 어법상 틀린 문장끼리 짝지어진 것은?

a. I have visited this amazing camping site last year.
b. Things are always at their best in the beginning.
c. When I finish reading this book, I'll buy the next one.
d. Jennifer is going downtown to meet her fiancé tonight.
e. The suspect finally admitted that he has committed the crime the year before.
f. Have you heard the rumor that the company will open a branch office soon?

① a, e ② a, d, e ③ c, e, f
④ a, b, d, e ⑤ b, c, d, f

10 밑줄 친 ①~⑤ 중 어법상 틀린 것을 두 개 고르면?

There is a saying that praise makes whales dance. I'm sure that you ① had experienced the power of compliment. No matter how old you are, praise and encouragement are likely to help you ② feel good about yourself. Receiving a compliment also makes you feel positive about others. If someone ③ will show admiration for your behavior, you are more likely to continue behaving in that way. Specific praise has an ④ even better effect. Remember that you can also help others ⑤ by praising them.

서술형

[1-2] 우리말과 같은 의미가 되도록 괄호 안의 말을 이용하여 문장을 완성하시오. (시제에 유의할 것)

1 우리 반은 비상시에 무엇을 해야 할지를 연습했었기에 우리는 지진이 일어났을 때 준비가 되어 있었다.
(practice, what to do, in emergencies)

→ ____________________, so we were ready when the earthquake struck.

2 그녀는 대학을 마치게 될 때 자신만의 작은 사업을 시작할 것이다.
(finish college)

→ She will set up a small business of her own ____________________.

3 다음 중 어법에 맞지 않는 두 문장을 찾아 각각 틀린 부분을 바르게 고쳐 쓰시오.

a. I am going to the mall to buy something to eat this afternoon.
b. The patient has been ill for three months tomorrow.
c. I am remembering exactly what happened to me last night.
d. Under the couch he found the car key he had lost a month ago.

틀린 문장 ( ): __________ → __________
틀린 문장 ( ): __________ → __________

4 다음 문장을 읽고, 밑줄 친 동사를 어법에 맞는 시제로 고쳐 쓰고, 그 이유를 우리말로 쓰시오.

I wait for him for nearly two hours, but I can't wait any longer.

(1) 시제: ____________________
(2) 이유: ____________________
____

[5-6] 다음 글을 읽고, 물음에 답하시오. 학평 응용

Cooperation among animals has become a hot topic in recent years. For example, the media recently reported a study suggesting that ⓐ rats display what can be considered collaboration. They provide help to unfamiliar and unrelated individuals, based on their own experience of having been helped by an unfamiliar rat. Researchers trained the rats the cooperative task of pulling a stick to obtain food for a partner. Rats that 이전에 도움을 받은 적이 있는 by an unknown partner were more likely to help others. Before this research, people had believed that cooperation was unique to humans.

5 위 글의 밑줄 친 ⓐ를 확인하기 위해 과학자들이 어떤 실험을 했는지 우리말로 쓰시오.

____
____

6 위 글의 밑줄 친 우리말을 주어진 〈조건〉에 맞게 영작하시오.

〈조건〉
1. 4 단어로 쓸 것
2. help, previously를 이용할 것

____

CHAPTER

수동태

- **POINT 1** 수동태의 개념
- **POINT 2** 4형식 수동태/5형식 수동태
- **POINT 3** 수동태의 다양한 형태
- **POINT 4** 주의해야 할 수동태

VISUAL GRAMMAR

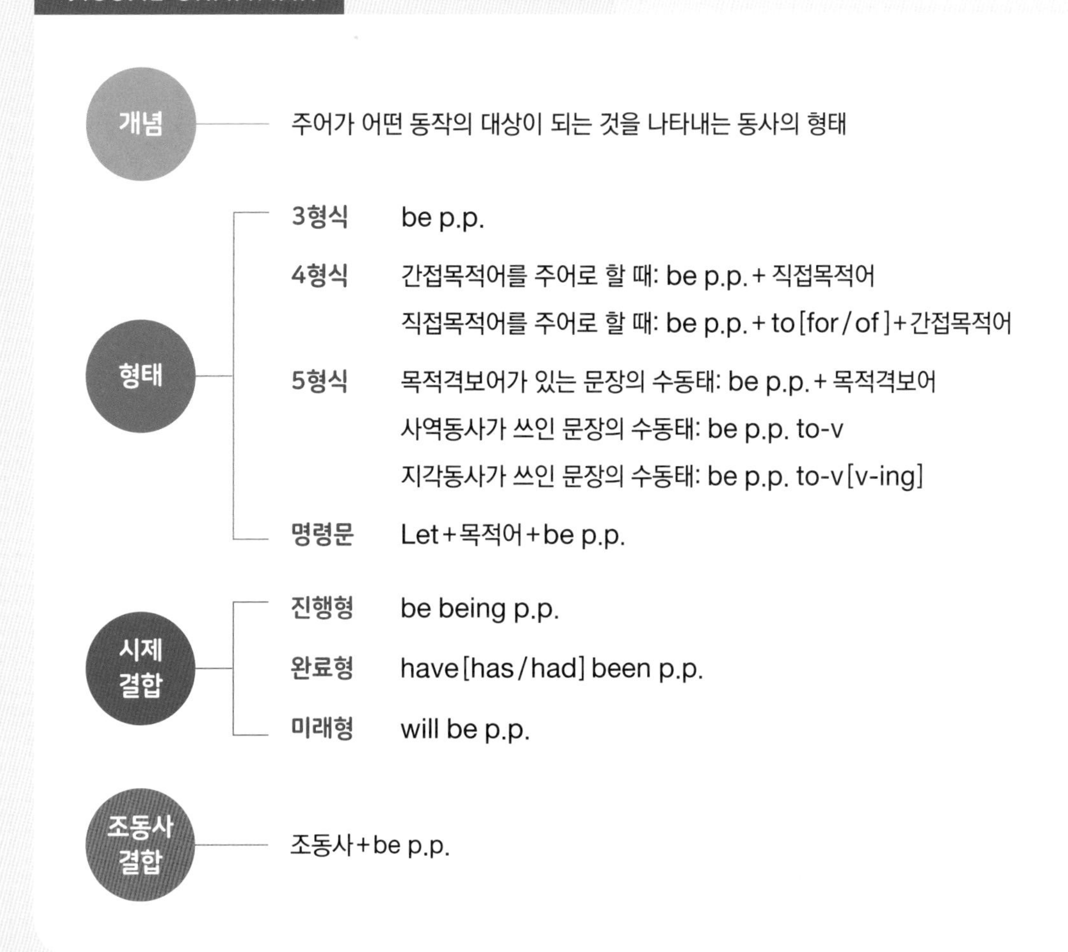

개념
주어가 어떤 동작의 대상이 되는 것을 나타내는 동사의 형태
형태
3형식 be p.p.
4형식 간접목적어를 주어로 할 때: be p.p. + 직접목적어
직접목적어를 주어로 할 때: be p.p. + to [for / of] + 간접목적어
5형식 목적격보어가 있는 문장의 수동태: be p.p. + 목적격보어
사역동사가 쓰인 문장의 수동태: be p.p. to-v
지각동사가 쓰인 문장의 수동태: be p.p. to-v [v-ing]
명령문 Let + 목적어 + be p.p.
시제 결합
진행형 be being p.p.
완료형 have [has / had] been p.p.
미래형 will be p.p.
조동사 결합
조동사 + be p.p.

POINT 1 수동태의 개념

정답 및 해설 p. 7

수동태의 개념과 형태

- 주어가 어떤 동작의 대상이 될 때 동사는 「be p.p.」 형태가 되며, 이를 수동태라 한다.
- 능동태 문장의 목적어가 수동태 문장의 주어가 된다.
- 행위자는 보통 생략되나, 행위자를 나타낼 필요가 있을 때에는 「by+목적격」으로 쓴다.

1 International Women's Day **is celebrated** in March.
← We celebrate International Women's Day in March.

2 The advertisement **was produced** *by a movie director*.
← A movie director produced the advertisement.

3 The robbers **were sent** to prison for 20 years.
← They sent the robbers to prison for 20 years.

cf. 목적어를 취하지 않는 자동사와 소유나 상태를 나타내는 일부 타동사는 수동태로 쓰지 않는다.

자동사	arrive, appear, disappear, happen, belong 등
일부 타동사	have(가지다), resemble, lack, fit, suit 등

4 The accident **happened**[~~was happened~~] as the ice melted.

5 I don't think this black coat really **suits**[~~is suited~~] me.

✔ 시험에 강해지는 포인트

◆ 수능·내신 어법

능동태 vs. 수동태
주어가 행위를 하는 주체이면 능동태, 행위를 받는 대상이면 수동태를 쓴다.

- Luckily, nobody [wounded / was wounded] in the explosion.

◆ 서술형 빈출 구문

❹ be p.p. (by+목적격)
수동태의 형태와 행위자를 바르게 쓸 수 있는지 묻는 문제가 출제된다.

- 이 물건들은 장인에 의해 만들어졌다.
→ These items **were made by** a master craftsman.

A 어법 연습

밑줄 친 부분이 어법상 맞으면 ○표 하고, 틀리면 바르게 고쳐 쓰시오.

1 An early voice communication device invented around 1854 by Antonio Meucci.

2 No outside food, beverages, or coolers are allowed inside the facility.

3 Her nervousness was disappeared when she saw her family in the crowd.

4 The actor's manager interviewed about his release from the army.

5 Most overeating is prompted by feelings rather than physical hunger. 모평 기출

B 영작 연습

우리말과 같은 의미가 되도록 괄호 안의 말을 이용하여 문장을 완성하시오.

1 5명의 결선 진출자들은 온라인 투표로 선발되었다. (choose)
→ The five finalists ______________________ by an online vote.

2 Olivia는 그녀의 엄마와 외모는 닮았지만, 성격은 안 닮았다. (resemble, mother)
→ Olivia ______________________ in appearance but not personality.

3 관광객들도 소금 광산 안에서는 안전 장비 착용이 요구된다. (require)
→ Even visitors ______________________ to wear safety gear in the salt mine.

POINT 2

4형식 수동태 / 5형식 수동태

정답 및 해설 p. 7

✔ 시험에 강해지는 포인트

4형식 문장의 수동태

- 4형식 문장은 간접목적어 또는 직접목적어를 주어로 하는 2개의 수동태가 가능하다.
- 직접목적어를 주어로 하는 수동태에서는 간접목적어 앞에 전치사 to나 for를 쓴다.

to를 쓰는 동사	give, send, tell, show, lend, teach, write, bring 등
for를 쓰는 동사	make, buy, build, find, cook 등

1 The coach **gave** him some advice.
→ He **was given** some advice by the coach.
→ Some advice **was given to** him by the coach.

5형식 문장의 수동태

- 5형식 문장의 목적어는 주어가 되고 목적격보어는 「be p.p.」 뒤에 쓴다.
- 사역동사/지각동사의 목적격보어로 쓰인 동사원형은 수동태에서 to부정사로 쓴다.
지각동사의 목적격보어가 현재분사인 경우에는 그대로 쓴다.

2 The students **elected** Eric student union president.
→ Eric **was elected** student union president by the students.

3 The bus driver **made** the passenger **wear** a mask.
→ The passenger **was made to wear** a mask by the bus driver.

4 The police **saw** Mia **walking** her dog.
→ Mia **was seen walking** her dog by the police.

◆ 서술형 빈출 구문

❺ **be p.p. to-v**
❻ **be p.p. to-v[v-ing]**
사역동사나 지각동사의 수동태 문장을 바르게 쓸 수 있는지 묻는 문제가 출제된다.

- Some people **heard** them **whisper** during the movie.
→ They **were heard to whisper** during the movie by some people.

A
어법 연습

밑줄 친 부분이 어법상 맞으면 ○표 하고, 틀리면 바르게 고쳐 쓰시오.

1 This video was made to children who are scared of going to the dentist.

2 The Declaration of Independence was read the public on the 4th of July.

3 People with obesity are advised to follow a healthy diet by doctors.

4 The toaster has a one-year warranty, so a new one will be given you by the dealer. 학평 응용

5 He was seen enter the hall about the time the opening ceremony began.

B
영작 연습

주어진 문장과 같은 의미가 되도록 문장을 완성하시오. (수동태로 쓸 것)

1 They sent the applicants letters of acceptance by mail.
→ Letters of acceptance ______________________ the applicants by mail.

2 The manager made the staff members gather around.
→ The staff members ______________________ by the manager.

3 They heard him shouting, "We want freedom of speech!"
→ He ______________________, "We want freedom of speech!"

POINT 3 수동태의 다양한 형태

정답 및 해설 p. 8

진행형/완료형/조동사가 포함된 수동태

- 진행형 수동태는 「be being p.p.」 형태로 쓴다.
- 완료형 수동태는 「have[has/had] been p.p.」 형태로 쓴다.
- 조동사가 포함된 수동태는 「조동사+be p.p.」 형태로 쓴다.

1 Many animals **are being used** to test cosmetic products.

2 The breaking news **has been broadcast** around the globe.

3 Coffee stains **can be removed** with a wet tissue.

by 이외의 전치사를 쓰는 수동태

- 수동태의 행위자는 보통 「by+목적격」으로 나타내지만, by 이외의 전치사를 쓰는 경우도 있다.

• be covered with: ~으로 덮여 있다	• be filled with: ~으로 가득 차다
• be surprised at[by]: ~에 놀라다	• be interested in: ~에 관심이 있다
• be composed of: ~으로 구성되다	• be satisfied with: ~에 만족하다
• be worried about: ~에 대해 걱정하다	• be tired of: ~에 싫증 나다

4 The square **was filled with** people celebrating the New Year.

5 Students **are tired of** the same lunch menu at the cafeteria.

✔ 시험에 강해지는 포인트

◆ 서술형 빈출 구문

❼ **be being p.p.**

❽ **have[has/had] been p.p.**

진행형과 완료형 수동태의 형태를 바르게 쓸 수 있는지 묻는 문제가 출제된다.

• They are crushing grapes to make wine.

→ Grapes **are being crushed** to make wine (by them).

A

어법 연습

밑줄 친 부분이 어법상 맞으면 ○표, 틀리면 바르게 고쳐 쓰시오.

1 Fire extinguishers should place near every entrance and exit.

2 Mr. Peterson was satisfied about his meditation session at the temple.

3 Staple crops such as maize are not being produced in sufficient amounts. 수능 응용

4 For two months now, she had being absorbed in studying birds and insects. 모평 응용

5 The flu vaccine is being deliver to each local health center at this moment.

B

영작 연습

우리말과 같은 의미가 되도록 괄호 안의 말을 이용하여 문장을 완성하시오. (수동태로 쓸 것)

1 새 시스템이 경제적 이익을 측정하기 위해 개발될 것이다. (will, develop)

→ A new system ________________ to measure economic benefits.

2 지금 막 트로피가 무대 위 우승자에게 수여되고 있는 중이다. (award)

→ The trophy ________________ to the winner on the stage right now.

3 개봉 이후에 그 영화는 천만 명이 넘는 사람들에 의해 관람되어 왔다. (watch)

→ The movie ________________ by over 10 million people since it was released.

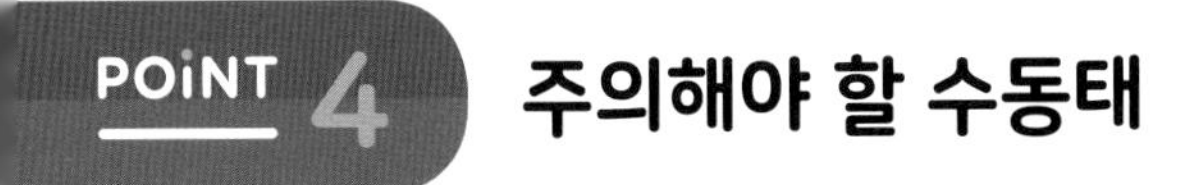

주의해야 할 수동태

정답 및 해설 p. 8

✔ 시험에 강해지는 포인트

동사구의 수동태

- 부사나 전치사를 포함한 동사구는 수동태로 쓸 때 하나의 동사로 취급한다.

1 A cat **was run over** by a truck and should **be taken care of**.

명령문의 수동태

- 문어체에서 「Let+목적어+be p.p.」 형태로 명령문의 수동태가 쓰인다.

2 Follow the rules to protect the environment.
→ **Let** the rules **be followed** to protect the environment.

3 Don't save your id and password on public computers.
→ Don't **let** your id and password **be saved** on public computers.

목적어가 that절인 문장의 수동태

- 「It is[was] p.p.+that절」이나 「that절 주어+be p.p.+to부정사」 형태의 수동태가 가능하다. 이때 that절의 시제가 주절보다 앞서면 to부정사는 「to have p.p.」 형태로 쓴다.

4 People say that this yam species originated in East Africa.
→ **It is said that** this yam species originated in East Africa.
→ This yam species **is said to have originated** in East Africa.

◆ 서술형 빈출 구문

❾ **It is[was] p.p. that+S+V**
that절이 목적어로 쓰인 문장을 가주어 it을 주어로 하는 수동태로 바꿔 쓰는 문제가 출제된다.

- People think that nothing is more precious than health.

→ **It is thought that** nothing is more precious than health.

A 어법 연습

밑줄 친 부분이 어법상 맞으면 ○표, 틀리면 바르게 고쳐 쓰시오.

1 The fire put out thanks to the quick actions of a neighbor.

2 His latest book on the art of writing is spoken well of many critics.

3 Don't let racial equality ignored again in the upcoming elections.

4 The emperor Shah Jahan is said to build the Taj Mahal for his wife.

5 It is believed that certain fruits and vegetables can help prevent cancer. 모평 응용

B 영작 연습

우리말과 같은 의미가 되도록 괄호 안의 말을 바르게 배열하시오. (어형 변화 가능)

1 핵무기 문제는 정상 회담에서 다루어질 것이다. (will, deal, with, be, at the summit)
→ The nuclear weapons issue ________________________.

2 마지막 순간까지 결정을 미루지 마라. (let, your decision, be, don't, leave)
→ ________________________ to the last moment.

3 지구 온난화는 이산화탄소 배출과 관계가 있다고 한다. (is, say, it, is, that, global warming)
→ ________________________ related to carbon dioxide emissions.

문제로 REVIEW

어법 연습

다음 문장을 읽고, 네모 안에서 어법상 알맞은 것을 고르시오.

1 Few people are heard complain / to complain about the food in Vietnam.

2 The beach was covered with / covered by seaweed due to the recent storm.

3 The price of LCD panels for TVs is expecting / is expected to rise next year.

4 The games will attend / be attended by many college coaches scouting prospective student athletes. 학평 기출

B **다음 문장에서 어법상 틀린 부분을 찾아 바르게 고쳐 쓰시오.**

1 At Bangkok University, students are made wear anti-cheating helmets during exams.

2 Scooter companies provide safety regulations, but the regulations don't always follow the riders. 학평 기출

3 The museum opened in 1979 but has closed since 2015 for renovation.

4 The central core of the Earth is composed mainly with iron and nickel.

5 Lizards and birds are evolutionarily related and are resembled each other.

C **다음 글을 읽고, 밑줄 친 부분 중 어법상 틀린 것을 모두 찾아 바르게 고쳐 쓰시오.**

1 Aluminum ① is called to the green metal because it is very environmentally friendly. Recycling this material ② saves 95% of the energy that ③ requires to produce aluminum from raw materials.

2 Lightning struck a house in north Denver last night. The roof's tiles ① were scattering across the yard, and the house ② was heavily damaged. The injured residents ③ are currently being treated at the hospital.

3 In the early 1900s in Europe, ① it was believing that touching newborns was not good because it ② would make the babies weak by spreading germs. In orphanages at that time, it ③ was not permitting to cuddle newborn babies. 학평 응용

서술형 연습

A **다음 문장을 읽고, 밑줄 친 부분을 주어로 하는 수동태 문장으로 바꿔 쓰시오.**

1 Deforestation and poaching are endangering <u>the giant panda's home</u>.

→ ______________________________

2 It is said that <u>the color green</u> restores and renews depleted energy.

→ ______________________________

B **우리말과 같은 의미가 되도록 괄호 안의 말을 이용하여 문장을 완성하시오.**

1 보라보라 섬은 가장 아름다운 해변을 가진 것으로 여겨진다. (consider, have)

→ Bora Bora ____________ the most beautiful beaches.

2 모든 풍선은 파티 마지막에 아이들에게 주어졌다. (give, children)

→ All of the balloons ____________ at the end of the party.

3 대중교통 시스템을 개선하는 데 세금이 쓰여지도록 하라. (the tax money, spend)

→ Let ____________ on improving the public transportation system.

C **우리말과 같은 의미가 되도록 괄호 안의 말을 바르게 배열하시오. (어형 변화 가능)**

1 감염을 예방하기 위해서 손톱은 짧게 유지되어야 한다.

(infections, keep, should, fingernails, be, prevent, to, short)

→ ______________________________

2 O형 혈액을 가진 공혈자는 만능 공혈자라고 불린다.

(universal donors, refer to, type O blood, be, donors, with, as)

→ ______________________________

3 수상한 사람이 범죄 현장에서 도망치는 것이 목격되었다.

(see, run away, be, from, to, the crime scene, a suspicious person)

→ ______________________________

실전 모의고사

문항 수 | 객관식 10 / 서술형 6

맞은 개수 / 16

[1-2] 다음 빈칸에 들어갈 말이 순서대로 짝지어진 것을 고르시오.

1

- The man tried to run away but ________ ________ by the police.
- The students were ________ to be silent.

① arrested – made
② arrested – making
③ was arrested – made
④ was arrested – make
⑤ was arrested – making

2

- This review ____________ us by our first customer.
- The historians recently discovered that the document ____________ in the 18th century.

① was given – be written
② was given to – be written
③ was given to – has written
④ was given – had been written
⑤ was given to – had been written

[3-4] 우리말과 같은 의미가 되도록 선택지의 말을 배열할 때, 세 번째로 올 단어를 고르시오.

3

당신이 회원이 아니라면, 이 양식을 작성하도록 요청받게 될 것입니다.
→ If you are not a member, you ________ ____________ out this form.

① be ② will ③ to
④ fill ⑤ asked

4

그녀가 호텔에 처음 도착했던 사람인 것으로 여겨진다.
→ She ____________ first person to have arrived at the hotel.

① is ② to ③ be
④ the ⑤ thought

[5-6] 다음 중 어법상 틀린 문장을 고르시오.

5 ① The road to the neighboring town is being built now.
② All the conferences have been postponed due to the storm.
③ Several kinds of birds were heard sing at the same time.
④ The newborn baby is being taken care of by her parents at this moment.
⑤ He was annoyed at having to cancel his plans for tomorrow.

6 ① He was made sign the contract against his will.
② Ella was considered rude for not saying "please."
③ Nothing but your school ID number should be written on the first page.
④ The missing person was described as being in his early 20s with short, dark brown hair.
⑤ The place is equipped with everything you need for a comfortable stay.

7 다음 중 어법상 맞는 문장의 개수는?

> a. It was decided to meet in front of the main gate at 2:30.
> b. Everything will have been done by next weekend.
> c. An internal error was occurred during installation.
> d. A man was seen leave the store with stolen goods.
> e. The marketing team is being paid a lot of money for doing the work.
> f. The plan has been carefully looked at for the past 4 months.

① 2개 ② 3개 ③ 4개
④ 5개 ⑤ 6개

8 다음 중 어법상 틀린 문장끼리 짝지어진 것은?

> a. Mr. Brown was elected president with more than 60% of the vote.
> b. The roof of the old family house is being repaired by my uncle.
> c. Suddenly, a pack of wolves were appeared out of nowhere.
> d. French fries are said to be invented in Belgium, not France.
> e. A formal education was lacked by the old man.
> f. Many books have been written about the differences between men and women.

① a, b, d ② a, b, e ③ c, d
④ c, d, e ⑤ c, d, e, f

고난도

9 주어진 문장 ⓐ~ⓒ에 대한 〈보기〉의 설명이 옳은 것끼리 짝지어진 것은?

> ⓐ People say the company is in serious financial trouble.
> ⓑ The police officer made him tell them everything he knew about the incident.
> ⓒ I had been asked to be there by him.

〈보기〉

> ⓐ the company를 주어로 하여 수동태로 바꿀 수 있다.
> ⓑ 수동태로 바꾸면 He was made tell ~로 쓸 수 있다.
> ⓒ He asked me to be there.의 수동태 문장이다.

① ⓐ ② ⓐ, ⓑ ③ ⓐ, ⓒ
④ ⓑ, ⓒ ⑤ ⓐ, ⓑ, ⓒ

어법형

10 밑줄 친 ①~⑤ 중 어법상 맞는 것을 두 개 고르면?

> Public schools in America ① were envisioned as a way of dealing with the country's diverse immigrant population. Newly arrived immigrants often could not ② be spoken English. It ③ was thinking that this degree of diversity could lead to social problems. Publicly funded schools ④ proposed as a way of assuring that children from all racial, ethnic, and cultural backgrounds were accepted. They were also ⑤ thought of as a means of improving the social skills of children while improving social conditions at the same time.

서술형

[1-2] 우리말과 같은 의미가 되도록 괄호 안의 말을 이용하여 문장을 완성하시오.

1 그 실종된 소년이 한밤중에 집에서 나오는 것이 경비원에 의해 목격되었다.
(see, come, out of the house)

→ The missing boy ______________________ in the middle of the night by the security guard.

2 나는 많은 사람들 앞에서 그 여자에 의해 놀림거리가 되었고 당황스러웠다.
(make a fool of, the woman)

→ I ______________________ in front of many people and felt embarrassed.

3 **다음 중 어법에 맞지 않는 두 문장을 찾아 각각 틀린 부분을 바르게 고쳐 쓰시오.**

a. The written contract is being prepared by the secretary.
b. The annual anniversary event is taken place in September.
c. The independent movie had shown to them for free before it was released.
d. The outer wall of this building has been made beautiful by the residents.

틀린 문장 ( ): ____________ → ____________
틀린 문장 ( ): ____________ → ____________

4 **다음 문장을 읽고, 밑줄 친 부분을 주어로 하는 수동태 문장으로 바꿔 쓰시오.**

People believed that she had cooked all the delicious dishes on the table.

____

____

[5-6] 다음 글을 읽고, 물음에 답하시오. 학평 응용

In the 1960s, the ability to perform heart transplants was linked to the development of respirators, which 1950년대에 병원에 도입되었다. Respirators could save many lives, but not all those whose hearts were kept beating ever recovered any other significant functions. In some cases, their brains had ceased to function altogether. The realization that such patients could be a source of organs for transplantation led to the suggestion that the absence of all "discernible central nervous system activity" should be "a new criterion for death." It has since been adopted, with some modifications, almost everywhere.

5 **위 글의 밑줄 친 우리말을 주어진 〈조건〉에 맞게 영작하시오.**

〈조건〉
1. 8 단어로 된 수동태 구문으로 쓸 것
2. had, introduce, hospitals, in the 1950s를 이용할 것

____

6 **위 글의 내용과 일치하도록 빈칸에 알맞은 한 단어를 쓰시오.**

The development of respirators enabled more organ ______________.

CHAPTER

to부정사 / 동명사

VISUAL GRAMMAR

	to부정사	동명사
역할	명사 주어 / 목적어 / 보어 역할 형용사 명사 수식 / 보어 역할 부사 동사 / 형용사 / 부사 / 문장 전체 수식	명사 주어 / 목적어 / 보어 역할
의미상의 주어	for + 목적격 of + 목적격 (성격 / 특성 형용사 뒤)	소유격 또는 목적격
시제	기본 to-v 완료 to have p.p.	기본 v-ing 완료 having p.p.
태	수동태 to be p.p.	수동태 being p.p.
부정	not to-v	not v-ing

POINT 1 to부정사 / 동명사의 명사적 용법

정답 및 해설 p. 12

주어 역할

- to부정사(구)와 동명사(구)는 문장에서 주어 역할을 할 수 있다. 이때 단수 취급한다.

1 **To meet** people from other culture *is* interesting.
(= **It** is interesting **to meet** people from other culture.)

cf. to부정사구가 주어인 경우 주어 자리에 가주어 it을 쓰고 to부정사는 뒤로 보낸다.

2 **Attending** the afterschool classes *was* very helpful.

목적어 역할

- to부정사(구)와 동명사(구)는 문장에서 목적어 역할을 할 수 있다.

3 Karkar volcano began **to erupt[erupting]** in 1895.

4 You can sign in *by* **entering[~~to enter~~] the password.**

cf. 동명사는 전치사의 목적어로 쓸 수 있으나 to부정사는 쓸 수 없다.

5 He told me *how* **to install the mobile apps.** (「의문사+to부정사」 목적어)

보어 역할

- to부정사(구)는 주격·목적격 보어 역할, 동명사(구)는 주격 보어 역할을 할 수 있다.

6 His job is **to make[making]** itineraries for the tourists.

7 My teacher encouraged me **to have** an interest in music.

✔ 시험에 강해지는 포인트

◆ 수능·내신 어법

to부정사와 동명사의 수 일치
to부정사(구)와 동명사(구) 주어는 단수 취급하여 뒤에 단수 동사가 온다.

- To visit the night markets in Hong Kong [was / were] very fun.
- Taking pictures [is / are] not allowed in here.

A 어법 연습

밑줄 친 부분이 어법상 맞으면 ○표 하고, 틀리면 바르게 고쳐 쓰시오.

1 In the final stage, the brain seems lose its connection with the body.

2 That was careless of you to leave the main gate open.

3 Thank you for your question about how to donate children's books. 모평 기출

4 To stay at home during difficult times are the best thing we can do.

5 Are you interested in participate in an international exchange program? 모평 기출

B 영작 연습

우리말과 같은 의미가 되도록 괄호 안의 말을 이용하여 빈칸을 완성하시오.

1 우리는 다음 휴가 때 어디로 갈지를 결정해야 한다. (decide, where, go)
→ We have to ________ ________ ________ ________ on our next vacation.

2 같은 말을 반복하는 것은 청중들을 지루하게 한다. (repeat, the same words, bore)
→ ________ ________ ________ ________ ________ the audience.

3 훌륭한 음식을 정말 좋은 사람들과 함께 즐기는 것은 축복이다. (a blessing, enjoy)
→ ________ ________ ________ ________ ________ ________ great food with great people.

to부정사의 형용사적 용법

정답 및 해설 p. 12

명사 수식

- to부정사(구)는 명사 뒤에서 명사를 수식하는 형용사 역할을 할 수 있다.
- -thing, -body, -one으로 끝나는 대명사를 형용사와 to부정사가 같이 수식할 때는 「대명사+형용사+to부정사」 순으로 쓴다.
- 수식을 받는 명사가 to부정사구에 쓰인 전치사의 목적어인 경우 「명사+to부정사+전치사」 순으로 쓴다.

1 There are many historical sights **to visit** in Gyeonju.

2 Did you find anything interesting **to watch** on TV?

3 Having a pet means having a friend **to play *with***.

be+to부정사

- to부정사(구)가 be동사의 보어로 쓰여 예정, 의무, 운명, 의도, 가능의 의미를 나타낼 수 있다.

4 The chefs **are to open** their restaurant this Friday. (예정)

5 You **are to hand** in your report by tomorrow at 3 p.m. (의무)

6 The soldier and his wife **were** never **to meet** again. (운명)

7 If you **are to succeed**, you have to make an effort. (의도)

8 Not a star **was to be** seen that night. (가능)

✔ 시험에 강해지는 포인트

◆ 서술형 빈출 구문

⑩ 명사+to부정사+전치사

명사를 수식하는 to부정사에 필요한 전치사를 쓸 수 있는지 묻는 문제가 출제된다.

- 때때로 우리는 의지할 누군가가 필요하다.

→ Sometimes we need somebody **to depend *on***.

A
어법 연습

밑줄 친 부분이 어법상 맞으면 ○표 하고, 틀리면 바르게 고쳐 쓰시오.

1 They've booked a room at a private resort to stay during their honeymoon.

2 I'm looking for reliable someone to proofread my essay.

3 Don't miss this great opportunity to improve your Korean. 수능 기출

4 Jason wants an advisor to talk about his problems at work.

5 The design called for 40 statues, and the tomb was to be a giant structure. 모평 기출

B
영작 연습

우리말과 같은 의미가 되도록 괄호 안의 말을 바르게 배열하시오.

1 나이에 상관없이, 우리는 꿈꿀 목표가 있어야 한다. (a goal, we, should, about, have, dream, to)

→ Regardless of our age, ______________________.

2 나는 그다지 배가 고프지 않아서 먹을 만한 간단한 것을 원한다. (I, eat, light, to, want, something)

→ I'm not very hungry, so ______________________.

3 당신이 경기에서 이기고자 한다면, 고정 관념에서 벗어나야 한다. (to, the game, are, if, you, win)

→ ______________________, you must think outside the box.

POINT 3 to부정사의 부사적 용법

정답 및 해설 p. 13

동사 수식

- to부정사(구)는 동사(구)를 수식하여 목적, 감정의 원인, 판단의 이유, 조건, 결과 등의 의미를 나타낼 수 있다.

1 He waved in order **to attract** the attention of passing ships. (~하기 위해서)

cf. 목적을 강조할 때 「in order to-v」 또는 「so as to-v」를 쓸 수 있다.

2 I was shocked **to hear** that he had left the country. (~하게 되어)

3 They must be rich **to own** such an expensive car. (~하다니)

4 I would be very happy **to get** a chance to work with you. (~한다면)

5 Ronaldo grew up **to be** a world-class soccer player. (결국 ~하다)

형용사/부사 수식

- to부정사(구)는 형용사나 부사를 수식하여 정도를 나타낼 수 있다.

6 This folding umbrella is convenient **to carry and store.** (~하기에)

7 The dump truck is too big **to enter** the tunnel. (~하기에)

8 His song was sad enough **to make** the audience cry. (~할 정도로)

✔ 시험에 강해지는 포인트

◆ 서술형 빈출 구문

⑪ **too ~ to-v**

⑫ **~ enough to-v**

「so ~ that+S+V ...」 구문을 「too ~ to-v (너무 ~해서…할 수 없는)」 또는 「~ enough to-v(…할 정도로 ~한)」 구문으로 바꿔 쓰는 문제가 출제된다.

- The man was **so poor that he couldn't pay** for the meal.

→ The man was **too poor to pay** for the meal.

- Ann is **so experienced that she can get** any job.

→ Ann is **experienced enough to get** any job.

A 어법 연습

다음 문장을 읽고, 밑줄 친 부분을 to부정사의 쓰임에 유의하여 우리말로 해석하시오.

1 She cannot be smart to turn down such a generous offer.

2 The man was pleased to see an improvement in his writing skills.

3 To hear him speak English, you would take him for a native speaker.

4 He rushed out of the house only to realize that his wallet was still on the table. 모평 응용

5 To become a better leader, you have to step out of your comfort zone. 수능 기출

B 영작 연습

우리말과 같은 의미가 되도록 괄호 안의 말을 이용하여 빈칸을 완성하시오. (to부정사를 사용할 것)

1 집을 청소하는 동안 공기를 순환시키기 위해서 창문을 열어라. (circulate, the air)

→ Open the windows ________ ________ ________ ________ while you clean the house.

2 Robert는 그의 계획을 실행에 옮기기에는 너무 게으르다. (lazy, put, his plans)

→ Robert is ________ ________ ________ ________ ________ ________ into action.

3 나는 네가 한 짓을 용서할 정도로 관대하지 않다. (generous, forgive)

→ I'm not ________ ________ ________ ________ you for what you did.

목적격보어로 쓰인 to부정사 / 원형부정사

정답 및 해설 p. 13

동사+목적어+to부정사/원형부정사

- to부정사를 목적격보어로 취하는 동사와 원형부정사를 목적격보어로 취하는 동사가 있다.

to부정사를 목적격보어로 취하는 동사	원형부정사를 목적격보어로 취하는 동사
want, tell, ask, allow, expect, advise, force, warn, enable, encourage 등	• 지각동사: see, hear, watch, feel, notice 등 • 사역동사: make, have, let

1 Consumer groups *asked* the government **to pass** the bill.

2 The police officer *forced* the driver **to get** out of his car.

3 The manager was *listening to* the customer **complain** about the service.

4 The P.E. teacher *makes* the students **run** around the gym every day.

- 지각동사는 목적어의 동작이 진행 중임을 강조할 때 목적격보어로 현재분사를 쓸 수 있다.
- help는 준사역동사로 목적격보어로 to부정사와 원형부정사 둘 다 취할 수 있다.

5 The examiner *saw* Heather **cheating** on the science test.

6 Could you *help* me **fill[to fill]** out the application form?

✔ 시험에 강해지는 포인트

◆ 서술형 빈출 구문

⑬ **동사+목적어+to부정사**

⑭ **지각/사역동사+목적어+원형부정사**

동사에 따른 알맞은 목적격보어를 써서 5형식 문장을 완성하는 문제가 출제된다.

- 법은 우리가 자유롭게 우리 의견을 표현하게 해 준다.
  → The law **allows us to express** our opinions freely.
- 의사는 그녀가 아스피린을 복용하게 했다.
  → The doctor **had her take** an aspirin.

A
어법 연습

밑줄 친 부분이 어법상 맞으면 ○표 하고, 틀리면 바르게 고쳐 쓰시오.

1 Don't let this controversial election to ruin your friendship. 수능 응용

2 Many of us expect salespeople being sociable, outgoing and energetic.

3 I saw several police officers surrounding a man outside the building.

4 The vet warned the dog owner not feed his pet chocolate or raisins.

5 Pablo Picasso used Cubism as a way to help us seeing the world differently. 학평 응용

B
영작 연습

우리말과 같은 의미가 되도록 괄호 안의 말을 이용하여 빈칸을 완성하시오.

1 좋은 사회는 사람들이 스스로 선택을 하게 한다. (let, make)
→ A good society ________ ________ ________ their own choices.

2 그녀는 그에게 정신과 의사를 방문해서 감정을 받으라고 충고했다. (advise, visit)
→ She ________ ________ ________ ________ a psychiatrist for an evaluation.

3 나는 그들이 상대방을 제압하기 위해 서로의 눈을 응시하는 것을 보았다. (watch, stare)
→ I ________ ________ ________ into each other's eyes to show dominance.

POINT 5 to부정사/동명사를 목적어로 취하는 동사

정답 및 해설 p. 14

to부정사 또는 동명사만을 목적어로 취하는 동사

to부정사만을 목적어로 취하는 동사	동명사만을 목적어로 취하는 동사
want, hope, need, agree, decide, plan, expect, choose, promise, refuse 등	enjoy, avoid, finish, stop, quit, admit, keep, deny, mind, give up, put off 등

1 What do you *expect* **to gain** from this internship?

2 The suspect *avoided* **answering** the detective's questions.

to부정사와 동명사 둘 다 목적어로 취하는 동사

의미 차이가 거의 없는 동사	의미 차이가 있는 동사
like, love, hate, prefer, start, continue 등	try, regret, remember, forget 등

3 They *continued* **eating[to eat]** until they could eat no more.

4 He *forgot* **to pick up** the laundry on his way home.

5 She *forgot* **telling** me what had happened and told me again.

- try+to부정사: ~하려고 노력하다
- regret+to부정사: ~하게 되어 유감이다
- forget+to부정사: ~할 것을 잊다
- remember+to부정사: ~할 것을 기억하다
- try+동명사: (시험 삼아) ~해 보다
- regret+동명사: ~한 것을 후회하다
- forget+동명사: ~한 것을 잊다
- remember+동명사: ~한 것을 기억하다

시험에 강해지는 포인트

◆ 수능·내신 어법

to부정사 목적어 vs. 동명사 목적어

to부정사와 동명사를 목적어로 쓸 때 의미 차이가 있는 동사들을 알아둔다.

- We regret [informing / to inform] you that you failed the exam.
- The actor regrets [having / to have] no children.

A

어법 연습

다음 문장을 읽고, 네모 안에서 어법상 알맞은 것을 고르시오.

1 Introverts enjoy [reflecting / to reflect] on their thoughts. 모평 응용

2 Don't forget [keeping / to keep] in touch after you transfer to another school.

3 He decided [dropping / to drop] out of college to start his own business.

4 You'd better stop [complaining / to complain] and start being more positive.

5 Steve tried [being / to be] friendly toward Jenny, but he couldn't do it.

B

영작 연습

우리말과 같은 의미가 되도록 괄호 안의 말을 이용하여 문장을 완성하시오.

1 택시 기사는 부주의한 운전으로 사고를 야기했다는 것을 인정했다. (admit, cause, the accident)

→ The taxi driver ______________________ by driving recklessly.

2 내일 7시에 저를 깨우는 것을 잊지 마세요. (remember, wake up)

→ Please ______________________ at seven tomorrow.

3 어머니는 기자로서의 직업을 그만둔 것을 후회하신다. (regret, give up)

→ My mother ______________________ her career as a reporter.

POINT 6 to부정사의 의미상 주어 / 시제 / 태 / 부정

정답 및 해설 p. 14

to부정사의 의미상 주어

- 의미상 주어가 문장의 주어/목적어와 일치하거나 일반인인 경우 생략하나, 그렇지 않은 경우 to부정사 앞에 「for+목적격」으로 나타낸다.

1 She decided **to grow** her hair out. (의미상 주어 생략)

2 The waiter pulled up a chair **for her to sit on.**

3 It was so *rude* **of you to talk** like that to your parents.

cf. 사람의 성격이나 특성을 나타내는 형용사(kind, honest, rude 등) 뒤에는 「of+목적격」으로 쓴다.

to부정사의 시제/태/부정

- to부정사가 나타내는 때가 문장의 시제와 같으면 단순부정사 「to-v」를, 문장의 시제보다 이전이면 완료부정사 「to have p.p.」를 쓴다.
- to부정사의 수동태는 「to be p.p.」로 나타내며, 문장의 시제보다 이전의 일을 나타낼 때는 「to have been p.p.」로 쓴다.
- to부정사의 부정은 to부정사 바로 앞에 not/never를 써서 나타낸다.

4 People *seem* **to have lost** their enthusiasm for reading.
(= It *seems* that people **lost** their enthusiasm for reading.)

5 All athletes hope **to be chosen** for the national team.

6 The participants raised their voices in order **not to lose** the debate.

✔ 시험에 강해지는 포인트

◆ 수능·내신 어법

「of+목적격」 vs. 「for+목적격」
to부정사의 의미상 주어 앞에 사람의 성격이나 특성을 나타내는 형용사가 있으면 of를, 아니면 for를 쓴다.

- It was mean [for / of] you to talk behind my back.

◆ 서술형 빈출 구문

⑮ to have p.p.
⑯ to be p.p.
완료부정사 또는 to부정사의 수동태의 형태를 바르게 쓸 수 있는지 묻는 문제가 출제된다.

- 내가 너를 잘못 판단했던 것 같다.
→ I seem **to have misjudged** you.
- 그는 누구에게도 방해받고 싶지 않다.
→ He doesn't want **to be bothered** by anyone.

A 어법 연습

밑줄 친 부분이 어법상 맞으면 ○표 하고, 틀리면 바르게 고쳐 쓰시오.

1 Your personal information needs to delete before you throw away your phone.

2 It was careless for him to turn off the laptop without saving the file.

3 Mr. Wilson pretends to have been employed by the government, but he hasn't.

4 It is difficult of the staff to be optimistic when the patients are declining in health. 수능 응용

5 The counselor talked kindly in order to not hurt any students' feelings.

B 영작 연습

우리말과 같은 의미가 되도록 to부정사와 괄호 안의 말을 이용하여 문장을 완성하시오.

1 그는 그 테니스 클럽에서 받아 주지 않아서 실망했다. (not, accept)
→ He was disappointed ________________ into the tennis club.

2 여행자들이 여행 일정을 따르는 것은 중요하다. (follow)
→ It is important for travelers ________________ the schedule of their tours.

3 그 고대 국가는 기원전 3세기에 번영했던 것으로 보인다. (appear, be)
→ The ancient country ________________ prosperous in the third century BC.

동명사의 의미상 주어 / 시제 / 태 / 부정

정답 및 해설 p. 15

✔ 시험에 강해지는 포인트

동명사의 의미상 주어

의미상 주어가 문장의 주어/목적어와 일치하거나 일반인인 경우 생략하나, 그렇지 않은 경우 동명사 앞에 소유격이나 목적격으로 나타낸다.

1 Thank you for **flying** with us. (의미상 주어 생략)

2 I appreciate **your[you] helping** me learn to love myself.

3 The parents don't like their **child's[child] going** out alone at night.

동명사의 시제/태/부정

- 동명사가 나타내는 때가 문장의 시제와 같으면 단순동명사 「v-ing」를, 문장의 시제보다 이전의 일을 나타낼 때는 완료동명사 「having p.p.」를 쓴다.
- 동명사의 수동태는 「being p.p.」로 나타내며, 문장의 시제보다 이전의 일을 나타낼 때는 「having been p.p.」로 쓴다.
- 동명사의 부정은 동명사 바로 앞에 not/never를 써서 나타낸다.

4 I *am* proud of **having been** part of achieving our goal.
(= I *am* proud that I **was** part of achieving our goal.)

5 He was angry at **being treated** like a child by his parents.

6 We're sorry for **not explaining** it to you in advance.

◆ 서술형 빈출 구문

⑰ **having p.p.**
⑱ **being p.p.**

완료동명사 또는 동명사의 수동태의 형태를 바르게 쓸 수 있는지 묻는 문제가 출제된다.

- 그는 거절당했던 이유를 알고 싶어한다.
→ He wants to know the reason for **having been rejected**.

- 그는 대통령으로 당선될 가능성이 매우 높다.
→ He has a good chance of **being elected** president.

A

어법 연습

밑줄 친 부분이 어법상 맞으면 ○표 하고, 틀리면 바르게 고쳐 쓰시오.

1 It turns out that some people are not afraid of <u>judging</u> by others.

2 Martin blamed himself for <u>telling not</u> her the truth earlier.

3 <u>Jason's talking</u> loudly during the movie was rather embarrassing.

4 The wounds of <u>having abandoned</u> by her parents are still fresh in her mind.

5 The concept of <u>humans doing</u> multiple things at one time has been studied. 수능 응용

B

영작 연습

우리말과 같은 의미가 되도록 괄호 안의 말을 이용하여 문장을 완성하시오. (동명사를 사용할 것)

1 그녀가 대입 시험에 실패하는 것을 상상하기는 불가능하다. (fail)
→ It is impossible to imagine ____________________ the college entrance exam.

2 Steve는 책 읽는 것을 좋아하지만 책벌레라고 불리는 것은 좋아하지 않는다. (call)
→ Steve likes reading books, but he isn't fond of ____________________ a bookworm.

3 그 여배우는 과거에 그 가수와 사귀었던 것을 계속 부인한다. (date)
→ The actress continues to deny ____________________ the singer in the past.

POINT 8 to부정사/동명사의 관용 표현

정답 및 해설 p. 15

독립부정사

■ 독립부정사는 관용 표현처럼 독립된 의미를 갖는 to부정사구로, 문장 전체를 수식한다.

• to tell the truth: 사실대로 말하자면	• to be honest[frank]: 솔직히 말하면
• to begin with: 우선, 먼저	• needless to say: 말할 필요도 없이
• so to speak: 말하자면	• to be brief: 간단히 말해서
• not to mention: ~은 말할 것도 없이	• to make matters worse: 설상가상으로

1 **To tell the truth**, I never liked his songs.

2 He lost his way, and **to make matters worse**, it started to rain.

동명사의 관용 표현

• be busy v-ing: ~하느라 바쁘다	• be worth v-ing: ~할 가치가 있다
• spend+시간[돈]+v-ing: ~하는 데 시간[돈]을 쓰다	• have trouble v-ing: ~하는 데 어려움을 겪다
• be used to v-ing: ~하는 것에 익숙하다	• cannot help v-ing: ~하지 않을 수 없다
• look forward to v-ing: ~하기를 고대하다	• feel like v-ing: ~하고 싶다
• It is no use v-ing: ~해도 소용없다	• There is no v-ing: ~하는 것은 불가능하다

3 I **couldn't help smiling** back and replying, "I'm fine!"

4 Thank you for the interview. I **look forward to hearing** from you.

✔ 시험에 강해지는 포인트

◆ 수능·내신 어법

to부정사 to vs. 전치사 to

동명사의 관용 표현에 쓰인 전치사 to를 to부정사의 to와 혼동하여 to 뒤에 동사원형을 쓰지 않도록 주의한다.

• The Japanese are used to [drive / driving] on the left side of the road.

A

어법 연습

다음 문장을 읽고, 네모 안에서 어법상 알맞은 것을 고르시오.

1 I'm sure that all of his books are worth [reading / to read] several times.

2 Needless [saying / to say], our organization needs to lend a helping hand.

3 It was no use [trying / to try] to sleep, so I got up to check my schedule.

4 Parents and children are going to spend time [enjoying / to enjoy] outdoor activities. 모평 응용

5 The resort was very relaxing and fun, not [mentioning / to mention] clean.

B

영작 연습

우리말과 같은 의미가 되도록 괄호 안의 말을 이용하여 문장을 완성하시오.

1 나는 불만 사항에 대한 당신의 응답을 받기를 고대한다. (look forward to, receive)

→ I ______________________ your response to the complaint.

2 그는 말하자면 일중독이다. 그는 일하는 것을 절대 멈추지 않는다. (speak)

→ He is a workaholic, ______________________. He never stops working.

3 점원들은 진열대에 상품을 채우느라 바빴다. (busy, stack)

→ The clerks ______________________ the shelves with goods.

문제로 REVIEW

어법 연습

A **다음 글을 읽고, 네모 안에서 어법상 알맞은 것을 고르시오.**

1 It is necessary [to drink / drinking] as much water as possible to stay healthy. 학평 기출

2 There is no scientific theory that explains exactly why penguins stopped [to fly / flying].

3 If your cat is shy and timid, he or she won't want [to display / to be displayed] in cat shows. 학평 응용

4 My father regretted not [taking / to take] care of his teeth when he was younger.

B **다음 문장에서 어법상 틀린 부분을 찾아 바르게 고쳐 쓰시오.**

1 Putting in too many hours of work without take a break could lead to burnout.

2 Clearly, it is important of companies to know what makes their employees satisfied with their jobs. 학평 기출

3 Today's consumers are used to shop online for a wide range of goods.

4 Unfortunately, the modernization did not result in new jobs creating.

5 Microscopes enable us see living things that are too small to see with the naked eye.

C **다음 글을 읽고, 밑줄 친 부분 중 어법상 틀린 것을 모두 찾아 바르게 고쳐 쓰시오.**

1 We tend ① to consider small problems to be bigger than they actually are. Therefore, it is useful to have someone ② to discuss things. When speaking to others, it is easy to allow our emotions ③ flowing freely.

2 Intellectually humble people value what others bring to the table. They want ① learning more and are open to ② finding information from a variety of sources. They are not interested in trying ③ appearing superior to others. 학평 응용

3 One of the best parts of traveling is ① exploring new destinations by yourself. Sometimes, however, it's worth ② to pay for a guide. If you have only a couple of days ③ to be spared, a guide can help you make the most of your time.

서술형 연습

A **다음 문장을 읽고, 밑줄 친 부분에 유의하여 to부정사를 이용한 문장으로 바꿔 쓰시오.**

1 It seems that <u>the government decided</u> to reopen its borders to tourists.

→ ______________________________

2 Some people are <u>so lucky that they win</u> the lottery multiple times.

→ ______________________________

B **우리말과 같은 의미가 되도록 괄호 안의 말을 이용하여 문장을 완성하시오.**

1 그 내레이터는 이탈리아어 단어를 어떻게 발음하는지 알지 못하는 것으로 보인다.

(not, know, how, pronounce)

→ The narrator appears ______________________ Italian words.

2 당신의 계정을 보호하기 위해 암호를 바꾸기를 권합니다.

(change, your, password, protect)

→ We advise you ______________________ your account.

3 이 계약서는 너무 복잡해서 내가 이해할 수가 없다.

(too, complicated, me, understand)

→ This contract is ______________________.

C **우리말과 같은 의미가 되도록 괄호 안의 말을 바르게 배열하시오.**

1 바뀔 수 없는 것에 대해 걱정해 봐야 소용없다.

(no, about, it's, worrying, use)

→ ______________________ what can't be changed.

2 나는 쓸 만한 재미있는 무언가를 찾기 위해 노력 중이다.

(write, something, to, interesting, about)

→ I'm trying to find ______________________.

3 이전에 귀하의 전화를 받지 못했던 것에 대해 사과하고자 합니다.

(for, been, apologize, having, not)

→ We'd like to ______________________ able to answer your calls earlier.

실전 모의고사

문항 수 | 객관식 10 / 서술형 6

맞은 개수 / 16

[1-2] 다음 빈칸에 들어갈 말이 순서대로 짝지어진 것을 고르시오.

1

- He denied ________ taken any money from the others in the room.
- Everybody says that she has to quit ________ to be perfect.

① to have – to try ② to have – trying
③ having – to try ④ having – trying
⑤ to have been – to have tried

2

- After physical and psychological therapy, I got used to ________ early in the morning.
- I'd like to know what kind of steel is used to ________ the railway lines of the subway.

① wake up – make ② wake up – making
③ waking up – make ④ waking up – making
⑤ be woken up – be made

[3-4] 우리말과 같은 의미가 되도록 선택지의 말을 배열할 때, 세 번째로 올 단어를 고르시오.

3

그들은 간신히 가장 가까운 공항으로 갔지만, 공항이 폐쇄된 것을 알게 되었다.
→ They managed to get to the nearest airport, ____________________.

① find ② only ③ closed
④ to ⑤ it

4

이 후보자는 그 일을 하기에 가장 적합한 사람인 것 같다.
→ This candidate ____________________ suitable person for the job.

① to ② the ③ seems
④ be ⑤ most

[5-6] 다음 중 어법상 틀린 문장을 고르시오.

5 ① My dream is to have my own house with a beautiful garden.
② The owner is looking for a big couch for his customers to sit.
③ The athlete is talented enough to break the world record someday.
④ She seemed to have found nothing strange about the student's question.
⑤ To begin with, you should follow all of the instructions your doctor gave you.

6 ① When I was about to leave, I heard someone shout something from afar.
② After collecting all the materials you need, you can start writing your report.
③ If you're wondering where to stay in Guam, please visit our website.
④ The mayor admitted knowing not exactly what she was asked to do.
⑤ One alternative is to grow the fruit and vegetables in your own garden.

7 다음 중 어법상 맞는 문장의 개수는?

a. No one is permitted enter the classroom without my approval.
b. The injuries from the bicycle accident were too severe for me to walk naturally.
c. I think it was very unkind for him to speak like that to the poor guy.
d. The machine is sensitive enough to distinguish small differences.
e. The professor doesn't appreciate his students to ask inappropriate questions in class.
f. The researcher still regrets to give up on the project.

① 2개 ② 3개 ③ 4개
④ 5개 ⑤ 6개

8 다음 중 어법상 틀린 문장끼리 짝지어진 것은?

a. I cannot afford paying the increased price for renting the office.
b. To keep healthy is important to you, not to your doctors.
c. I forgot to exchange money and didn't take it to the airport.
d. Keep in mind that we have not even talked about dividing our roles yet.
e. The reporter was trying hard not to confuse her interviewee with long questions.

① a, c ② a, d ③ b, d
④ a, b, c ⑤ b, c, d

고난도

9 밑줄 친 ⓐ~ⓒ에 대한 〈보기〉의 설명이 옳은 것끼리 짝지어진 것은?

• His advice helped me ⓐ realize that I was different rather than wrong.
• The increased weight from the rain was too heavy ⓑ for the building to bear.
• The old man looked forward to ⓒ have a serious conversation with his son.

〈보기〉

ⓐ help는 목적격보어로 to부정사를 써야 하므로 realize를 to realize로 고쳐야 한다.
ⓑ for the building은 to부정사의 의미상 주어로 사용되었다.
ⓒ have 앞의 to는 부정사의 to가 아니라 전치사이기 때문에 동명사 having으로 고쳐야 한다.

① ⓐ ② ⓑ ③ ⓒ
④ ⓐ, ⓒ ⑤ ⓑ, ⓒ

10 밑줄 친 ①~⑤ 중 어법상 틀린 것을 두 개 고르면?

Spacecraft and telescopes ① have revealed some information about worlds beyond our own. In 2015, ② that was possible for the New Horizons probe to make a close pass of Pluto, making the first close-up observations of the dwarf planet and its moons. The spacecraft revealed ③ that the geology of Pluto, which is an average of 3.7 billion miles from the Sun, is constantly ④ changing. The fact that it's geologically active suggests that even cold, distant worlds could get enough energy ⑤ heating their interiors, which means they could possibly harbor subsurface liquid water or even life.

* dwarf planet: 왜행성

서술형

[1-2] 우리말과 같은 의미가 되도록 괄호 안의 말을 이용하여 문장을 완성하시오. (to부정사를 이용할 것)

1 Mrs. Wilson은 이 조직에서 함께 일하기에 가장 유쾌한 사람이다.
(work, pleasant, person)

→ Mrs. Wilson is the most ________________ ________________ in this organization.

2 이 잡지는 독자들이 환경을 위한 행동을 취하도록 설득했다.
(persuade, its readers, take action)

→ This magazine ________________ for the environment.

3 다음 중 어법에 맞지 않는 두 문장을 찾아 각각 틀린 부분을 바르게 고쳐 쓰시오.

a. She remembers to have taken a pottery class several years ago.
b. The young prodigy enjoys being treated differently.
c. Similar situations are to be found in other areas of the country.
d. I don't mind to give up my time in order to help poor people.

틀린 문장 ( ): ________ → ________
틀린 문장 ( ): ________ → ________

4 다음 문장을 읽고, 주어진 문장과 같은 의미가 되도록 문장을 바꿔 쓸 때 빈칸에 알맞은 말을 쓰시오.

Jim appreciates that he was driven to work by his neighbor yesterday.

→ Jim appreciates ________________ to work by his neighbor yesterday.

[5-6] 다음 글을 읽고, 물음에 답하시오. 학평 응용

Companies are constantly coming up with new products that offer consumers innovative features. But 많은 회사들이 신제품을 소개하는 것은 어렵다, especially if it's not contrasted with an older one. Consumers usually don't pay attention to what's new and different unless it's related to something old. That's why it's often better to say ⓐ what a new product is not, rather than what it is. For example, the first automobile was called a "horseless" carriage, a name which allowed the public to understand the concept by contrasting it with the existing mode of transportation.

5 위 글의 밑줄 친 우리말을 주어진 〈조건〉에 맞게 영작하시오.

〈조건〉
1. 11 단어로 쓸 것
2. 가주어와 의미상 주어를 이용할 것

____

6 위 글의 밑줄 친 ⓐ의 예시로 든 제품을 하나 찾아 쓰고, 무엇이라고 광고했는지와 그 이유를 우리말로 쓰시오.

(1) 제품: ________________
(2) 광고 내용과 그 이유: ________________
____

분사

- **POINT 1** 분사의 종류와 역할
- **POINT 2** 분사구문의 형태와 의미
- **POINT 3** 분사구문의 시제 / 태 / 부정
- **POINT 4** 다양한 분사구문

VISUAL GRAMMAR

	분사	분사구문
종류/개념	현재분사(v-ing) 능동·진행 과거분사(v-ed) 수동·완료	현재분사가 이끄는 분사구문 능동의 의미 과거분사가 이끄는 분사구문 수동의 의미
역할/의미	명사 수식 / 주어·목적어의 보어 역할	때 / 이유 / 동시 동작 / 연속 동작 / (조건 / 양보)
시제/태		완료시제 having p.p. 수동태 (being [having been]) p.p.
부정		not / never + 분사구문

POINT 1 분사의 종류와 역할

정답 및 해설 p. 19

분사의 개념과 종류

- 분사는 동사를 변형하여 형용사처럼 만든 것으로, 현재분사와 과거분사가 있다.
- 현재분사는 '능동, 진행'의 의미를 나타내고, 과거분사는 '수동, 완료'의 의미를 나타낸다.

현재분사(v-ing)	과거분사(v-ed)
painting tool (능동)	**painted** wall (수동)
falling leaves (진행)	**fallen** leaves (완료)

분사의 역할

- 분사는 명사의 앞이나 뒤에서 명사를 수식하거나, 주어나 목적어를 보충 설명하는 보어 역할을 한다.

1 Sue is a **working** woman. She is a woman **working** for the UN.

2 He sat **reading** the article. He found it **interesting**.

감정을 나타내는 분사

- 주어나 수식을 받는 명사가 '~한 감정을 일으키는' 주체일 때는 현재분사를, '~한 감정을 느끼는' 대상일 때는 과거분사를 쓴다.

3 Living in a foreign country can be **exciting.** (흥미진진한)

4 They are **excited** to live in a foreign country. (들뜬, 흥분된)

✔ 시험에 강해지는 포인트

◆ 수능·내신 어법

현재분사 vs. 과거분사

수식을 받는 명사와 분사와의 관계, 목적어와 목적격보어의 관계가 능동이면 현재분사, 수동이면 과거분사를 쓴다.

- The graduation speaker is a [respecting / respected] **educator**.
- I've heard him [speaking / spoken] German.

A

어법 연습

밑줄 친 부분이 어법상 맞으면 ○표 하고, 틀리면 바르게 고쳐 쓰시오.

1 He was a responsible man dealt with an irresponsible kid. 학평 기출

2 The soccer players lay exhausting on the ground after the game.

3 The shocked fact about war is that its victims are innocent people.

4 They were disappointing to learn that the rocket launch had been postponed.

5 An AI-controlled robot can adapt to its environment based on data from its sensors. 학평 응용

B

영작 연습

우리말과 같은 의미가 되도록 괄호 안의 말을 바르게 배열하시오. (어형 변화 가능)

1 과학자들은 문제가 해결된 것을 보고 기뻤다. (the problem, see, solve, to)
→ The scientists were pleased ______________________.

2 그는 TV에서 광고되는 컴퓨터 게임을 구입했다. (advertise, on, TV, a computer game)
→ He bought ______________________.

3 경찰이 울면서 부모를 찾고 있는 아이들을 찾았다. (look for, cry, and, their parents)
→ The police found the children ______________________.

분사구문의 형태와 의미

정답 및 해설 p. 19

분사구문의 개념

- 분사구문은 「접속사+주어+동사 ~」의 부사절을 분사를 이용하여 부사구로 만든 것이다.
- 분사구문을 만들 때는 부사절의 접속사와 주절과 일치하는 부사절의 주어를 생략하고 동사를 현재분사(v-ing) 형태로 바꾼다.

1 **After I finished** my report, I went to see a movie with Jack.
→ **Finishing** my report, I went to see a movie with Jack.

cf. 분사구문의 뜻을 명확히 하기 위해 분사 앞에 접속사를 그대로 남겨 두기도 한다.

After **finishing** my report, I went to see a movie with Jack.

분사구문의 의미

- 분사구문은 때, 이유, 동시 동작, 연속 동작의 의미를 나타낸다.

2 **Walking** down the street, he came up with the new idea. (때)
3 **Listening** to loud music, I didn't hear the doorbell. (이유)
4 The runners crossed the finish line, **breathing** hard. (동시 동작)
5 **Opening** the door, Lily saw a boy with a basket. (연속 동작)

cf. 분사구문은 드물게 조건, 양보의 의미로도 쓰인다.

6 **Meditating** regularly, you can clear your troubled mind. (조건)
7 **Knowing** your intention, we still disapprove of your methods. (양보)

✔ 시험에 강해지는 포인트

◆ 서술형 빈출 구문

⑲ **분사구문 전환**

부사절을 분사구문으로 또는 분사구문을 부사절로 바꿔 쓰는 문제가 출제된다.

- **As she felt tired**, she went to bed early last night.
→ **Feeling tired**, she went to bed early last night.

A
어법 연습

다음 문장을 읽고, 밑줄 친 부사절을 분사구문으로 바꾸시오.

1 While he worked in a print shop, the boy became interested in art. 학평 응용
2 Although she survived the incident, she was not ready to get on with her life yet.
3 As they believe that everyone is watching them, teens are very self-conscious.
4 If you turn to the right, you will find the building that you're looking for.
5 He chose to tackle the obstacles, and he battled through every challenge. 학평 응용

B
영작 연습

우리말과 같은 의미가 되도록 괄호 안의 말을 이용하여 빈칸을 완성하시오. (분사구문으로 쓸 것)

1 시험을 준비하느라 나는 어젯밤에 거의 잠을 못 잤다. (prepare for)
→ ________ ________ ________ ________, I hardly slept last night.

2 Sandra는 진흙을 밟아서 자신의 새 신발을 엉망으로 만들었다. (ruin)
→ Sandra stepped in the mud, ________ ________ ________ ________.

3 검정 코트를 입으니 그는 비밀 요원처럼 보였다. (wear)
→ ________ ________ ________ ________, he looked like a secret agent.

POINT 3 분사구문의 시제/태/부정

정답 및 해설 p. 20

분사구문의 시제

- 부사절과 주절의 시제가 같으면 「v-ing ~」의 단순 분사구문을 쓰고, 부사절이 나타내는 시점이 주절보다 이전의 일이면 「having p.p. ~」의 완료 분사구문을 쓴다.

1 **Lying** on the sofa, she read a book. (= While she lay on the sofa,)

2 **Having done** his work, he went for walk. (= After he had done his work,)

분사구문의 태

- 분사구문의 생략된 주어와 동사의 관계가 능동이면 「v-ing ~」의 능동 분사구문을 쓰고, 수동이면 「being[having been] p.p. ~」의 수동 분사구문을 쓴다. 이때 being[having been]은 생략 가능하다.

3 **Enjoying** the weather, we walked along the beach.
(= While we enjoyed the weather,)

4 (**Being**) **Watched** by the police, the suspect went out.
(= As the suspect was watched by the police,)

분사구문의 부정

- 분사구문의 부정은 분사 앞에 not/never를 써서 나타낸다.

5 **Not believing** him, she questioned everything he said.

6 **Never having met** him before, I couldn't recognize him.

✔ 시험에 강해지는 포인트

◆ 수능·내신 어법

분사구문에서 현재분사 vs. 과거분사
분사구문에 생략된 주어와 동사와의 관계가 능동이면 현재분사, 수동이면 과거분사를 쓴다.

- [Leading / Led] to thousands of deaths, the drought was a tragedy.

being[having been]의 생략
수동 분사구문에서 being과 having been은 자주 생략된다.

- (Having been) [Raising / Raised] in Korea, Angela speaks Korean fluently.

A
어법 연습

밑줄 친 부분이 어법상 맞으면 ○표 하고, 틀리면 바르게 고쳐 쓰시오.

1 Wounding in the leg, the soldier was moved to a military hospital.

2 The painter's mother died when he was ten, left him an orphan.

3 Spent his entire career in the tourism industry, he has some advice for us.

4 Having eaten never raw fish, I didn't know what to order at the sushi restaurant.

5 Armed with scientific knowledge, people build tools that transform the way we live. 학평 응용

B
영작 연습

우리말과 같은 의미가 되도록 괄호 안의 말을 이용하여 문장을 완성하시오. (분사구문으로 쓸 것)

1 조사를 마치고 나서 조사관들은 조사 결과를 발표했다. (finish, the investigation)
→ ______________________, the inspectors announced their findings.

2 창고는 급하게 지어졌기 때문에 곧 무너졌다. (build, in haste)
→ ______________________, the warehouse collapsed soon after.

3 그가 무슨 생각을 하는지 알지 못해서 그 위원회는 어떤 판단도 할 수가 없다. (not, know, what, he, think)
→ ______________________, the committee can't make any judgments.

POINT 4 다양한 분사구문

독립분사구문

- 분사구문의 의미상 주어가 문장의 주어와 다르면 분사 앞에 의미상 주어를 쓴다.

1 **The weather being** bad, we couldn't go hiking. (The weather ≠ we)

2 **The work done**, he watched a baseball game on TV. (The work ≠ he)

비인칭 독립분사구문

- 분사구문의 의미상 주어가 일반인일 때는 문장의 주어와 달라도 이를 생략할 수 있다.

• depending on: ~에 따라	• judging from: ~로 판단컨대
• compared with[to]: ~와 비교하면	• considering (that): ~을 고려하면
• granting[granted] that: ~은 인정하더라도	• supposing[providing] (that): 만약 ~라면
• generally[frankly/strictly] speaking: 일반적으로[솔직히/엄밀히] 말해서	

3 **Compared to** our small flat, Bill's house seemed like a palace.

with+(대)명사+분사

- '~한 채로, ~하면서'의 의미로 동시 상황을 나타내며, 의미상 주어 역할을 하는 (대)명사와 분사의 관계가 능동이면 현재분사를, 수동이면 과거분사를 쓴다.

4 The movie star got in his van **with his fans following**.

5 She went to the party **with her hair dyed pink**.

✔ 시험에 강해지는 포인트

◆ 서술형 빈출 구문

⑳ **with+(대)명사+분사**

「with+(대)명사+분사」의 어순과 분사의 형태(현재분사/과거분사)를 바르게 쓸 수 있는지 묻는 문제가 출제된다.

• 그녀는 팔짱을 낀 채로 벽에 기대 있었다.

→ She leaned against the wall **with her arms folded**.

A 어법 연습

밑줄 친 부분이 어법상 맞으면 ○표 하고, 틀리면 바르게 고쳐 쓰시오.

1 Being his dog sick, Dave called the veterinarian.

2 The driver sang with his fingers tapped against the steering wheel.

3 Strictly spoken, her explanation is not consistent with the evidence.

4 They danced in circles, shaking their hands with their arms raised over their heads. 학평 응용

5 There was no bus that stops at the theater, we had to walk all the way there.

B 영작 연습

우리말과 같은 의미가 되도록 괄호 안의 말을 이용하여 빈칸을 완성하시오. (분사구문으로 쓸 것)

1 예산이 빠듯해서 우리는 개막 행사를 취소했다. (the budget, be, tight)

→ ________ ________ ________ ________, we canceled the opening event.

2 그녀가 경험이 부족하다는 것을 고려해 볼 때 그녀의 연설은 훌륭했다. (consider, lack, experience)

→ Her speech was excellent, ________ ________ ________ ________ ________.

3 이 구역의 기계들은 문이 잠기지 않은 채로는 작동되지 않을 것이다. (the door, unlock)

→ The machines in this section will not start ________ ________ ________ ________.

문제로 REVIEW

어법 연습

다음 문장을 읽고, 네모 안에서 어법상 알맞은 것을 고르시오.

1 The novel starts with a spaceship [carrying / carried] a mysterious cargo.

2 Starfish are marine animals [finding / found] in a variety of colors and sizes.

3 Many kinds of tropical fruit can be found [growing / grown] in Southeast Asia.

4 [Motivating / Motivated] to lose weight, he began to buy low-fat food, eat smaller portions, and exercise. 학평 응용

B **다음 문장에서 어법상 틀린 부분을 찾아 바르게 고쳐 쓰시오.**

1 The applicants were surprising to learn that they had to take a personality test.

2 The number of people suffered from hunger has increased over the past two years.

3 Wanting to not make any noise, he walked on his toes as he entered the room.

4 We depending on the species, an ant colony may have one queen or many queens.

5 Printing became cheaper and faster, led to an explosion in the number of newspapers and magazines. 학평 기출

C **다음 글을 읽고, 밑줄 친 부분 중 어법상 틀린 것을 모두 찾아 바르게 고쳐 쓰시오.**

1 The Hubble Space Telescope ① recorded some distant galaxies in 2003. The farthest was more than 13 billion light years away, ② meant that light ③ creating by the galaxy would take 13 billion years to reach the Earth.

2 The eastern hognose snake is sometimes ① called the "zombie snake." When ② threatening, it plays dead. ③ Rolled onto its back and opening its mouth, the snake acts as if it were dead to prevent predators from attacking.

3 ① Graduated from high school, Ellen Church found a job as a nurse. She suggested to Boeing Air that nurses should take care of passengers during flights because most people were ② frightening of flying. In 1930, she ③ became the first female flight attendant in the U.S. 학평 응용

정답 및 해설 p. 21

서술형 연습

A **다음 문장을 읽고, 밑줄 친 부사절을 분사구문으로 바꿔 쓰시오.**

1 As I didn't have enough money, I couldn't buy a ticket to the observatory.
→ ______________________, I couldn't buy a ticket to the observatory.

2 After it had been destroyed by fire, the building was restored and rebuilt.
→ ______________________, the building was restored and rebuilt.

B **우리말과 같은 의미가 되도록 괄호 안의 말을 바르게 배열하시오. (필요한 말만 이용할 것)**

1 우리는 모든 불을 끈 채로 그 영화를 보기 시작했다.
(all the lights, turning, with, turned, off)
→ We started watching the movie ______________________.

2 자연에서 일하는 것은 매우 만족스러운 점이 있다.
(satisfied, about, working, satisfying)
→ There's something very ______________________ with nature.

3 내 노트북이 고장 나서 나는 컴퓨터 수리점에 가야 했다.
(being, my laptop, broken, is)
→ ______________________, I had to go to a computer repair shop.

C **우리말과 같은 의미가 되도록 괄호 안의 말을 이용하여 문장을 완성하시오.**

1 일을 다 끝내지 못해서 나는 야근을 해야만 했다.
(have, not, finish, my work)
→ ______________________, I had to work overtime.

2 당신은 온라인으로 식료품을 사서 문 앞으로 배달시킬 수 있다.
(have, them, deliver)
→ You can shop for groceries online and ______________________ to your door.

3 그의 이메일로 판단하건대 그는 꽤 잘 지내고 있는 것 같다.
(judge, from, his emails)
→ ______________________, he seems to be doing quite well.

실전 모의고사

문항 수 | 객관식 10 / 서술형 6
맞은 개수 / 16

[1-2] 다음 빈칸에 들어갈 말이 순서대로 짝지어진 것을 고르시오.

1

• She saw the man ______ to himself rather loudly.
• All government offices in town will remain ______ tomorrow.

① talked – closed ② talking – closed
③ talked – closing ④ talking – closing
⑤ talked – close

2

• Sam has been ______ in taking music lessons since he was 5 years old.
• The teacher's explanation of atoms made me much more ______.

① interested – confused
② interested – confusing
③ interesting – confused
④ interesting – confusing
⑤ interesting – confusion

[3-4] 우리말과 같은 의미가 되도록 선택지의 말을 배열할 때, 세 번째로 올 단어를 고르시오.

3

무대 위에서 춤추고 있는 남자는 이 발레단에서 가장 신입 무용수이다.
→ The ______________________ is the newest dancer of this ballet company.

① on ② the ③ man
④ stage ⑤ dancing

4

굴뚝에서 연기가 나는 오두막집이 있었다.
→ There was a cabin ________________ ________________ the chimney.

① out ② with ③ from
④ smoke ⑤ coming

[5-6] 다음 중 어법상 틀린 문장을 고르시오.

5 ① Enjoying the music, the fans screamed and jumped.
② I found my grandmother sitting at a table covering with pieces of paper.
③ Not knowing what to say about the accident, she remained silent.
④ Judging from his reaction, he obviously knew something about the murder.
⑤ After having shaken hands with everyone, she brought up the objective of the meeting.

6 ① Seen from the sky, the desert looks like a giant blanket.
② Considering everything, I think things have gone pretty well.
③ Using economically, one bottle will last for more than two weeks.
④ Being unable to sleep, I decided to get up and drink some warm milk.
⑤ The people involved will discuss the issue later this afternoon.

7 다음 중 어법상 맞는 문장의 개수는?

a. He was frightened by the anger in his mother's eyes.
b. What do I need to consider if asked to move to a new work area?
c. Yesterday, I saw an old man standing by himself in front of this building.
d. All the money having been spent, they had to start looking for work.
e. Assuming the rain stops tomorrow, we will stick to our original plan.
f. They ran through the hallway with their books holding in their arms.

① 2개 ② 3개 ③ 4개
④ 5개 ⑤ 6개

9 밑줄 친 ⓐ~ⓒ에 대한 〈보기〉의 설명이 옳은 것끼리 짝지어진 것은?

• A girl came in, ⓐ looking to be about twelve years of age, followed by her dog.
• ⓑ Discovered 10 years ago, the document recently drew renewed attention.
• My parents would not let me see such a ⓒ frightening movie.

〈보기〉
ⓐ 두 개의 분사구문이 이어져 있으며, 분사구문의 의미상 주어는 모두 a girl이다.
ⓑ 앞에는 Being이 생략된 것으로 볼 수 있다.
ⓒ 수식을 받는 명사인 movie가 감정을 일으키는 주체이므로 현재분사가 쓰였다.

① ⓒ ② ⓐ, ⓑ ③ ⓐ, ⓒ
④ ⓑ, ⓒ ⑤ ⓐ, ⓑ, ⓒ

8 다음 중 어법상 틀린 문장끼리 짝지어진 것은?

a. Look at the fallen leaves on the ground.
b. No one having come to the meeting, Ethan grew furious.
c. At first I thought Vincent was a very confusing and boring writer.
d. Supposed there was an earthquake, what would you do?
e. Learned Russian years ago, he barely remembers a few words.
f. Advertised on many social networking sites, the newly opened restaurant is full of customers.

① d, e ② a, c, d ③ c, d, f
④ c, d, e ⑤ d, e, f

10 밑줄 친 ①~⑤ 중 어법상 틀린 것을 두 개 고르면?

Many engineering companies found it hard ① to resist the temptation to design their own automobiles in the early 20th century. The first effort of the Robinson and Price Company was unsuccessful, with only a few cars ② produced. Although ③ failed once, the company decided to make another attempt. This time, the launch of their new car was ④ following by the outbreak of World War I. Even though more cars ⑤ were made than in their earlier effort, production never reached significant numbers.

서술형

[1-2] 우리말과 같은 의미가 되도록 괄호 안의 말을 이용하여 문장을 완성하시오. (분사구문으로 쓸 것)

1 물을 빼앗기면, 식물은 성장을 멈출 수도 있다.
(when, deprive of, water)

→ ______________________, plants may stop growing.

2 환경을 보호하기 위해, 물을 틀어 놓고 이를 닦지 마라.
(with, the water, run)

→ To protect the environment, do not brush your teeth ______________________.

3 다음 중 어법에 맞지 않는 두 문장을 찾아 각각 틀린 부분을 바르게 고쳐 쓰시오.

a. When telling to sit, my dog usually does.
b. I was exhausted, having worked all day.
c. Generally speaking, the more you work out, the more benefits you get.
d. The participants questioning answered that they were against changing the rule.
e. He worked on the computer with his earphones hanging around his neck.

틀린 문장 ( ): __________ → __________
틀린 문장 ( ): __________ → __________

4 다음 문장을 읽고, 밑줄 친 부분을 분사구문으로 바꿔 쓰시오.

When the scientific experiment was over, the researchers started writhing a report.

____

[5-6] 다음 글을 읽고, 물음에 답하시오. 학평 응용

You can say that information sits in one brain until it is communicated to another, 대화 속에서 변하지 않으며. That's true of sheer information, like your phone number or the place you left your keys. But it's not true of knowledge. Knowledge relies on judgments, which you discover and polish in conversation with other people or with yourself. Therefore, you don't learn the details of your thinking until speaking or writing it out in detail and looking back critically at the results.

5 위 글의 밑줄 친 우리말을 주어진 〈조건〉에 맞게 영작하시오.

〈조건〉
1. 5 단어로 된 분사구문으로 쓸 것
2. change, the conversation을 이용할 것

____

6 위 글을 다음과 같이 요약할 때 빈칸 (A)와 (B)에 알맞은 말을 위 글에서 찾아 쓰시오.

Since knowledge is not static but depends on (A) __________ made in conversation, you need to express your (B) __________ and reflect on the results to learn the details of it.

CHAPTER 05

접속사 / 전치사

VISUAL GRAMMAR

접속사

단어와 단어, 구와 구, 절과 절을 이어주는 말

등위접속사 — 등위접속사 / 상관접속사

종속접속사 — 명사절 접속사
that / whether / if / 간접의문문

부사절 접속사
시간 / 이유 / 원인 / 조건 /
양보 / 대조 / 목적 / 결과

전치사

「전치사 + 명사(구) / 대명사 / 명사절 / 동명사」 형태로 문장 내에서 형용사나 부사 역할

전치사의 종류 — 시간 / 장소 / 위치 / 방향 / 원인 /
목적 / 도구 / 방법 / 재료 / 주제 /
찬반 / 착용 / 상태

POINT 1 등위접속사 / 상관접속사

정답 및 해설 p. 24

등위접속사 (and, but, or, so)

- 등위접속사는 문법적으로 대등한 단어, 구, 절을 연결한다.

1 This food tastes good **and** provides essential nutrients. (구)
2 Mark is very quiet, **but** his twin brother is outgoing. (절)
3 What would you like for dessert, ice cream **or** cake? (단어)
4 Julia didn't say a word, **so** I knew that she was upset. (절)

상관접속사

- 상관접속사는 등위접속사와 짝을 이루는 어구로, 문법적으로 대등한 단어, 구, 절을 연결한다.
- 상관접속사 구가 주어인 경우 「both A and B」는 복수 동사를 쓰고, 나머지는 B에 동사의 수를 일치시킨다.

• both A and B: A와 B 둘 다	• not A but B: A가 아니라 B
• either A or B: A와 B 둘 중 하나	• neither A nor B: A도 B도 아닌
• not only A but (also) B: A뿐만 아니라 B도(= B as well as A)	

5 He acted as **both** the director **and** the main actor of this film.
6 You can choose **either** a window seat **or** an aisle seat.
7 **Not only** Judy **but also** her parents *are* infected with the virus.

✔ 시험에 강해지는 포인트

◆ 수능·내신 어법

접속사와 병렬 구조

등위접속사와 상관접속사의 앞뒤에는 문법적으로 대등한 말이 병렬로 연결된다.

- You should break the habit of sleeping less and [make / making] up for it later.

A

어법 연습

밑줄 친 부분이 어법상 맞으면 ○표 하고, 틀리면 바르게 고쳐 쓰시오.

1 Phishing is often carried out by e-mail or instant messaging.
2 They debated all day long, so they couldn't draw a conclusion.
3 In fact, the effects of art are neither certain nor directly. 수능 응용
4 Not only the winner and also the losers are enjoying the closing ceremony.
5 Most students take a full hour to get up and getting going in the morning. 모평 응용

B

영작 연습

우리말과 같은 의미가 되도록 접속사와 괄호 안의 말을 이용하여 빈칸을 완성하시오.

1 당신이 아니라 Fred가 이 문제에 대해 책임이 있다. (not, be responsible)
→ ________ you ________ Fred ________ ________ for this problem.

2 물건을 고를 때 가격과 품질 둘 다 고려된다. (be)
→ ________ price ________ quality ________ considered when choosing an item.

3 아이들은 어른이 되어서도 편식을 계속할 수도 있고 그렇지 않을 수도 있다. (may, not, may, continue)
→ Kids ________ ________ ________ ________ ________ being choosy about food into adulthood.

POINT 2 명사절을 이끄는 종속접속사

정답 및 해설 p. 24

that (~하는 것)

- that절은 명사절로 주어, 목적어, 보어 역할을 한다. 목적절에 쓰인 that은 생략 가능하다.

1 **That** your heart stops when you sneeze is not true. (주어)
(= **It** is not true **that** your heart stops when you sneeze.)

cf. that절이 주어일 때 가주어 it을 쓰고 진주어 that절은 문장 뒤로 보낸다.

2 I believe (**that**) all my efforts will pay off. (목적어)

3 The problem is **that** he always talks first without thinking. (보어)

whether/if (~인지 아닌지)

- whether/if절은 명사절로 주어, 목적어, 보어 역할을 한다.
- if는 주로 목적절을 이끌며, 주어나 보어, 전치사의 목적어 자리에는 쓰지 않는다.

4 **Whether** you complete the project or not is up to you. (주어)

5 I wonder **if** there is a membership discount available. (목적어)

접속사 역할을 하는 의문사 (간접의문문)

- 의문사가 「의문사+S+V」의 어순으로 쓰여 접속사처럼 명사절을 이끌 수 있다.

6 Can you tell me **where** you went last summer?

7 Nobody knows **who** will succeed in the future. (의문사 = 주어)

✔ 시험에 강해지는 포인트

◆ 수능·내신 어법

접속사 that vs. whether

that 뒤에는 확인된 사실이, whether 뒤에는 불확실한 사실이 나온다.

- She wasn't sure [that / whether] he would help her or not.

◆ 서술형 빈출 구문

㉑ 주절+의문사+S+V

간접의문문을 어순에 맞게 쓸 수 있는지 묻는 문제가 출제된다. 의문사가 주어인 경우 「의문사+V」의 어순으로 쓰고, 주절이 do you think [believe/guess]와 같은 의문문인 경우 의문사를 문두에 쓴다.

- 내가 어떻게 표를 살 수 있는지 말해 줘.

→ Tell me **how I can buy** tickets.

- 너는 그녀가 왜 가야만 했다고 생각하니?

→ **Why** *do you think* **she had to go**?

A

어법 연습

다음 문장을 읽고, 네모 안에서 어법상 알맞은 것을 고르시오.

1 She asked him [whether / where] he had been all day, but he wouldn't tell her.

2 Everyone doubts [that / if] the company's terrible products will be successful.

3 Remember that life has a deadline; we just do not know [when is it / when it is]. 모평 응용

4 [What do you believe / Do you believe what] we could do to prevent infection?

5 Let me know [that / whether] it is possible to make a group reservation. 수능 응용

B

영작 연습

우리말과 같은 의미가 되도록 괄호 안의 말을 바르게 배열하시오.

1 Mason이 영리한 것은 사실이지만 참을성은 없는 것 같다. (is, clever, it, that, is, Mason, true)

→ ______________________, but he seems to be impatient.

2 우리는 어떻게 탄소 발자국을 최소화할 수 있을지 고민하고 있다. (how, can, we, minimize)

→ We are considering ______________________ our carbon footprint.

3 너는 누가 그 프로젝트에 가장 적임자라고 생각하니? (think, do, who, you, is)

→ ______________________ the most qualified person for the project?

POINT 3 부사절을 이끄는 종속접속사 I

정답 및 해설 p. 25

시간의 부사절을 이끄는 접속사

- when (~할 때), as (~할 때, ~하면서), while (~하는 동안), before (~하기 전에), after (~한 후에), since (~한 이후로), until (~할 때까지)
- by the time (~할 때쯤), as soon as (~하자마자), the moment (~하는 순간)

1 **While** she was waiting for the train, she called her son.

2 I've been volunteering at the hospital **since** I started high school.

3 **As soon as** you turn the corner, you'll see the building. (~~will turn~~)

cf. 시간을 나타내는 부사절에서는 현재시제가 미래시제를 대신한다.

이유/원인의 부사절을 이끄는 접속사

- because, as, since (~ 때문에), now (that) (~이므로)

4 We depended on the map **because** we didn't know the route.

5 I had to pay an additional fee **as[since]** my luggage was overweight.

6 Jay feels relieved **now** (**that**) he has found a new job.

✔ 시험에 강해지는 포인트

◆ 수능·내신 어법

부사절에서 「주어+be동사」 생략

부사절에서 주절과 같은 주어(대명사)와 be동사는 생략 가능하며, 이때 「접속사+분사[형용사]」 형태의 부사구만 남게 된다.

- [While cooking / While she cooking] dinner, she listened to the radio.

A

어법 연습

다음 문장을 읽고, 접속사에 유의하여 밑줄 친 부분을 우리말로 해석하시오.

1 Brian quit his job because he couldn't get the help he needed.

2 By the time the police arrived, the robbers had already run away.

3 A smile came over Ms. Baker's face as she listened to Jean sing. 모평 응용

4 The moment I picked up the baton, I realized it was my last chance.

5 I looked at him strangely, since not all the land belonged to me. 모평 응용

B

영작 연습

우리말과 같은 의미가 되도록 괄호 안의 말을 바르게 배열하시오.

1 우리는 대금을 받자마자 물건을 당신에게 보내드릴 것입니다. (we, as, payment, soon, receive, as)
→ ______________________, we will send the items to you.

2 Samantha는 회를 먹어 보라고 했을 때 얼굴을 찌푸렸다. (asked, raw fish, when, to eat)
→ Samantha made a face ______________________.

3 병원에 있는 동안 그는 지팡이를 짚고 걸어야만 했다. (he, in, while, the hospital, was)
→ ______________________, he had to walk with a cane.

부사절을 이끄는 종속접속사 Ⅱ

정답 및 해설 p. 25

조건의 부사절을 이끄는 접속사

- if(~한다면), unless(~하지 않는다면), in case(~인 경우에 대비해서), as long as(~하는 한)

[1] **If** you need further information, please visit our website.

[2] A bear won't attack you **unless** you move suddenly. (~~will move~~)

[3] **As long as** he is honest, he will have nothing to regret. (~~will be~~)

cf. 조건을 나타내는 부사절에서는 현재시제가 미래시제를 대신한다.

양보/대조의 부사절을 이끄는 접속사

- (al)though(비록 ~이지만), even if[though](비록 ~일지라도), while(~인 반면에)

[4] **Although** my grandma is eighty, she is still very active.

[5] I work out every day **even if** it is only for 20 minutes.

[6] **While** the pianist is technically proficient, he lacks passion.

목적/결과의 부사절을 이끄는 접속사

- so that/in order that(~하기 위해서), so ~ (that) ...(너무 ~해서 …하다)

[7] Wear sunglasses **so that** you don't damage your vision.

[8] The ultraviolet rays were **so** strong **that** she got sunburned.

✔ 시험에 강해지는 포인트

◆ 서술형 빈출 구문

㉒ **so that+S+V**
㉓ **so ~ that+S+V**

'목적' 또는 '결과'에 맞게 「so that」과 「so ~ that ...」을 구별해서 쓰는 문제가 출제된다.

- 그는 친구들이 자신을 볼 수 있도록 셀카 사진을 올렸다.
→ He posted some selfies **so that his friends could see** him.

- 그 공연은 너무 지루해서 나는 거의 잠들 뻔했다.
→ The show was **so boring that I** almost **fell asleep**.

A 어법 연습

다음 문장을 읽고, 접속사에 유의하여 밑줄 친 부분을 우리말로 해석하시오.

1 You'd better take your umbrella in case it rains.

2 Even though the house was small, it didn't feel cramped. 수능 기출

3 We will get in big trouble unless we fix the situation quickly.

4 Oil prices continue to drop, while gold prices continue to rise.

5 Pack the ceramic plates carefully so that they don't break.

B 영작 연습

우리말과 같은 의미가 되도록 괄호 안의 말을 이용하여 문장을 완성하시오.

1 비록 관객이 적을지라도 그 배우는 무대에서 최선을 다한다. (6 단어 / even if, the audience, small)
→ ______________________, the actor does his best on stage.

2 우리 그룹의 목표를 지지하기만 한다면 누구도 환영이다. (7 단어 / they, support, goals)
→ Everyone is welcome ______________________ of our group.

3 너무 추워서 우리는 여행을 완전히 즐길 수 없었다. (8 단어 / cold, that, enjoy)
→ ______________________ the tour fully.

전치사의 역할 / 주요 전치사

정답 및 해설 p. 26

전치사의 역할

■ 전치사는 「전치사+목적어」의 형태로 쓰여 문장에서 형용사나 부사의 역할을 한다.

1 We're looking for someone **with passion.** (명사 수식)

2 Analyzing big data is **of great value.** (주격보어)

3 Let's meet **at the theater** tomorrow. (동사 수식)

4 **In fact**, the project wasn't successful. (문장 전체 수식)

주요 전치사

시간	at, on, in, before, after, for, during, since, by, until, from, to	장소	at, on, in
위치	by, near, next to, beside, over, under, above, below, in front of, behind, between, among	방향	to, from, out of, into, up, down, along, around, across, toward, for, through
원인	for, of, from, with, at	목적	for, on, to
도구/방법	by, with, in	재료	of, from
주제	about, on, of	찬반	for, against
착용	in, on, with	상태	at, in, on

✔ 시험에 강해지는 포인트

◆ 수능·내신 어법

전치사+명사 상당 어구

전치사 뒤에는 목적어로 명사, 대명사(목적격), 동명사, 명사구, 명사절이 온다.

- Dogs show their love by [to wag / wagging] their tails.
- He is curious about [why / what] people drink coffee.

A

어법 연습

다음 문장을 읽고, 전치사에 유의하여 밑줄 친 부분을 우리말로 해석하시오.

1 It is a good starter book on the history of Eastern philosophy.

2 You can start by enrolling in our fantastic program today. 모평 기출

3 The couple saw their daughter in her wedding dress.

4 The ladder was leaning against the wall near the door.

5 Bakers are researching new methods for producing bread. 모평 응용

B

영작 연습

우리말과 같은 의미가 되도록 전치사와 괄호 안의 말을 이용하여 빈칸을 완성하시오.

1 그 회사는 첨단 기술을 사용해서 제품을 만든다. (advanced technology)
→ The company makes products ________ ________ ________.

2 기온은 20도에서 영하 10도까지 달라진다. (degrees, minus)
→ The temperature varies ________ ________ ________ ________ ________ ________.

3 수돗물을 흘려 보내지 않음으로써 물을 절약할 수 있다. (not, let, the tap, run)
→ You can save water ________ ________ ________ ________ ________ ________.

주의해야 할 전치사

정답 및 해설 p. 26

혼동하기 쉬운 전치사

■ 해석은 비슷해 보이나 의미의 차이가 있는 전치사들이 있다.

for (~ 동안)	숫자가 있는 기간이 이어짐	during (~ 동안)	특정 기간이 이어짐
until (~까지)	어느 시점까지의 계속	by (~까지)	어느 시점까지의 완료
since (~ 이후로)	시작 시점 이후로 계속	from (~부터)	특정 시점만을 나타냄

[1] Jim and I have known each other **for** 5 years.

[2] We visited several museums **during** our trip to Europe.

접속사 vs. 전치사

■ 접속사 뒤에는 「주어+동사」가 있는 절이 오고, 전치사 뒤에는 명사(구)가 온다.

	접속사	전치사
~ 동안	while	for, during
~ 때문에	because, since, as	because of, due to, owing to
~에도 불구하고	(al)though, even though	despite[in spite of]

[3] **Although** he is a big star, he responds to most of his fan mail.
(= **Despite** being a big star, he responds to most of his fan mail.)

시험에 강해지는 포인트

◆ 수능·내신 어법

전치사 vs. 접속사

전치사 뒤에는 명사(구)가 오고, 접속사 뒤에는 주어와 동사를 포함한 절이 온다.

- All of the flights will be canceled [because / because of] the volcanic ash.

A

어법 연습

다음 문장을 읽고, 네모 안에서 어법상 알맞은 것을 고르시오.

1 Applications should be submitted [until / by] next Friday at the latest.

2 Harry has been out of work [from / since] a car accident in 2015.

3 I was unable to attend [because / because of] a previous engagement.

4 A famous psychiatrist interviewed the prisoner [while / during] he was in jail.

5 [Although / Despite] scientists make errors, science can be self-correcting. 학평 기출

B

영작 연습

우리말과 같은 의미가 되도록 전치사와 괄호 안의 말을 이용하여 문장을 완성하시오.

1 음식값과 숙박 요금은 성수기 동안 더 비싸다. (the peak season)
→ Prices for meals and hotels are higher ______________________.

2 그들은 그 프로젝트를 끝내기 위해 밤 늦게까지 일했다. (late at night)
→ They worked ______________________ to finish the project.

3 감염의 위험에도 불구하고 그들은 환자들을 돌보고 있다. (the risk of infection)
→ ______________________, they are taking care of the patients.

문제로 REVIEW

어법 연습

다음 문장을 읽고, 네모 안에서 어법상 알맞은 것을 고르시오.

1 It has become routine for drivers to get stuck in traffic jams [for / during] rush hour.

2 I have found [whether / that] most people like to hire people just like themselves. 학평 기출

3 [Although / Despite] she had a severe stomachache, Mandy refused to get a checkup.

4 Keep a written record for future reference [if / unless] you are gifted with a photographic memory.

B **다음 문장에서 어법상 틀린 부분을 찾아 바르게 고쳐 쓰시오.**

1 Strangely, they seemed neither shocked and frightened when Celia went missing.

2 Bike helmets are important so that the government has made it mandatory to wear one.

3 People who lack empathy do not have the ability to understand how do others feel.

4 Space is infinite and difficult to reach, since oceans are finite and easily accessible.

5 Because of most of the plastic particles in the ocean are so small, there is no practical way to clean up the ocean. 학평 기출

C **다음 글을 읽고, 밑줄 친 부분 중 어법상 틀린 것을 모두 찾아 바르게 고쳐 쓰시오.**

1 ① If you will manage your stress effectively and take care of your mental and physical health, your chances of ② feel uninspired will be greatly ③ reduced and you will be more productive.

2 Joseph Friedman invented bendy straws after ① saw his daughter struggle to bend her milkshake straw to her mouth. Hospitals quickly began to use the bendy straws, ② as patients could drink with them ③ while lying in bed.

3 The original idea of a patent was not to reward inventors ① with a monopoly on profits but ② encourage them to share their inventions. A certain amount of intellectual property law is plainly necessary ③ to achieving this. 학평 응용

서술형 연습

A **접속사를 이용하여 두 문장을 한 문장으로 바꿔 쓰시오. (두 문장의 순서는 바꾸지 말 것)**

1 He knew he was wrong. He kept making the same mistakes.

→ ______________________________

2 I changed into exercise clothes. I got home from work.

→ ______________________________

B **우리말과 같은 의미가 되도록 괄호 안의 말을 바르게 배열하시오. (필요한 말만 이용할 것)**

1 내 억양을 듣고 나서 그는 나에게 어디 출신인지 물었다.

(was, what, where, from, I)

→ After hearing my accent, he asked me ________________.

2 우리는 다음 날까지 모든 것이 준비되도록 하기 위해 열심히 일했다.

(worked, so, hard, that, for)

→ We ________________ everything would be ready for the next day.

3 컴퓨터에 소프트웨어가 설치되어 있는지 확인하세요.

(the software, as, installed, is, whether)

→ Please check ________________ on your computer.

C **우리말과 같은 의미가 되도록 접속사 또는 전치사와 괄호 안의 말을 이용하여 문장을 완성하시오.**

1 우리 가이드가 호텔이나 공항으로 당신을 데리러 갈 것입니다.

(at the hotel, at the airport)

→ Our guide will pick you up ________________.

2 부상을 입었음에도 불구하고 그 소방관은 불을 끄기 위해 계속 일했다.

(being injured)

→ ________________, the firefighter kept working to extinguish the flames.

3 뭄바이에서는 공기가 너무 오염되어서 숨쉬기가 어렵다.

(the air, polluted)

→ In Mumbai, ________________ it is hard to breathe.

실전 모의고사

문항 수 | 객관식 10 / 서술형 6

맞은 개수 / 16

1 다음 중 빈칸에 필요하지 않은 단어는?

- This closet is made _______ solid oak.
- She was able to lift the heavy luggage _______ her friend.
- They need to prepare food for the party _______ noon.
- The boy placed his answer sheet _______ the table.

① of ② in ③ on
④ by ⑤ with

2 다음 빈칸에 들어갈 말이 순서대로 짝지어진 것은?

- The forecaster announced that it would rain _______ tomorrow.
- Crops died in the fields _______ the severe drought.

① by – during ② by – for
③ until – during ④ until – for
⑤ for – in

[3-4] 우리말과 같은 의미가 되도록 선택지의 말을 배열할 때, 두 번째로 올 단어를 고르시오.

3

나는 그가 외출할 준비를 하는 데 왜 이렇게 오래 걸리는지 모르겠다.
→ I wonder _______________ for him to get ready to go out.

① so ② it ③ long
④ why ⑤ takes

4

내 아들은 꽃을 피울 수 있도록 매일 꽃에 물을 준다.
→ My son waters the flowers every day _______________.

① so ② will ③ they
④ that ⑤ blossom

[5-6] 다음 중 어법상 틀린 문장을 고르시오.

5 ① It doesn't matter at all to me whether you stay or leave.
② The little girl is so kind and sweet that everyone adores her.
③ Neither soothing music nor free drinks calmed the angry audience.
④ The police began to chase the thief as soon as they saw him on the street.
⑤ He wants to know how to keep in touch with her as well as to get her attention.

6 ① The festival was canceled because of the heavy rain.
② I have a plan to visit my friend in Chicago during my winter vacation.
③ His salads are known to be made from the most easily available ingredients.
④ The party went well, except that there wasn't enough cake for everybody.
⑤ All the students in this class must hand in their assignments until Monday.

7 **다음 중 어법상 맞는 문장의 개수는?**

a. We need to pass through the center of the city during rush hour.
b. A man is playing baseball with his two sons besides the river.
c. The party will end at 10 o'clock, so you should be home by 11.
d. In the early morning, the sun rose above the horizon without a cloud in sight.
e. My school is nearby, so I can't take the school bus, but it's too far to go there by foot.
f. Many stores were closed because the economic recession we faced.

① 2개　② 3개　③ 4개
④ 5개　⑤ 6개

8 **다음 중 어법상 틀린 문장끼리 짝지어진 것은?**

a. Let me check that the experiment was successful or not.
b. Either my brother could not solve the problem or he did not want to.
c. After being invited to a wedding, Hazel worried about what to wear.
d. No one knows if it's better to invest in a single stock or a mutual fund.
e. Not only compliments and critical comments were given to the group.
f. While it was strongly supported by the public, the bill was voted down.

① a, b　② a, d　③ a, e
④ b, c, d　⑤ b, c, e

고난도

9 **밑줄 친 ⓐ~ⓒ에 대한 〈보기〉의 설명이 옳은 것끼리 짝지어 진 것은?**

• Most plants need enough sunlight ⓐ so that they can grow properly.
• ⓑ By the time he arrived at the party, he found that his friends had already left.
• The notification icon won't flash ⓒ if you have a message.

〈보기〉

ⓐ 햇빛이 필요한 것이 자라기 위해서이므로 목적의 부사절을 이끄는 접속사 so that이 쓰였다.
ⓑ by the time은 이유의 부사절을 이끌고 있으므로, because로 바꿀 수 있다.
ⓒ '메시지를 받지 않으면'의 의미가 되어야 하므로 if 대신 if not의 의미를 나타내는 unless를 써야 한다.

① ⓑ　② ⓒ　③ ⓐ, ⓑ
④ ⓐ, ⓒ　⑤ ⓑ, ⓒ

10 **밑줄 친 ①~⑤ 중 어법상 틀린 것을 두 개 고르면?**

Not only did space shuttles carry astronauts into space, they were also used ① alike moving vans. They often carried satellites into space ② so they could be released into orbit. Space shuttles were also responsible for transporting large sections of the International Space Station during its construction. They were sometimes used as laboratories as well. This was because conducting experiments in space is different than ③ to do them on the Earth. Each launch of a space shuttle ④ was called a mission. More than 100 missions were carried out, and each lasted ⑤ for one or two weeks.

서술형

[1-2] 우리말과 의미가 같도록 괄호 안의 말을 이용하여 문장을 완성하시오. (부사절 접속사를 사용할 것)

1 그 관리자는 너무 완고해서 다른 사람들의 충고를 절대 듣지 않는다.
(stubborn, never, listen, she)

→ The manager is ______________
to the advice of others.

2 학교 이사회는 그가 중단 없이 연구를 계속할 수 있도록 그에게 장학금을 주었다.
(continue, his research)

→ The school board granted him a scholarship
____
uninterrupted.

3 다음 중 어법에 맞지 않는 두 문장을 찾아 각각 틀린 부분을 바르게 고쳐 쓰시오.

a. If the price of this product is high or low doesn't seem to matter.
b. Despite the recession continued, he began to expand his business.
c. Schools in the north tend to be better equipped, while those in the south are relatively poor.
d. You should take this tablet as soon as you feel something strange.

틀린 번호 ( ): ________ → ________
틀린 번호 ( ): ________ → ________

4 다음 문장에서 어법상 틀린 부분을 찾아 바르게 고치고, 그 이유를 우리말로 쓰시오.

Not only the runners of the national team but also their coach don't drink coffee.

(1) 틀린 부분: ________ → ________
(2) 틀린 이유: ______________

[5-6] 다음 글을 읽고, 물음에 답하시오. 학평 응용

In a study, students who won basketball tickets said they wouldn't sell them for less than $2,400. But students who hadn't won their tickets said they would only pay $170. This suggests that students viewed the tickets as being worth much more once they owned them. Similarly, during the housing market crash of 2008, a survey was conducted to see <u>주택 소유자들이 어떻게 그 폭락이 가격에 영향을 미쳤다고 느끼는지를</u> of their homes. 92% of the respondents reported that it had lowered the value of other homes in the neighborhood, but 62% believed it had increased the value of their own home.

5 위 글의 밑줄 친 우리말을 주어진 〈조건〉에 맞게 영작하시오.

〈조건〉
1. 8 단어로 쓸 것
2. 간접의문문을 이용할 것
3. homeowners, the crash, affect를 이용할 것

____

6 농구 티켓의 희망 판매가가 희망 구매가보다 훨씬 비싼 이유를 위 글에서 찾아 우리말로 쓰시오.

____

CHAPTER

관계사

- **POINT 1** 관계대명사
- **POINT 2** 관계대명사 that / what
- **POINT 3** 관계대명사의 생략 / 전치사 + 관계대명사
- **POINT 4** 관계대명사의 계속적 용법
- **POINT 5** 관계부사
- **POINT 6** 복합관계사

VISUAL GRAMMAR

관계대명사

두 문장을 연결하는 접속사 역할을
하면서 앞에 나온 명사를 대신

who / whom / whose /
which / that / what

관계부사

두 문장을 연결하는 접속사 역할을
하면서 앞에 나온 부사(구)를 대신

when / where / why / how

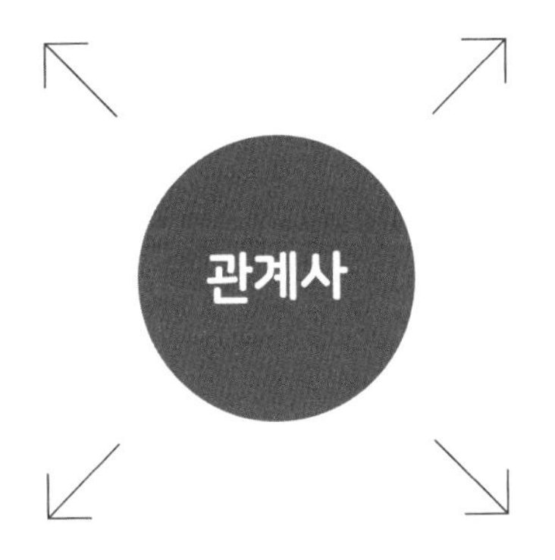

복합관계대명사

「관계대명사 + -ever」의 형태로 선행사를
포함하는 명사절 또는 부사절

whoever / whichever /
whatever

복합관계부사

「관계부사 + -ever」의 형태로
선행사를 포함하는 부사절

whenever / wherever /
however

POINT 1 관계대명사

정답 및 해설 p. 30

관계대명사의 개념과 역할

- 관계대명사는 두 문장을 연결하면서 앞의 명사인 선행사를 대신한다.
- 관계대명사절은 앞에 있는 선행사를 수식하는 형용사 역할을 한다.

[1] Mr. Jones is an English teacher. He comes from Canada.
(an English teacher / He: 공통)

→ Mr. Jones is an English teacher **who** comes from Canada.
(an English teacher: 선행사 / who comes from Canada: 관계대명사절)

관계대명사의 격

- 관계대명사절 내에서 관계대명사의 역할에 따라 정해지며 주격, 목적격, 소유격이 있다.

선행사	주격	목적격	소유격
사람	who	who(m)	whose
동물, 사물	which	which	whose[of which]
사람, 동물, 사물	that	that	-

[2] The man **who**[**that**] sat next to me was very talkative. (주격)
[3] The cell phone **which**[**that**] I dropped can't be repaired. (목적격)
[4] There are some people **whose** behavior I can't understand. (소유격)

시험에 강해지는 포인트

◆ 서술형 빈출 구문

㉔ 명사(선행사)+관계대명사절
선행사를 수식하는 관계대명사절을 격에 맞게 쓸 수 있는지 묻는 문제가 출제된다. 완성된 관계대명사절 내에는 선행사에 해당하는 문장 성분이 없어야 한다.

- 나는 결말이 슬픈 영화를 좋아하지 않는다.
→ I don't like **movies which have a sad ending**.

A 어법 연습

밑줄 친 부분이 어법상 맞으면 ○표 하고, 틀리면 바르게 고쳐 쓰시오.

1 They cut away the trees which leaves were black due to a disease.
2 The author whose she criticized in her review called her to complain.
3 It is no accident that fish have bodies which are streamlined and smooth. 모평 응용
4 This restaurant is run by a chef who cookbook sold millions of copies.
5 You will often meet people whom introduce themselves in terms of their work. 수능 응용

B 영작 연습

우리말과 같은 의미가 되도록 괄호 안의 말을 바르게 배열하시오. (관계대명사를 추가할 것)

1 온라인으로 표를 예매한 사람들은 곧 자동 환불을 받을 것이다. (booked, those, tickets, online)
→ ______________________ will soon get an automatic refund.

2 너는 2주 전에 빌렸던 책을 반납해야 한다. (borrowed, you, two weeks ago, the book)
→ You should return ______________________.

3 자신의 아이가 위험에 처해 있는 여자가 개를 겁주어 쫓아 버렸다. (was, child, the woman, in danger)
→ ______________________ scared the dog away.

관계대명사 that / what

정답 및 해설 p. 30

관계대명사 that

- 소유격을 제외한 모든 관계대명사 대신 쓸 수 있으며 주격과 목적격의 형태가 같다.
- 선행사가 「사람+동물[사물]」인 경우, 선행사가 -thing, -body인 경우, 선행사에 최상급, 서수, the only, the very, the same, every, all 등이 포함된 경우 that을 주로 쓴다.

1 Can you see *the boy and his dog* **that** are playing in the snow?
2 This is *the best pizza* **that** I've ever eaten.
3 We're going to prepare for *everything* **that** we can think of.

관계대명사 what (= the thing(s) which)

- 선행사를 포함하는 관계대명사로 주어, 목적어, 보어 역할을 하는 명사절을 이끈다.
- what이 이끄는 절이 문장의 주어로 쓰일 경우 원칙적으로 단수 취급하여 단수 동사를 쓰나, 문맥상 복수의 의미인 경우 복수 동사를 쓴다.

4 **What** I bought at the mall *was* a handmade bracelet. (주어)
5 **What** they want to see *are* the remains of the historical record. (목적어)
6 They were surprised by **what** scientists discovered. (전치사의 목적어)
7 The product that was delivered is not **what** she ordered. (주격보어)

✔ 시험에 강해지는 포인트

◆ 수능·내신 어법

관계대명사 that vs. 관계대명사 what
관계대명사 that과 what 모두 뒤에 불완전한 절이 오지만, that 앞에는 선행사가 있고 what 앞에는 선행사가 없다.

- *The thing* [that / what] he said was not true.
- [That / What] he said was not true.

◆ 서술형 빈출 구문

㉕ what+불완전한 절
what이 이끄는 관계대명사절을 바르게 쓸 수 있는지 묻는 문제가 출제된다. what은 선행사 없이 쓰고, 뒤에는 주어나 목적어가 없는 불완전한 절이 온다.

- 우리는 남은 것을 재사용할 수 있다.
→ We can reuse **what is left**.

A
어법 연습

밑줄 친 부분이 어법상 맞으면 ○표 하고, 틀리면 바르게 고쳐 쓰시오.

1 Don't ever tell me that you think unless I ask you. 학평 기출
2 The book is about a singer and her cat what lived on the street.
3 Belief in that you're doing will make you more enthusiastic.
4 We're going to donate all the money what we earned from the bazaar.
5 This is what was chosen as one of the most inspiring pieces by other artists.

B
영작 연습

우리말과 같은 의미가 되도록 관계대명사와 괄호 안의 말을 이용하여 문장을 완성하시오.

1 우리를 가장 걱정시키는 것은 기후 변화의 위협이다. (4 단어 / worry, most)
→ ______________________ is the threat of climate change.

2 불운을 극복하는 유일한 것은 열심히 노력하는 것이다. (7 단어 / the only thing, overcome, hard luck)
→ ______________________ is hard work.

3 콘텐츠 제작은 많은 십 대들이 직업으로 하고 싶어 하는 것이다. (6 단어 / many teenagers, want, do)
→ Content creation is ______________________ for a living.

관계대명사의 생략 / 전치사+관계대명사

정답 및 해설 p. 31

관계대명사의 생략

- 목적격 관계대명사로 쓰인 who(m), which, that은 자주 생략된다.
- 분사, 형용사 앞의 「주격 관계대명사+be동사」는 생략 가능하다.

1 They adopted the child (**whom**) they had met at the orphanage.
2 I bought the same jacket (**that**) Steve wore last Saturday.
3 There are many people (**who are**) addicted to smartphones.
4 This is information (**which is**) useful when applying for a job.

전치사+관계대명사

- 관계대명사가 전치사의 목적어일 때 전치사는 관계대명사절의 끝이나 바로 앞에 올 수 있다.
- 전치사 바로 뒤에 오는 목적격 관계대명사는 생략할 수 없다.
- 관계대명사 who와 that은 전치사 바로 뒤에 올 수 없다.

5 I remember the old cabin (**which[that]**) we stayed **in**.
I remember the old cabin **in which** we stayed.
I remember the old cabin **in** we stayed. (×)
6 Mr. Peterson is the man with **who[that]** I worked.
→ **whom**

✔ 시험에 강해지는 포인트

◆ 수능·내신 어법

전치사+관계대명사 vs. 관계대명사
관계대명사절의 문장 구조와 의미를 파악하여 관계대명사가 관계대명사절 내에서 전치사의 목적어인지 아닌지 판단한다.

- This is the university [which / from which] my dad graduated.
- This is the university [which / from which] offers the best vacation program.

A
어법 연습

밑줄 친 부분이 어법상 맞으면 ○표 하고, 틀리면 바르게 고쳐 쓰시오.

1 Is she the new manager about who you were telling us the other day?
2 The researcher never names the people that he gathers information from.
3 In Australia a few years ago, I met a remarkable man named John Walton. 모평 기출
4 Doctors found a new treatment for patients who suffering from blood cancer.
5 The garden in that he painted *The Satyr* was in the middle of the enemy's camp. 수능 기출

B
영작 연습

우리말과 같은 의미가 되도록 괄호 안의 말을 바르게 배열하시오.

1 우리는 야생 동물 보호와 관련된 한 단체를 지원하고 있다. (in, an organization, protecting, involved)
→ We are supporting ______________________ wildlife.

2 우리는 모두 의지할 수 있는 가까운 친구가 필요하다. (whom, can, depend, we, on)
→ We all need close friends ______________________.

3 Mason은 그가 찾고 있던 직업을 마침내 구했다. (for, he, was, looking, the job, which)
→ Mason finally got ______________________.

관계대명사의 계속적 용법

정답 및 해설 p. 31

관계대명사의 계속적 용법

- 관계대명사절이 선행사를 부연 설명하는 경우로, 관계대명사 앞에 콤마(,)가 있다.
- 선행사가 앞 절의 일부 또는 전체인 경우 관계대명사 which를 쓴다.
- 계속적 용법의 관계대명사는 「접속사+대명사」의 의미로 해석한다.
- 계속적 용법의 관계대명사는 생략할 수 없으며, that은 계속적 용법으로 쓰지 않는다.

1 They have *a daughter*, **who** wants to be a fashion model. (딸이 한 명뿐임)

cf. They have *a daughter* **who** wants to be a fashion model. (딸이 한 명 이상일 수 있음)

2 He wants *to study abroad*, **which** costs a lot. (= but it)

3 *Angela failed the audition*, **which** disappointed us. (= and it)

4 I downloaded a translation app, **that** is useful for studying English.
→ **which**

부정대명사+of+목적격 관계대명사

- 계속적 용법에서 앞에 나온 명사 전체나 일부에 대해 부연 설명할 때 「부정대명사(all/most/both/some/neither/none 등)+of whom[which]」의 형태로 쓴다.

5 Mia has three brothers, **all of whom** are baseball players.

6 I saw some paintings by Picasso, **most of which** were impressive.

✔ 시험에 강해지는 포인트

◆ 수능·내신 어법

부정대명사+of 뒤 관계대명사 vs. 대명사
두 절 사이에 접속사가 있으면 대명사를 쓰고, 없으면 관계대명사를 쓴다.

- I have two cats, both of [which / them] are brown.
- I have two cats, and both of [which / them] are brown.

◆ 서술형 빈출 구문

㉖ 부정대명사+of+목적격 관계대명사
선행사를 부연 설명하는 「부정대명사+of+목적격 관계대명사」의 형태를 바르게 쓸 수 있는지 묻는 문제가 출제된다.

- 우리는 Jim과 Allan과 함께 일할 텐데, 너는 그들 중 어느 누구도 전에 만난 적이 없다.
→ We'll work with Jim and Allan, **neither of whom** you've met before.

A

어법 연습

다음 문장을 읽고, 밑줄 친 관계대명사의 선행사를 찾아 밑줄을 그으시오.

1 My role model is Steve Jobs, who is remembered as a brilliant innovator.

2 I ordered a vegan salad and a vegan sandwich, both of which were very tasty.

3 The locker room was painted bright red, which made the players more aggressive.

4 He wants to go on vacation to Bali, which is nicknamed the "Island of the Gods."

5 She stood by a crowd of anxious freshmen, some of whom later became her friends. 수능 응용

B

영작 연습

우리말과 같은 의미가 되도록 관계대명사와 괄호 안의 말을 이용하여 문장을 완성하시오.

1 많은 사람들이 그녀의 첫 번째 뮤직비디오를 봤는데, 그것은 그녀가 직접 만든 것이다. (make, herself)
→ Many people watched her first music video, ______________________.

2 그들은 두 명의 직원을 채용했는데, 그들 둘 다 곧 회사를 그만두었다. (soon, both, leave the firm)
→ They hired two new staff members, ______________________.

3 그 요리사는 20개의 조리법을 만들었는데, 그것들 대부분은 성공적이었다. (most, successful)
→ The chef created twenty new recipes, ______________________.

관계부사

정답 및 해설 p. 32

관계부사의 개념과 역할

- 관계부사는 선행사에 따라 when(때), where(장소), why(이유), how(방법)를 쓰며, 관계부사절은 선행사를 수식하는 형용사 역할을 한다. 관계부사는 「전치사+관계대명사」로 바꿔 쓸 수 있다.
- 선행사가 the time, the place, the reason과 같이 일반적인 경우 관계부사는 생략 가능하며, 선행사가 생략되기도 한다.
- 관계부사 when, where, why, how 대신 that을 쓸 수 있다.

1 I remember *the day* **when[on which]** Harry and I first met.

2 This is *the museum* **where[in which]** the *Mona Lisa* is exhibited.

3 This is **how[the way]** the thief broke into my house.

cf. 관계부사 how는 선행사인 the way와 함께 쓰지 않는다.

4 Do you know **the reason[why]** she chose to study law?

관계부사의 계속적 용법

- when, where가 이끄는 관계부사절이 선행사를 부연 설명하는 경우로, 관계부사 앞에 콤마(,)가 있다. 관계부사 why, how, that은 계속적 용법으로 쓰지 않는다.
- 계속적 용법의 관계부사는 「접속사+부사」로 바꿔 쓸 수 있으며, 생략할 수 없다.

5 We visited *the store*, **where** we bought some souvenirs. (= and there)

6 Owls are active *at night*, **when** they do most of their hunting. (= and then)

✔ 시험에 강해지는 포인트

◆ 수능·내신 어법

관계대명사 vs. 관계부사

관계대명사 뒤에는 주어나 목적어가 없는 불완전한 절이 오고, 관계부사 뒤에는 완전한 절이 온다.

- We visited Busan, [which / where] is my father's hometown.
- We visited Busan, [which / where] my father grew up.

◆ 서술형 빈출 구문

㉗ 명사(선행사)+관계부사+S+V

선행사에 맞는 적절한 관계부사절을 쓸 수 있는지 묻는 문제가 출제된다.

- 우리는 Amy가 일하는 식당에서 저녁을 먹었다.

→ We had dinner at *the restaurant* **where Amy works**.

A 어법 연습

밑줄 친 부분이 어법상 맞으면 ○표 하고, 틀리면 바르게 고쳐 쓰시오.

1 Most of us probably parent the way how we were parented. 모평 기출

2 The 1950s is when the concept of artificial intelligence was first introduced.

3 Do you know the reason, why Helen started writing her novel again?

4 The leaf disease is prevalent in summer, in when the sunflower crop is being grown.

5 The wheat was given to them on the beach, which it quickly became mixed with sand. 모평 기출

B 영작 연습

우리말과 같은 의미가 되도록 괄호 안의 말을 바르게 배열하시오. (필요시 관계부사를 추가할 것)

1 한 가지 중요한 차이점은 초과 근무를 계산하는 방식이 될 것이다. (you, the way, overtime, calculate, hours)

→ One major difference will be ______________________.

2 우리는 고등학교를 졸업한 그해 이후로 서로 만난 적이 없다. (high school, we, the year, graduated from)

→ We haven't met each other since ______________________.

3 우리는 타임스 스퀘어를 방문할 계획인데, 그곳에서 우리는 새해맞이를 할 것이다. (will, celebrate, we)

→ We're planning to visit Times Square, ______________________ New Year's Eve.

복합관계사

정답 및 해설 p. 32

시험에 강해지는 포인트

◆ 수능·내신 어법

복합관계대명사 vs. 복합관계부사
뒤에 오는 절이 완전하면 복합관계부사를, 불완전하면 복합관계대명사를 쓴다.

- Call me [whoever / whenever] you need my help.
- I will help [whoever / whenever] is in need.

복합관계대명사

- 「관계대명사+-ever」의 형태로 명사절 또는 양보의 부사절을 이끈다.

복합관계대명사	명사절	양보의 부사절
whoever	~하는 사람은 누구든지(= anyone who)	누가 ~할지라도(= no matter who)
whatever	~하는 것은 무엇이든지(= anything that)	무엇이[을] ~할지라도(= no matter what)
whichever	~하는 것은 어느 것이든지(= anything that)	어느 것이[을] ~할지라도(= no matter which)

1 **Whoever** made this app is a genius. (명사절-주어)

2 We'll support your decision, **whatever** you choose to do. (부사절-양보)

복합관계부사

- 「관계부사+-ever」의 형태로 시간, 장소, 양보의 부사절을 이끈다.
- however는 양보의 부사절만 이끌며 바로 뒤에 형용사나 부사가 온다.

복합관계부사	시간·장소의 부사절	양보의 부사절
wherever	~하는 곳은 어디든지(= at any place where)	어디서 ~하든지(= no matter where)
whenever	~할 때는 언제나(= at any time when)	언제 ~하든지(= no matter when)
however	–	아무리 ~할지라도(= no matter how)

3 The bridge is flooded with water **whenever** it rains. (부사절-시간)

4 **However** *carefully* he explained, they didn't understand. (부사절-양보)

A
어법 연습

다음 문장을 읽고, 복합관계사에 유의하여 밑줄 친 부분을 우리말로 해석하시오.

1 My boss gets angry with whoever opposes him.

2 Whatever happens, the proper attitude makes the difference. 학평 응용

3 However great the product is, there is too much competition.

4 Whenever I use this machine, my coffee does not get hot enough. 학평 기출

5 He didn't have much money, so he bought whichever was cheaper.

B
영작 연습

우리말과 같은 의미가 되도록 복합관계사와 괄호 안의 말을 이용하여 문장을 완성하시오.

1 그가 아무리 똑똑하다고 해도 그는 여전히 다른 사람들과 관계를 맺는 데 어려움이 있다. (smart)
→ ________________, he still has difficulty in relating to other people.

2 네가 무엇을 한다 할지라도 너는 항상 최선을 다해야 한다. (may, do)
→ ________________, you must always do your best.

3 그 사진작가는 경치가 아름다운 곳이면 어디든 사진을 찍기 위해 걸음을 멈추었다. (the scenery, beautiful)
→ The photographer stopped to take pictures ________________.

문제로 REVIEW

어법 연습

다음 문장을 읽고, 네모 안에서 어법상 알맞은 것을 고르시오.

1 Cans are taken to the plant, which / where they are transformed into a new product.

2 Seedy Sunday is a seed exchange event who / that has taken place every year since 2002. 학평 기출

3 The visible universe consists of the parts of space that / where can be seen with telescopes.

4 By analyzing the rock which / in which fossils are embedded, we can estimate their age.

B

다음 문장에서 어법상 틀린 부분을 찾아 바르게 고쳐 쓰시오.

1 People who have heard bad news tend to initially deny that has happened. 수능 응용

2 There are over 200 statues in this museum, some of them depict Greek gods.

3 Her parents said they would support her, however she decided to do.

4 The 17th century was a time which people were having new ideas about the world.

5 Modern buildings often have automatic doors, that were originally designed to help individuals with disabilities.

C

다음 글을 읽고, 밑줄 친 부분 중 어법상 틀린 것을 모두 찾아 바르게 고쳐 쓰시오.

1 If you want people ① to read and understand ② that you write, write it in spoken language. Written language is more formal and distant, ③ what makes readers lose attention. 학평 응용

2 ① During the time ② when he spent in Arles, France, Van Gogh created numerous paintings and drawings, ③ many of them are now considered masterpieces of 19th century art.

3 Earthquakes are caused by the movement of plate boundaries and the pressure ① what builds up during the movement. ② Since they are created when the pressure is released, they are more likely to occur ③ whenever there is a plate boundary.

서술형 연습

A **다음 문장을 읽고, 관계사를 이용한 한 문장으로 바꿔 쓰시오.**

1 Older people often take multiple drugs, but some of them serve no useful purpose.

→ ______________________________

2 An oasis is a place in the middle of the desert. Water is found there.

→ ______________________________

B **우리말과 같은 의미가 되도록 괄호 안의 말을 바르게 배열하시오. (필요한 말만 이용할 것)**

1 호모 사피엔스는 상징 언어를 구사할 수 있는 유일한 종이다.

(species, that, the only, who)

→ Homo sapiens is ______________ can use symbolic language.

2 우리는 그 수익금을 누구든지 그것이 필요한 사람에게 기부하고 싶다.

(whoever, whom, them, to, needs)

→ We want to donate the proceeds ______________.

3 당신이 음식을 주문할 수 있는 음식점이 많다.

(which, many, from, on, restaurants)

→ There are ______________ you can order food.

C **우리말과 같은 의미가 되도록 관계사와 괄호 안의 말을 이용하여 문장을 완성하시오.**

1 벨기에 초콜릿을 특별하게 만드는 것은 재료의 질이다.

(Belgian chocolate, unique, make)

→ ______________ is the quality of the ingredients.

2 음악이 건강에 좋은 과학적 근거가 있는 이유들이 있다.

(music, reasons, science-backed, be)

→ There are ______________ good for your health.

3 나는 20명의 사람들과 이야기했는데, 그 중 어느 누구도 그 아이디어에 관심을 보이지 않았다.

(interest, show, none)

→ I talked to 20 people, ______________ in the idea.

실전 모의고사

문항 수 | 객관식 10 / 서술형 6
맞은 개수 / 16

[1-2] 다음 빈칸에 들어갈 말이 순서대로 짝지어진 것을 고르시오.

1

- There were three photos, one of ________ showed a man with a serious look on his face.
- I went to a school ________ everyone wore a uniform.

① them – that ② them – where
③ which – which ④ which – where
⑤ what – where

2

- I saw a woman ________ hair came down to her waist.
- All ________ I can say to my teammates is that I did my best.

① whom – that ② whom – what
③ whose – that ④ whose – what
⑤ who – which

[3-4] 우리말과 같은 의미가 되도록 선택지의 말을 배열할 때, 세 번째로 올 단어를 고르시오.

3

바꿀 수 없는 것들은 받아들이되, 받아들일 수 없는 것은 바꿔라.
→ Accept the things you can't change, and ________________.

① you ② what ③ change
④ can't ⑤ accept

4

공항으로 가는 교통편이 필요할 때에는 언제든지 주저하지 말고 나에게 전화해.
→ Don't hesitate to ________________ ________ a ride to the airport.

① me ② need ③ call
④ you ⑤ whenever

[5-6] 다음 중 어법상 틀린 문장을 고르시오.

5 ① Do you remember the people we met in New Zealand last year?
② He made a $35,000 profit in one year, which surprised everyone.
③ My grandfather clearly remembers the day when the war began.
④ The director has three brothers, none of whom is in the film industry.
⑤ We need to overcome challenging problems which there is no precedent.

6 ① The only thing that I need right now is a glass of water.
② What she said made me think we had something in common.
③ Reach out to the poor, that are the most likely to be ill and injured.
④ This book is perfect for whoever needs some comfort in troubled times.
⑤ We stayed at a beautiful hotel, the name of which I don't remember now.

7 다음 중 어법상 맞는 문장의 개수는?

a. All of the residents like the street where cars are not allowed.
b. Oliver finally met the boy whom life he saved.
c. She moved to another town, which made me unhappy.
d. I have many friends, some of whom are from other countries.
e. You may exit the auditorium whatever you wish.
f. The conference will be held in Chicago tomorrow, when it has been held for years.

① 2개 ② 3개 ③ 4개
④ 5개 ⑤ 6개

8 다음 중 어법상 틀린 문장끼리 짝지어진 것은?

a. I went to a meeting whose purpose was to assess the situation.
b. Do you have something it will stop the door from closing?
c. Do you know the reason why he sneaked out of the house?
d. Whatever it happened to him is not her fault.
e. Do you know the building where is painted blue?
f. Louise has three Argentine classmates with whom she spoke Spanish.

① a, d ② a, b, d ③ b, d, e
④ c, d, f ⑤ b, d, e, f

9 밑줄 친 ⓐ~ⓒ에 대한 〈보기〉의 설명이 옳은 것끼리 짝지어진 것은?

• I love to make salads with ⓐ whatever is in the fridge.
• This program will teach me ⓑ what I need to know about education.
• The cat moved all but one of its kittens, ⓒ which was saved by a young girl.

〈보기〉

ⓐ 복합관계대명사가 전치사의 목적어 역할을 하는 명사절을 이끌며 anything that으로 바꿀 수 있다.
ⓑ the things that의 의미로 뒤에 오는 절에는 목적어가 없다.
ⓒ 관계대명사의 계속적 용법으로 쓰였으며 선행사는 all but one of its kittens이다.

① ⓐ ② ⓐ, ⓑ ③ ⓐ, ⓒ
④ ⓑ, ⓒ ⑤ ⓐ, ⓑ, ⓒ

어법형

10 밑줄 친 ①~⑤ 중 어법상 맞는 것을 두 개 고르면? 학평 응용

Recently I was with a client ① who had spent almost five hours with me. While we were reflecting on ② that we had covered that day, I noticed that he was holding one leg at a right angle to his body, seemingly ③ wanted to get up and run. At that point I said, "You really do have to leave now, ④ aren't you?" "Yes," he admitted. "I am so sorry, but I have to call London in five minutes!" His feet were ⑤ what told me that although he wanted to stay, he had to go.

서술형

[1-2] 우리말과 같은 의미가 되도록 관계대명사와 괄호 안의 말을 이용하여 문장을 완성하시오.

1 그는 Rebecca에게 끊임없이 이야기했는데, 그것은 방 안에 있던 모두를 짜증나게 했다.
(annoy, everyone)

→ He talked to Rebecca endlessly, ________
______________________________.

2 그 환자는 두 자원봉사자에게 보살핌을 받는데, 그들은 둘 다 의대생이다.
(both, from, the medical school)

→ The patient is looked after by two volunteers,
______________________________.

3 다음 중 어법에 맞지 않는 두 문장을 찾아 각각 틀린 부분을 바르게 고쳐 쓰시오.

a. The idea which she put forward is actually backed by research.
b. Wherever you go, never forget that your family is always with you.
c. People were surprised to see that the archeologist dug up from the ruined city.
d. I am a bit disappointed with the result, but it doesn't alter the way how I feel about myself.

틀린 문장 ( ): ________ → ________
틀린 문장 ( ): ________ → ________

4 다음 문장을 읽고, 밑줄 친 which가 가리키는 바를 우리말로 쓰시오.

The company offers a range of products, from coffee mugs to bed sheets, most of which are of high quality.

____

[5-6] 다음 글을 읽고, 물음에 답하시오.

Economic culture appears to be heavily derived from the past and present microeconomic context. True, individuals may act in ways that might hurt the collective interests of society or the national self-interest. But it is rare that an individual knowingly acts in unproductive ways that are counter to his individual self-interest or that of company. The role of cultural attributes, then, is difficult to decouple from the influence of the overall business environment and a society's institutions. The way people behave in a society has much to do with the signals and the incentives that are created in 그들이 살고 있는 경제 시스템.

5 위 글의 밑줄 친 우리말을 주어진 〈조건〉에 맞게 영작하시오.

〈조건〉
1. 「전치사+관계대명사」를 이용할 것
2. the economic system, live를 포함시킬 것

____

6 위 글의 제목을 완성할 때, 빈칸 (A)와 (B)에 알맞은 말을 지문에 나온 단어를 이용하여 각각 한 단어로 쓰시오.

The (A) ________ of Economic Systems on the (B) ________ of Individuals

CHAPTER

명사 / 관사 / 대명사

VISUAL GRAMMAR

명사

셀 수 있는 명사	보통명사	일반적인 사물, 동식물, 사람, 장소
	집합명사	보통명사 여럿을 모은 집합
셀 수 없는 명사	추상명사	생각이나 개념, 활동, 현상
	물질명사	사물의 종류, 고체/액체/기체/가루
	고유명사	사람, 장소, 나라 등의 이름

관사

부정관사 a[an]	처음 언급하는 것, 불특정한 하나[한 명]
정관사 the	이미 언급한 것, 서로 알고 있는 것, 유일무이한 것
무관사	식사, 운동 경기, 교통·통신 수단, 본래 용도로 쓰이는 시설물 앞

대명사

인칭대명사	사람을 가리키는 대명사
재귀대명사	주어의 동작이 다시 주어로 돌아가는 관계를 나타내는 대명사
소유대명사	소유를 나타내는 대명사(「소유격+명사」)
지시대명사	사람, 사물, 장소 등을 가리킬 때 쓰는 대명사
부정대명사	불특정한 대상을 가리키는 대명사/전체 중 일부를 나타내는 대명사

POINT 1 셀 수 있는 명사/셀 수 없는 명사

정답 및 해설 p. 36

셀 수 있는 명사(보통명사/집합명사)

- 복수형으로 쓸 수 있고, 앞에 관사(a[an], the)나 수사 등과 함께 쓰인다.
- 집합명사(family, class, audience, committee 등)는 하나의 집합체를 의미할 때는 단수 취급하고, 개별 구성원을 의미할 때는 복수 취급한다.

1 We need *a* **hall** and *fifty* **chairs** for the ceremony. (보통명사)

2 *The* **audience** *is* not allowed to ask questions. (집합명사 - 집합체)

3 *The* **audience** *were* applauding with approval. (집합명사 - 개별 구성원)

셀 수 없는 명사(고유명사/추상명사/물질명사)

- 복수형으로 쓸 수 없고, 앞에 부정관사(a[an])나 수사가 직접 붙지 않는다.
- 셀 수 없는 명사의 수량은 담는 용기, 모양, 단위를 이용해서 나타낸다.

a glass of water	**a bottle of** beer	**a cube of** ice	**a loaf of** bread
a liter of milk	**an acre of** land	**a sheet of** paper	**a piece of** advice

4 **Roger Federer** is one of the best tennis players of all time. (고유명사)

5 I believe that money can't buy **love** or **happiness**. (추상명사)

6 Use organic eggs, **flour** and **milk** to make homemade **bread**. (물질명사)

7 I try to drink at least *five glasses of* **water** a day. (물질명사)

✔ 시험에 강해지는 포인트

◆ 수능·내신 어법

항상 단수 취급하는 집합명사

furniture, luggage, equipment, clothing과 같은 명사는 복수형으로 쓰지 않으며, 앞에 a[an]이 붙지 않는다.

- All the furniture in the house [was / were] made by my brother.

항상 복수 취급하는 집합명사

police, cattle은 항상 복수 취급하며 앞에 the가 붙는다.

- The police [is / are] still investigating the crime.

A

어법 연습

밑줄 친 부분이 어법상 맞으면 ○표 하고, 틀리면 바르게 고쳐 쓰시오.

1 Most consumer magazine depend on subscriptions and advertising. 수능 기출

2 More than 100 sheet of papers were used to make this model airplane.

3 The committee is composed of the representatives of ten environmental groups.

4 Select a clothing appropriate for the temperature and environmental conditions. 학평 응용

5 Volunteering in the region of Africa exposed me to the realities of poverties.

B

영작 연습

우리말과 같은 의미가 되도록 괄호 안의 말을 이용하여 빈칸을 완성하시오.

1 우리가 호텔에 도착했을 때, 우리 짐이 우리를 기다리고 있었다. (luggage, wait)

→ ________ ________ ________ ________ for us when we arrived at the hotel.

2 그녀의 가족 구성원들은 2주 동안 자가 격리를 해야 한다. (family, have to stay)

→ ________ ________ ________ ________ ________ in self-quarantine for two weeks.

3 샌드위치를 만들기 위해 빵, 베이컨과 치즈 두 조각이 필요하다. (piece, cheese)

→ You need bread, bacon, and ________ ________ ________ ________ to make a sandwich.

POINT 2

부정관사/정관사

정답 및 해설 p. 36

부정관사(a[an])

- 처음 언급하는 것이나 불특정한 하나[한 명]를 가리키는 단수 명사 앞에 쓴다.
- 단수 명사 앞에 쓰여 일반 종류의 총칭을 나타낸다. '~당(per)'의 의미로도 쓰인다.

1 **A** good book is like **a** good friend. 2 I can type 500 words **a** minute.

정관사(the)

- 이미 언급한 것, 서로 알고 있는 것, 유일무이한 것 앞에 쓴다.
- 최상급, 서수, only/very/same이 붙은 말, 수식을 받는 말, 악기 이름 앞에 쓴다.

3 She bought a hair dryer yesterday. **The** hair dryer is broken now.

4 Learn **the** success secrets of **the** *greatest* people in **the** world.

주의해야 할 관사

- 식사, 운동 경기, 교통·통신 수단, 본래 용도로 쓰이는 시설물 앞에는 관사를 쓰지 않는다.
- **주의해야 할 관사의 위치**

• so/as/too+형용사+부정관사(a[an])+명사 • such/half/rather/many/quite+부정관사(a[an])+형용사+명사

5 I go to *school* by bus. cf. Can you see **the** *school*?

6 He hasn't played *basketball* after *lunch* for **such a long time**.

✔ 시험에 강해지는 포인트

◆ 서술형 빈출 구문

㉘ **so+형용사+a[an]+명사**
㉙ **such+a[an]+형용사+명사**

so/such와 함께 관사의 위치를 바르게 쓸 수 있는지 묻는 문제가 출제된다.

- 우리는 그렇게 낮은 가격으로 그것을 얻게 되어 놀랐다.

→ We were surprised to obtain it at **so low a price**.

- 그렇게 위험한 곳에 가지 마라.

→ Don't go to **such a dangerous place**.

A

어법 연습

밑줄 친 부분이 어법상 맞으면 ○표 하고, 틀리면 바르게 고쳐 쓰시오.

1 I awoke to the sound of church bells and noticed that the Sun was rising.

2 If you have question, please contact us by e-mail at editors@nff.com. 모평 응용

3 I want to remodel my house. Do you know the reliable architect?

4 The visitors almost lost themselves in quite beautiful a view.

5 It requires about 400 calories the day — about the same amount as we get from a muffin. 학평 응용

B

영작 연습

우리말과 같은 의미가 되도록 관사(a[an], the)와 괄호 안의 말을 이용하여 문장을 완성하시오.

1 두려움을 극복하는 유일한 방법은 그것에 맞서는 것이다. (way, overcome, only, to)

→ ______________________ your fear is to face it.

2 우박 피해는 이곳에서 무시해도 될 만큼 드문 현상이다. (rare, phenomenon, so)

→ Hail damage is ______________________ as to be ignored here.

3 21세기에 왜 인종 차별이 그렇게 흔한 문제인가? (common, such, problem)

→ Why is racism ______________________ in the 21st century?

POINT 3 대명사 it / 지시대명사 this, that

정답 및 해설 p. 37

대명사 it의 쓰임

- 앞에 언급된 단수 명사를 대신하여 '그것'의 의미로 쓰인다.
- 시간, 요일, 날씨, 거리 등을 나타내는 비인칭 주어로 쓰인다. 이때 it은 해석하지 않는다.
- 뒤에 오는 명사구나 명사절을 대신하여 가주어나 가목적어 역할을 한다.

1 **It** will be cloudy with occasional showers. (비인칭 주어)

2 **It** is not easy *to tell which images have been modified*. (가주어)

3 She found **it** difficult *to hide her disappointment*. (가목적어)

지시대명사 this, that의 쓰임

- 시간적, 거리적으로 가까운 것을 가리킬 때는 this[these], 먼 것에는 that[those]를 쓴다.
- 이미 언급된 구, 절, 문장 전체를 가리킬 때 this나 that을 쓸 수 있다.
- 문장 내에서 명사의 반복을 피하기 위해 that[those]를 쓸 수 있다.
- 「those who(~하는 사람들)」로 쓰여 관계대명사의 선행사 역할을 한다.

4 **This** is the student center, and **that** is the teachers' lounge.

5 My *school life* is like **that** of other normal teenagers. (that = school life)

6 **Those** *who* spend over 100,000 won will get a free gift.

✔ 시험에 강해지는 포인트

◆ 서술형 빈출 구문

30 가주어 it ~ to-v[that]

31 가목적어 it ~ to-v[that]

가주어(it)와 가목적어(it)를 사용하여 문장을 쓰는 문제가 출제된다.

- 너는 그 모임에 반드시 참석할 필요가 있다.
  → **It** is necessary for you **to attend** the meeting.
- 그는 합병에 반대한다는 의견을 분명히 했다.
  → He made **it** clear **that** he opposed the merger.

A 어법 연습

밑줄 친 부분이 어법상 맞으면 ○표 하고, 틀리면 바르게 고쳐 쓰시오.

1 That was eleven o'clock sharp when the fire alarm started to go off.

2 Most workers are tired, but there are these who are full of energy.

3 This new food delivery service makes one easy to keep a balanced diet.

4 The sales numbers of fair trade products in 2015 were twice as high as that in 2010. 수능 응용

5 It is believed that some of the emergency workers need counseling.

B 영작 연습

우리말과 같은 의미가 되도록 알맞은 대명사와 괄호 안의 말을 이용하여 문장을 완성하시오.

1 나에게 오랜 시간 동안 집중하는 것은 어렵다. (to, concentrate, difficult)
→ ______________________ for a long time.

2 그 문화에 대한 그의 태도는 다른 여행자들의 그것과는 다르다. (of, other, travelers, from)
→ His attitude towards the culture is different ______________________.

3 그들은 Judy가 노래 대회에서 1등을 한 것을 당연하게 여긴다. (that, take, for granted)
→ They ______________________ Judy won first prize at the singing contest.

POINT 4 소유대명사 / 재귀대명사

정답 및 해설 p. 37

소유대명사의 쓰임

- mine, yours, his, hers, ours, theirs가 있으며, 「소유격+명사」로 바꿔 쓸 수 있다.
- 소유격 앞에 a[an], the, this, that, some, any 등과 같은 한정사가 올 경우 이중소유격인 「한정사+명사+of+소유대명사」로 쓴다.

[1] Don't waste things even if they are not **yours.** (yours = your things)

[2] I found **this picture of hers** at my place. (~~her this picture~~)

재귀대명사의 쓰임

- **재귀 용법:** 동사나 전치사의 목적어가 주어와 같은 대상일 때 쓰며 생략할 수 없다.
- **강조 용법:** 주어, 목적어, 보어와 동격으로 쓰여 강조를 나타내며 생략해도 문장이 성립한다.
- **재귀대명사가 포함된 관용 표현**

• by oneself: 혼자서, 홀로	• for oneself: 혼자 힘으로
• of itself: 저절로	• beside oneself: 제정신이 아닌
• help oneself to: ~을 마음껏 먹다	• say to oneself: 혼잣말을 하다

[3] Believe in **yourself**, and you can achieve your dreams. (재귀 용법)

[4] He **himself** should take the responsibility for the failure. (강조 용법)

[5] She has run the hotel **by herself** since her father died.

✔ 시험에 강해지는 포인트

◆ 수능·내신 어법

재귀대명사 vs. 인칭대명사(목적격)
동사나 전치사의 목적어가 주어와 동일하면 재귀대명사를 쓰고, 동일하지 않으면 인칭대명사의 목적격을 쓴다.

- You must prove [yourself / you] innocent.
- You must prove [herself / her] innocent.

A
어법 연습

밑줄 친 부분이 어법상 맞으면 ○표 하고, 틀리면 바르게 고쳐 쓰시오.

1 A friend of me knew there was a nail in one of his front tires. 학평 응용

2 The sound of my children playing itself is enough to reassure me.

3 Let's pack a picnic lunch, get some fresh air, and enjoy us in the park.

4 Unfortunately, his account of the incident does not agree with her.

5 Victoria felt proud of her and delighted to see her mom so happy. 학평 기출

B
영작 연습

우리말과 같은 의미가 되도록 괄호 안의 말을 이용하여 빈칸을 완성하시오. (소유대명사나 재귀대명사를 포함할 것)

1 그의 환자 중 한 명이 출산 직후에 사망했다. (a patient)
→ ________ ________ ________ ________ died shortly after giving birth.

2 그녀는 설거지를 하는 동안 깨진 컵에 베였다. (cut)
→ ________ ________ ________ on the broken glass while washing the dishes.

3 신선한 과일 샐러드와 치킨 샌드위치를 여러분들 마음껏 드세요. (help, to)
→ Please ________ ________ ________ fresh fruit salad and chicken sandwiches.

POINT 5 부정대명사 I

정답 및 해설 p. 38

one

- 앞에 언급된 단수 명사와 같은 종류의 '하나[한 명]'를 가리키며, 복수형은 ones이다.

1 Please give me a window seat, if there is **one.** (one = a window seat)

2 The mechanic replaced the old tires with new **ones.** (ones = tires)

other/another

- other는 '다른 것[사람]'의 의미로 복수형은 others이며, 특정한 것을 나타낼 때는 앞에 the를 쓴다.
- another는 '또 다른 하나[한 사람]'의 의미로 단수 명사를 대신하며 단독으로 쓴다.

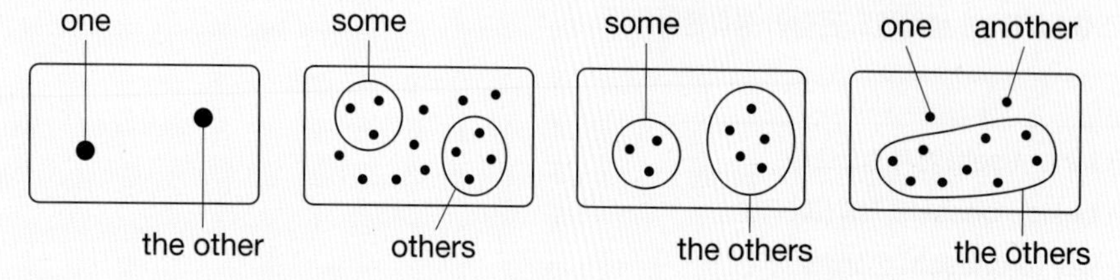

3 Of his three sons, **one** lives in New York and **the others** live in L.A.

4 **Some** like indoor activities, **others** prefer outdoor activities.

5 I don't like the color of the jacket. Can you show me **another**?

시험에 강해지는 포인트

◆ 수능·내신 어법

one vs. it

one은 언급된 동일한 종류의 다른 것을 가리키고, it은 언급된 동일 대상을 가리킨다.

- He lost his bike. He wants to buy a new [one / it].
- His bike is broken. He'll get [one / it] repaired.

A

어법 연습

밑줄 친 부분이 어법상 맞으면 ○표 하고, 틀리면 바르게 고쳐 쓰시오.

1 She collects data on cheating in both large classes and small one. 학평 응용

2 This morning, the train was so crowded that I had to take the next ones.

3 When you are promoted from one job to the other, you must consider several things.

4 The patient asked her doctor why some headaches lasted much longer than other.

5 One twin developed cancer, and other lived a long, healthy life without cancer. 학평 응용

B

영작 연습

우리말과 같은 의미가 되도록 부정대명사를 이용하여 문장을 완성하시오.

1 어떤 사람들은 전원생활을 좋아하는 반면에 또 어떤 사람들은 도시 생활을 선호한다. (4 단어)

→ Some like rural life, while ______________________.

2 나는 새것을 하나 살 수 있을 때까지 이 오래된 컴퓨터를 사용해야 한다. (6 단어)

→ I have to use this old computer until ______________________.

3 두 아들 중 한 명은 미술에 재능이 있고, 다른 한 명은 음악에 재능이 있다. (7 단어)

→ One of the two sons has a gift for art, and ______________________.

부정대명사 Ⅱ

정답 및 해설 p. 38

each/every

- each는 '각각[각자]'의 의미로 항상 단수 취급한다.
- 형용사 each와 every는 「each/every+단수 명사」 형태로 쓰이며, 단수 취급한다.

1 **Each** of the topics *was* discussed during the meeting.

2 **Every** *teenager feels* anxious about the future.

all/most/some/any/none

- 「all(모두, 다)/most(대부분)/some(일부)/any(아무[것])+of+명사」의 형태로 자주 쓰이며, of 뒤에 나오는 명사의 수에 동사를 일치시킨다.
- none(아무[것])이 단독 주어로 쓰일 때는 단수 취급하나, 「none of+복수 명사」 형태로 쓰이면 복수 동사와 쓴다.

3 **All** (of) the evidence *was* presented. 4 **All** (of) the players *are* girls.

5 **None of the wine** *was* drunk. 6 **None of the answers** *are* correct.

both/either/neither

- both(둘 다)는 항상 복수 취급한다. either(둘 중 어느 하나)와 neither(둘 중 어느 것도 아닌)는 원칙적으로 단수 취급하나, neither는 일상체에서 복수 동사와 쓰인다.

7 **Both** of his parents *were* born on the same date.

8 I get excited whenever **either** of the teams *scores*.

9 **Neither** of them *knows[know]* how to cook.

✔ 시험에 강해지는 포인트

◆ 서술형 빈출 구문

32 부정대명사+of+명사+동사
「부정대명사+of」 뒤에 오는 명사에 따라 동사의 수를 일치시킬 수 있는지 묻는 문제가 출제된다.

- 대부분의 문제는 5점이다.

→ **Most of the questions are** worth five points.

A

어법 연습

다음 문장을 읽고, 네모 안에서 어법상 알맞은 것을 고르시오.

1 Both of their daughters [have / has] blonde hair and blue eyes.

2 [Most / Any] students in the gym were attentive to what the principal said.

3 Each of the programs [seem / seems] to appeal to the seminar participants.

4 [Some / Every] dishes here are made from beans or fake meat products.

5 [Each / All] of the businesses have problems and needs that are similar. 학평 응용

B

영작 연습

우리말과 같은 의미가 되도록 괄호 안의 말을 이용하여 빈칸을 완성하시오.

1 모든 기술적인 문제들은 기술자들에 의해 해결되었다. (all, the technical problem, be)
→ ______ ______ ______ ______ ______ ______ solved by the engineers.

2 그 제품들 중 어떤 것도 대상 고객층의 요구를 충족시키지 못한다. (neither, the product, meet)
→ ______ ______ ______ ______ ______ the target customer's needs.

3 이 수업의 모든 학생들은 선생님의 관심이 필요하다. (every, class, need)
→ ______ ______ ______ ______ ______ ______ attention from the teacher.

문제로 REVIEW

어법 연습

다음 문장을 읽고, 네모 안에서 어법상 알맞은 것을 고르시오.

1 The boy seems to feel alienated from [others / the others] in his class.

2 She declared that women should have [same / the same] rights as men.

3 Some patients with breast cancer suffer from [it / one] due to genetics.

4 [It / One] is sometimes difficult to know exactly what is inside manufactured products. 학평 응용

다음 문장에서 어법상 틀린 부분을 찾아 바르게 고쳐 쓰시오.

1 Sydney Airport is located just 13 minutes by the train from the city.

2 For all of human history, we have been most creative beings on the Earth. 학평 기출

3 Both of these words can be misused, but each of them have a distinct meaning.

4 This business's core audience are composed of women over the age of 34.

5 Human beings often assume that their intelligence is greater than those of any animal.

C

다음 글을 읽고, 밑줄 친 부분 중 어법상 틀린 것을 모두 찾아 바르게 고쳐 쓰시오.

1 Bakers understand that every cake ingredient ① plays a unique role. Flour, for example, ② give structure to the cake, while baking soda makes ③ one rise. Butter and oil decrease chewiness, while sugar increases moisture.

2 The brains of bilinguals ① whom used both Spanish and English in their daily lives were more agile than ② that of monolinguals. Bilinguals that didn't often switch between ③ the two languages showed far fewer benefits.

3 If you are depressed in a place where most people are pretty unhappy, you compare ① you to ② those who are around you and don't feel all that bad. But ③ this must be difficult to be depressed in a place where everyone is happy. 학평 응용

정답 및 해설 p. 39

서술형 연습

A **주어진 문장과 같은 의미가 되도록 문장을 완성하시오. (가주어/가목적어 it을 이용할 것)**

1 To see how he acts differently in front of the girls is interesting.
→ ______________________ how he acts differently in front of the girls.

2 The analyst finds marking all the small errors in his work is necessary.
→ ______________________ all the small errors in his work.

B **우리말과 같은 의미가 되도록 괄호 안의 말을 바르게 배열하시오. (필요한 말만 이용할 것)**

1 나는 그들의 데뷔 앨범이 나온 이래로 그들의 열렬한 팬이다.
(big fan, their, a, of, theirs)
→ I've been ______________________ since their debut album.

2 그 가격에 이렇게 지내기에 편안한 곳을 찾아내다니 난 운이 좋았다.
(place, a, the, find, comfortable, such)
→ I felt lucky to ______________________ to stay for the price.

3 요가는 스트레칭을 하고 싶어 하는 사람들에게 훌륭한 선택지이다.
(who, these, option, for, those, a, great)
→ Yoga is ______________________ want to stretch their bodies.

C **우리말과 같은 의미가 되도록 괄호 안의 말을 이용하여 문장을 완성하시오.**

1 우리는 아이들이 스스로 목표를 세우도록 장려할 필요가 있다.
(set goals, for, to)
→ We need to encourage children ______________________.

2 하루에 8잔의 물을 마시라는 권고에는 근거가 부족한 듯 보인다.
(water, day, of, eight)
→ The advice to drink ______________________ seems to lack evidence.

3 태양계의 모든 행성들은 태양 주변을 돈다.
(planets, around, move, of, all)
→ ________________ in the solar system ________________ the Sun.

실전 모의고사

문항 수	객관식 10 / 서술형 6
맞은 개수	/ 16

[1-2] 다음 빈칸에 들어갈 말이 순서대로 짝지어진 것을 고르시오.

1

- Ms. Allen lives ________ herself, and no one has dropped by for a whole week.
- The player was ________ himself when his team lost because of his mistake.

① by – beside ② by – with
③ for – by ④ beside – for
⑤ with – beside

2

- Why do some people get burned out but ________ don't after doing the same thing?
- One of the two dishes on the table was cooked by the chef, and ________ by the apprentice.

① others – another
② others – the other
③ the others – another
④ the others – the other
⑤ other – the others

[3-4] 우리말과 같은 의미가 되도록 선택지의 말을 배열할 때, 두 번째로 올 단어를 고르시오.

3

나는 예전 동료들에게 그렇게 멋진 선물을 받았다.
→ I ________________________ from my former colleagues.

① lovely ② such ③ received
④ a ⑤ present

4

못과 망치의 도입은 튼튼한 가구를 만드는 것을 가능하게 했다.
→ The introduction of the nail and hammer ________________________ strong furniture.

① it ② to ③ possible
④ made ⑤ build

[5-6] 다음 중 어법상 틀린 문장을 고르시오.

5
① Let him do it himself so that he can develop a sense of responsibility.
② He is so brilliant a student that he was able to master algebra by himself.
③ Look at you in the mirror carefully in order to see what's on your face.
④ You should know how to escape in case there is a fire in the building.
⑤ He can make various things, such as animals and robots, from a single piece of paper.

6
① How can I register my marriage if one partner is Korean and the other isn't?
② The customer asked the barista to put only three cube of ices in her coffee.
③ The weight of my first son is at least twice as much as that of my second son.
④ The monitor of my computer doesn't work anymore, so I want to buy a new one.
⑤ My manager told me that gold is a good investment because it's safer than the stock market.

7 다음 중 어법상 맞는 문장의 개수는?

> a. The cupcakes looked appetizing, so I decided to have one.
> b. None of my classmates behave impolitely around adults and teachers.
> c. Every words should be thought out carefully before it is said.
> d. Most cleaning products in this store are environmentally friendly.
> e. Each of the people in this picture were born on the same day in the same hospital.
> f. A male seahorse carries its eggs in a pouch until they are ready to hatch.

① 2개 ② 3개 ③ 4개
④ 5개 ⑤ 6개

8 다음 중 어법상 틀린 문장끼리 짝지어진 것은?

> a. Any friend of you is welcome to come to the concert.
> b. The police are confronting a suspect with a weapon on the narrow street.
> c. Our products will save you money by simplifying your manufacturing process.
> d. My brother's long-time friend is a quite unusual person.
> e. The young designer admires women's clothings from the Rococo period.
> f. The directors were dissatisfied with the choice they themselves made.

① a, d ② a, e ③ b, d
④ a, d, e ⑤ d, e, f

고난도

9 밑줄 친 ⓐ~ⓒ에 대한 〈보기〉의 설명이 옳은 것끼리 짝지어진 것은?

> • My mom always says that my room has too ⓐ many furnitures for its size.
> • The newspaper began to be published twice ⓑ a week last month.
> • I really want to drink ⓒ a water because I have been working in the sun for 3 hours.

〈보기〉

> ⓐ furniture는 셀 수 없는 명사이기 때문에 much furniture로 고쳐야 한다.
> ⓑ 부정관사 a는 one 또는 any의 의미로 쓰였다.
> ⓒ water는 셀 수 없는 명사이기 때문에, '물 한 잔'은 a water가 아니라 a glass of water로 표현해야 한다.

① ⓐ ② ⓒ ③ ⓐ, ⓒ
④ ⓑ, ⓒ ⑤ ⓐ, ⓑ, ⓒ

10 밑줄 친 ①~⑤ 중 어법상 맞는 것을 두 개 고르면? 학평 응용

> We tend to go long periods of time without ① reach out to the people we know. Then we suddenly realize the situation and call people we ② hadn't spoken to in ages, hoping that one small effort will erase the years of distance we've created. However, ③ this rarely works: In our relationships, we have to make sure that not too much time goes by. This isn't to say that you shouldn't bother calling someone just because it's been a while since you've spoken; just that ④ this is more ideal not to let ⑤ yourself fall out of touch in the first place.

서술형

[1-2] 우리말과 같은 의미가 되도록 괄호 안의 말을 이용하여 문장을 완성하시오.

1 그는 사전에 세부 사항을 확인하는 것을 잊어버려서 그런 큰 실수를 저질렀다.
(make, huge, such, mistake)

→ ________________ because he forgot to check the details in advance.

2 이 카페는 너무 멋진 장소여서 모두가 여기에서 커피나 차를 마시기를 원한다.
(charming, a, so, place)

→ ________________ that everybody wants to have coffee or tea here.

3 **다음 중 어법상 틀린 두 문장을 찾아 각각 틀린 부분을 바르게 고쳐 쓰시오.**

a. It is a nice surprise to meet you in such a faraway country.
b. Let him do the work him. I think it will help his growth in the end.
c. The committee thought them reasonable to offer him the job because he was very diligent.
d. Some people thought that neither of the pilots of the plane were responsible for the accident.

틀린 문장 ( ): ________ → ________
틀린 문장 ( ): ________ → ________

4 **다음 문장에서 어법상 틀린 부분을 찾아 바르게 고쳐 쓰고, 그 이유를 우리말로 쓰시오.**

You should think carefully about your job before quitting one.

(1) 틀린 부분: ________________
(2) 틀린 이유: ________________
____

[5-6] 다음 글을 읽고, 물음에 답하시오.

Evaporation occurs when a substance changes from a liquid state to a gaseous state. When liquid water evaporates, it becomes water vapor. Lower air pressure helps speed up evaporation, but temperature is the main factor. If a pot of water is left on the table, for example, all of the water in the pot will eventually evaporate. But if it is brought to a boil on the stove, the water will evaporate more quickly. Some of the water in oceans, lakes and rivers 태양에 의해 데워지고, 증발한다.

5 **위 글에 나온 액체의 증발을 촉진시키는 원인 두 가지를 찾아 영어로 쓰시오.**

____

6 **위 글의 밑줄 친 우리말을 주어진 조건에 맞게 영작하시오.**

〈조건〉
1. 7 단어로 쓸 것
2. warm, evaporate, the Sun을 이용할 것

____

CHAPTER

형용사 / 부사 / 비교

- **POINT 1** 형용사의 역할 / 수량 형용사
- **POINT 2** 부사의 역할 / 부사의 위치 / 주의해야 할 부사
- **POINT 3** 원급에 의한 비교
- **POINT 4** 비교급에 의한 비교
- **POINT 5** 최상급에 의한 비교
- **POINT 6** 원급·비교급 이용한 최상급 표현 / 비교급·최상급의 강조

VISUAL GRAMMAR

형용사

한정 용법	명사 앞이나 뒤에서 명사를 수식하는 역할
서술 용법	주어나 목적어를 보충 설명해 주는 보어 역할

부사

역할	동사 / 형용사 / 다른 부사 / 문장 전체 수식
위치	빈도부사는 be동사 / 조동사 뒤, 일반동사 앞 「타동사 + 부사」에서 목적어가 대명사인 경우 부사는 목적어 뒤

비교

원급	**as + 원급 + as**	정도가 비슷한 두 대상을 비교할 때
비교급	**비교급 + than**	더 하거나 덜 한 두 대상을 비교할 때
최상급	**the + 최상급(+in / of)**	셋 이상의 것을 비교하여 가장 높거나 낮은 것을 나타낼 때

POINT 1 형용사의 역할 / 수량 형용사

정답 및 해설 p. 41

형용사의 역할

- **한정 용법**: 명사 앞이나 뒤에서 명사를 꾸며 주는 역할을 한다.
- -thing, -one, -body로 끝나는 대명사는 명사 뒤에서 수식한다.

[1] This is a **simple** *tool* **useful** for creating patterns.

[2] The **young** girl heard a **drunken** man say *something* **strange**.

- **서술 용법**: 주어나 목적어를 보충 설명해 주는 보어 역할을 한다.

[3] I was so tired that I could barely stay **awake**. (주격보어)

[4] His rude behavior made the audience **angry**. (목적격보어)

한정 용법으로만 쓰이는 형용사	서술 용법으로만 쓰이는 형용사
main, only, chief, rural, fallen, drunken, golden, live, favorite, following 등	alike, afraid, alone, awake, asleep, afloat, aware, alive, worth, likely 등

수량 형용사

셀 수 있는 명사 앞	셀 수 없는 명사 앞
many, few, a few, a number of	much, little, a little, an amount[a deal] of
a lot of, lots of, plenty of	

[5] He likes to have his tea with **a little** milk and **a few** biscuits.

시험에 강해지는 포인트

◆ 수능·내신 어법

한정 용법 형용사 vs. 서술 용법 형용사

한정 용법으로만 쓰이는 형용사와 서술 용법으로만 쓰이는 형용사를 구분해서 알아둔다.

- Don't wake a[an] [sleeping / asleep] lion.
- This bar has [live / alive] music on Friday nights.

A

어법 연습

다음 문장을 읽고, 네모 안에서 어법상 알맞은 것을 고르시오.

1 These tips for traveling [alone / lonely] will help you have fun and stay safe.

2 Come and enjoy a clear blue sea and miles of [golden sand / sand golden].

3 [Many / Much] participants take part in recreation as a form of relaxation. 학평 응용

4 It was in fact a strange ritual that helped keep the young hunters [alive / live].

5 It takes only [a few / a little] seconds for anyone to assess another individual. 학평 응용

B

영작 연습

우리말과 같은 의미가 되도록 괄호 안의 말을 이용하여 문장을 완성하시오.

1 기분 전환으로 이번 주말에 뭔가 색다른 걸 해 보자. (4 단어 / do, different, something)
→ For a change, ______________________ this weekend.

2 경기 불황으로 상점들에 손님들이 거의 없다. (4 단어 / there, customers)
→ ______________________ in the stores because of the recession.

3 많은 양의 유독성 폐기물이 이 지역에 매립되어 있다. (6 단어 / amount, toxic waste)
→ ______________________ is buried in this area.

POINT 2 부사의 역할 / 부사의 위치 / 주의해야 할 부사

정답 및 해설 p. 42

부사의 역할

- 부사는 동사와 형용사, 다른 부사, 문장 전체를 수식한다.

[1] **Actually**, we were moving **pretty slowly** due to heavy traffic.

부사의 위치

- **빈도부사**: always, usually, often, sometimes, never와 같은 빈도부사는 be동사나 조동사 뒤, 일반동사 앞에 위치한다.
- **타동사+부사**: 목적어가 대명사인 경우 부사는 목적어 뒤에 온다.
- **부사 enough**: 형용사 뒤에서 수식한다.

[2] She promised she *would* **never** *make* the same mistake again.

[3] If you want to **check** *it* **out**, visit our website right now! (~~check out it~~)

[4] He worked hard **enough**. (부사) *cf.* He did **enough** work. (형용사)

주의해야 할 부사

형용사와 형태가 같은 부사	-ly가 붙으면 의미가 달라지는 부사
early(이른/일찍), far(먼/멀리), late(늦은/늦게), hard(어려운, 열심인/열심히), high(높은/높게), fast(빠른/빨리), enough(충분한/충분히)	lately(최근에), highly(매우, 대단히), hardly(거의 ~ 않다), nearly(거의), mostly(대개, 주로), closely(면밀히, 친밀하게)

[5] Tim gets **hardly** any sleep **lately**. He stayed up **late** last night.

시험에 강해지는 포인트

◆ 수능·내신 어법

형용사 위치 vs. 부사 위치

형용사는 명사의 앞뒤, be동사 뒤, 감각동사 뒤에 오고 부사는 형용사 앞, 동사의 앞뒤, 다른 부사 앞, 문장의 처음이나 끝에 온다.

- Her performance looked [successful / successfully].
- She completed the performance [successful / successfully].

A

어법 연습

밑줄 친 부분이 어법상 맞으면 ○표 하고, 틀리면 바르게 고쳐 쓰시오.

1 Teenagers lose often confidence when they are criticized by their friends.

2 My dad worked very late hours as a musician, so he slept late on weekends. 학평 응용

3 Feedback that simply makes you feel greatly won't help you improve yourself.

4 The alarm clock was far from my bed, so I had to get out of bed to turn off it.

5 The left engine has started losing power, and the right engine is nearly dead now. 학평 기출

B

영작 연습

우리말과 같은 의미가 되도록 괄호 안의 말을 바르게 배열하시오.

1 내 컴퓨터는 오래되었고 충분히 빨리 작동하지 않는다. (fast, work, not, does, enough)
→ My computer is old and ______________________.

2 너는 저 헌 옷들이 필요하지 않으니 그것들을 그냥 버려라. (away, just, them, throw)
→ You don't need those old clothes, so ______________________.

3 지원자들은 매우 발달된 설득 능력을 지녀야 한다. (persuasion, developed, skills, highly)
→ Candidates must have ______________________.

POINT 3 원급에 의한 비교

정답 및 해설 p. 42

원급 비교: as+원급+as

- 정도가 비슷한 두 대상을 비교할 때 형용사, 부사의 원급을 써서 표현한다.
- 원급 비교의 부정은 「not as[so]+원급+as」이다.

1 My 5-year-old son is **as tall as** his brother. (~만큼 …한)

2 This cupcake is **not as[so]** sweet **as** the chocolate. (~만큼 …하지 않은)

원급을 이용한 주요 표현

- 배수사+as+원급+as: ~배 …한[하게]
- as+원급+as possible(= as+원급+as+S+can): 가능한 한 ~한[하게]
- as many[much]+명사+as: ~만큼 많은 …
- not so much A as B: A라기보다는 B인

3 This month's income is **six times as much as** last month's.

4 Please reply **as quickly as possible[as quickly as you can]**.

5 My cell phone doesn't have **as many functions as** yours.

6 You should strive **not so much** to live long **as** to live well.

✔ 시험에 강해지는 포인트

◆ 서술형 빈출 구문

㉝ **as+원급+as**

㉞ **as+원급+as possible (= as+원급+as+S+can)**

원급 비교 표현의 형태를 바르게 쓸 수 있는지 묻는 문제가 출제된다.

- 이것은 명명백백한 사실이다.

→ This is a fact **as clear as** day.

- 나는 가능한 한 자주 운동하려고 노력한다.

→ I try to exercise **as often as possible**[**as often as I can**].

A

어법 연습

다음 문장을 읽고, 원급 비교 표현에 유의하여 밑줄 친 부분을 우리말로 해석하시오.

1 Anthony speaks French and Italian as fluently as he speaks English.

2 The building manager was not so much scared as surprised.

3 It's not as simple as it looks to make perfect scrambled eggs.

4 Some writers prefer to include as many characters as possible in their stories. 모평 응용

5 The percentage of e-reader users was three times as high as that of computer users. 학평 기출

B

영작 연습

우리말과 같은 의미가 되도록 원급 비교 표현과 괄호 안의 말을 이용하여 문장을 완성하시오.

1 셰익스피어는 보통 사람보다 세 배나 많은 어휘를 알고 있었다. (three times, many words)

→ Shakespeare knew ______________________ the average person.

2 만약 낯선 사람이 너를 공격하려고 하면 가능한 한 크게 도와달라고 소리쳐라. (yell for help, loudly)

→ If a stranger tries to attack you, ______________________.

3 그는 돈이 명예만큼 중요하지는 않다고 생각한다. (important, fame)

→ He thinks that money is ______________________.

비교급에 의한 비교

정답 및 해설 p. 43

비교급 비교: 비교급+than

- 정도가 더하거나 덜한 두 대상을 비교할 때 형용사, 부사의 비교급을 써서 표현한다
- 비교급은 「원급+-er」 또는 「more[less]+원급」의 형태로 쓰며, 비교 대상 앞에 than을 쓴다.

1 Creativity is **more important than** technical skill. (~보다 더 …한)

2 E-books are **less expensive than** regular books. (~보다 덜 …한)

비교급을 이용한 주요 표현

• the+비교급(+S+V) ~, the+비교급(+S+V) …: ~하면 할수록 더 …하다	
• 비교급+and+비교급: 점점 더 ~한	• 배수사+비교급+than: ~보다 …배 더 -한
• no more than: 겨우 ~인(= only)	• no less than: ~나 되는(= as many[much] as)
• not more than: 기껏해야(= at most)	• not less than: 적어도(= at least)

3 **The more** reports I wrote in haste, **the more** mistakes I made.

4 The elderly patient felt like he was getting **weaker and weaker**.

5 There is room for **no more than** 20 cars in the parking lot.

✔ 시험에 강해지는 포인트

◆ 서술형 빈출 구문

㉟ **비교급+than**

㊱ **the+비교급(+S+V) ~, the+비교급(+S+V) ...**

비교급의 형태와 비교급을 이용한 표현을 바르게 쓸 수 있는지 묻는 문제가 출제된다.

• 어린아이들은 대개 성인보다 더 민감하다.

→ Young children are generally **more sensitive than** adults.

• 더 많이 배울수록 너는 더 잘 이해할 수 있다.

→ **The more** you learn, **the better** you can understand.

A

어법 연습

다음 문장을 읽고, 비교급 비교 표현에 유의하여 밑줄 친 부분을 우리말로 해석하시오.

1 There were no more than 10 people in the theater.

2 The movie was less interesting than the original novel.

3 He is three times heavier than the average child of his age.

4 No less than 100 deaths resulted from the unidentified disease.

5 The better we understand something, the less effort we put into thinking about it. 학평 기출

B

영작 연습

우리말과 같은 의미가 되도록 비교급 표현과 괄호 안의 말을 이용하여 문장을 완성하시오.

1 시간이 갈수록 우리는 점점 더 초조해졌다. (nervous)

→ As the time went on, we became ______________________.

2 이 나라에서는 자동차가 오토바이보다 덜 편리하다. (convenient, motorbike)

→ In this country, cars are ______________________.

3 이상하게도, 제품이 더 비쌀수록 더 잘 팔린다. (goods, expensive)

→ Strangely, ______________________, the better they sell.

POINT 5 최상급에 의한 비교

정답 및 해설 p. 43

최상급 비교: the+최상급(+in/of)

- 셋 이상의 대상을 비교하여 가장 높은 정도나 등급을 나타낼 때 최상급을 써서 표현한다.
- 최상급은 「원급+-est」 또는 「most[least]+원급」의 형태로 쓰며, 앞에 the를 붙인다.

1 Choose **the most suitable** size according to foot length. (가장 ~한)

2 **The best** seats go to those who book (**the**) **earliest.**

cf. 부사의 최상급 앞에는 the를 생략하기도 한다.

최상급을 이용한 주요 표현

• one of the+최상급+복수 명사: 가장 ~한 …들 중 하나
• the+최상급+(that)+S+have[has] ever p.p.: 지금까지 ~한 것들 중 가장 …한
• the+서수+최상급: ~번째로 가장 …한

3 Charlie Chaplin is **one of the greatest comedians** of all time.

4 To be honest, it was **the worst movie (that) I've ever seen.**

5 Incheon is **the second largest** port city in Korea.

✔ 시험에 강해지는 포인트

◆ 서술형 빈출 구문

37 one of the+최상급+복수 명사
38 the+최상급+(that)+S+have[has] ever p.p.

최상급의 형태와 최상급을 이용한 표현을 쓰는 문제가 출제된다.

- 그는 그의 반에서 가장 똑똑한 학생들 중 한 명이었다.

→ He was **one of the smartest students** in his class.

- 이것은 지금까지 내가 읽은 것 중 가장 재미있는 소설이다.

→ This is **the most interesting novel (that) I have ever read.**

A

어법 연습

밑줄 친 부분이 어법상 맞으면 ○표 하고, 틀리면 틀린 곳을 찾아 바르게 고쳐 쓰시오.

1 Think back to the most recent lecture or presentation you attended. 학평 응용

2 Hearing loss is the three most common health problem these days.

3 The city is known for having shortest subway lines in the world.

4 Some people regard breakfast as the least important meal of the day.

5 He is regarded as one of the most celebrated photographer of the 20th century. 수능 응용

B

영작 연습

우리말과 같은 의미가 되도록 최상급 표현과 괄호 안의 말을 이용하여 문장을 완성하시오.

1 지하철이 공항에서 그 도시까지 가는 교통수단 중 가장 빠른 방법이다. (method, of, fast, transport)

→ The subway is ________________ from the airport to the city.

2 그것은 지금까지 내가 했던 것들 중 가장 인상 깊은 여행이었다. (tour, take, impressive)

→ That was ________________.

3 이 성당은 중세 시대에 지어진 가장 아름다운 구조물들 중 하나이다. (structures, beautiful)

→ This cathedral is ________________ built during medieval times.

POINT 6 원급·비교급을 이용한 최상급 / 비교급·최상급의 강조

정답 및 해설 p. 44

원급·비교급을 이용한 최상급

■ 원급이나 비교급을 이용하여 최상급의 의미를 나타낼 수 있다.

- 비교급+than any other+단수 명사: 다른 어떤 ~보다 더 …한
- 부정 주어 ~ 비교급+than: 어떤 ~도 …보다 -하지 않은
- 부정 주어 ~ as[so]+원급+as: 어떤 ~도 …만큼 -하지 않은

1 The blue whale is **the biggest** mammal in the world.

→ 2 The blue whale is **bigger than any other** mammal in the world.

→ 3 **No** other mammal in the world is **bigger than** the blue whale.

→ 4 **No** other mammal in the world is **as[so] big as** the blue whale.

비교급·최상급의 강조

■ **비교급 강조:** 비교급 앞에 much, even, far, still, a lot 등을 써서 '훨씬'의 의미를 나타낸다.

■ **최상급 강조:** 최상급 앞에 much, by far, the very 등을 써서 '단연코'의 의미를 나타낸다.

5 The journey was **much** *more exciting* than I had expected.

6 She is **by far** *the best* volleyball player in the world.

✔ 시험에 강해지는 포인트

◆ 수능·내신 어법

비교급 강조

very나 too는 비교급 강조에 쓰지 않는다.

- Being positive makes your life [very / much] happier than being negative.

A 어법 연습

밑줄 친 부분에서 틀린 곳을 찾아 바르게 고쳐 쓰시오.

1 Dolphins are smarter than any other sea creatures.

2 The boy learned that no other month is as shorter as February.

3 Some artificial flowers look very more real than actual flowers.

4 Ricky was far the most complete player of his generation. 모평 응용

5 *Habanera* is most famous than any other aria in the opera.

B 영작 연습

우리말과 같은 의미가 되도록 괄호 안의 말을 이용하여 빈칸을 완성하시오.

1 그 섬의 어떤 다른 호텔도 이 호텔보다 더 인기 있지 않다. (popular, than)

→ ________ ________ hotel on the island is ________ ________ ________ this hotel.

2 이 온라인 쇼핑몰이 훨씬 더 많은 상품을 취급한다. (big, selection)

→ This online shopping mall has a ________ ________ ________.

3 그는 그 쇼에서 단연코 가장 재능 있는 참가자였다. (talented, contestant)

→ He was ________ ________ ________ ________ ________ ________ on the show.

문제로 REVIEW

어법 연습

다음 문장을 읽고, 네모 안에서 어법상 알맞은 것을 고르시오.

1 Climate change [is sometimes / sometimes is] referred to as "global warming."

2 Many of the most commonly used words have a great [deal / number] of meanings.

3 For young people in school, the bicycle is [far / by far] the most important vehicle.

4 He was seriously injured in a car accident and died from having lost too [many / much] blood. 학평 기출

B

다음 문장에서 어법상 틀린 부분을 찾아 바르게 고쳐 쓰시오.

1 Some scientists advocate the use of alive animals in scientific research.

2 People use their smartphones and tablets as more for work as they do for leisure.

3 The more depressed you get, the most negative your thoughts will become.

4 Many people once played badminton in their backyards, but this activity was hard considered a sport. 학평 기출

5 Mosquitoes are one of deadliest animals in the world due to the diseases they transmit.

C

다음 글을 읽고, 밑줄 친 부분 중 어법상 틀린 것을 모두 찾아 바르게 고쳐 쓰시오.

1 Salmonella is a common form of food poisoning. The symptoms it causes may start ① as earlier as six hours after you eat ② contaminating food. They can last up to a week. Chicken and eggs ③ often cause outbreaks of salmonella.

2 The bottom of the ocean is cold and dark, which makes traveling there ① difficultly. It is actually ② easy to send people into space than it is to ③ send down them to the depths of the sea.

3 Solids, such as wood, transfer soundwaves much ① well than air typically does because the molecules in a solid substance are ② very closer and ③ more tight packed together than the ones in air. 학평 응용

정답 및 해설 p. 44

서술형 연습

A **주어진 문장과 같은 의미가 되도록 문장을 완성하시오. (원급과 비교급 구문을 한 번씩 이용할 것)**

1 Sirius is the brightest star in the night sky.
→ Sirius is brighter ______________________.

2 Human beings are the most intelligent creatures on the Earth.
→ No other creature on the Earth is ______________________.

B **우리말과 같은 의미가 되도록 괄호 안의 말을 바르게 배열하시오. (필요한 말만 이용할 것)**

1 Linda는 무대 위에 섰을 때 가능한 한 자신감 있게 보이려고 노력했다.
(confident, as, possible, look, more, as)
→ Linda tried to ______________________ when she was on stage.

2 여러분의 에세이는 길이가 적어도 5천 단어는 되어야 한다.
(5,000, less, no, words, than, not, more)
→ Your essay must be ______________________ in length.

3 북극은 지구의 다른 지역보다 두 배 빠르게 따뜻해지고 있다.
(the planet, as, the rest, fast, twice, of, as, faster)
→ The Arctic is warming ______________________.

C **우리말과 같은 의미가 되도록 괄호 안의 말을 이용하여 문장을 완성하시오.**

1 그것은 지금까지 내가 본 것 중에서 가장 아름다운 다이아몬드 반지이다.
(see, beautiful, diamond ring)
→ It is ______________________.

2 시간이 지날수록 기억들은 점점 더 선명해졌다.
(become, vivid, and)
→ As time went on, the memories ______________________.

3 버뮤다 삼각 지대는 지구상에서 가장 불가사의한 장소 중 하나이다.
(mysterious, place, one)
→ The Bermuda Triangle is ______________________ on this planet.

실전 모의고사

문항 수	객관식 10 / 서술형 6
맞은 개수	/ 16

[1-2] 다음 빈칸에 들어갈 말이 순서대로 짝지어진 것을 고르시오.

1

• The cheese smells ________ to the mouse, but there is a trap to avoid.
• The teacher told the students to listen ________ and do as directed.

① well – carefully ② well – careful
③ good – carefully ④ good – careful
⑤ good – caring

2

• He is the ________ athlete ever to compete in the Olympics.
• The twins are ________ people I've ever met in my life.

① young – a nice
② younger – a nicer
③ younger – the nicest
④ youngest – the nicer
⑤ youngest – the nicest

[3-4] 우리말과 같은 의미가 되도록 선택지의 말을 배열할 때, 세 번째로 올 단어를 고르시오.

3

그는 돈을 더 많이 벌수록 다른 이들을 더 많이 도와주었다.
→ The more money he made, ________ ________.

① he ② more ③ the
④ helped ⑤ people

4

Michael Jordan은 그의 세대에서 가장 재능이 뛰어난 농구 선수들 중 한 명이었다.
→ Michael Jordan was ________ ________ basketball players of his generation.

① of ② most ③ one
④ the ⑤ talented

[5-6] 다음 중 어법상 틀린 문장을 고르시오.

5 ① He was walking no more than two meters away from me.
② Talk quietly so that you don't wake the asleep baby.
③ The Yellow River in China is the sixth longest river in the world.
④ There is a giant park not more than ten minutes from where I live.
⑤ To put together a cheerleading team, we need as many people as possible.

6 ① You can find many impatient drivers who drive too fast.
② The child sat motionless, waiting for his parents.
③ That night he had some soup and bread, and slept peaceful.
④ Slowly move your hands farther apart and then closer together.
⑤ Some of these symptoms can usually be caused by stress.

7 다음 중 어법상 맞는 문장의 개수는?

a. What I need is a little tulips to decorate my table.
b. One of the severe hurricanes in recent history hit Florida.
c. The older he gets, the more thankful he becomes for everything he has.
d. Do you know what happened to the meeting? She called off it suddenly.
e. AI can't diagnose disease as accurate as experienced doctors.
f. I can assure you that this is the best book I've ever read.

① 2개 ② 3개 ③ 4개
④ 5개 ⑤ 6개

8 다음 중 어법상 <u>틀린</u> 문장끼리 짝지어진 것은?

a. I want sweet something to eat or drink right now.
b. Saturn is 763 times large in volume than the Earth.
c. I have hardly ever missed a deadline in more than 10 years.
d. The sloth moves more slowly than any other animal I know.
e. We were so hungry that we wanted to eat as fastest as possible.
f. The onion soup she cooked tasted even worse than it looked.

① a, b ② a, b, c ③ a, b, e
④ a, e ⑤ b, e, f

고난도

9 밑줄 친 ⓐ~ⓒ에 대한 〈보기〉의 설명이 옳은 것끼리 짝지어진 것은?

- Nothing is ⓐ <u>more necessary than water</u> to living creatures.
- Unlearning bad behavior is ⓑ <u>much</u> more difficult than learning proper behavior.
- The fishing boat is still ⓒ <u>afloat</u> in the lake.

〈보기〉

ⓐ as necessary as water로 바꿔 쓸 수 있다.
ⓑ 비교급을 강조하는 역할이며 far 혹은 very로 바꿔 쓸 수 있다.
ⓒ 서술 용법으로만 쓰는 형용사로 주어를 보충 설명하는 보어 역할을 하고 있다.

① ⓐ ② ⓐ, ⓑ ③ ⓐ, ⓒ
④ ⓑ, ⓒ ⑤ ⓐ, ⓑ, ⓒ

어법형

10 밑줄 친 ①~⑤ 중 어법상 맞는 것을 <u>두 개</u> 고르면?

Often, the amount of experience an artist ① <u>have</u> is reflected in how lightly and slowly he or she draws when beginning a picture. The experienced artist knows that the longer the drawing is kept flexible or open, ② <u>the more</u> the accuracy of its details can increase over time. It is ③ <u>better</u> to leave an area blank than to fill it in with a wild guess. When you draw lightly, you will be pleased with the results. As you practice, your hand will become accustomed to ④ <u>make</u> good drawing decisions, and beginning lightly and accurately will become ⑤ <u>effortlessly</u> over time.

서술형

[1-2] 우리말과 같은 의미가 되도록 괄호 안의 말을 이용하여 문장을 완성하시오. (「as+원급+as」 구문을 이용할 것)

1 영국의 엘리자베스 여왕 1세에 대한 영화에서, 장면들은 가능한 한 정확하게 재구성되었다.
(accurately, reconstructed)

→ In the movie about Queen Elizabeth I of England, scenes have been ____________
______________________________________.

2 1850년까지 기차는 마차보다 세 배나 빨랐고, 급행 열차는 시속 65 km에 도달했다.
(trains, fast)

→ By 1850, ______________________________ coaches, with express trains reaching 65 km per hour.

3 다음 중 어법상 틀린 두 문장을 찾아 각각 틀린 부분을 바르게 고쳐 쓰시오.

a. All of a sudden the phone rang, and I rushed to pick up it.
b. As he started his presentation, he got calmer and calmer.
c. The radio signal was breaking up, so we could hardly understand him.
d. It is the most extensive used device that Mr. Davis has ever developed.

틀린 문장 ( ): ____________ → ____________
틀린 문장 ( ): ____________ → ____________

4 괄호 안의 단어를 알맞은 위치에 넣어 문장을 다시 쓰시오.

With her demanding career, she has time for her personal life. (rarely)

____
____

[5-6] 다음 글을 읽고, 물음에 답하시오. 학평 응용

Many students go to college not because they are interested in education but to defend their current social position against all their peers who are going to college. It's like being in a crowded football stadium, watching a crucial play. A spectator sitting in the front row stands up to get a better view, and a chain reaction follows. Soon everyone is standing, <u>단지 이전만큼 잘 볼 수 있기 위해서</u>. Everyone is on their feet rather than sitting, but no one's position has improved. And if someone refuses to stand, he might just as well not be at the game at all.

5 위 글의 밑줄 친 우리말을 주어진 〈조건〉에 맞게 영작하시오.

〈조건〉
1. 10 단어로 쓸 것
2. 「as+원급+as」 구문을 이용할 것
3. just, be able to, before을 이용할 것

____

6 위 글을 다음과 같이 요약할 때, 빈칸 (A), (B)에 알맞은 말을 지문 속 단어를 이용하여 각각 한 단어로 쓰시오.

In some situations, people take action to (A) ____________ their position rather than to (B) ____________ it.

CHAPTER

조동사

- **POINT 1 can/could, may/might**
- **POINT 2 must/have to, should/had better**
- **POINT 3 will/would, shall**
- **POINT 4 조동사+have p.p./조동사 관용 표현**

VISUAL GRAMMAR

can	능력·가능/허가/추측
could	능력/추측/정중한 요청
may	약한 추측/허가/기원
might	약한 추측
must	의무/강한 추측
have to	의무·필요
should	의무·충고(=ought to)
had better	강한 충고/경고
will	의지/ 미래의 일/요청·부탁
would	공손한 요청·부탁 과거의 반복된 습관(=used to)
shall	제안/상대방의 의사 확인

POINT 1 can/could, may/might

정답 및 해설 p. 47

can/could (~할 수 있다, ~해도 된다)

- **can의 의미**: 능력·가능(= be able to), 허가, 요청, 추측을 나타낸다.
- **could의 의미**: can보다 가능성이 적은 추측이나 정중한 요청을 나타낸다.

cf. 과거시제로 쓸 때 can은 의미에 따라 could나 was[were] able to로 쓰고, 미래시제로 쓸 때는 will be able to로 쓴다.

1 The athlete **can** walk again after recovering from surgery. (능력·가능)
2 You **can** borrow my snowboard if you don't have one. (허가)
3 **Can**[**Could**] you help me with these boxes? (요청)
4 Some experts said we **could** face an economic crisis this year. (추측)

may/might (~일지도 모른다, ~해도 좋다)

- **may의 의미**: can보다는 불확실한 추측(= be likely to), 허가, 기원을 나타낸다.
- **might의 의미**: may보다 일어날 가능성이 더 적은 추측을 나타낸다.

5 It **may**[**might**] be quicker to take the subway. (추측)
6 You **may** borrow the book for the weekend. (허가)
7 (**May**) God bless you! 8 (**May** you) Rest in peace! (기원)

✔ 시험에 강해지는 포인트

◆ 수능·내신 어법

조동사+동사원형
조동사 뒤에는 동사원형이 온다. 두 개의 조동사는 연달아 쓰지 않는다.

- He can [speak / speaks] Chinese.
- Molly may [can / be able to] lend you money.

A

어법 연습

밑줄 친 부분이 어법상 맞으면 ○표 하고, 틀리면 바르게 고쳐 쓰시오.

1 If you are done filling out the form, you might leave now.
2 I need a new copy of the book. May you bring me one tomorrow?
3 You are able to be right, but you don't have any evidence to prove it.
4 I'm afraid Bradley won't can make it on the very first day of the program. 수능 기출
5 Looking at a situation from another's perspective can lead to new solutions. 모평 응용

B

영작 연습

우리말과 같은 의미가 되도록 괄호 안의 말을 바르게 배열하시오.

1 근로자들은 허가 없이 이 구역에 들어가면 안 된다. (may, this, not, area, enter)
→ Workers ________________ without permission.

2 많은 물고기와 새들이 쓰레기를 먹이로 착각할 수 있다. (may, for, food, mistake, the garbage)
→ Many fish and birds ________________.

3 제가 어디에서 새 응용 프로그램의 시험판을 내려받을 수 있나요?
(can, I, download, a test version, where)
→ ________________ of the new application?

POINT 2 must / have to, should / had better

정답 및 해설 p. 48

must (~해야 한다, ~임에 틀림없다) / have to (~해야 한다)

- **must의 의미**: 의무나 강한 추측을 나타낸다.
- **have to의 의미**: 의무나 필요를 나타낸다.
- must의 부정형은 의미에 따라 must not(~해서는 안 된다)이나 cannot[can't] be(~일 리가 없다)로 쓴다. have to의 부정형은 don't have to(~할 필요가 없다)로 쓴다.

cf. must는 현재형으로만 사용되므로, 과거나 미래시제에서는 have to로 쓴다.

1 You **must[have to]** leave now to get there before noon. (의무)
2 Andy looks really pale. He **must** be ill. (강한 추측)
3 You **mustn't** drive without a driver's license. (금지)
4 It's warm today. You **don't have to** put on a coat. (불필요)

should (당연히 ~해야 한다) / had better (~하는 게 낫다)

- **should의 의미**: 당위적 의무나 충고(= ought to)를 나타낸다.
- **had better의 의미**: should보다 강한 충고, 경고를 나타낸다.

5 You **should[ought to]** go to the dentist at least twice a year. (의무)
6 You'**d better** submit the paper on time if you want to get an A. (강한 충고)

시험에 강해지는 포인트

◆ 수능·내신 어법

ought to / had better의 부정형
ought to의 부정형은 ought not to로, had better의 부정형은 had better not으로 쓴다.

- You [don't ought / ought not] to skip breakfast.
- You had [better not / not better] go out tonight.

A

어법 연습

다음 문장을 읽고, 네모 안에서 어법상 알맞은 것을 고르시오.

1 You [should / don't have to] keep milk in the refrigerator so that it stays fresh.
2 He wasn't there. So he [shouldn't be / can't be] the thief who stole the diamond.
3 She [must go / had to go] to the emergency room because she had food poisoning.
4 I had better [get / to get] some sleep since I have a long journey ahead of me. 수능 응용
5 We must stop using plastic products. For example, we ought [not to / to not] use plastic bags.

B

영작 연습

우리말과 같은 의미가 되도록 괄호 안의 말을 바르게 배열하시오.

1 사람들은 공공 도서관을 이용하기 위해 돈을 지불할 필요가 없다. (have to, to use, pay, don't)
→ People ______________________ public libraries.

2 무엇을 말할지 뿐만 아니라 어떤 것을 어떻게 말할지에 대해서도 생각해야 한다. (think, must, say, about, how, to)
→ You ______________________ something as well as what to say.

3 저 커피나무들은 직사광선이 내리쬐는 곳에 심지 않는 것이 낫다. (not, had better, plant)
→ You ______________________ those coffee trees in direct sunlight.

will / would, shall

정답 및 해설 p. 48

will / would (~할 것이다, ~일 것이다)

- will의 의미: 의지, 미래에 대한 예측, 요청·부탁(= can)을 나타낸다.
- would의 의미: will의 공손한 표현, 과거의 반복적인 습관(~하곤 했다)을 나타낸다.

1 I'**ll** show you that you're worth it. (의지)

2 He **will** get well soon after the treatment. (미래에 대한 예측)

3 **Will**[**Would**] you change seats with me? (요청·부탁)

4 He **would** eat a lot of chocolate when he was a kid, but he doesn't like it now. (과거의 습관) (= used to)

cf. used to(~하곤 했다, ~이었다)는 현재에는 그렇지 않은 과거의 반복적인 행동이나 습관, 과거의 지속적인 상태를 나타낸다. would는 상태를 나타낼 때는 쓰지 않는다.

5 There **used to**(~~would~~) be a bank here, but it is gone. (과거의 상태)

shall (~할까요)

- shall의 의미: 제안이나 상대방의 의사 확인을 나타낸다.

6 **Shall** we make a reservation online? (제안)

7 What **shall** we buy for Christmas gifts? (의사 확인)

시험에 강해지는 포인트

◆ 수능·내신 어법

used to-v(~하곤 했다) vs.
be used to v-ing(~에 익숙하다) vs.
be used to-v(~하기 위해 사용되다)

- He used to [ride / riding] a bike to school.
- I was used to [drive / driving] on the right.
- Bacteria is used to [make / making] cheese.

A

어법 연습

다음 문장을 읽고, 네모 안에서 어법상 알맞은 것을 고르시오.

1 Whenever he had a problem, she [shall / would] solve it for him.

2 My daughter is used to [wear / wearing] contact lenses now.

3 [Shall / Will] we begin by talking about your business experience?

4 Round tables were used to [create / creating] a warm setting for the party.

5 The woman [would / used to] be a seamstress when she lived in her home country. 학평 응용

B

영작 연습

우리말과 같은 의미가 되도록 괄호 안의 말을 바르게 배열하시오. (필요한 말만 이용할 것)

1 몇 가지 질문을 해도 괜찮겠습니까? (used to, would, mind, you)
→ ______________________ if I asked a few questions?

2 열대 우림이 지구의 14퍼센트를 덮고 있었지만, 지금은 6퍼센트를 덮고 있다. (shall, used to, rainforests, cover)
→ ______________________ 14% of the Earth, but now they cover 6%.

3 알림을 받을 수 있도록 당신을 목록에 추가해 드릴까요? (shall, I, would, you, the list, to, add)
→ ______________________ so that you receive notifications?

조동사+have p.p. / 조동사 관용 표현

정답 및 해설 p. 49

조동사+have p.p.

■ 과거 사실에 대한 추측이나 유감·후회를 나타낸다.

may[might] have p.p.	~했을지도 모른다	must have p.p.	~했음에 틀림없다
cannot have p.p.	~했을 리가 없다	should have p.p.	~했어야 했다

[1] Dark matter **may[might] have existed** before the Big Bang.
[2] I can't find my smartphone. I **must have left** it at the office.
[3] Tom didn't study hard. He **can't have passed** the exam.
[4] We're late. We **should have taken** the subway.

조동사 관용 표현

- may well: ~하는 것이 당연하다
- may[might] as well: ~하는 편이 낫다
- may[might] as well A (as B): (B하느니) A하는 것이 낫다
- would rather A (than B): (B하느니) 차라리 A하겠다[하고 싶다]
- cannot help v-ing: ~하지 않을 수 없다(= cannot but+동사원형)

[5] You **may[might] as well** take part in the marathon.
[6] I **would rather** eat fish **than** meat for dinner tonight.
[7] She **couldn't help crying** while she peeled the onion.

✔ 시험에 강해지는 포인트

◆ 서술형 빈출 구문

39 조동사+have p.p.
문맥에 맞는 「조동사+have p.p.」를 쓸 수 있는지 묻는 문제가 출제된다.

- 수미는 버스를 잘못 탔을지도 모른다.
→ Sumi **may have taken** the wrong bus.

- Mary는 Josh가 나에게 보낸 문자 메시지를 읽지 말았어야 했다.
→ Mary **shouldn't have read** the text message Josh sent me.

A
어법 연습

밑줄 친 부분이 어법상 맞으면 ○표 하고, 틀리면 바르게 고쳐 쓰시오.

1 They found some places where prehistoric people might have lived.

2 We've just sold out of tickets for the show. You should come earlier.

3 I would rather to make a copy than take the whole textbook home.

4 Based on the bad test result, he may have followed the doctor's orders.

5 Even those who aren't materialistic can't help form attachments to certain clothes. 수능 응용

B
영작 연습

우리말과 같은 의미가 되도록 조동사와 괄호 안의 말을 이용하여 문장을 완성하시오.

1 장담하건대 그가 춤추는 것을 보면 당신은 웃지 않을 수가 없다. (4 단어 / can, but, laugh)
→ I bet ______________________ when you watch him dance.

2 타이핑 할 때 내가 키를 잘못 눌렀음에 틀림없다. (6 단어 / must, press, the wrong key)
→ I ______________________ when I was typing.

3 만약 그가 일자리를 구하지 못하면, 그는 학교로 돌아가는 편이 낫다. (6 단어 / might, go back)
→ If he can't find a job, ______________________ to school.

문제로 REVIEW

어법 연습

다음 문장을 읽고, 네모 안에서 어법상 알맞은 것을 고르시오.

1 In ancient Greece, people [would / used to] think the world was flat.

2 Half of the respondents said they would rather ride a bicycle [as / than] take a bus.

3 This camera is waterproof, so you [don't have to / mustn't] worry about using it in the rain.

4 However much you [may / must] remember the past or anticipate the future, you live in the present. 학평 기출

B

다음 문장에서 어법상 틀린 부분을 찾아 바르게 고쳐 쓰시오.

1 You ought to not use your phone while crossing the road.

2 The package shall have arrived by now, but it was lost somewhere.

3 She may well suspected that the bank will raise its interest rates. 학평 응용

4 You had better to fill the crack in with something before you paint the wall.

5 She didn't sleep well last night because of the noise. She has to be tired.

C

다음 글을 읽고, 밑줄 친 부분 중 어법상 틀린 것을 모두 찾아 바르게 고쳐 쓰시오.

1 Vitamin A helps ① prevent skin from drying out. People who do not get enough vitamin A ② aren't able see well in the dark. They ③ must develop a condition that dries out the eyes.

2 Photography can ① be used to capturing the details of a crime scene. These photos should ② take from a variety of different angles. They ③ may be considered valuable evidence in a court of law.

3 Your friends ① might sometimes tell you that they are feeling happy or sad, but even if they did not tell you, I am sure that you ② would can make a good guess about what kind of mood ③ they were in. 학평 응용

서술형 연습

A

주어진 문장과 같은 의미가 되도록 조동사를 이용한 문장으로 바꿔 쓰시오.

1 I regret that I started working part-time at a convenience store.
→ ____________________

2 It is certain that she was delighted when she won the lottery.
→ ____________________

B

우리말과 같은 의미가 되도록 괄호 안의 말을 바르게 배열하시오. (필요한 말만 이용할 것)

1 그 낯선 이메일의 링크를 클릭하지 않는 것이 좋겠다.
(had better, click, ought, not)
→ You ____________________ the link in that strange email.

2 과거에는 많은 학교들이 체벌을 허용했었다.
(are, allow, used, many schools, to)
→ In the past, ____________________ corporal punishment.

3 불 근처에서 병을 열어서는 안 된다고 설명서에 명시되어 있다.
(open, you, the bottle, must, don't, not, have to)
→ It states in the instructions that ____________________ near a fire.

C

우리말과 같은 의미가 되도록 조동사와 괄호 안의 말을 이용하여 문장을 완성하시오.

1 일하는 엄마로서 나는 한 가지 문제에 대해 그들에게 동의하지 않을 수 없었다.
(help, agree with)
→ As a working mother, I ____________________ on one issue.

2 그 생물학자는 정치에 전혀 관심이 없었을지도 모른다.
(be interested in)
→ The biologist ____________________ politics at all.

3 십 대들은 차라리 그들의 친구들과 시간을 보내겠다고 말했다.
(spend time)
→ The teenagers said ____________________ with their friends.

실전 모의고사

문항 수 | 객관식 10 / 서술형 6

맞은 개수 / 16

[1-2] 다음 빈칸에 들어갈 말이 순서대로 짝지어진 것을 고르시오.

1

• Leaders ought ________ ignore even the slightest action of the members of their group.
• You had ________ smoke there. Smoking in the park is illegal.

① not – better not
② not – not better
③ not to – better not
④ not to – not better
⑤ to not – better not to

2

• I used to ________ these pills to soothe my severe headache.
• He is used to ________ people around him because he is very popular.

① take – have
② take – having
③ taking – have
④ taking – having
⑤ have taken – have had

[3-4] 우리말과 같은 의미가 되도록 선택지의 말을 배열할 때, 네 번째로 올 단어를 고르시오.

3

그녀는 화재로 고향이 전소되었다는 슬픈 소식을 듣고 울지 않을 수 없었다.
→ ________________________ at the sad news that a fire had destroyed her hometown.

① but
② she
③ cry
④ could
⑤ not

4

그는 사업을 시작하기 전에 그 물질이 환경에 미치는 영향에 대해 생각했어야 했다.
→ ________________________ the effects of the substance on the environment before starting a business.

① he
② have
③ should
④ thought
⑤ about

[5-6] 다음 중 어법상 <u>틀린</u> 문장을 고르시오.

5
① You might as well take the subway to City Hall.
② Judging from his laughter, he must having a good time.
③ People may be able to own autonomous vehicles in the coming years.
④ Shall I add your name and contact number to our volunteer list?
⑤ The teacher may well be proud of her students for winning the contest.

6
① She was worried he might have heard a rumor about her.
② You should not take pictures here unless you get permission.
③ You may as well ask your teacher how to solve the problem.
④ In a few months, the company will be able to pay off all of its debt.
⑤ I cannot help praise him for his outstanding achievements.

7 다음 중 어법상 맞는 문장의 개수는?

a. People ought not to walk their dog without a leash.
b. I should have called my mother last night, but I forgot to.
c. After watching the TV show, I couldn't help admiring the person who wrote it.
d. I used to baking cookies for my friends when I had an oven.
e. The researchers in this lab must be very careful when dealing with explosives.
f. You had better studying harder for your final exam if you want to receive a scholarship.

① 2개 ② 3개 ③ 4개
④ 5개 ⑤ 6개

8 다음 중 어법상 틀린 문장끼리 짝지어진 것은?

a. A good pair of shoes must bring comfort to your feet.
b. She must have exaggerated the amount of money she has.
c. You may leave the dining room when you are done eating.
d. Some people would rather have a stable job than getting a higher salary.
e. If you don't have an appointment, you will have to wait to see a doctor.
f. There is used to be a large hotel near the park, but it's no longer in operation.

① a, c ② b, d ③ d, f
④ a, d, e ⑤ c, d, f

고난도

9 밑줄 친 ⓐ~ⓒ에 대한 〈보기〉의 설명이 옳은 것끼리 짝지어 진 것은?

• They ⓐ may well demand a detailed explanation of the accident.
• When I was young, I used to ⓑ playing basketball with my father.
• ⓒ Would you mind my posting your picture online?

〈보기〉

ⓐ may well은 '~하는 것이 당연하다'는 의미를 나타내는 조동사 표현이다.
ⓑ used to는 과거의 습관을 나타내는 조동사이므로 playing을 play로 고쳐야 한다.
ⓒ would는 will의 과거형으로 쓰여 과거에 했던 부탁을 나타낸다.

① ⓐ ② ⓒ ③ ⓐ, ⓑ
④ ⓐ, ⓒ ⑤ ⓑ, ⓒ

어법형

10 밑줄 친 ①~⑤ 중 어법상 틀린 것을 두 개 고르면?

If you want your body to function well in the morning, you had better ① forgetting about your daily cup of coffee. Drinking a glass of water ② is a better way to start your day. Hydrating activates your digestive system and ③ promotes good health. If you are not used to ④ wake up early, drinking water will make it easier. You can even download an app that will help you ⑤ track how much water you drink and send you reminders to make sure you don't forget to hydrate every morning.

서술형

[1-2] 우리말과 같은 의미가 되도록 괄호 안의 말을 이용하여 문장을 완성하시오.

1 성적에 대해서라면, 나는 출석의 중요성을 강조하지 않을 수 없다.
(help, emphasize, the importance)

→ I ______________________ of attendance when it comes to your grade.

2 그는 어젯밤 내 집에서 나와 저녁 식사를 했기 때문에 극장에 있었을 리가 없다.
(can, be, at the theater)

→ He ______________________, as I had dinner with him at my house last night.

3 다음 중 어법에 맞지 않는 두 문장을 찾아 각각 틀린 부분을 바르게 고쳐 쓰시오.

a. You had not better feed the zoo animals. It's against the rules!
b. The elderly man could not but laugh at his grandson's behavior.
c. This indicator is used to measure the costs and profits of products.
d. She may want to spend more time at the Eiffel Tower, but she had to leave due to her busy schedule.

틀린 문장 ( ): __________ → __________
틀린 문장 ( ): __________ → __________

4 다음 글을 읽고, 빈칸에 알맞은 말을 조동사와 괄호 안의 단어를 이용하여 쓰시오.

My family took a vacation. My dad told me to stay close, but I ignored him. I got lost while looking around, and I couldn't find my way back. I ______ to him. (listen)

____

[5-6] 다음 글을 읽고, 물음에 답하시오. 학평 응용

How do leaders make people feel important? They listen to them and let them voice their opinions. A friend of mine once told me about a CEO who told his managers, "There's nothing you could possibly tell me that I haven't already thought of before. Don't tell me what you think unless I ask you." It 틀림없이 그들을 낙심시켰을 것이고, 부정적으로 영향을 미쳤을 것이다 their performance. On the other hand, when you make others feel a great sense of importance, the level of energy will increase rapidly. ⓐ It will really make them feel on top of the world.

5 위 글의 밑줄 친 우리말을 주어진 〈조건〉에 맞게 영작하시오.

〈조건〉
1. 7 단어로 쓸 것
2. 조동사를 이용하여 과거의 일에 대한 확신을 나타낼 것
3. discourage, negatively, affect를 이용할 것

____

6 위 글의 밑줄 친 ⓐ가 가리키는 것을 우리말로 쓰시오.

____
____

CHAPTER

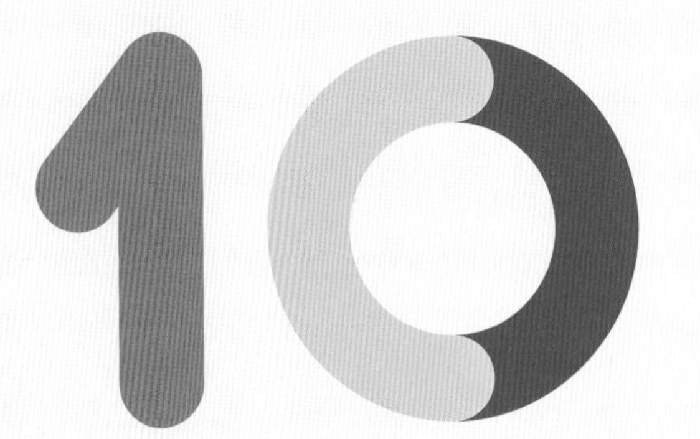

가정법

- **POINT 1** 가정법 과거 / 가정법 과거완료
- **POINT 2** 혼합 가정법 / 가정법 현재
- **POINT 3** I wish + 가정법 / as if + 가정법
- **POINT 4** 기타 가정법

VISUAL GRAMMAR

가정법 과거	If + S + 동사의 과거형, S + 조동사의 과거형 + 동사원형 현재 사실의 반대 또는 실현 가능성이 거의 없는 일 가정
가정법 과거완료	If + S + had p.p., S + 조동사의 과거형 + have p.p. 과거 사실의 반대 또는 과거에 실현하지 못한 일 가정
혼합 가정법	If + S + had p.p., S + 조동사의 과거형 + 동사원형 과거에 실현되지 못한 일이 현재에 영향을 미치는 상황 가정
가정법 현재	~ that (+ should) 동사원형 현재나 미래에 일어나야 한다고 생각되는 일어나지 않은 일 가정

I wish+가정법	I wish + 가정법 과거	현재 사실의 반대 상황을 소망
	I wish + 가정법 과거완료	과거 사실의 반대 상황을 소망

as if + 가정법	as if + 가정법 과거	주절과 같은 시제의 사실과 반대되는 상황을 가정
	as if + 가정법 과거완료	주절보다 앞선 시제의 사실과 반대되는 상황을 가정

POINT 1 가정법 과거/가정법 과거완료

정답 및 해설 p. 52

가정법 과거

- 형태: If+주어+동사의 과거형 ~, 주어+조동사의 과거형+동사원형 ...
- '만약 ~라면 …할 텐데'라는 의미로 '현재' 사실과 반대되는 일이나 실현 가능성이 거의 없는 일을 가정할 때 쓴다.

1 **If** these shoes **were** on sale, I **could buy** them.
(→ As these shoes aren't on sale, I can't buy them.)

2 **If** it **were** rainy, the fine dust **would disappear**.
(→ As it isn't rainy, the fine dust won't disappear.)

cf. if절의 동사가 be동사일 경우 주어에 상관없이 were를 쓰는 것이 원칙이지만, 일상체에서 단수 주어 뒤에 was를 쓰기도 한다.

가정법 과거완료

- 형태: If+주어+had p.p. ~, 주어+조동사의 과거형+have p.p. ...
- '만약 ~했다면 …했을 텐데'라는 의미로 '과거' 사실과 반대되는 일이나 과거에 실현하지 못한 일을 가정하여 말할 때 쓴다.

3 **If** you **had not helped**, I **couldn't have finished** on time.
(→ As you helped, I could finish on time.)

4 **If** I **had prepared** enough, I **wouldn't have made** a mistake.
(→ As I didn't prepare enough, I made a mistake.)

✔ 시험에 강해지는 포인트

◆ 서술형 빈출 구문

㊵ **If+S+동사의 과거형 ~,
S+조동사의 과거형+동사원형 ...**

㊶ **If+S+had p.p. ~,
S+조동사의 과거형+have p.p. ...**

가정법 과거/과거완료 문장을 바르게 쓸 수 있는지 묻는 문제가 출제된다.

- 내가 바쁘지 않다면 너를 방문할 수 있을 텐데.

→ **If** I **weren't** busy, I **could visit** you.

- 내가 바쁘지 않았다면 너를 방문할 수 있었을 텐데.

→ **If** I **hadn't been** busy, I **could have visited** you.

A 어법 연습

밑줄 친 부분이 어법상 맞으면 ○표 하고, 틀리면 바르게 고쳐 쓰시오.

1 If helium weren't lighter than air, a helium-filled balloon wouldn't float upward.

2 If he cared more about others when he was in school, he could have made more friends.

3 If I hadn't come along, he would have eventually died of starvation. 수능 기출

4 If you had heard someone say your name, you would pay attention and listen. 수능 응용

5 If I won a million dollars, I would have bought a huge mansion with a nice garden.

B 영작 연습

주어진 문장과 같은 의미가 되도록 문장을 완성하시오. (가정법으로 쓸 것)

1 As she isn't good at acting, she can't be the main character in the movie.
→ If she ________ at acting, she ________ the main character in the movie.

2 As she didn't campaign hard, she didn't win the election.
→ If she ________ hard, she ________ the election.

3 As my computer was old, I couldn't process those files quickly.
→ If my computer ________ old, I ________ those files quickly.

혼합 가정법/가정법 현재

정답 및 해설 p. 52

혼합 가정법

- 형태: If+주어+had p.p. ~, 주어+조동사의 과거형+동사원형 ...
- '(과거에) ~했더라면, (지금) ~할 텐데'라는 의미로 '과거'에 실현되지 못한 일이 '현재'에 영향을 미칠 때 쓴다. if절은 가정법 과거완료, 주절은 가정법 과거로 쓴다.

[1] **If** we **had checked** the map, we **wouldn't be** lost now.
(→ As we didn't check the map, we're lost now.)

[2] **If** I **had put** on sunscreen at the beach, I **wouldn't be** sunburned.
(→ As I didn't put on sunscreen at the beach, I'm sunburned.)

가정법 현재

- 형태: ~ that+주어+(should) 동사원형
- that절에서 should가 생략되고 '동사원형'만 남은 형태로, '현재나 미래'에 일어나야 한다고 생각되는 일어나지 않은 일에 대해 말할 때 쓴다.
- 제안, 요구, 주장, 명령을 나타내는 동사(suggest, insist, demand 등)나 판단을 나타내는 형용사(important, necessary, strange 등) 뒤의 that절에서 주로 쓴다.

[3] Mrs. Park **suggested** that he (**should**) **take** her class.

[4] The doctor **insisted** that everyone (**should**) **stop** smoking.

[5] It is **necessary** that the applicant (**should**) **fill out** the form.

cf. that절의 내용이 '이미 일어난 사실'인 경우 동사는 주절의 시제에 일치시킨다.

✔ 시험에 강해지는 포인트

◆ 서술형 빈출 구문

**42 If+S+had p.p. ~,
S+조동사의 과거형+동사원형 ...**

혼합 가정법 문장을 바르게 쓸 수 있는지 묻는 문제가 출제된다.

- 네가 약을 먹었더라면, 지금은 더 나을 텐데.
→ If you **had taken** the medicine, you **would be** better now.

◆ 수능·내신 어법

**~ that S+(should) 동사원형 vs.
~ that S+동사**

that절의 내용이 가정이면 가정법 현재를 쓰고 사실이면 시제에 맞게 쓴다.

- The man insisted that we [leave / left] at once.
- The man insisted that he [be / was] innocent.

A 어법 연습

밑줄 친 부분이 어법상 맞으면 ○표 하고, 틀리면 바르게 고쳐 쓰시오.

1 If the snake bite has been poisonous, she would feel very ill now.

2 The man demanded that bulletproof glass was installed in his building.

3 It is important that you develop a note-taking method that suits your learning style.

4 If the city had built a subway system last year, the traffic would have been light nowadays.

5 He suggested that they met again the next morning with their lawyers. 모평 응용

B 영작 연습

우리말과 같은 의미가 되도록 괄호 안의 말을 이용하여 문장을 완성하시오.

1 네가 그 책을 읽었더라면, 너는 지금 그 질문에 대답할 수 있을 텐데. (read, answer)
→ If you ______________ the book, you ______________ the question now.

2 마취가 발명되지 않았다면, 오늘날 수술은 매우 고통스러울 텐데. (invent, be)
→ If anesthesia ______________, operations ______________ very painful today.

3 그는 사람들이 자신들이 원하는 것을 성취하기 위해 폭력을 사용해서는 안 된다고 주장했다. (insist, use)
→ He ______________ people ______________ violence to achieve what they want.

POINT 3 I wish+가정법 / as if+가정법

정답 및 해설 p. 53

I wish+가정법

- **I wish+가정법 과거:** '~라면 좋을 텐데'라는 의미로 '현재' 사실과 반대되거나 실현 불가능한 일에 대한 소망을 나타낼 때 쓴다.
- **I wish+가정법 과거완료:** '~였다면 좋을 텐데'라는 의미로 '과거'에 이루지 못한 일에 대한 아쉬움을 나타낼 때 쓴다.

1 **I wish** my parents **spent** more time with me. (가정법 과거)
(→ I'm sorry that my parents don't spend more time with me.)

2 **I wish** I **had known** the answer to the last question. (가정법 과거완료)
(→ I'm sorry that I didn't know the answer to the last question.)

as if+가정법

- **as if+가정법 과거:** '마치 ~인 것처럼'이라는 의미로 '주절과 같은 시제'의 사실과 반대되는 일을 가정할 때 쓴다.
- **as if+가정법 과거완료:** '마치 ~였던 것처럼'이라는 의미로 '주절보다 앞선 시제'의 사실과 반대되는 일을 가정할 때 쓴다.

3 The robot walks and talks **as if** it **were** a real person.
(→ In fact, the robot isn't a real person.)

4 He felt frightened, **as if** he **had had** a nightmare.
(→ In fact, he hadn't had a nightmare.)

시험에 강해지는 포인트

◆ 서술형 빈출 구문

㊸ **I wish+가정법 과거/과거완료**
㊹ **as if+가정법 과거/과거완료**

주어진 시제에 맞게 「I wish+가정법」과 「as if+가정법」 문장을 바르게 쓸 수 있는지 묻는 문제가 출제된다.

- 내가 원할 때마다 너를 만날 수 있으면 좋을 텐데.
→ **I wish** I **could meet** you whenever I want.
- 그는 마치 그녀를 알았던 것처럼 말한다.
→ He talks **as if** he **had known** her.

A

어법 연습

밑줄 친 부분이 어법상 맞으면 ○표 하고, 틀리면 바르게 고쳐 쓰시오.

1 I wish I could work as a children's book illustrator after I graduate.
2 Jerry talked about this musical as if he saw it many times before.
3 I wish I have had enough money to travel around the world when I was young.
4 That day was foggy, as if something mysterious had been about to happen. 수능 응용
5 Despite having retired, he continues to act as if he is still a soccer player.

B

영작 연습

우리말과 같은 의미가 되도록 가정법과 괄호 안의 말을 이용하여 문장을 완성하시오.

1 우리가 그 바이러스에 대한 백신을 개발했었더라면 좋았을 텐데. (4 단어/wish, develop)
→ I ______________________ vaccines against the virus.

2 내가 미래를 예측하고 더 나은 결정을 할 수 있으면 좋을 텐데. (4 단어/wish, predict)
→ I ______________________ the future and make better decisions.

3 산 정상에 있을 때, 그녀는 마치 자신이 세상 꼭대기에 있는 것처럼 느꼈다. (6 단어/feel, as if, be)
→ Standing on the summit, ______________________ on top of the world.

기타 가정법

정답 및 해설 p. 53

if 생략

- 가정법 조건절에서 if는 생략할 수 있으며, 이때 주어와 동사는 도치된다.

1 **Were you** better prepared, you **would** get the job.

2 **Had he noticed** the danger, he **would have done** something.

Without[But for]+명사(구)

- '~이 없(었)다면'의 뜻으로 가정법 과거(If it were not for ~) 또는 과거완료(If it had not been for ~)와 같은 의미이다.

3 **Without[But for]** *the heat of the sun*, nothing **could live.**
(= If it were not for *the heat of the sun*, nothing could live.)

4 **Without[But for]** *his help*, she **would have drowned**.
(= If it had not been for *his help*, she would have drowned.)

다양한 가정법 표현

- suppose[supposing] (that): ~라고[였다고] 가정해 보자[가정하면]
- otherwise: 만약 그렇지 않(았)으면
- It's time (that)+가정법 과거: ~해야 할 때이다(진작 했어야 하는 일임.)

5 I opened the window; **otherwise**, it **would have gotten** too hot in here.

6 **It's time** you **told** them the truth about the accident.

시험에 강해지는 포인트

◆ 서술형 빈출 구문

45 Without[But for]+명사(구)
(= If it were not for / If it had not been for+명사(구))

「Without[But for]+명사(구)」를 If절로 풀어 쓸 수 있는지 묻는 문제가 출제된다.

- **Without my smartphone**, I would be bored.
→ **If it weren't for my smartphone**, I would be bored.

A 어법 연습

밑줄 친 부분이 어법상 맞으면 ○표 하고, 틀리면 바르게 고쳐 쓰시오.

1 Not had it been for the mice, camping would not have been so bad. 모평 응용

2 Suppose today were the last day of your life. What would you do first?

3 If it were not for the long nights in winter, I were happy to live in Northern Europe.

4 Without the influence of minorities, we would have no innovation or social change. 수능 응용

5 She must have read the book; otherwise, she couldn't know how the story ended.

B 영작 연습

우리말과 같은 의미가 되도록 괄호 안의 말을 바르게 배열하시오.

1 네 도움이 없었더라면, 나는 차고 페인트칠을 끝마칠 수 없었을 거야. (it, not, had, for, your help, been)
→ ______________________, I couldn't have finished painting the garage.

2 그가 없었다면, 우리는 대회에서 1등을 할 수 없었을 것이다. (couldn't, taken, place, have, first)
→ Without him, we ______________________ in the competition.

3 네 아파트에 불이 났다고 가정해 보자. 너는 누구에게 전화를 하겠니? (there, a fire, suppose, were)
→ ______________________ in your apartment. Who would you call?

문제로 REVIEW

어법 연습

A 다음 문장을 읽고, 네모 안에서 어법상 알맞은 것을 고르시오.

1 [It had / Had it] not been for the penalty kick, we might have lost the match.

2 It's time that they [take / took] action to improve financial services for the vulnerable.

3 Nearly nothing we have today would [be / have been] possible if the cost of artificial light had not dropped to almost nothing. 학평 기출

4 [Without / If it isn't for] the presence of dissolved oxygen, life in the Earth's oceans simply would not exist. 학평 응용

B 다음 문장에서 어법상 틀린 부분을 찾아 바르게 고쳐 쓰시오.

1 He behaves as if he would be lying even when telling the truth.

2 If the man hadn't tried to escape, he would have been free today.

3 I lost my hearing in the accident. I wish I can hear my family again.

4 The professor suggested that her favorite student applied for a scholarship.

5 The fire would not have spread so quickly if the firefighters have been able to arrive at the scene in time. 수능 응용

C 다음 글을 읽고, 밑줄 친 부분 중 어법상 틀린 것을 모두 찾아 바르게 고쳐 쓰시오.

1 If the asteroid ① didn't collide with the Earth, there wouldn't be any humans today. By wiping out the dinosaurs, it gave an advantage ② to mammals. Without this advantage, mammals ③ wouldn't have stood a chance against the dinosaurs.

2 The dangers of the drug ① weren't discovered because it wasn't tested on pregnant animals. ② It had been, the results might have shown its effects on fetuses. This is one reason some people insist that animal testing ③ continued.

3 Suppose your doctor ① says that you have six months to live and recommended that you ② do everything you wanted to do. What would you do? Have you always wanted to skydive but been afraid you might get hurt? What difference would it make if you ③ attempt it? 학평 응용

서술형 연습

A **주어진 문장과 같은 의미가 되도록 괄호 안의 말을 이용한 가정법 문장으로 바꿔 쓰시오.**

1 I'm sorry you didn't tell me about the problem earlier. (wish)

→ ______________________________

2 As the patient got physical therapy, she feels better now. (If)

→ ______________________________

B **우리말과 같은 의미가 되도록 괄호 안의 말을 바르게 배열하시오. (필요한 말만 이용할 것)**

1 그 판매원은 그가 갈색 코트를 입어 볼 것을 권유했다.

(that, try, on, recommended, he, trying)

→ The salesperson ______________ a brown coat.

2 밖이 너무 덥지 않았다면, 우리는 정원에서 점심을 먹을 수 있었을 텐데.

(had, been, it, so hot, not, for, outside)

→ ______________, we could have eaten lunch in the garden.

3 그의 이론이 없었다면, 우리는 우주의 신비를 이해할 수 없었을 텐데.

(understand, couldn't, we, understood, have)

→ Without his theories, ______________ the mysteries of universe.

C **우리말과 같은 의미가 되도록 괄호 안의 말을 이용하여 문장을 완성하시오.**

1 내가 브레이크를 밟았더라면, 나는 내 차로 나무를 들이받지 않았을 텐데.

(if, step on, the brake)

→ ______________, I wouldn't have hit the tree with my car.

2 만약 물이 아래에서부터 언다면, 수생 동물들은 살아남지 못할지도 모른다.

(aquatic animals, may, survive)

→ If water froze from the bottom, ______________.

3 그녀 주변은 너무나 조용해서 마치 거기에 그녀 혼자 있는 것 같았다.

(as if, there, by herself)

→ It was so quiet around her that it seemed ______________.

실전 모의고사

문항 수 | 객관식 10 / 서술형 6

맞은 개수 / 16

[1-2] 다음 빈칸에 들어갈 말이 순서대로 짝지어진 것을 고르시오.

1

- If I ________ a butterfly, I would be free and beautiful.
- I would have spoken with him if he ________ to my party.

① was – came ② were – came
③ was – has come ④ were – had come
⑤ be – had come

2

- If you ________ to my advice back then, you wouldn't be in trouble now.
- The witness insisted that he ________ her on that day.

① listened – see
② listened – saw
③ had listened – see
④ had listened – saw
⑤ had listened – has seen

[3-4] 우리말과 같은 의미가 되도록 선택지의 말을 배열할 때, 네 번째로 올 단어를 고르시오.

3

당신의 도움이 없었더라면, 나는 사업을 시작할 수 없었을 것입니다.
→ If ____________________ your help, I would never have been able to go into business.

① it ② for ③ been
④ had ⑤ not

4

내가 지금 너를 보는 것처럼 네가 네 자신을 볼 수 있다면 좋겠어.
→ ____________________ yourself as I see you now.

① I ② wish ③ could
④ you ⑤ see

[5-6] 다음 중 어법상 틀린 문장을 고르시오.

5 ① It's time you stopped eating unhealthy snacks.
② The president of the firm demanded that he be given top priority.
③ Without your help, I would have been in big trouble.
④ She takes care of her cats as if they would have been her own kids.
⑤ I would be enjoying this game much more if my team were winning.

6 ① The little girl acts as if she were a princess.
② Supposing you were his daughter, what would you do?
③ I didn't write this; otherwise, I would have corrected it.
④ If he hadn't put on the sweater, he would feel cold now.
⑤ Have you not been there, things would have been different.

7 다음 중 어법상 맞는 문장의 개수는?

a. If I let her go, she would be better off.
b. I care about Jonathan as if he were my own brother.
c. He hit the brakes in time; otherwise, he could have been injured badly.
d. If Florence Nightingale had been alive today, she would be proud of the way nursing has developed.
e. I wish I were young again so that I could run a marathon.
f. If it were not for her business trip, she would have joined us last Sunday.

① 2개 ② 3개 ③ 4개
④ 5개 ⑤ 6개

8 다음 중 어법상 틀린 문장끼리 짝지어진 것은?

a. If it had not been for this book, I couldn't have given my presentation.
b. It is vital that the sick people went to the hospital.
c. He talks as if he had read lots of Stephen King novels.
d. She would be here right now if she were brave enough.
e. I would have passed my last exam if I studied the material harder.
f. It is time that each and every one of us took responsibility for our actions.

① b ② a, c ③ b, e
④ b, d, e ⑤ d, e, f

고난도

9 밑줄 친 ⓐ~ⓒ에 대한 〈보기〉의 설명이 옳은 것끼리 짝지어진 것은?

• I insisted that he ⓐ save some money for the future.
• Someone once said, "Live each day ⓑ as if it were your last."
• ⓒ But for their parents' support, they wouldn't be successful.

〈보기〉

ⓐ 그가 돈을 저축했다는 사실을 주장하는 문장이다.
ⓑ 실제로는 마지막 날이 아니지만 마치 그런 것처럼 가정하기 위해 쓰였다.
ⓒ If it had not been for 혹은 If it were not for로 바꿔 쓸 수 있다.

① ⓐ ② ⓒ ③ ⓐ, ⓒ
④ ⓑ, ⓒ ⑤ ⓐ, ⓑ, ⓒ

10 밑줄 친 ①~⑤ 중 어법상 틀린 것을 두 개 고르면?

More and more people are becoming interested in protecting endangered animals these days. However, they seem to focus primarily on larger creatures, while ① ignoring the smaller ones. But if they ② look carefully, they will find that small creatures are extremely important. ③ Had it not been for butterflies and bees, for example, flowers would not be pollinated. It is important that humans ④ to understand that all animals matter, regardless of their size. Every ⑤ species is needed to keep the planet's ecosystems healthy. Every living thing plays an important role in allowing the Earth to continue to thrive.

서술형

[1-2] 우리말과 같은 의미가 되도록 괄호 안의 말을 이용하여 문장을 완성하시오.

1 태양이 없다면, 바다에 파도가 없을 것이다.
(for, the Sun)

→ ______________________________,
the ocean would not have waves.

2 내가 그를 보았을 때, 그는 마치 유령을 보았었던 것처럼 보였다.
(look, see)

→ When I saw him, ______________________________
________ a ghost.

3 다음 중 어법에 맞지 않는 두 문장을 찾아 각각 틀린 부분을 바르게 고쳐 쓰시오.

a. If I had joined you yesterday, we would have fun.
b. I wish I studied English harder during my last stay in America.
c. If the doctor had come earlier, she might be alive today.
d. Soap that otherwise would have been thrown away is donated to refugees.

틀린 문장 ( ): ______________ → ______________
틀린 문장 ( ): ______________ → ______________

4 주어진 문장과 같은 의미가 되도록 문장을 바꿔 쓰시오.

I am sorry you can't come to Ms. Norma's farewell party.

I wish ______________________________

[5-6] 다음 글을 읽고, 물음에 답하시오. 학평 기출

Words like "near" and "far" can mean different things depending on where you are and what you are doing. If you were at a zoo, then you might say you are "near" an animal if you could reach out and touch it through the bars of its cage. Here the word "near" means an arm's length away. <u>만약 여러분이 누군가에게 동네 가게에 가는 방법을 말해 주고 있다면</u>, you might call it "near" if it was a five-minute walk away. Now the word "near" means much longer than an arm's length away. Words like "near," "far," "small," "big," "hot," and "cold" all mean different things to different people at different times.

5 위 글의 밑줄 친 우리말을 주어진 〈조건〉에 맞게 영작하시오.

〈조건〉
1. 가정법을 이용해 총 12 단어로 쓸 것
2. telling, how, get, your local shop을 이용할 것

____

6 위 글을 다음과 같이 요약할 때, 빈칸 (A)와 (B)에 알맞은 단어를 주어진 철자로 시작하여 쓰시오.

The (A) m______ of words like "near" can vary depending on the (B) s______.

CHAPTER 11

일치 / 화법

VISUAL GRAMMAR

수 일치

수식어가 따르는 주어의 동사	형용사구 / 전치사구 / 분사구 / to부정사구 / 관계사절 / 동격절이 수식하는 주어에 동사의 수 일치
「부분 명사+of+명사」 주어의 동사	of 뒤 명사에 동사의 수 일치
상관접속사 주어의 동사	both A and B는 복수 취급, 나머지는 뒤에 오는 명사에 동사의 수 일치

시제 일치

시제 일치	종속절의 시제를 주절에 일치
시제 일치의 예외	**항상 현재** 현재의 습관, 일반적 진리, 과학적 사실, 속담, 격언 등 **항상 과거** 역사적 사실, 과거의 사건

직접화법	말한 사람의 말을 변경하지 않고 그대로 전달
간접화법	말한 사람의 말을 전달하는 사람 입장의 말로 바꾸어 전달

POINT 1 수 일치 I

정답 및 해설 p. 57

주어와 동사의 수 일치

- 주어의 수(단수/복수)에 동사의 수를 일치시키는 것을 주어와 동사의 수 일치라고 한다.

[1] The country's official *language* **is** English.

[2] There **are** *many things* to discuss before the meeting.

항상 단수 취급하는 주어	every/each+단수 명사, -thing, -body, -one
	학문·학과명(statistics, mathematics, physics 등), 국가명(the United States, the Netherlands 등), 병명(diabetes, measles 등)
	동명사구, to부정사구, 명사절
	하나의 단위로 쓰인 시간, 거리, 금액
	A and B가 하나의 사물이나 사람을 나타내는 경우
항상 복수 취급하는 주어	쌍을 이루는 명사(glasses, scissors, pants, trousers, jeans 등)
	many/(a) few/both+명사
	the+형용사(= 복수 보통명사)

[3] *Economics* **deals** with the problems of labor, wages, and capital.

[4] *Diabetes* **is** a serious disease, but it can be controlled.

[5] *To eat healthy food* **is** the most effective way to stay healthy.

[6] *What I mean* **is** that I absolutely agree with your idea.

[7] *One million dollars* **is** still a lot of money for many people.

[8] *The intelligent* **are** likely to enjoy reading books.

시험에 강해지는 포인트

◆ 수능·내신 어법

the+형용사+복수 동사

「the+형용사(~한 사람들)」는 복수 취급하여 뒤에 복수 동사가 온다.

e.g. the poor = poor people

- The wounded [was / were] waiting for treatment in the hallway.

A 다음 문장을 읽고, 네모 안에서 어법상 알맞은 것을 고르시오.

어법 연습

1 Most people think two years [is / are] not enough time to prepare for retirement.

2 Due to the typhoon, the Philippines [needs / need] support from other nations.

3 Protecting fig trees in tropical ecosystems [is / are] an important conservation goal. 모평 응용

4 Childhood measles [has / have] a serious effect on children's immune systems.

5 Whether he graduated from college or not [doesn't / don't] matter to our company.

B 우리말과 같은 의미가 되도록 괄호 안의 말을 이용하여 문장을 완성하시오.

영작 연습

1 이 도시에서 노숙자들은 주로 26~65세이다. (5 단어 / the homeless, be, mostly, aged)
→ In this city, ____________________ between 26 and 65.

2 모든 학생에게 자신의 이메일 계정이 주어졌다. (4 단어 / every, be, give)
→ ____________________ his or her own email account.

3 다른 문화에 대해 배우는 것은 우리가 좀 더 열린 마음이 되도록 도와준다. (5 단어 / help, become, open-minded)
→ Learning about other cultures ____________________.

POINT 2 수 일치 Ⅱ

정답 및 해설 p. 57

부분 명사의 수 일치

- 「all/most/some/any/half/percent/the rest[majority, portion]/분수+of+명사」는 of 뒤에 오는 명사에 수를 일치시킨다.

[1] *Most of the forests* **were** identified and mapped in the 1960s.

[2] About *70 percent of the earth's surface* **is** covered with water.

상관접속사의 수 일치

- 상관접속사가 주어로 쓰인 경우, both A and B는 복수 취급하고 나머지는 뒤에 오는 명사에 수를 일치시킨다.

[3] *Both* you *and* he **were** good friends to my parents.

[4] *Not only* the teacher *but also* the students **want** the best results.

[5] *Either* Mike *or* I **am** going to call you back as soon as we can.

수식어구가 있는 주어의 수 일치

- 형용사구, 분사구, 전치사구, to부정사구, 관계사절의 수식을 받아 길어진 주어는 수식어구를 제외한 명사의 수에 동사를 일치시킨다.

[6] *The person next to the door* **was** related to the incident.

[7] *The courses beginning after winter vacation* **are** not yet fixed.

[8] *The ability to read and write* **is** very important today.

[9] *Those who live in poverty* **are** more likely to suffer from malnutrition.

시험에 강해지는 포인트

◆ 수능·내신 어법

the number of vs. a number of

둘 다 뒤에 복수 명사가 오지만 the number of(~의 수)는 단수 취급하고 a number of(많은 ~)는 복수 취급한다.

- A number of lions [prey / preys] on deer in Africa.

주격 관계대명사절 내 동사의 수 일치

주격 관계대명사절의 주어는 선행사와 같으므로 관계사절의 동사를 선행사의 수에 일치시킨다.

- Microplastics are small plastic pieces that [is / are] five millimeters or less in diameter.

A 어법 연습

밑줄 친 부분이 어법상 맞으면 ○표 하고, 틀리면 바르게 고쳐 쓰시오.

1 The water purifiers installed in this building was made by a small company.

2 Some employees in the company's Vietnamese branch want to apply for the open position.

3 Neither the professor nor the students knows much about the subject.

4 She has completed all the work, so the rest of us doesn't have to do anything.

5 The number of unsuccessful people who come from successful families are the proof. 수능 응용

B 영작 연습

우리말과 같은 의미가 되도록 괄호 안의 말을 바르게 배열하시오. (어형 변화 가능)

1 해외에서 일할 기회는 자주 오지 않는다. (to, abroad, work, do, not, come)
→ The opportunity ______________________ very often.

2 정부와 비영리 단체들 둘 다 그 사건에 대해 책임이 있다. (the incident, be, for, responsible)
→ Both the government and the NGOs ______________________.

3 많은 연구들은 수면의 질이 건강과 관계가 있다는 것을 보여 주었다. (a number of, have, study, show)
→ ______________________ that quality of sleep is connected to health.

POINT 3 시제 일치 / 시제 일치의 예외

정답 및 해설 p. 58

시제 일치

■ 종속절의 시제를 주절에 일치시키는 것을 시제 일치라고 한다.

주절 시제	종속절 시제
현재시제	모든 시제 가능
과거시제	과거 관련 시제 (과거, 과거진행형, 과거완료) 가능

1 Mom *thinks* that I **study** less because of my band.
that I **studied** less because of my band.
that I **will study** less because of my band.

2 Tom *said* that the accident **could happen** in the crosswalk.
that the accident **had happened** in the crosswalk.

시제 일치의 예외

항상 현재	현재의 습관, 일반적 진리, 과학적 사실, 속담, 격언 등
항상 과거	역사적 사실, 과거의 사건

3 They *believed* that red **brings** fortune and happiness.

4 The teacher *told* us that honesty **is** the best policy.

5 He *answers* that the Korean War **broke out** in 1950.

cf. 시간이나 조건의 부사절에서는 미래의 일이라도 현재시제로 나타낸다.

6 If he **practices** singing in front of people, things will get better.

✔ 시험에 강해지는 포인트

◆ 수능·내신 어법

항상 현재 / 항상 과거시제로 쓰는 경우
주절의 시제와 상관 없이 항상 현재시제를 쓰는 경우와 항상 과거시제를 쓰는 경우에 주의한다.

- I learned that water [boils / boiled] at 100 degrees.
- The book says that World War II [ends / ended] in 1945.

A 밑줄 친 부분이 어법상 맞으면 ○표 하고, 틀리면 바르게 고쳐 쓰시오.

어법 연습

1 The crowd started cheering as Michael approached the finish line.

2 She said that sound traveled at a speed of about 330 meters per second.

3 I learned that everyone's DNA was unique, except for that of identical twins.

4 He said that the provisional government of the Republic of Korea is established in 1919.

5 Archeologists realized they had found one of the most significant sites in the region. 학평 응용

B 우리말과 같은 의미가 되도록 괄호 안의 말을 이용하여 문장을 완성하시오.

영작 연습

1 그들은 일반적인 비는 5.0과 5.5 사이의 pH값을 가진다고 말했다. (normal rain, have)
→ ______________________ a pH value of between 5.0 and 5.5.

2 증인은 이전에 Ryan이 법정에서 거짓말을 했다고 밝혔다. (lie, in court)
→ The witness revealed that ______________________ before.

3 그 강연자는 왜 베를린 장벽이 건축되었는지 설명할 것이다. (the Berlin Wall, be constructed)
→ The lecturer will explain why ______________________.

화법

정답 및 해설 p. 58

평서문의 화법 전환

- 직접화법: [1] He said, "I lost my cell phone yesterday."
- 간접화법: He **said** (**that**) **he had lost** his cell phone **the day before**.

① 주절의 동사 say는 say로, say to는 tell로 바꾼다.
② 쉼표(,)와 인용 부호(" ")를 없애고 접속사 that으로 연결한다. (that 생략 가능)
③ 종속절의 인칭대명사를 전달자에 맞춰 바꾼다.
④ 시제 일치 원칙에 따라 종속절의 시제를 주절에 일치시킨다.
⑤ 지시어와 부사(구)를 전달자와 말하는 시점에 맞게 바꾼다.
(this → that, here → there, now → then, ago → before 등)

의문문의 화법 전환

- 전달동사를 ask로 바꾸고 인용문에 의문사가 있으면 「의문사+주어+동사」의 어순으로, 인용문에 의문사가 없으면 「if[whether]+주어+동사」의 어순으로 쓴다.

[2] I asked him, "Where were you?" → I **asked** him **where he had been**.

[3] The nurse asked the girl, "Do you feel better now?"
→ The nurse **asked** the girl **if [whether] she felt** better **then**.

명령문의 화법 전환

- 전달동사를 내용에 따라 tell, advise, order, ask 등으로 바꾸고 인용문을 to부정사구로 바꾼다.

[4] She said to him, "Exercise more and don't stress out."
→ She **advised** him **to exercise** more and **not to stress** out.

✔ 시험에 강해지는 포인트

◆ 서술형 빈출 구문

㊻ 화법 전환 (평서문/의문문/명령문)

화법 전환(직접화법 ↔ 간접화법) 시 인칭대명사와 시제, 지시어, 부사(구)를 적절하게 바꿔 쓸 수 있는지 묻는 문제가 출제된다.

- Ron said, "We watched TV today."
→ Ron said (that) **they had watched** TV **that day**.
- She said to him, "Don't open the window."
→ She **told** him **not to open** the window.

A 어법 연습

화법을 전환한 문장에서 어법상 틀린 부분을 모두 찾아 바르게 고쳐 쓰시오.

1 Mina asked Daniel, "Where did you travel to three years ago?"
→ Mina asked Daniel where did he travel to three years ago.

2 He said, "It's hard for me to solve the problems by myself."
→ He said that it was hard for me to solve the problems by myself.

3 The park manager told me not to let my dog play there.
→ The park manager said to me, "Not let your dog play there."

B 영작 연습

주어진 문장과 같은 의미가 되도록 문장을 완성하시오. (간접화법으로 쓸 것)

1 The flight attendant said to us, "Fasten your safety belts."
→ The flight attendant ______________________.

2 He said, "There was an earthquake last night."
→ He said that ______________________.

3 The reporter asked him, "Are you planning to run for president?"
→ The reporter ______________________ to run for president.

문제로 REVIEW

어법 연습

다음 문장을 읽고, 네모 안에서 어법상 알맞은 것을 고르시오.

1 She realized that, as the proverb says, it [is / was] no use crying over spilt milk.

2 Do you know when Einstein [discovers / discovered] the theory of relativity?

3 Almost all of the Moai Statues on Easter Island [has / have] overly large heads.

4 This may be part of the reason why 85 percent of Americans [do / does] not eat enough fruit and vegetables. 학평 기출

B

다음 문장에서 어법상 틀린 부분을 찾아 바르게 고쳐 쓰시오.

1 We learned that the Earth had a magnetic field that encircles it.

2 It is estimated that two-thirds of marine species has not been discovered yet.

3 The number of fans waiting in line to get the celebrity's autograph are impressive.

4 The man complained that he has been treated unfairly on the quiz show.

5 According to one traditional definition, aesthetics is the branch of philosophy that deal with beauty, especially beauty in the arts. 모평 기출

C

다음 글을 읽고, 밑줄 친 부분 중 어법상 틀린 것을 모두 찾아 바르게 고쳐 쓰시오.

1 Most Oscar-winning films ① enjoy an increase in ticket sales. In 2019, *Green Book* won Best Picture around three months after it ② had been released. Around one-sixth of its total earnings in the U.S. ③ was made after that.

2 He explored the spotlight effect by having students ① change into a sweatshirt with a big, popular logo on the front. Nearly 40 percent of them ② was sure others would remember what the shirt said, but only 10 percent said ③ they do. 학평 응용

3 Indigenous people mined red ochre over 10,000 years ago. They ① used it for rituals and everyday activities, but even today no one ② know exactly what they did with it. However, rock paintings preserved in caves have shown archaeologists how the mineral ③ is extracted.

서술형 연습

A **주어진 문장과 같은 의미가 되도록 간접화법을 이용한 문장으로 바꾸시오.**

1 The boy asked the teacher, "Why doesn't oil dissolve in water?"
→ ______________________________

2 The man said to me, "Call tomorrow if you have any questions."
→ ______________________________

B **우리말과 같은 의미가 되도록 괄호 안의 말을 바르게 배열하시오. (필요한 말만 이용할 것)**

1 그 아마추어 작가는 매일 밤 일기를 쓴다고 주장했다.
(insisted, writes in, she, that, should, her journal, wrote in)
→ The amateur writer ______________________ every night.

2 실직한 사람들은 정부로부터 특정 혜택을 받는다.
(unemployed, certain, receive, the, benefits, receives)
→ ______________________ from the government.

3 나는 달의 혹독한 환경으로부터 우주 비행사들을 보호해 주는 우주복을 디자인했다.
(the Moon's harsh environment, from, protect, protects, astronauts)
→ I designed the spacesuits that ______________________.

C **우리말과 같은 의미가 되도록 괄호 안의 말을 이용하여 문장을 완성하시오.**

1 시험에서 부정행위를 하는 것은 기만적일 뿐만 아니라 어리석은 것으로 간주된다.
(foolish, be, as well as, consider, deceptive)
→ Cheating on tests ______________________.

2 그는 자신의 전동 휠체어가 그 문을 통과할 수 있을지 물었다.
(will, electric wheelchair, whether, fit)
→ He asked ______________________ through the door.

3 노인들뿐 아니라 어린이들도 세계적인 유행병에 심각한 영향을 받아 왔다.
(not only, have, the elderly, children, be, but also)
→ ______________________ severely impacted by the pandemic.

실전 모의고사

문항 수 | 객관식 10 / 서술형 6
맞은 개수 / 16

[1-2] 다음 빈칸에 들어갈 말이 순서대로 짝지어진 것을 고르시오.

1

- In this book, there ________ a number of characters I became interested in and fell in love with.
- The number of characters in the movie ________ countless.

① is – is ② is – are ③ are – is
④ are – are ⑤ was – are

2

- Every letter I get from my friend ______ handwritten, and I feel happy whenever I receive one.
- Both teachers ________ decided to participate in the student counseling program.

① is – has ② are – has
③ is – have ④ are – have
⑤ be – have

3 우리말과 같은 의미가 되도록 선택지의 말을 배열할 때, 세 번째로 올 단어를 고르시오.

그 남자는 그녀에게 계약서에 서명하기 위해 유럽에 갈 것인지를 물었다.
→ The man ______________________ go to Europe to sign the contract.

① she ② her ③ would
④ asked ⑤ whether

4 다음 빈칸에 들어갈 말이 바르게 짝지어진 것은?

The president said, "I'll announce a new policy tonight."
→ The president said that she ____________ a new policy ____________.

① will announce – tonight
② will announce – that night
③ would announce – tonight
④ would announce – that night
⑤ would announce – the next night

[5-6] 다음 중 어법상 틀린 문장을 고르시오.

5
① The restaurant that I ate at last night was really great.
② Two of our classmates were invited to the party, but the rest of us were not.
③ The majority of the critics were fond of our film and gave it good reviews.
④ Many people witnessed the accident, but only a few was willing to testify in court.
⑤ What we need to know about cholesterol is that we are able to control it.

6
① She told us proudly that she wakes up at five every morning.
② If it snows, the people setting up the stage for the outdoor concert won't be happy.
③ The sales representative said that he will contact me again the next day.
④ Tomorrow's lesson will be about the Silk Road and how it impacted the world.
⑤ In the 16th century, Copernicus claimed that the Earth revolves around the Sun.

7 다음 중 어법상 맞는 문장의 개수는?

a. She kept repeating that opportunity seldom knocked twice.
b. Each participant in the debate has his or her own opinions.
c. A number of plants are becoming extinct due to global warming.
d. She asked him how much it would cost to take the course.
e. Ten weeks seems to be enough time to grow crops like peppers or tomatoes.
f. Economics were not what I chose to study in college.

① 2개　② 3개　③ 4개　④ 5개　⑤ 6개

8 다음 중 어법상 틀린 문장끼리 짝지어진 것은?

a. My teacher said me to read the sentence in front of the class.
b. Five thousand dollars are what she won on the quiz show.
c. When I finish writing this book, I will start translating it into English.
d. These are the puppies that were rescued from the abandoned farm.
e. Some of the resources in the region are considered essential.
f. The owner told me that the flower shop was open from 9 to 8 every day.

① a, b　② b, e　③ c, d　④ a, b, f　⑤ a, e, f

고난도

9 밑줄 친 ⓐ~ⓒ에 대한 〈보기〉의 설명이 옳은 것끼리 짝지어진 것은?

• I'm going to buy some newspapers that ⓐ deals with only financial news.
• My father told me ⓑ that he would visit me that day.
• The largest portion of the world's electricity in the year 2040 ⓒ is expected to come from renewable energy.

〈보기〉

ⓐ 관계대명사절의 선행사가 some newspapers이므로 복수 동사 deal with로 고쳐야 한다.
ⓑ 직접화법으로 바꾸면, "I will visit you that day."가 된다.
ⓒ '~의 일부'를 뜻하는 the portion of의 경우, of 뒤에 나오는 명사에 수를 일치시킨다.

① ⓐ　② ⓑ　③ ⓐ, ⓑ　④ ⓐ, ⓒ　⑤ ⓑ, ⓒ

10 밑줄 친 ①~⑤ 중 어법상 틀린 것을 두 개 고르면?

It seems true ① that one's choices can affect others. Take Adélie penguins for example. They often search for food in groups in icy cold water, but predatory leopard seals wait for them there. Can you guess ② what they do in this situation? They wait by the edge of the water until one of them ③ gives up and jumps in. The moment that occurs, the rest of the penguins, who have waited for a long time, ④ watches with anticipation. If the pioneer ⑤ will survive, everyone else will follow. One penguin's destiny alters the fate of all the others.

서술형

[1-2] 우리말과 같은 의미가 되도록 괄호 안의 말을 이용하여 문장을 완성하시오.

1 내가 나의 장대한 계획에 대해 Amelia에게 이야기했을 때, 그녀는 말보다 행동이 중요하다고 말했다.
(say, louder, actions, speak)

→ When I told Amelia about my grand plan, ______________ than words.

2 대중교통 수단이 거의 없기 때문에 우리 여행 예산의 절반은 차를 빌리는 데 소비될 것이다.
(the budget, trip, be going to, spend, of)

→ ______________ on a rental car because there is little public transportation.

3 **다음 중 어법에 맞지 않는 두 문장을 찾아 각각 틀린 부분을 바르게 고쳐 쓰시오.**

a. Most of the fields that I'm interested in are closely related to biology.
b. There are enough room to store a lot of stuff beneath the stairs.
c. There are several drugstores near my office that sells health drinks.
d. If you come to the movie with me, I'll get you some popcorn.

틀린 문장 ( ): ______ → ______
틀린 문장 ( ): ______ → ______

4 **다음 문장의 주어에 해당하는 부분에 밑줄을 긋고, 주절에서 be동사의 사용이 적절한지 우리말로 설명하시오.**

All of the students who see this notice posted by the teacher in their classroom are required to report to the administrative office as soon as possible.

(1) 주어: ______________
(2) 설명: ______________
____

[5-6] 다음 글을 읽고, 물음에 답하시오.

All across the globe, populations are aging. Even in places where birth rates remain high, 노인의 수는 증가하고 있다 rapidly. The population of people over the age of 65 is expected to skyrocket from about 600 million in 2015 to more than 1.5 billion in 2050. The majority of this increase will occur in developing countries. As ⓐ this trend combines with lower fertility rates, many regions will see a sharp increase of the number of elderly people compared to the size of their workforce, which will cause old-age dependency ratios to increase.

5 **위 글의 밑줄 친 우리말을 주어진 〈조건〉에 맞게 영작하시오.**

〈조건〉
1. 7 단어로 쓸 것
2. elderly people, rise를 이용할 것

____

6 **위 글의 밑줄 친 ⓐ가 의미하는 것을 우리말로 쓰시오.**

____

CHAPTER 12

주의할 구문

- POINT 1 병렬 구조
- POINT 2 생략/삽입/동격
- POINT 3 도치
- POINT 4 강조

VISUAL GRAMMAR

병렬	두 개 혹은 그 이상의 단어, 구, 절이 문법적으로 대등한 형태로 연결된 구조
생략	문장에서 반복되거나 없어도 의미 파악에 지장이 없는 어구를 생략
삽입	의미를 보충하거나 부연 설명하기 위해 중간에 단어/구/절을 삽입
동격	앞의 명사를 보충 설명하기 위해 콤마(,)나 접속사 that을 이용해 다른 명사(구)나 명사절을 덧붙이는 관계
도치	강조를 위해 부사(구)/부정어를 문두에 둘 때, so/neither가 들어간 동조의 표현을 쓸 때 주어와 (조)동사의 위치가 바뀌는 구문
강조	주어/목적어/부사(구)나 동사를 강조하는 구문

병렬 구조

정답 및 해설 p. 62

접속사에 의한 병렬 구조

▪ 등위접속사나 상관접속사에 의해 연결되는 단어, 구, 절은 문법적으로 동일한 형태로 병렬된다.

1 We're looking forward to **going to Hawaii** *and* **relaxing on the beach**.
동명사구 / 동명사구

2 He must decide whether **to continue his studies** *or* **to get a job**.
to부정사구 / to부정사구

3 I left my diary *either* **in the drawer** *or* **in my locker**.
전치사구 / 전치사구

비교 구문에서의 병렬 구조

▪ 비교 구문에서 비교되는 두 대상(단어, 구, 절)은 문법적으로 동일한 형태로 병렬된다.

4 She thinks that **Mr. Brown is** not *as young as* **he looks**.
절(주어+동사) / 절(주어+동사)

5 **Preventing a disease** is *better than* **curing one**.
동명사구 / 동명사구

6 **Their symptoms** are *milder than* **those** of other girls.
명사구(복수 명사) / 대명사(복수형)

✔ 시험에 강해지는 포인트

◆ 수능·내신 어법

비교 구문에서 앞 명사를 받는 that/those
비교 구문에서 앞의 명사(구)를 대신하는 대명사 that/those를 누락시키지 않도록 주의한다.

- My brother's test scores are higher than his classmates. (×)
- My brother's test scores are higher than those of his classmates. (○)

A

어법 연습

밑줄 친 부분이 어법상 맞으면 ○표 하고, 틀리면 틀린 곳을 찾아 바르게 고쳐 쓰시오.

1 The nurse bathed the patient, apply a dressing, and prepared some food for him.

2 Virtue is the midpoint, where someone is neither too generously nor too stingy. 학평 응용

3 It's much better to get up and eat something than lie down and eat nothing.

4 We have been not only using up nature's resources but damaged nature as well.

5 The response rate of female respondents was as high as those of male respondents. 학평 응용

B

영작 연습

우리말과 같은 의미가 되도록 괄호 안의 말을 바르게 배열하시오. (어형 변화 가능)

1 Johnson 씨는 직원 채용과 해고의 책임을 맡고 있다. (hire, employees, for, fire, and)
→ Mr. Johnson is responsible ______________________.

2 소비자 만족도는 지난 1년 동안 증가하지도 감소하지도 않았다. (nor, increase, decrease, neither)
→ Customer satisfaction has ______________________ over the last year.

3 런던의 물가는 우리나라의 물가보다 훨씬 더 높다. (in, that, my country, than)
→ Prices in London are much higher ______________________.

POINT 2 생략 / 삽입 / 동격

정답 및 해설 p. 62

생략

- 반복되거나 없어도 의미 파악에 지장이 없는 부분은 생략할 수 있다.
- 부사절의 주어와 주절의 주어가 일치하면 부사절의 「주어+be동사」는 생략 가능하다.
- 형용사나 분사 앞의 「주격 관계대명사+be동사」는 생략 가능하다.

1 I won't go *to the party* because Judy didn't invite me (**to the party**).

2 Max was just a benchwarmer on the team when (**he was**) younger.

3 The woman (**who is**) talking to Ben is our new manager.

삽입

- 강조나 완곡한 표현을 위해 I think, I believe, if any, if ever 등과 같은 어구가 삽입될 수 있다.

4 Her husband, **I believe**, majored in computer science. (내가 알기로는)

5 The fact is this: few of the soldiers, **if any**, are wounded. (설령 있다 해도)

동격

- 명사/대명사를 보충 설명하기 위해 콤마(,)로 연결된 명사(구)나 접속사 that이 이끄는 절이 올 때 서로 동격 관계라고 한다.

6 He is observing **Jupiter, the largest planet in the solar system**.
(Jupiter — 동격 — the largest planet in the solar system)

7 **The fact that she can't speak English well** is a big disadvantage.
(The fact — 동격 — she can't speak English well)

✔ 시험에 강해지는 포인트

◆ 서술형 빈출 구문

47 명사+동격의 that절

설명하는 명사 뒤에 동격의 that절을 바르게 쓸 수 있는지 묻는 문제가 출제된다. fact, news, idea, opinion, truth, knowledge 등의 명사가 동격의 that절과 자주 쓰인다.

- 그는 등록금이 인하되어야 한다는 의견을 지지했다.
→ He supported **the opinion that the tuition should be reduced.**

A 어법 연습

다음 문장을 읽고, 밑줄 친 부분을 우리말로 해석하시오.

1 The actress seldom, <u>if ever</u>, connects with her family and friends.

2 They couldn't deny <u>the truth that negative campaigns work</u>.

3 <u>Though badly frightened</u>, she remained calm on the surface.

4 It was a building <u>standing on a hillside</u> and offering magnificent views.

5 The host randomly pulled the name of <u>a well-known dancer, Linx</u>, out of a hat. 수능 기출

B 영작 연습

우리말과 같은 의미가 되도록 괄호 안의 말을 이용하여 문장을 완성하시오.

1 어떤 사람들은 심지어 운전을 하지 않을 때조차 운전 중 분노를 느낀다. (3 단어 / when, drive)
→ Some people have road rage even ______________________.

2 비록 어리지만, 그 종업원은 그럼에도 불구하고 책임감 있고 성숙하다. (2 단어 / young)
→ ______________________, the clerk is still responsible and mature.

3 그들은 Mark가 CEO 자리에서 사임했다는 소식에 충격을 받았다. (6 단어 / the news, resign)
→ They were shocked by ______________________ as CEO.

도치

정답 및 해설 p. 63

부사구에 의한 도치

- 부사구가 강조되어 문두에 오면 주어와 동사가 도치되어 「부사구+동사+주어」로 쓴다.

1 *Just beyond the gate* **stood her parents**.
(부사구 / 동사 / 주어)

cf. 주어가 대명사인 경우에는 부사구가 문두에 와도 주어와 동사가 도치되지 않는다.

2 *Just beyond the gate* they stood.
(주어 / 동사)

부정어에 의한 도치

- 부정어가 강조되어 문두에 오면 주어와 동사가 도치되어 「부정어+(조)동사+주어」로 쓴다.
- 동사가 일반동사이면 do동사를 사용하여 「부정어+do[does/did]+주어+동사」로 쓴다.

3 *Not only* **is he** a good singer, he's also a talented composer.

4 *Never* **did he think** that he would become an actor.

so[neither]+동사+주어

- 긍정문 뒤에 「so+동사+주어」, 부정문 뒤에 「neither+동사+주어」로 써서 '~도 또한 그렇다[그렇지 않다]'의 의미를 나타낸다.

5 My dad works in the health care industry, and **so does my mom**.

6 She is not good at playing computer games. **Neither am I.**

시험에 강해지는 포인트

◆ 수능·내신 어법

도치 구문에서의 수 일치
부사구나 부정어구가 문두에 나와 주어와 동사가 도치된 경우 동사는 뒤에 오는 명사(주어)의 수에 일치시킨다.

- In front of the trees [was / were] a summerhouse.

◆ 서술형 빈출 구문

48 부정어+(조)동사+주어
부정어+do[does/did]+주어+동사
not, never, little, hardly, rarely, seldom 등과 같은 부정어가 문두에 나와 도치된 문장을 바르게 쓸 수 있는지 묻는 문제가 출제된다.

- 우리는 지난 밤까지 사고에 대해 듣지 못했다.
→ *Not* until last night **did we hear** about the accident.

A 어법 연습

밑줄 친 부분이 어법상 맞으면 ○표 하고, 틀리면 바르게 고쳐 쓰시오.

1 Only rarely dictate scientists the scientific agenda. 학평 기출

2 Through a door at the far end of the room appeared a woman.

3 No sooner she had hung up than she realized what she had wanted to say.

4 All my friends are scared of not being accepted to the university, and neither am I.

5 On each of those dozens of grooves is hundreds of hair-like bumps. 학평 응용

B 영작 연습

주어진 문장과 같은 의미가 되도록 문장을 완성하시오.

1 The young man hardly expected his business to do so well.
→ Hardly ______________________ so well.

2 She has never given up hope in the face of adversity.
→ Never ______________________ in the face of adversity.

3 Several corporate strategies are behind the number 99.
→ Behind the number 99 ______________________.

POINT 4 강조

정답 및 해설 p. 63

It is[was] ~ that ... (…한 것은 바로 ~이다[였다])

- 주어, 목적어, 부사(구) 중 강조하고 싶은 말을 it is[was]와 that 사이에 쓴다.
- 강조하는 말에 따라 that 대신 who, which, when, where를 쓸 수 있다.

1 Ben bought me a cap at the mall.
→ 2 **It was** *Ben* **that[who]** bought me a cap at the mall. (주어 강조)
→ 3 **It was** *a cap* **that[which]** Ben bought me at the mall. (목적어 강조)
→ 4 **It was** *at the mall* **that[where]** Ben bought me a cap. (부사구 강조)

do[does/did]+동사원형 (정말 ~하다)

- 일반동사를 강조할 때는 동사 앞에 do[does/did]를 쓴다.

5 I **do believe** that you've been doing well since you graduated.
6 Federer **did look** strangely exhausted during the final match.

기타 강조 표현

- the very, at all, in the least, by any means 등의 어구를 써서 강조할 수 있다.

7 Olivia is **the very** person that said that he was lying from the start.
8 He worked all day, but he didn't seem to be tired **in the least**.
9 It was a short walk to the park, so I'm not tired **at all**.

✔ 시험에 강해지는 포인트

◆ 서술형 빈출 구문

49 It is[was] ~ that ...
강조하는 말을 it is[was]와 that 사이에 써서 강조 구문을 완성할 수 있는지 묻는 문제가 나온다.

- Andrew wrote a poem about spring yesterday.
→ **It was** a poem about spring **that** Andrew wrote yesterday.

A
어법 연습

다음 문장을 읽고, 밑줄 친 부분을 강조하는 문장으로 바꿔 쓰시오.

1 We could see only the brightest red giant stars in the sky.
→ ______________________________

2 In fact, temperatures there decreased over the same period. 모평 응용
→ ______________________________

3 That one talk changed my self-image by giving it a little twist. 모평 응용
→ ______________________________

B
영작 연습

우리말과 같은 의미가 되도록 괄호 안의 말을 바르게 배열하시오.

1 잊을 수 없을 교훈을 내게 가르쳐 준 것은 바로 그 사고였다. (that, was, taught, the accident, it, me)
→ ____________________ a lesson I'll never forget.

2 Ashley는 내가 말하는 모든 것을 정말로 계속 무시했다. (to, did, ignore, continue, Ashley)
→ ____________________ everything that I was saying.

3 그는 깁스를 한 어린 아이가 바로 맨 앞 줄에 서 있는 것을 보았다. (the line, front, at, the very, of)
→ He saw a little child in a cast standing ____________________.

문제로 REVIEW

어법 연습

다음 문장을 읽고, 네모 안에서 어법상 알맞은 것을 고르시오.

1 When ask / asked about her dream, Jill answered that she wants to be a diplomat.

2 He wasn't satisfied with his work, and neither was his publisher / his publisher was.

3 The guests might get the message that / which they are not welcome.

4 To take risks means that you will succeed sometimes, but never taking / to take a risk means that you will never succeed. 학평 응용

B

다음 문장에서 어법상 틀린 부분을 찾아 바르게 고쳐 쓰시오.

1 Some people prefer watching sports on TV to attend live events.

2 On the map is various symbols representing geographical features.

3 The number of speakers of Mandarin Chinese is greater than those of any other language. 학평 응용

4 It was on December 23, 1888 which Vincent van Gogh cut off part of his left ear.

5 Not only it is important to adapt to changes, but it is also vital to have the ability to anticipate them.

C

다음 글을 읽고, 밑줄 친 부분 중 어법상 틀린 것을 모두 찾아 바르게 고쳐 쓰시오.

1 Athletes are trained by coaches, and ① neither are many business people. ② Rarely they are self-taught. Most are coached by someone at some point, whether in school or ③ in the workplace.

2 When animals' stomachs are full, they stop eating, but seldom ① humans are sure when to stop. This is largely due to the anxiety ② which a constant supply of food is uncertain. Therefore, they eat ③ as much as possible while they can. 학평 응용

3 Although Kelly was not as successful as her famous mother, that is not to say that she was ① by any means unintelligent. She ② does lack her mother's brilliance, but ③ so did almost everyone else in the world.

정답 및 해설 p. 64

서술형 연습

A **다음 문장을 읽고, 괄호 안의 지시대로 문장을 바꿔 쓰시오.**

1 I believe that slow and steady wins the race. (종속절의 동사 강조)

→ ______________________________

2 The passengers waited inside the cabin of the plane. (부사구 강조)

→ ______________________________

B **우리말과 같은 의미가 되도록 괄호 안의 말을 바르게 배열하시오. (필요한 말만 이용할 것)**

1 배우로 일을 하는 동안에도 그는 음악가로서의 일을 계속했다.

(as, working, worked, while, an actor)

→ ______________, he continued to work as a musician.

2 며칠 동안 비가 내린 후에 해가 나왔고 새들도 나왔다.

(did, the birds, so, neither)

→ After a few days of rain, the sun came out and ______________.

3 우리는 박물관이 1년 동안 문을 닫을 것이라는 소식에 놀랐다.

(that, be closed, the news, which, the museum, would)

→ We were surprised by ______________ for a year.

C **우리말과 같은 의미가 되도록 괄호 안의 말을 이용하여 문장을 완성하시오.**

1 사람들을 피곤하고 약하게 만드는 것은 바로 빈혈이다.

(cause, that, anemia)

→ ______________ to feel tired and weak.

2 우리는 그러한 인기를 얻을 줄은 전혀 예상하지 못했다.

(that, expect, we)

→ Never ______________ we would gain such popularity.

3 내 생각에는, 감량한 체중을 유지하는 것이 살을 빼는 것보다 어렵다.

(harder, lose)

→ In my opinion, keeping weight off is ______________.

실전 모의고사

문항 수	객관식 10 / 서술형 6
맞은 개수	/ 16

[1-2] 다음 빈칸에 들어갈 말이 순서대로 짝지어진 것을 고르시오.

1

- A dog's vision is different from ________ of a cat.
- Roses in a garden are usually preferred to ________ in a vase because of their freshness.

① that – that ② that – those
③ one – that ④ those – those
⑤ one – those

2

- Due to the fact ________ people now live longer, the number of the elderly will increase significantly.
- Seldom ________ Tom and I seen such beautiful artwork.

① which – has ② which – have
③ that – has ④ that – have
⑤ it – did

[3-4] 우리말과 같은 의미가 되도록 선택지의 말을 배열할 때, 세 번째로 올 단어를 고르시오.

3

어떤 상황에서라도 우리는 불법적인 물품을 제공할 수 없다.
→ Under ____________________ illegal products.

① we ② no ③ can
④ provide ⑤ circumstances

4

나에게 그 메시지에 대해서 말해 준 사람은 바로 그 비서였다.
→ It ____________________ me about the message.

① the ② was ③ told
④ that ⑤ secretary

[5-6] 다음 중 어법상 틀린 문장을 고르시오.

5 ① Down the road came a big, red bus, a symbol of London.
② This is the option chosen by them after careful consideration.
③ Jake did came home in time, just as he promised he would.
④ When young, she would cry because her brother made fun of her.
⑤ Most movie critics appreciate the director's imagination, and so do I.

6 ① Not a single tree did the storm knock over.
② Little did he realize the impact of the news.
③ The landlord can't seem to understand the joke in the least.
④ Christine rarely, if ever, gives her opinion in front of others.
⑤ The coach recommended not only eating healthy food but also exercised regularly.

7 다음 중 어법상 맞는 문장의 개수는?

a. To love and to be loved are two different things.
b. As a law student, I like to read law books.
c. The firm's prices are higher than that of its competitors.
d. Not only is the girl beautiful, but she is also warm-hearted.
e. The video we filmed is much better than we watched the movie.
f. The movie, I believe, has an interesting plot that keeps people guessing.

① 2개 ② 3개 ③ 4개
④ 5개 ⑤ 6개

8 다음 중 어법상 <u>틀린</u> 문장끼리 짝지어진 것은?

a. Not until he lost his health did he realized its value.
b. The police did collect all the evidence from the accident.
c. Croatia's tourism income exceeds that of its neighbor, Slovenia.
d. It was in 2015 that people came up with the idea of a shared workplace.
e. I heard the news which one of the boy was involved in identity theft.
f. Suburban residents spend more time with their neighbors than city dwellers do.

① a ② a, c ③ a, e
④ b, c, e ⑤ e, f

고난도

9 밑줄 친 ⓐ~ⓒ에 대한 〈보기〉의 설명이 옳은 것끼리 짝지어진 것은?

- To some life is pleasure, to ⓐ <u>others</u> suffering.
- ⓑ <u>It is true that</u> he made a decision.
- There is evidence ⓒ <u>that</u> the police definitely knew about.

〈보기〉

ⓐ others 뒤에 life is가 생략된 것으로 볼 수 있다.
ⓑ It is ~ that ... 강조 구문으로, that은 which로 바꿔 쓸 수 있다.
ⓒ 동격의 명사절을 이끄는 접속사로, 뒤에 이어지는 절은 evidence의 내용을 설명한다.

① ⓐ ② ⓒ ③ ⓐ, ⓒ
④ ⓑ, ⓒ ⑤ ⓐ, ⓑ, ⓒ

어법형

10 밑줄 친 ①~⑤ 중 어법상 맞는 것을 <u>두 개</u> 고르면? 학평 기출

Remember that patience is always of the essence. If an apology is not accepted, thank the individual for hearing you out and ① <u>leaving</u> the door open for if and when he wishes to reconcile. Be conscious of the fact ② <u>that</u> just because someone accepts your apology does not mean she has fully forgiven you. It can take time, maybe a long time, before the ③ <u>injuring</u> party can completely let go and fully trust you again. There is ④ <u>little</u> you can do to speed this process up. If the person is truly important to you, it is worthwhile to give him or her the time and space needed to heal. Do not expect the person ⑤ <u>go</u> right back to acting normally immediately.

서술형

[1-2] 우리말과 같은 의미가 되도록 괄호 안의 말을 이용하여 문장을 완성하시오.

1 나는 단 한 번도 비행기를 타 본 적이 없고, 내 친구도 마찬가지이다.
(have, ever, be, neither)

→ Never ________________ on a plane, and ________________.

2 이 실험은 실패라는 사실을 받아들이는 것은 어렵다.
(the truth, this experiment, a failure)

→ It is difficult to accept ________________ ________________.

3 다음 중 어법에 맞지 않는 두 문장을 찾아 각각 틀린 부분을 바르게 고쳐 쓰시오.

a. Try not to compare your opinions with those of others.
b. Do you know the saying which beauty is only skin deep?
c. Only after they left were the driver able to start the engine.
d. What's important is not how much money you have but how wisely you spend it.

틀린 문장 ( ): ____________ → ____________
틀린 문장 ( ): ____________ → ____________

4 다음 문장을 읽고, 밑줄 친 부분을 강조하는 문장으로 바꿔 쓰시오.

(A) John ate <u>the last piece of cake</u>.
(B) I understood what he meant <u>only then</u>.

(A) ________________
(B) ________________

[5-6] 다음 글을 읽고, 물음에 답하시오.

The pelicans flew in perfect formation, and they seemed to surf the rhythm of the rise and fall of the sea with their feathers just an inch from the waves. Who could create so beautiful an expression of grace? On land, the pelican was just plain ugly. Yet on the sea, it was beautiful. Perhaps, I thought, ⓐ <u>just like me</u>. On the land, I felt awkward and out of sync with my peers and with life. It all seemed so out of balance until I could run to the embrace of the ocean and bodysurf her waves. In the ocean I felt at ease. <u>내가 자유롭다고 느낀 것은 바로 바다에서뿐이었다.</u>

5 글쓴이가 위 글의 밑줄 친 ⓐ와 같이 생각했던 이유를 우리말로 쓰시오.

____

6 위 글의 밑줄 친 우리말을 주어진 〈조건〉에 맞게 영작하시오.

〈조건〉
1. It is[was] ~ that ... 강조 구문을 이용할 것
2. only, in the ocean, felt, free를 이용할 것

____

MEMO

MEMO

시험에 더 강해지는 고등영문법

#등급
#상승
#비법

서술형 집중 훈련 WORKBOOK

서술형 빈출 구문

❶ have[has] p.p. + 부사구[부사절] (현재완료)
❷ had p.p. + 부사구[부사절] (과거완료)

A 배열 영작

우리말과 같은 의미가 되도록 괄호 안의 말을 바르게 배열하시오.

1 한 이탈리아 레스토랑이 시내에 막 개업했다.
(just, in town, restaurant, opened, an Italian, has)
→ ________________

2 그 야구팀은 지난달 이후 한 경기도 이기지 못했다.
(hasn't, since, team, a game, the baseball, won, last month)
→ ________________

3 그는 그 다이아몬드 목걸이를 훔쳤다고 자백했다.
(had, the diamond, confessed, stolen, he, that, necklace, he)
→ ________________

4 그녀는 부지배인으로 승진했다.
(promoted, assistant manager, she, to, has, been)
→ ________________

B 부분 영작

우리말과 같은 의미가 되도록 완료시제와 괄호 안의 말을 이용하여 문장을 완성하시오.

1 재판 중, 그녀는 어떠한 법도 어기지 않았다고 주장했다.
(5 단어/break, any laws)
→ During the trial, she insisted that ________________.

2 지난 10년 동안, 이러한 발전은 우리 삶의 중요한 부분이 되었다. (9 단어/advances, become, important parts)
→ Over the last 10 years, ________________.

3 그녀는 1년 전에 런던에서 일하러 갔고, 그 후로 우리는 그녀를 본 적이 없다. (6 단어/not, see, since)
→ She went to work in London a year ago, and ________________.

4 그는 주머니에 손을 넣고 열쇠를 집에 두고 왔다는 것을 깨달았다. (7 단어/leave, his key, at home)
→ He put his hand into his pocket and found ________________.

C 내신 실전

1 다음 중 어법에 맞지 않는 세 문장을 찾아 각각 틀린 부분을 바르게 고쳐 쓰시오.

> a. He said he had finished his work.
> b. I haven't received any email requests from you already.
> c. She has visited Bangkok with her friends 3 years ago.
> d. We have known each other since we were at college.
> e. He was disappointed to find that they have already left.

틀린 문장 (   ): ________ → ________
틀린 문장 (   ): ________ → ________
틀린 문장 (   ): ________ → ________

2 다음 글을 읽고, 밑줄 친 우리말과 같은 의미가 되도록 〈조건〉에 맞게 문장을 완성하시오. 학평 응용

> The scientific study of the physical characteristics of colors can be traced back to Isaac Newton. In a darkened room, he allowed a thin ray of sunlight to fall on a triangular glass prism. As soon as the white ray hit the prism, it separated into the familiar colors of the rainbow. <u>사람들은 태초 이래로 무지개를 관찰해 왔기 때문에, 이 발견은 새롭지 않았다.</u> When Newton placed a second prism in the path of the spectrum, however, he found something new. The composite colors produced a white beam. He concluded that white light can be produced by combining the spectral colors.
>
> * composite: 합성의

〈조건〉
1. 7 단어로 쓸 것
2. not, new, as, humans, observe를 이용할 것

This finding ________________ rainbows since the beginning of time.

서술형 빈출 구문 ❸ have[has] been v-ing (현재완료진행형)

Ⓐ 배열 영작

우리말과 같은 의미가 되도록 괄호 안의 말을 바르게 배열하시오.

1 인류는 수 세기 동안 커피를 마셔 오고 있다.
(coffee, humans, for, been, centuries, drinking, have)
→ ______________________

2 나는 오랫동안 새 직장을 구하는 것에 대해 생각해 왔다.
(have, a new job, thinking, for, I, getting, been, about, a long time)
→ ______________________

3 흡연자 수가 최근 몇 년 간 감소하고 있다.
(been, smokers, in recent years, the number of, has, decreasing)
→ ______________________

4 최근, 우리는 섬 주변의 플라스틱 쓰레기로 인한 피해를 인지하고 있다.
(we, caused by, have, around the island, been, noticing, damage, plastic waste, recently)
→ ______________________
____

Ⓑ 부분 영작

우리말과 같은 의미가 되도록 현재완료진행형과 괄호 안의 말을 이용하여 문장을 완성하시오.

1 최근에, 나는 다소 울적한 기분이 들고 있다.
(6 단어/feel, a bit, depressed)
→ Recently, I ______________________.

2 그 아이는 2시간 동안 책을 읽는 중이다.
(7 단어/read books)
→ The child ______________________.

3 그는 2020년부터 그 학교에서 근무 중이다.
(7 단어/work for)
→ ______________________ since 2020.

4 그들은 그 사안에 관해 30분 동안 이야기 중이다.
(10 단어/talk about, issue, half an hour)
→ They ______________________.

Ⓒ 내신 실전

1 다음 중 어법에 맞지 않는 세 문장을 찾아 각각 틀린 부분을 바르게 고쳐 쓰시오.

> a. I have been knowing her for 20 years now.
> b. It has been raining, and the ground is still wet.
> c. He had been composing music since he was 18.
> d. It feels like we have been waiting for hours.
> e. I am living here since I moved three years ago.

틀린 문장 ( ): __________ → __________
틀린 문장 ( ): __________ → __________
틀린 문장 ( ): __________ → __________

2 다음 글을 읽고, 〈조건〉에 맞게 글의 요지를 완성하시오.

> The ancient Greeks believed that beauty was created by what they called the "Golden Ratio." This was a measurement calculated by assigning key points to beautiful objects and drawing lines between them. According to the Greeks, beautiful flowers, buildings and people all share the same ratio: 1:1.618. This concept of measuring beauty is still being pursued today. For example, a modern researcher used technology to analyze thousands of attractive faces and came up with a standard of "universal beauty." How closely your face conforms to the standard supposedly determines how attractive you are.

〈조건〉
1. 10 단어로 쓸 것
2. 완료진행형을 이용할 것
3. try to understand, what, certain things, make, beautiful을 이용할 것

Throughout history, people ______________________
______________________.

정답 및 해설 p. 68

서술형 빈출 구문 ❹ be p.p. (by + 목적격) (수동태)

A 배열 영작

우리말과 같은 의미가 되도록 괄호 안의 말을 바르게 배열하시오.

1 우리는 공통의 언어와 문화에 의해 통합되어 있다.
(by, culture, we, a common, language, are, and, united)
→ ______________________

2 아이들은 합의된 시간에 데려가지지 않았다.
(at, agreed upon, were, the time, not, picked up, the children)
→ ______________________

3 이 상품의 가격이 다음 주에 낮아질 것이다.
(be, next week, the price, this product, lowered, of, will)
→ ______________________

4 그 잠든 아이는 담요로 싸여 있었다.
(blankets, the sleeping child, was, a nest, in, of, wrapped)
→ ______________________

B 문장 전환

주어진 문장과 같은 의미가 되도록 수동태를 이용하여 바꿔 쓰시오.

1 Religion divided the empire into three countries.
→ ______________________

2 People didn't complete the bridge on time.
→ ______________________

3 Climate change can produce a rise in sea level.
→ ______________________

4 A French nun opened the shelters for orphans.
→ ______________________

C 내신 실전

1 다음 중 어법에 맞지 않는 세 문장을 찾아 각각 틀린 부분을 바르게 고쳐 쓰시오.

a. The movie *ET* was directed to Steven Spielberg.
b. My view blocked by a tall man in front of me.
c. A funny thing was happened in the office this morning.
d. The organization was founded in 1971 by a small group of doctors.
e. Electricity is transmitted all across the city through underground cables.

틀린 문장 ( ): __________ → __________
틀린 문장 ( ): __________ → __________
틀린 문장 ( ): __________ → __________

2 다음 글을 읽고, 밑줄 친 우리말과 같은 의미가 되도록 〈조건〉에 맞게 영작하시오.

Coordinated Universal Time (UTC) is determined by atomic clocks that are incredibly precise. Astronomical time, on the other hand, is determined by the rotation of the Earth, which is irregular. Therefore, while a UTC day is made up of exactly 86,400 seconds, the exact length of an astronomical day varies, mostly due to the tidal acceleration of the Moon. For this reason, in order to keep these two systems synchronized, 협정 세계시(UTC)는 윤초에 의해 교정된다 approximately every 18 months.

〈조건〉
1. 7 단어로 쓸 것
2. 수동태를 이용할 것
3. correct, a leap second를 이용할 것

____

서술형 빈출 구문

❺ be p.p. to-v (사역동사의 수동태)
❻ be p.p. to-v[v-ing] (지각동사의 수동태)

A 배열 영작

우리말과 같은 의미가 되도록 괄호 안의 말을 바르게 배열하시오.

1 몇 명의 소년들이 광장에서 춤추고 있는 것이 보였다.
(dancing, the square, seen, a few, in, were, boys)
→ ______________________

2 우리는 매주 50개의 새로운 단어들을 배우게 됐다.
(every week, made, we, learn, to, new words, 50, were)
→ ______________________

3 한 방문객이 입장료에 대해 묻는 것이 들렸다.
(about, a visitor, to, the entrance fee, ask, was, heard)
→ ______________________

4 일부 기자들은 법정을 떠나야 했다.
(the courtroom, were, journalists, leave, made, some, to)
→ ______________________

B 문장 전환

주어진 문장과 같은 의미가 되도록 수동태를 이용하여 문장을 완성하시오.

1 She never saw her parents argue.
→ Her parents ______________________
______________________.

2 He heard a puppy barking excitedly.
→ A puppy ______________________
______________________.

3 The manager made me wait several minutes.
→ I ______________________
______________________.

4 The police observed him driving 90 miles per hour.
→ He ______________________
______________________.

C 내신 실전

1 다음 중 어법에 맞지 않는 세 문장을 찾아 각각 틀린 부분을 바르게 고쳐 쓰시오.

a. Often she was heard weeping alone.
b. The children were seen play basketball in the park.
c. The prisoners are made digging holes and fill them up again.
d. The train was seen to stop repeatedly before it reached the station.
e. Many planets observe revolving around stars outside the solar system.

틀린 문장 ( ): __________ → __________
틀린 문장 ( ): __________ → __________
틀린 문장 ( ): __________ → __________

2 다음 글을 읽고, 〈조건〉에 맞게 요약문을 완성하시오. 학평 응용

A psychologist divided 306 people into three age groups: young adolescents (13 to 16), older adolescents (18 to 22), and adults (24 and older). The participants were asked to play a driving game and were randomly made to play alone or with two same-aged peers. Older adolescents scored about 50 percent higher on a risky-driving index when their peers were in the room, and the driving of early adolescents was rated twice as reckless when their peers were around. In contrast, there was little difference between adults who were alone and those who were with their peers.

〈 조건 〉
1. 6 단어로 쓸 것
2. 과거시제의 수동태를 이용할 것
3. observe, play, their peers를 이용할 것

Compared to adults, adolescents were more likely to take risks in a driving game when they ______________________.

서술형 빈출 구문

7 be being p.p. (진행형 수동태)
8 have[has/had] been p.p. (완료형 수동태)

A 배열 영작

우리말과 같은 의미가 되도록 괄호 안의 말을 바르게 배열하시오.

1 토네이도는 이 나라에서 목격된 적이 한 번도 없다.
(never, country, seen, in, tornadoes, this, have, been)
→ ______________________

2 그의 행동은 보안 카메라에 녹화되는 중이었다.
(behavior, a security camera, recorded, his, by, was, being)
→ ______________________

3 모든 사과들은 작은 조각으로 잘려져 있었다.
(had, small, the apples, cut, pieces, all, been, into)
→ ______________________

4 그 오래된 기차역은 박물관으로 개조되는 중이다.
(being, the old, a museum, train station, into, transformed, is)
→ ______________________

B 부분 영작

우리말과 같은 의미가 되도록 괄호 안의 말을 이용하여 문장을 완성하시오.

1 그 고양이는 동물 병원에서 치료를 받는 중이다. (treat)
→ ______________________ at an animal hospital.

2 많은 고래 화석들이 페루에서 발견되어져 왔다.
(many, whale fossil, discover)
→ ______________________ in Peru.

3 그 커피 머신은 직원에 의해 세척되는 중이었다.
(coffee machine, clean)
→ ______________________ by a staff member.

4 지금까지 얼마나 많은 표가 팔렸는가? (sell)
→ ______________________ so far?

C 내신 실전

1 다음 중 어법에 맞지 않는 세 문장을 찾아 각각 틀린 부분을 바르게 고쳐 쓰시오.

a. Large areas of tropical rain forest are being destroy.
b. Their sounds have been considering alarm signals for centuries.
c. Many highways were being closed because of heavy snow.
d. His brain and nervous system had already attacked by the virus.
e. The worst effects of dams have been observed on salmon traveling upstream.

틀린 문장 (   ): ____________ → ____________
틀린 문장 (   ): ____________ → ____________
틀린 문장 (   ): ____________ → ____________

2 다음 글을 읽고, 〈조건〉에 맞게 요약문을 완성하시오. 학평 응용

When I was very young, I had difficulty understanding the difference between dinosaurs and dragons. Of course, there is a significant difference between the two. Dragons have appeared in myths, legends, and other fictional tales throughout human history. But they never existed. Dinosaurs, however, did once live. They walked the earth for a very long time, even if human beings never saw them. They existed around 200 million years ago, and we know about them because their bones have been preserved as fossils.

〈조건〉
1. 7 단어로 쓸 것
2. 현재완료시제를 이용할 것
3. create, the human imagination를 이용할 것

Dragons ______________________, but dinosaurs actually existed a long time ago.

서술형 빈출 구문

⑨ It is[was] p.p. that + S + V (목적어가 that절인 문장의 수동태)

A 배열 영작

우리말과 같은 의미가 되도록 괄호 안의 말을 바르게 배열하시오.

1 그 집은 1600년대에 지어진 것으로 믿어진다.
(the house, in, believed, was, that, it, the 1600s, built, is)
→ ______________________

2 그녀는 예술가로서 재능을 가졌다고 한다.
(that, it, an artist, has, she, talent, as, said, is)
→ ______________________

3 협동은 인간들에게 고유한 것으로 여겨졌다.
(was, that, thought, to humans, it, cooperation, unique, was)
→ ______________________

4 규칙적인 비타민 섭취가 뇌 기능을 증진시킨다는 설이 있다.
(regular intake, suggested, brain function, improves, of, the vitamin, it, function, is, that)
→ ______________________
____

B 문장 전환

주어진 문장과 같은 의미가 되도록 수동태를 이용하여 문장을 완성하시오.

1 People know that chocolate reduces stress.
→ It ______________________
______________________.

2 People say that the taste of failure is bitter.
→ It ______________________
______________________.

3 People think that Latin is a difficult language to learn.
→ It ______________________
______________________.

4 They believe that he was a pilot in the air force during the war.
→ It ______________________
______________________.

C 내신 실전

1 다음 중 어법에 맞지 않는 세 문장을 찾아 각각 틀린 부분을 바르게 고쳐 쓰시오.

> a. Time is often saying to be a great healer.
> b. It is suggested that humans were making music 40,000 years ago.
> c. Smoking is widely known to increasing the risk of developing lung cancer.
> d. It is predicted that a comet will collide with one of the planets.
> e. It believes that the virus originally comes from monkeys.

틀린 문장 (   ): ____________ → ____________
틀린 문장 (   ): ____________ → ____________
틀린 문장 (   ): ____________ → ____________

2 다음 글을 읽고, 밑줄 친 우리말과 같은 의미가 되도록 〈조건〉에 맞게 영작하시오.

> Almonds that have been soaked are extremely good for your health. This is because soaking overnight increases their nutritional value. <u>아몬드의 갈색 껍질은 탄닌(tannin)을 함유하고 있다고 한다</u>, a substance that makes it harder for the body to absorb nutrients. Soaking almonds makes the peel easier to remove, resulting in the release of a greater amount of nutrients. Eating five to ten soaked almonds in the morning will get your day off to a healthy start and make you less likely to feel hungry later on.

〈조건〉
1. 11 단어로 쓸 것
2. 현재시제의 수동태를 이용할 것
3. say, that, peel of, contain을 이용할 것

____

서술형 빈출 구문

⑩ 명사 + to부정사 + 전치사 (형용사적 용법의 to부정사)

A 배열 영작

우리말과 같은 의미가 되도록 괄호 안의 말을 바르게 배열하시오.

1 우리 모두는 의지할 좋은 친구가 필요하다.
(a good, to, rely, friend, we, on, need, all)
→ ______________________

2 네가 이야기할 사람이 없을 때 나에게 전화해라.
(no, call, there's, me, talk, when, one, to, to, for, you)
→ ______________________

3 Ben은 기대어 울 수 있는 어깨가 필요했다.
(a shoulder, cry, Ben, needed, to, on)
→ ______________________

4 지루해진 아이는 갖고 놀 또 다른 장난감을 원했다.
(another, to, toy, with, wanted, the bored child, play)
→ ______________________

B 부분 영작

우리말과 같은 의미가 되도록 to부정사와 괄호 안의 말을 이용하여 문장을 완성하시오.

1 함께 살 룸메이트를 벌써 찾았나요?
(6 단어 / found, live)
→ Have you already ______________________
______________________?

2 그 노부인은 앉을 의자가 필요한 것 같았다.
(8 단어 / seemed, sit)
→ The elderly woman ______________________
______________________.

3 날씨는 이야기하기에 좋은 주제이다.
(6 단어 / subject, talk)
→ The weather is ______________________
______________________.

4 그는 3일 동안 묵을 호텔 방을 예약했다.
(8 단어 / reserved, stay)
→ ______________________
for three days.

C 내신 실전

1 다음 중 어법에 맞지 않는 세 문장을 찾아 각각 틀린 부분을 바르게 고쳐 쓰시오.

> a. Would you bring me a dress to try on?
> b. The couple is busy looking for a house to live.
> c. He is the right person to discuss the problem about.
> d. I have several financial issues to deal with this week.
> e. Could you pass me a piece of paper to write my phone number?

틀린 문장 ( ): ____________ → ____________
틀린 문장 ( ): ____________ → ____________
틀린 문장 ( ): ____________ → ____________

2 다음 글을 읽고, 밑줄 친 우리말과 같은 의미가 되도록 〈조건〉에 맞게 문장을 완성하시오. 학평 응용

> It's great to have people in your life who believe in you and cheer you on. They are truly interested in what you are trying to achieve and support you in all of your goals and efforts. Each of us needs people in our lives who encourage us so that we can feel confident. <u>하지만 때로는 주위에 이야기할 사람이 아무도 없을 것이다.</u> When this happens, don't get depressed. Instead, give yourself a pep talk. Nobody knows your strengths and talents better than you, so no one can motivate you better than you.
>
> * pep talk: 격려의 말

〈조건〉
1. 8 단어로 쓸 것
2. to부정사를 이용할 것
3. no one around, talk를 이용할 것

But sometimes there ______________________
______________________.

서술형 빈출 구문

⓫ too ~ to-v (너무 ~해서 …할 수 없는)
⓬ ~ enough to-v (…할 정도로 ~한)

A 배열 영작

우리말과 같은 의미가 되도록 괄호 안의 말을 바르게 배열하시오.

1 그녀는 너무 어려서 다가오는 위험을 감지하지 못했다.
(the coming, was, young, recognize, she, too, danger, to)
→ ______________________________

2 그는 의자 없이 전구를 교체할 수 있을 만큼 키가 크다.
(the bulb, tall, to, a chair, he, enough, without, is, change)
→ ______________________________

3 그 노인은 산에 하이킹을 다닐 만큼 건강하다.
(go hiking, enough, the old man, strong, to, is, in the mountains)
→ ______________________________
____

4 아이들은 너무 들떠서 규칙적인 취침 시간에 잠들 수 없었다.
(too, excited, at, the kids, sleep, get to, were, to, their regular bedtime)
→ ______________________________
____

B 문장 전환

주어진 문장과 같은 의미가 되도록 괄호 안의 말을 이용하여 바꿔 쓰시오.

1 I was too tired to get up off the sofa. (so, that)
→ ______________________________

2 You are old enough to retire soon. (so, that)
→ ______________________________

3 Human legs are so thick and strong that they can carry the body's weight. (enough to)
→ ______________________________
____

4 Plankton is so small that it cannot be easily seen by the human eye. (too, to)
→ ______________________________
____

C 내신 실전

1 다음 중 어법에 맞지 않는 세 문장을 찾아 각각 틀린 부분을 바르게 고쳐 쓰시오.

> a. That hill is too steep to cycle up.
> b. It was so dark that we couldn't hardly see.
> c. The road surface became so hot that it melted.
> d. The children are now enough old to take care of themselves.
> e. It was so cold to spend more than a few minutes on shore.

틀린 문장 ( ): __________ → __________
틀린 문장 ( ): __________ → __________
틀린 문장 ( ): __________ → __________

2 다음 글을 읽고, 밑줄 친 우리말과 같은 의미가 되도록 〈조건〉에 맞게 문장을 완성하시오.

> The three-field system is an advanced agricultural production technique that was introduced in Europe during the Middle Ages. It involves allowing a third of a region's farmland to lay fallow, while another third is planted with wheat, barley, or rye in autumn, and the final third is planted with oats, barley, or legumes in spring. 그 경작되지 않은 땅은 다음 해에 풍성한 수확량을 생산할 만큼 충분히 비옥해진다. For this reason, the roles must be rotated annually.
>
> *fallow 휴경의, 경작하지 않는

〈조건〉
1. 8 단어로 쓸 것
2. become, fertile, produce, a bountiful harvest를 이용할 것

The unplanted field ______________________________
______________________________ the following year.

정답 및 해설 p. 71

서술형 빈출 구문

⑬ 동사 + 목적어 + to부정사 (목적격보어)
⑭ 지각 / 사역동사 + 목적어 + 원형부정사 (목적격보어)

A 배열 영작

우리말과 같은 의미가 되도록 괄호 안의 말을 바르게 배열하시오.

1 법원은 그에게 500달러의 벌금을 내라고 명령했다.
(ordered, pay, a $500, the court, him, fine, to)
→ ______________________________

2 나는 어떤 낯선 남자가 건물로 들어가는 것을 봤다.
(a strange, enter, I, the building, watched, man)
→ ______________________________

3 나는 직원에게 짐을 내 방으로 가져오도록 했다.
(my room, had, my luggage, I, to, the staff, bring)
→ ______________________________

4 경찰은 사람들에게 안개 속에서 너무 빨리 운전하지 말라고 경고했다.
(drive, fast, in, the police, not, the fog, warned, people, to, too)
→ ______________________________

B 부분 영작

우리말과 같은 의미가 되도록 괄호 안의 말을 이용하여 문장을 완성하시오.

1 친구들은 그가 그의 마음을 바꾸도록 설득했으나 실패했다.
(6 단어 / persuade, change, mind)
→ His friends tried to ______________________________
______________________________, but they failed.

2 너는 네 아이들이 원하는 모든 것을 하도록 두어서는 안 된다.
(7 단어 / should, let, kids, everything)
→ You ______________________________
they want.

3 그는 자신의 조수에게 그 서류를 보내라고 말했다.
(6 단어 / told, assistant, send)
→ ______________________________ the documents.

4 나는 선글라스를 쓴 한 여자가 창가에 앉아 있는 것을 알아챘다. (7 단어 / noticed, in sunglasses)
→ ______________________________ by the window.

C 내신 실전

1 다음 중 어법에 맞지 않는 세 문장을 찾아 각각 틀린 부분을 바르게 고쳐 쓰시오.

> a. He took a step backwards to allow her pass.
> b. I seized his arm and made him turn to look at me.
> c. She suddenly felt something to brush against her arm.
> d. Let your shoes drying completely before putting them on.
> e. Remind me to send them an email about the change of dates.

틀린 문장 (   ): ____________ → ____________
틀린 문장 (   ): ____________ → ____________
틀린 문장 (   ): ____________ → ____________

2 다음 글을 읽고, 밑줄 친 우리말과 같은 의미가 되도록 〈조건〉에 맞게 문장을 완성하시오.

> People suffering from dementia may exhibit decreased inhibitions and the inability to control impulses. For example, they can become very careless about what they say about others. They may be blunt, or even rude, and their language may become crude. Other issues include an unwillingness to cooperate with caregivers, the inappropriate removal of clothing, and physical violence. You must always remember that dementia is the cause of this kind of behavior. 이것을 염두에 두는 것은 여러분이 분노와 좌절 대신에 이해심을 갖고 환자에게 반응하도록 독려할 수 있다.

〈조건〉
1. 9 단어로 쓸 것
2. encourage, react to, with understanding을 이용할 것

Keeping this in mind can ______________________________
______________________________ instead of irritation and frustration.

서술형 빈출 구문

⑮ to have p.p. (완료부정사)
⑯ to be p.p. (부정사의 수동태)

A 배열 영작

우리말과 같은 의미가 되도록 괄호 안의 말을 바르게 배열하시오.

1 누구나 타인에게 사랑받고 존경받기를 갈구한다.
(by, loved, everyone, be, respected, others, to, desires, and)
→ ______________________

2 나는 어딘가에서 내 자동차 열쇠를 잃어버린 것 같다.
(lost, somewhere, I, my car key, seem, have, to)
→ ______________________

3 그 이야기가 모든 사람에게 전해질 필요는 없다.
(does, need, not, to, the story, told, everyone, be, to)
→ ______________________

4 그의 부주의한 흡연이 화재를 일으켰다고 생각된다.
(is, caused, to, smoking, his, thought, the fire, have, careless)
→ ______________________

B 부분 영작

우리말과 같은 의미가 되도록 to부정사와 괄호 안의 말을 이용하여 문장을 완성하시오.

1 그들은 우승자가 발표되기를 기다렸다.
(7 단어 / waited for, the winner, announce)
→ They ______________________.

2 용의자들은 지금쯤 그 나라를 떠났을 가능성이 있다.
(7 단어 / likely, leave, the country)
→ The suspects ______________________ by now.

3 어떤 약들은 냉장고에 보관되도록 요구된다.
(8 단어 / require, keep, the refrigerator)
→ Some medicines ______________________
______________________.

4 그 작가는 한국 전쟁에 참전했던 것으로 알려져 있다.
(7 단어 / writer, know, serve)
→ ______________________ in the Korean War.

C 내신 실전

1 다음 중 어법에 맞지 않는 세 문장을 찾아 각각 틀린 부분을 바르게 고쳐 쓰시오.

a. Participating countries have yet to be identify.
b. There seems to be a mistake in the list.
c. Scientists expect a cure for the disease to discover soon.
d. Many young soldiers are said to have died in the battle.
e. Something seems to happen there over the past few years.

틀린 문장 ( ): __________ → __________
틀린 문장 ( ): __________ → __________
틀린 문장 ( ): __________ → __________

2 다음 글을 읽고, 밑줄 친 우리말과 같은 의미가 되도록 〈조건〉에 맞게 영작하시오. 학평 응용

In 2006, 81% of surveyed American shoppers said that they considered online customer ratings and reviews important when planning a purchase. Young people in particular rely heavily on online recommendations when deciding what to choose. They often have wide-reaching social networks and communicate regularly with dozens of others, with the potential to reach thousands. It is reported that young people aged 6 to 24 influence about 50% of all spending. Therefore, online comments can be very important for businesses targeted at young people because they 인터넷에 의해 영향을 받을 가능성이 있다.

〈조건〉
1. 8 단어로 쓸 것
2. be likely, influence를 이용할 것

____

서술형 빈출 구문

⑰ having p.p. (완료동명사)
⑱ being p.p. (동명사의 수동태)

A 배열 영작

우리말과 같은 의미가 되도록 괄호 안의 말을 바르게 배열하시오.

1 당신은 준비되어 있음으로써 시험 불안을 통제할 수 있다.
(being, control, test anxiety, you, prepared, can, by)
→ ______________________________

2 나는 그 소녀를 돕지 않았던 것에 미안함을 느낀다.
(the girl, helped, sorry, I, not, for, having, feel)
→ ______________________________

3 그녀는 진실을 말한 것에 대해 칭찬받았다.
(having, she, the truth, was, told, praised, for)
→ ______________________________

4 그는 그의 상사에게 무시당하는 것에 화가 났다.
(ignored, about, was, his boss, he, being, angry, by)
→ ______________________________

B 부분 영작

우리말과 같은 의미가 되도록 괄호 안의 말을 이용하여 문장을 완성하시오.

1 십 대들은 어린아이들처럼 취급받는 것을 싫어한다.
(5 단어 / dislike, treat, like)
→ Teenagers ______________________________
______________________________.

2 Ron은 연수를 마친 뒤 여행을 갔다.
(6 단어 / complete, the training program)
→ Ron went on a trip ______________________________
______________________________.

3 나는 조부모님과 2주를 보내고 돌아왔다.
(6 단어 / return from, spend)
→ I ______________________________
with my grandparents.

4 나는 갑자기 누군가에 의해 관찰되고 있다는 느낌이 들었다.
(5 단어 / of, watch, someone)
→ I suddenly got the feeling ______________________________
______________________________.

C 내신 실전

1 다음 중 어법에 맞지 않는 세 문장을 찾아 각각 틀린 부분을 바르게 고쳐 쓰시오.

a. They finally admitted having made a mistake.
b. Instead of been annoyed, she seemed to be quite pleased.
c. Washing your hands frequently can prevent you from infecting with germs.
d. The actual chance of being attacked by a shark is very small.
e. He is proud of his son having been chose for the national team.

틀린 문장 ( ): ______________ → ______________
틀린 문장 ( ): ______________ → ______________
틀린 문장 ( ): ______________ → ______________

2 다음 글을 읽고, 〈조건〉에 맞게 글의 요지를 완성하시오. 학평 응용

Near an honesty box, in which people placed coffee-fund contributions, researchers alternately displayed images of eyes and of flowers. Each image was displayed for a week at a time. During the weeks in which eyes were displayed, bigger contributions were made than during the weeks when flowers were displayed. Over the ten weeks of the study, contributions during the "eyes weeks" were almost three times higher than those made during the "flowers weeks." This finding may have implications for how to provide effective nudges toward socially beneficial outcomes.

* nudge: 넌지시 권하기

〈조건〉
1. 4 단어로 쓸 것
2. watch, others를 이용할 것

The psychology of contribution is highly sensitive to subtle cues of ______________________________.

서술형 빈출 구문 ⑲ 분사구문 전환

A 배열 영작

우리말과 같은 의미가 되도록 괄호 안의 말을 바르게 배열하시오.

1 우리는 멋진 일몰을 보면서 해변에 앉아 있었다.
(watching, sunset, on, sat, a spectacular, we, the beach)
→ ______________________________

2 환경에 도움이 되고 싶어서, 나는 종이컵을 절대 사용하지 않는다.
(help, never, I, wanting, use, to, the environment, paper cups)
→ ______________________________

3 발목을 다쳤음에도 불구하고, 그는 병원에 가기를 거부했다.
(refused, to hospital, he, go, his ankle, although, hurting, to)
→ ______________________________

4 그들은 자신들의 자녀가 없어서 입양하기로 결정했다.
(of their own, no children, adopt, decided, to, having, they)
→ ______________________________

B 문장 전환

주어진 문장과 같은 의미가 되도록 분사구문을 이용하여 문장을 완성하시오.

1 She got lost while she was walking to the bus station.
→ She got lost ______________________.

2 Although they looked real, the pearls were fake.
→ ______________________, the pearls were fake.

3 When I saw it from a distance, I thought the old castle looked very romantic.
→ ______________________, I thought the old castle looked very romantic.

4 Because he left the company, he was no longer responsible for the project.
→ ______________________, he was no longer responsible for the project.

C 내신 실전

1 다음 중 어법에 맞지 않는 세 문장을 찾아 각각 틀린 부분을 바르게 고쳐 쓰시오.

> a. Know the answer to the question, I raised my hand.
> b. He reading his book, he didn't notice someone come in.
> c. Spending time at the hotel, I got to know the staff.
> d. Moving to another city, Rachel had to quit her job.
> e. If disturbed, the bird may abandon the nest, to leave the chicks to die.

틀린 문장 ( ): ____________ → ____________
틀린 문장 ( ): ____________ → ____________
틀린 문장 ( ): ____________ → ____________

2 다음 글을 읽고, 〈조건〉에 맞게 글의 요지를 완성하시오.

> The post-World War II era was a good time for Americans. As they were victorious, they felt their good fortune was well deserved. The war had a positive effect on the American economy, and this continued in the following years. Automobile factories, for example, had increased their capacity in order to meet the demand for military vehicles. As a result, they were able to produce more cars after the war. Returning soldiers were eager to purchase automobiles and homes, leading to the expansion of the suburbs and an interstate highway system.

〈 조건 〉
1. 5 단어로 쓸 것
2. 분사구문을 이용할 것
3. feel, proud, their victory를 이용할 것

______________________ in the war, Americans enjoyed economic prosperity.

서술형 빈출 구문 ⑳ with + (대)명사 + 분사 (~한 채로, ~하면서)

A 배열 영작

우리말과 같은 의미가 되도록 괄호 안의 말을 바르게 배열하시오.

1 그는 TV를 켜놓은 채 자고 있었다.
(turned, sleeping, the television, he, on, with, was)
→ ______________________

2 나는 팔짱을 끼고 벽에 기대었다.
(my arms, the wall, leaned, crossed, I, against, with)
→ ______________________

3 그는 얼굴에 땀을 흘리며 먼 곳을 응시했다.
(the distance, running down, with, he, sweat, stared into, his face)
→ ______________________

4 그녀는 밖으로 나갔고 그녀의 개들이 그녀를 뒤따랐다.
(with, following, outside, she, her dogs, went, her)
→ ______________________

B 부분 영작

우리말과 같은 의미가 되도록 「with+명사+분사」 구문과 괄호 안의 말을 이용하여 문장을 완성하시오.

1 그는 사이드 미러를 접은 채로 차를 운전했다.
(5 단어/the side mirrors, fold)
→ He drove his car ______________________.

2 그녀의 무릎에서 고양이가 자고 있는 채로 그녀는 TV를 보고 있었다.
(7 단어/her cat, sleep, lap)
→ She was watching TV ______________________.

3 여성들이 취업 시장에 진입하면서 사회에 큰 변화가 있었다.
(6 단어/enter, the job market)
→ ______________________, there was a big change in society.

4 왼발은 살짝 올린 채로 그 환자를 수평으로 유지하세요.
(6 단어/his left foot, slightly, raise)
→ Keep the patient horizontal ______________________.

C 내신 실전

1 다음 중 어법에 맞지 않는 세 문장을 찾아 각각 틀린 부분을 바르게 고쳐 쓰시오.

> a. With the exam approached, she looked worried.
> b. He started to write a letter with his book closed.
> c. The woman stood silently with her head bowing.
> d. The hotel stands on the hill, with all the rooms facing the lake.
> e. With fossil fuel reserves run out, the demand for alternative energy is increasing.

틀린 문장 ( ): __________ → __________
틀린 문장 ( ): __________ → __________
틀린 문장 ( ): __________ → __________

2 다음 글을 읽고, 밑줄 친 우리말과 같은 의미가 되도록 〈조건〉에 맞게 영작하시오. 학평 응용

> While some sand is formed in oceans from things like shells and rocks, most sand is made up of tiny bits of rock that came all the way from the mountains! But that trip can take thousands of years. Glaciers, wind, and flowing water help move the rocky bits along, 그 작은 여행자들(암석 조각들)은 더 작아지는 채로 as they go. If they're lucky, a river may give them a lift all the way to the coast. There, they can spend the rest of their years on the beach as sand.

〈조건〉
1. 6 단어로 쓸 것
2. 「with+(대)명사+분사」를 이용할 것
3. tiny travelers, get, small을 이용할 것

____

서술형 빈출 구문

21 주절 + 의문사 + S + V (간접의문문)

A 배열 영작

우리말과 같은 의미가 되도록 괄호 안의 말을 바르게 배열하시오.

1 그녀는 자기가 누구에게 투표했는지 절대 말하지 않을 것이다.
(who, never, for, voted, she, will, say, she)
→ ______________________

2 나는 그가 왜 회사를 그만뒀는지 이해할 수 없다.
(left, can't, why, the company, I, figure out, he)
→ ______________________

3 나는 그들이 언제 도착할지를 확인하려고 그들에게 전화했다.
(they, them, arrive, I, when, called, to, would, check)
→ ______________________

4 대부분의 부모들은 그들의 아이들이 어떤 게임을 하고 있는지 모른다.
(their kids, parents, are, what, most, playing, don't, games, know)
→ ______________________

B 부분 영작

우리말과 같은 의미가 되도록 의문사와 괄호 안의 말을 이용하여 문장을 완성하시오.

1 경기가 언제 시작하는지 알려 주시겠습니까?
(4 단어 / the match, starts)
→ Could you tell me ______________________?

2 성공적인 의사소통의 열쇠는 무엇이라고 생각합니까?
(7 단어 / believe, the key)
→ ______________________ to successful communication?

3 과학자들은 우리의 뇌가 깊은 수면 동안 무엇을 하는지 궁금해 한다. (7 단어 / brain, during, deep sleep)
→ Scientists wonder ______________________.

4 커피가 어디서 유래했는지 혹은 누가 그것을 발견했는지는 명확하지 않다. (7 단어 / originated, discovered)
→ It is not clear ______________________.

C 내신 실전

1 다음 중 어법에 맞지 않는 세 문장을 찾아 각각 틀린 부분을 바르게 고쳐 쓰시오.

a. Why do you think is he so popular?
b. Did she tell you how did it happen?
c. They've found out which hotel he is staying at.
d. I was surprised to see how tall is the building.
e. Have you decided with whom you are going to the concert?

틀린 문장 (   ): __________ → __________
틀린 문장 (   ): __________ → __________
틀린 문장 (   ): __________ → __________

2 다음 글을 읽고, 〈조건〉에 맞게 요약문을 완성하시오. 학평 응용

You've probably seen series of rings on the top of tree stumps. These rings can give scientists some information about the local climate in the past because trees are sensitive to climate conditions, such as rain and temperature. For example, tree rings usually grow wider in warm, wet years and are thinner in cold and dry years. If the tree experiences stressful conditions, such as a drought, it might hardly grow at all during that time. Very old trees in particular can offer clues about the climate long before weather conditions were recorded.

*stump: 그루터기

〈조건〉
1. 5 단어로 쓸 것
2. 과거시제로 쓸 것
3. what, weather, like를 이용할 것

Tree rings can tell us ______________________ during the tree's life.

서술형 빈출 구문

22 so that + S + V (~하기 위해서)
23 so ~ that + S + V (너무 ~해서 …하다)

A 배열 영작

우리말과 같은 의미가 되도록 so와 that을 추가하여 괄호 안의 말을 바르게 배열하시오.

1 그녀가 너무 조용히 말해서 나는 그녀의 말을 들을 수가 없었다.
(not, spoke, her, quietly, could, she, I, hear)
→ ______________________

2 나는 내 차를 볼 수 있도록 창문 가까이에 앉았다.
(a window, see, sat, I, I, my car, near, could)
→ ______________________

3 그 입자들은 너무 작아서 거의 눈에 보이지 않는다.
(they, invisible, almost, small, are, the particles, are)
→ ______________________

4 그는 길을 잃지 않도록 그 지역의 지도를 하나 샀다.
(the area, he, get lost, bought, of, he, wouldn't, a map)
→ ______________________

B 부분 영작

우리말과 같은 의미가 되도록 so, that과 괄호 안의 말을 이용하여 문장을 완성하시오.

1 너무 추워서 어떤 지역에서는 바다가 얼었다.
(6 단어 / freeze)
→ It was ______________________
in some places.

2 그는 우리가 자신감을 느끼도록 늘 우리를 격려한다.
(7 단어 / encourage, feel confident)
→ He always ______________________
______________________.

3 모든 것이 너무 많이 변해서 나는 그곳을 거의 알아볼 수 없다.
(7 단어 / hardly recognize)
→ Everything's changed ______________________
______________________ the place.

4 신선한 공기가 방 안에 들어올 수 있도록 창문을 열어라.
(8 단어 / fresh air, come)
→ Open ______________________
______________________ into the room.

C 내신 실전

1 다음 중 어법에 맞지 않는 세 문장을 찾아 각각 틀린 부분을 바르게 고쳐 쓰시오.

> a. He lowered his voice so that could no one hear.
> b. She speaks to me so rude that I always feel insulted.
> c. He canceled his meeting so that he could come tonight.
> d. There was so much smoke that they couldn't see across the hallway.
> e. The story was extraordinary so that I didn't believe a word of it.

틀린 문장 ( ): ____________ → ____________
틀린 문장 ( ): ____________ → ____________
틀린 문장 ( ): ____________ → ____________

2 다음 글을 읽고, 글의 흐름에 맞도록 〈조건〉에 맞게 빈칸에 알맞은 말을 영작하시오.

> People love the thrill of extreme sports. They are a great way to get outdoors and do something challenging. Advances in safety equipment now make it easier than ever to take part in these activities without getting seriously hurt. One snowboarder explained, "There is a risk, but that's part of snowboarding's appeal. People like to get as close to the edge of danger as possible. Once you've tried extreme sports, bike riding and skiing aren't good enough anymore. They ______________ from them."

〈조건〉
1. 9 단어로 쓸 것
2. 「so ~ that + S + V」를 이용할 것
3. dull, you, get a thrill을 이용할 것

____

서술형 빈출 구문 ㉔ 명사(선행사) + 관계대명사절

A 배열 영작

우리말과 같은 의미가 되도록 관계대명사를 추가하여 괄호 안의 말을 바르게 배열하시오.

1 Brian이 그 아이디어를 제안한 사람이었다.
(suggested, the one, the idea, Brian, was)
→ ______________________

2 우리는 신용 카드를 도난당한 남자를 인터뷰했다.
(credit card, we, stolen, interviewed, the man, was)
→ ______________________

3 그녀는 전자 제품을 만드는 회사에서 일한다.
(a company, electrical goods, works for, she, produces)
→ ______________________

4 나는 농촌에 남았던 사람들에 대해 글을 썼다.
(have written, stayed behind, in, I, about, rural areas, those)
→ ______________________

B 문장 전환

다음 두 문장을 관계대명사를 이용하여 한 문장으로 바꿔 쓰시오.

1 A teacher retired last year. I really admired her.
→ ______________________
____

2 The picture reminded him of the house. He used to live in it.
→ ______________________
____

3 He was a Chinese immigrant. He moved to the U.S. in the late 1920s.
→ ______________________
____

4 The student's dog ran away. He has gone to look for it.
→ ______________________
____

C 내신 실전

1 다음 중 어법에 맞지 않는 세 문장을 찾아 각각 틀린 부분을 바르게 고쳐 쓰시오.

a. He always writes stories which every child will enjoy.
b. My cousin whom comes from Portugal is allergic to milk.
c. They live in a house which roof could collapse at any time.
d. We have lots of muscles in our face which enables us to move our face.
e. Salespeople who are optimistic sell more than those who are pessimistic.

틀린 문장 ( ): ____________ → ____________
틀린 문장 ( ): ____________ → ____________
틀린 문장 ( ): ____________ → ____________

2 다음 글을 읽고, 밑줄 친 우리말과 같은 의미가 되도록 〈조건〉에 맞게 문장을 완성하시오. 학평 응용

Traditionally, people were declared dead when their hearts stopped beating and they stopped breathing. So doctors would listen for a heartbeat or use a mirror to check for signs of moisture from the person's breath. But in the last half-century, doctors have proved time and time again that 그들은 심장이 뛰기를 멈춘 많은 환자들을 소생시킬 수 있다 by using a variety of techniques, such as cardiopulmonary resuscitation. Those patients are said to have been "clinically dead." Someone who is only clinically dead can often be brought back to life.

* cardiopulmonary resuscitation: 심폐 소생술(CPR)

〈조건〉
1. 관계대명사와 현재완료시제를 이용할 것
2. many patients, hearts를 이용할 것

they can revive ______________________
____

서술형 빈출 구문 ㉕ 관계대명사 what + 불완전한 절

A 배열 영작

우리말과 같은 의미가 되도록 괄호 안의 말을 바르게 배열하시오.

1 퍼즐을 맞추는 것은 대부분의 아이들이 좋아하는 것이다.
(most kids, puzzles, like, doing, is, what)
→ ______________________________

2 네가 지금 필요한 것은 긴 휴가이다.
(a long, you, is, what, now, need, holiday)
→ ______________________________

3 나를 짜증나게 하는 것은 그가 자신의 차를 운전하는 방식이다.
(the way, annoys, drives, what, his car, is, he, me)
→ ______________________________

4 네 마음이 진정으로 하고 싶어 하는 것에 주의를 기울여라.
(your mind, attention, wants, pay, to, to, what, really, do)
→ ______________________________

B 부분 영작

우리말과 같은 의미가 되도록 관계대명사 what과 괄호 안의 말을 이용하여 문장을 완성하시오.

1 그녀는 자신이 벼룩시장에서 산 것을 내게 보여 줬다.
(showed, had bought)
→ She ______________________________ at the flea market.

2 우리를 걱정시키는 것은 빙하들이 빠르게 녹고 있다는 것이다.
(concerns)
→ ______________________________ that glaciers are melting fast.

3 당신이 오늘 할 수 있는 것을 내일까지 미루지 마라. (do)
→ Don't put off till tomorrow ______________________________.

4 나는 그 프로젝트에서 필요로 하는 것을 신중하게 결정할 수 있었다. (determine, was needed)
→ I was able to carefully ______________________________.

C 내신 실전

1 다음 중 어법에 맞지 않는 세 문장을 찾아 각각 틀린 부분을 바르게 고쳐 쓰시오.

a. He always does what he believes is right.
b. She told the police about the accident what she had seen.
c. "Be patient" is that we often tell our children.
d. George always does his best, and that's what I like about him.
e. What they want to find out are how long the experiment will take.

틀린 문장 ( ): ____________ → ____________
틀린 문장 ( ): ____________ → ____________
틀린 문장 ( ): ____________ → ____________

2 다음 글을 읽고, 밑줄 친 우리말과 같은 의미가 되도록 〈조건〉에 맞게 영작하시오.

The ancient Egyptians believed pyramids allowed dead kings to journey to the afterlife. For this reason, having a pyramid built was an essential duty of living kings. It is believed that it took 20,000 workers about 20 years to construct the Great Pyramid of Giza. However, 피라미드들을 신비롭게 만드는 것은 아무도 그것이 어떻게 지어졌는지 정확히 모른다는 것이다. Some experts think the construction sites were covered in mud, making it easier to push the heavy stones into place. Others believe technology that no longer exists was used.

〈조건〉
1. 8 단어로 쓸 것
2. 관계대명사 what을 이용할 것
3. mysterious, that, nobody, know를 이용할 것

____
____________ exactly how they were built

서술형 빈출 구문

26 부정대명사 + of + 목적격 관계대명사

A 배열 영작

우리말과 같은 의미가 되도록 괄호 안의 말을 바르게 배열하시오.

1 Julie는 노동자 한 팀을 관리하는데, 그들 대부분이 20대이다.
(whom, are, manages, in their 20s, most, Julie, of, a team of workers)
→ ______________________________

2 10개 수업이 개설될 것인데, 수업의 대부분은 영어로 진행된다.
(will, be, most, be taught, 10 classes, in English, which, there, will, of)
→ ______________________________

3 뚱보기생파리는 많은 종이 있는데, 그것들 모두는 해충을 통제하는 데 도움이 된다.
(species, help, all, pests, come in, tachinid flies, many, control, which, of)
→ ______________________________

4 다섯 명이 이 자리에 지원했는데, 그 중 몇 명은 여자였다.
(applied, this position, people, were, some, for, whom, women, of, five)
→ ______________________________

B 문장 전환

다음 두 문장을 관계대명사를 이용하여 한 문장으로 바꿔 쓰시오.

1 This island produces the best coffee. Some of it is exported.
→ ______________________________

2 I know a lot of teachers. All of them are highly qualified.
→ ______________________________

3 He tried several methods to solve the problem. None of them worked.
→ ______________________________
____

4 Last month, he saw more patients than usual. Most of them had caught a cold.
→ Last month, ______________________________
______________________________.

C 내신 실전

1 다음 중 어법에 맞지 않는 세 문장을 찾아 각각 틀린 부분을 바르게 고쳐 쓰시오.

a. There are many books on the shelf, some which look interesting.
b. The employees, half of whom work part-time, will lose their jobs.
c. I am hearing a lot about you, most of whom isn't true.
d. Ian was one of a group of scientists, all of whom belonged to the same academy.
e. Manufacturers have a range of methods, and each of which is appropriate for different situations.

틀린 문장 ( ): ______________ → ______________
틀린 문장 ( ): ______________ → ______________
틀린 문장 ( ): ______________ → ______________

2 다음 글을 읽고, 글의 흐름에 맞도록 〈조건〉에 맞게 빈칸에 알맞은 말을 완성하시오. 학평 응용

Do hair and fingernails continue to grow after a person dies? The short answer is no. It just looks that way because the human body dehydrates after death, causing the skin to shrink. Typically, fingernails grow about 0.1 millimeters a day, but in order to grow, they need glucose—a simple sugar that helps power the body. Once the body dies, there's no more glucose. So skin cells, hair cells, and nail cells no longer produce new cells. Moreover, a complex hormonal regulation directs the growth of hair and nails, ______ ______________ once a person dies.

〈 조건 〉
1. 관계대명사를 이용할 것
2. neither, possible을 이용할 것

____

서술형 빈출 구문 ㉗ 명사(선행사) + 관계부사 + S + V

A 배열 영작

우리말과 같은 의미가 되도록 괄호 안의 말을 바르게 배열하시오.

1 나는 그녀가 실패한 이유를 잘 모르겠다.
(the reason, sure, she, of, not, I'm, why, failed)
→ ____________________

2 우리가 주로 휴가를 가는 마을은 제주도에 있다.
(on Jejudo, we, where, go, usually, the town, is, on holiday)
→ ____________________

3 Jimmy는 내게 어떻게 그 문제를 풀었는지 말해 주었다.
(the problem, told, he, me, how, solved, Jimmy)
→ ____________________

4 오늘은 내가 첫 월급을 받는 날이다.
(the day, my first, today, I, when, paycheck, is, get)
→ ____________________

B 문장 전환

다음 두 문장을 관계부사를 이용하여 한 문장으로 바꿔 쓰시오.

1 I'm hoping for a time. We can be together again at that time.
→ ____________________
____

2 Please show me the way. You made this tasty cake in that way.
→ ____________________
____

3 The hall has a good sound system. You're giving your recital in the hall.
→ ____________________
____

4 There are many reasons. Poverty is getting worse for those reasons.
→ ____________________
____

C 내신 실전

1 다음 중 어법에 맞지 않는 세 문장을 찾아 각각 틀린 부분을 바르게 고쳐 쓰시오.

> a. I know the reason why you don't trust him.
> b. This is the way how I used to teach 20 years ago.
> c. I met him yesterday, where he told me the news.
> d. A home is a safe place where we can express our feelings.
> e. She set up a time which the kids could read on their own.

틀린 문장 (   ): ____________ → ____________
틀린 문장 (   ): ____________ → ____________
틀린 문장 (   ): ____________ → ____________

2 다음 글을 읽고, 〈조건〉에 맞게 요약문을 완성하시오.

> In America, young people used to attend university, earn a degree, and move into their own place. Nowadays, however, young Americans are more likely to move back into the house where their parents live after they graduate. This is due to a number of factors, including an unstable economy and a lack of good jobs. Many recent graduates remain unemployed, and those who manage to get jobs are worried about losing them. To make matters worse, their low salaries make it difficult to afford a decent apartment.

〈조건〉
1. 9 단어로 쓸 것
2. 관계부사를 이용할 것
3. should be, move, their own place를 이용할 것

Many young Americans move back in with their parents after graduating from university, ____________________.

 정답 및 해설 p. 77

서술형 빈출 구문

28 so + 형용사 + a[an] + 명사
29 such + a[an] + 형용사 + 명사

A 배열 영작

우리말과 같은 의미가 되도록 괄호 안의 말을 바르게 배열하시오.

1 나는 그렇게 큰 행복은 거의 느낀 적이 없었다.
(felt, great, a, have I, scarcely, so, happiness)
→ ______

2 그녀는 우리에게 자기 아이들의 너무나 멋진 사진들을 이메일로 보내 주었다.
(such, her kids, us, pictures, emailed, of, lovely, she)
→ ______

3 그들이 가이드라인을 보내는 데 너무 오랜 시간이 걸렸다.
(such, to, a, taken, long, the guidelines, it's, send, them, time)
→ ______

4 야구장에서 나의 가족과 함께 보내기에 너무 완벽한 하루였다.
(to, the ballpark, perfect, with, at, was, day, a, it, my family, such, spend)
→ ______

B 문장 전환

주어진 문장과 같은 의미가 되도록 괄호 안의 말을 이용하여 바꿔 쓰시오.

1 He had a really loud voice that it could be heard across the room. (so)
→ ______

2 I had to tell Jonathan to stop doing a really good job. (such)
→ ______

3 We were shocked that he did something so reckless. (such)
→ ______

4 We visited truly fascinating places on our trip through Asia. (such)
→ ______

C 내신 실전

1 다음 중 어법에 맞지 않는 세 문장을 찾아 각각 틀린 부분을 바르게 고쳐 쓰시오.

a. Liz is such humorous girl that everyone likes her.
b. Winning a gold medal was a remarkable achievement for such a young athlete.
c. This country has seen major economic growth in so a short period.
d. The authors should be congratulated on producing such an excellent book.
e. Do you know why depression is such a frequently topic in medical journals?

틀린 문장 (   ): ______ → ______
틀린 문장 (   ): ______ → ______
틀린 문장 (   ): ______ → ______

2 다음 글을 읽고, 〈조건〉에 맞게 요약문을 완성하시오. 학평 응용

In the late 1800s, the railroads were the biggest companies in the U.S. Having achieved great success and even changing the landscape of America, remembering WHY they got into this business stopped being important to them. Instead, they became obsessed with WHAT they did—they were in the railroad business. This narrowing of perspective influenced their decision-making—they invested all their money in tracks and engines. But at the beginning of the 20th century, a new technology was introduced: the airplane. And all those big railroad companies eventually went out of business.

〈조건〉
1. 완료동명사를 이용해 8 단어로 쓸 것
2. achieve, such, great, success, the past를 이용할 것

Despite ______ ______, railroad companies went bankrupt due to their lack of a future outlook.

정답 및 해설 p. 78

서술형 빈출 구문

30 가주어 it ~ to-v[that]
31 가목적어 it ~ to-v[that]

A 배열 영작

우리말과 같은 의미가 되도록 괄호 안의 말을 바르게 배열하시오.

1 마감일을 제시간에 맞추는 것은 필수적이다.
(that, deadlines, is, on time, are, essential, it, met)
→ ______________________

2 조난 위험에 처한 다른 배를 돕는 것이 바다에서의 법칙이다.
(in distress, a rule, is, other boats, of the sea, it, to help)
→ ______________________

3 십 대들은 또래의 압력에 저항하는 것을 힘들어 할 수도 있다.
(may, to resist, find, peer pressure, teenagers, it, difficult)
→ ______________________

4 타인의 실수로부터 배우는 것은 중요하다.
(is, important, the mistakes, from, to, of others, learn, it)
→ ______________________

B 전체 영작

우리말과 같은 의미가 되도록 가주어 또는 가목적어와 괄호 안의 말을 이용하여 영작하시오.

1 로봇이 무엇을 할 수 있는지를 결정하는 것이 시급하다.
(what, do, decide, a robot, imperative)
→ ______________________

2 15세기에는 지구가 평평하다고 여겨졌다.
(the earth, in, flat, was believed, the 15th century)
→ ______________________

3 전화기나 컴퓨터에서 나오는 빛은 잠들기가 어렵게 할 수 있다.
(a phone, from, the light, sleep, computer, hard, make, or)
→ ______________________

4 나는 일과 육아를 동시에 해내는 것이 가능하다고 생각한다.
(think, juggle, possible, and, work, childcare)
→ ______________________

C 내신 실전

1 다음 중 어법에 맞지 않는 세 문장을 찾아 각각 틀린 부분을 바르게 고쳐 쓰시오.

> a. Soldiers take it for granted that they should obey orders.
> b. He made one a rule to check every one of his quotations.
> c. I consider it necessary clarifying our views about certain issues.
> d. When people are under pressure, it is easy to make one mistake after another.
> e. That makes me angry to wait for people who are not punctual.

틀린 문장 (   ): ____________ → ____________
틀린 문장 (   ): ____________ → ____________
틀린 문장 (   ): ____________ → ____________

2 다음 글을 읽고, 글의 흐름에 맞도록 <조건>에 맞게 빈칸에 알맞은 말을 완성하시오. 학평 응용

> What do rural Africans think as they pass fields of cash crops, such as sunflowers, roses, or coffee, while walking five kilometers a day to collect water? Some African countries ______________ or provide safe drinking water, yet precious water is used to produce export crops for European markets. African farmers cannot help but grow these crops because they are one of only a few sources of income for them. Environmental pressure groups argue that European customers who buy African coffee or flowers are making water shortages worse in Africa.

<조건>
1. 가목적어 it과 to부정사를 이용할 것
2. find, difficult, feed, their own people을 이용할 것

____

서술형 빈출 구문 ㉜ 부정대명사 + of + 명사 + 동사 (부분 표현)

A 배열 영작

우리말과 같은 의미가 되도록 괄호 안의 말을 바르게 배열하시오.

1 이러한 자격 요건들 중 어느 것도 필요하지 않다.
(necessary, of, qualifications, neither, these, is)
→ ____________________

2 그 수업의 대부분의 사람들은 전문가이다.
(professionals, are, the class, the people, most, in, of)
→ ____________________

3 그녀의 예술 중 일부는 보는 사람에게 충격을 주기 위해 의도된 것이다.
(is, of, to, intended, her art, shock, the viewer, some)
→ ____________________

4 새로운 특징들 중 어떤 것도 소비자들에게 매력적이지 않다.
(the new, are, appealing, consumers, features, to, of, none)
→ ____________________

B 부분 영작

우리말과 같은 의미가 되도록 괄호 안의 말을 이용하여 문장을 완성하시오.

1 그녀의 인생은 대부분이 다른 사람들을 보살피는 데 쓰였다.
(6 단어/most, life, be spent)
→ ____________________ caring for others.

2 두 영화 모두 문학 작품에 기반한 것이다.
(6 단어/both, the films, be based)
→ ____________________ on literary works.

3 저희 모두 당신에게 새 직책에서 좋은 일만 있으시길 바라는 소망을 보냅니다. (5 단어/all, send)
→ ____________________ our best wishes in your new position.

4 각각의 이 단계들은 서로 다르지만 서로 밀접하게 관련되어 있다. (6 단어/each, these stages)
→ Although ____________________, they are closely interrelated.

C 내신 실전

1 다음 중 어법에 맞지 않는 세 문장을 찾아 각각 틀린 부분을 바르게 고쳐 쓰시오.

a. Either of the two methods is a valid way to achieve the goal.
b. Both of the floor tile patterns in this cathedral was designed with great care.
c. Most of the runners in the marathon have trained hard for this.
d. Some of the rare animals that inhabit the area is under threat.
e. None of the inhabitants in this town is descendants of immigrants.

틀린 문장 (   ): __________ → __________
틀린 문장 (   ): __________ → __________
틀린 문장 (   ): __________ → __________

2 다음 글을 읽고, 밑줄 친 부분과 같은 의미가 되도록 〈조건〉에 맞게 바꿔 쓰시오.

A balanced diet is healthier than a meat- and fish-free diet. This is because meat and fish are essential sources of protein, iron, and other vitamins and minerals. <u>The health benefits of a vegetarian diet mostly derive</u> from its being high in fiber and low in fat and cholesterol. But this can also be achieved by cutting down on fatty and fried foods, increasing the amount of lean grilled meat and fish in your diet, and eating lots of fruit and vegetables. Completely avoiding meat and fish makes protein and iron deficiencies more likely.

〈조건〉
1. 10 단어로 쓸 것
2. most of를 이용할 것

____

서술형 빈출 구문

㉝ as + 원급 + as (~만큼 …한)
㉞ as + 원급 + as possible [= as + 원급 + as + S + can] (가능한 한 ~한)

A 배열 영작

우리말과 같은 의미가 되도록 괄호 안의 말을 바르게 배열하시오.

1 올해의 매출은 작년만큼 나쁘지 않다.
(as, last year's, not, sales, this year's, as, bad, are)
→ ______________________

2 약점을 아는 것은 강점을 아는 것만큼 중요하다.
(as, your strengths, knowing, is, important, as, knowing, your weaknesses)
→ ______________________

3 소비자는 가능한 한 지불을 미루려고 하는 경향이 있다.
(tend to, payment, possible, as, postpone, as, customers, long)
→ ______________________

4 이 탑은 스톤헨지에 있는 고대 유적보다 두 배가 크다.
(as, monument, is, two, the ancient, big, times, as, this tower)
→ ______________________
at Stonehenge.

B 부분 영작

우리말과 같은 의미가 되도록 괄호 안의 말을 이용하여 문장을 완성하시오.

1 그는 가능한 한 빨리 그녀를 병원에 데려갔다.
(5 단어/quickly, can)
→ He got her to the hospital ______________.

2 국제 문제에 대한 협상은 가능한 한 일찍 시작되어야 한다.
(5 단어/begin, early)
→ Negotiations on international issues should
______________________.

3 아사이는 적포도보다 33배까지 많은 항산화제를 갖고 있다.
(6 단어/times, many, antioxidants)
→ Acai has up to ______________________
red grapes.

4 금은 차가워져도 다른 금속들만큼 많이 수축하지 않는다.
(8 단어/contract, much, other metals, do)
→ When gold cools, it ______________________
______________________.

C 내신 실전

1 다음 중 어법에 맞지 않는 세 문장을 찾아 각각 틀린 부분을 바르게 고쳐 쓰시오.

a. Cats sleep twice as more as people.
b. The existing mechanisms do not work as well as they should.
c. This app is as not popular in some countries as it is in others.
d. Despite their smaller budgets, Bollywood movies are just as well as Hollywood films.
e. Could you sign the enclosed contract and send it back to my office as soon as possible?

틀린 문장 ( ): ____________ → ____________
틀린 문장 ( ): ____________ → ____________
틀린 문장 ( ): ____________ → ____________

2 다음 글을 읽고, 〈조건〉에 맞게 요약문을 완성하시오. 학평 응용

Most of us are suspicious of rapid cognition. We believe that the quality of the decision is directly related to the time and effort that went into making it. But there are moments, particularly in time-driven, critical situations, when haste does not make waste, when our snap judgments and first impressions can offer better means of making sense of the world. Survivors have somehow learned this lesson and have developed and sharpened their skill of rapid cognition.

〈조건〉
1. 원급 비교를 이용할 것
2. '가능한 한 많은 시간을 보내는 것'의 의미가 되도록 할 것

____
on making a decision is not always the best approach.

 정답 및 해설 p. 80

서술형 빈출 구문

35 비교급 + than (~보다 …한)
36 the + 비교급 (+ S + V) ~, the + 비교급 (+ S + V) ... (~하면 할수록 더 …하다)

A 배열 영작

우리말과 같은 의미가 되도록 괄호 안의 말을 바르게 배열하시오.

1 건물이 높을수록 임대료가 더 비싸다.
(higher, the buildings, the, the rent, taller, the)
→ ______________________

2 내적 아름다움은 신체적 아름다움보다 더 오래 지속된다.
(longer, lasts, inner, beauty, than, physical, beauty)
→ ______________________

3 우리는 강압보다 설득으로 더 많은 것을 성취할 수 있다.
(achieve, by persuasion, can, than, more, we, by force)
→ ______________________

4 경제는 정부가 바라는 것보다 덜 빠르게 성장할 것이다.
(less, than, the economy, grow, the government, hopes, will, quickly)
→ ______________________

B 부분 영작

우리말과 같은 의미가 되도록 괄호 안의 말을 이용하여 문장을 완성하시오.

1 집에 있는 것이 외출하는 것보다 항상 더 안전한 것은 아니다.
(always, safe, go out)
→ Staying at home ______________________.

2 카멜레온이 따뜻할수록 그것의 색은 더 밝다.
(warm, the chameleon, bright, its color)
→ ______________________

3 당신이 더 빠르게 운전할수록 더 위험하다.
(fast, drive, dangerous)
→ ______________________ it is.

4 가끔은 비언어적 반응이 직접적인 조언보다 더 효과적이다.
(nonverbal feedback, direct advice, effective)
→ Sometimes ______________________
______________________.

C 내신 실전

1 다음 중 어법에 맞지 않는 세 문장을 찾아 각각 틀린 부분을 바르게 고쳐 쓰시오.

a. The storm is stronger than I expected.
b. Generally speaking, the more you pay, the much you get.
c. Domestic vacations can be more nice than vacations abroad.
d. Imagination and curiosity are more important than technical skill.
e. The higher the temperature rises, more serious the effects of global warming will be.

틀린 문장 ( ): __________ → __________
틀린 문장 ( ): __________ → __________
틀린 문장 ( ): __________ → __________

2 다음 글을 읽고, 밑줄 친 우리말과 같은 의미가 되도록 〈조건〉에 맞게 영작하시오.

In Asia, tropical cyclones are called typhoons, while they are known as hurricanes in America. These storms rotate rapidly to the left and 대부분의 다른 자연재해보다 더 큰 손해를 일으킬 수 있다. The National Hurricane Center in the U.S. keeps an eye out for hurricanes and names any that are detected. The names come from a prepared list of both women's and men's names arranged in alphabetical order. The first hurricane of the year, for example, might be named Adam, while the second could be named Britney.

〈조건〉
1. 9 단어로 쓸 것
2. 비교급을 이용할 것
3. cause, damage, natural disasters를 이용할 것

____
____

서술형 빈출 구문

37 one of the + 최상급 + 복수 명사 (가장 ~한 …들 중 하나)
38 the + 최상급 + (that) S + have[has] ever p.p. (지금까지 ~한 것들 중 가장 …한)

A 배열 영작

우리말과 같은 의미가 되도록 괄호 안의 말을 바르게 배열하시오.

1 눈은 신체에서 가장 연약한 부분 중 하나이다.
(is, most, one of, parts, of, delicate, the eye, the body, the)
→ ______________________

2 그것은 내가 먹어 본 것 중 가장 맛있는 음식이다.
(I, the, it, that, food, have, ever, delicious, most, eaten, is)
→ ______________________

3 흡연은 우리가 우리 몸에 할 수 있는 최악의 일 중 하나이다.
(is, of, smoking, one, to, worst, our bodies, we, do, the, things, can)
→ ______________________

4 유대인 대학살은 세계가 알고 있는 가장 큰 비극 중 하나이다.
(the world, greatest, tragedies, the, has, is, one, known, the Holocaust, of, ever)
→ ______________________

B 부분 영작

우리말과 같은 의미가 되도록 괄호 안의 말을 이용하여 문장을 완성하시오.

1 이것은 말 그대로 내가 가 본 최고의 파티이다.
(party, ever, be, to)
→ This is literally ______________________.

2 신체 운동은 가장 좋은 두뇌 훈련 방법 중의 하나이다.
(form, of, brain training)
→ Physical exercise is ______________________
______________________.

3 그것은 내가 본 가장 흥미진진한 장면 중 하나였다.
(exciting, scene, ever, see)
→ It was ______________________.

4 독서는 열심히 일한 당신 자신에게 보상해 줄 수 있는 가장 쉬운 방법 중 하나이다. (easy, way, reward yourself)
→ Reading is ______________________
______________________ for your hard work.

C 내신 실전

1 다음 중 어법에 맞지 않는 세 문장을 찾아 각각 틀린 부분을 바르게 고쳐 쓰시오.

a. Patience is one of the most valuable attribute in a leader.
b. Firing Nick was the worst decision the manager has ever made.
c. One of the best things about tomatoes are that they are low in calories.
d. I think that was the sweeter dessert I have ever had.
e. *The Kiss* by Gustav Klimt is one of the most magnificent artworks I've ever seen.

틀린 문장 ( ): __________ → __________
틀린 문장 ( ): __________ → __________
틀린 문장 ( ): __________ → __________

2 다음 글을 읽고, 밑줄 친 우리말과 같은 의미가 되도록 〈조건〉에 맞게 문장을 완성하시오. 학평 응용

스키 타는 것을 배우는 것은 성인이 겪을 수 있는 가장 당혹스러운 경험들 중의 하나이다. After all, an adult has been walking for a long time; he knows where his feet are; he knows how to put one foot in front of the other in order to get somewhere. But as soon as he puts skis on his feet, it is as if he were learning to walk all over again. He slips and slides, falls down, has trouble getting up, and generally looks — and feels — like a fool.

〈조건〉
1. 최상급을 이용할 것
2. learning, ski, embarrassing을 이용할 것

____
______________________ an adult can undergo.

서술형 빈출 구문

39 조동사 + have p.p. (과거 사실에 대한 추측, 유감·후회)

A 배열 영작

우리말과 같은 의미가 되도록 괄호 안의 말을 바르게 배열하시오.

1 그녀가 그렇게 짧은 시간에 그 멀리까지 갔을 리가 없다.
(gone, cannot, time, a, so far, short, in, such, have, she)
→ ______________________

2 나는 유모차의 브레이크를 풀지 말았어야 했다.
(shouldn't, I, the stroller, off, the brakes, taken, have)
→ ______________________

3 몸집이 큰 동물들은 훨씬 더 작은 생명체에서 진화했을 수도 있다.
(much, evolved, have, from, may, giant animals, creatures, smaller)
→ ______________________

4 훈련 프로그램은 국가 대표 팀을 위해 조직되었어야 했다.
(should, national teams, been, organized, have, training programs, for)
→ ______________________

B 문장 전환

주어진 문장과 같은 의미가 되도록 조동사를 이용하여 문장을 완성하시오.

1 It is possible that human error was a factor in the accident.
→ Human error ______________________.

2 I'm sure that this patient fell from a great height.
→ This patient ______________________.

3 We had to have a discussion before voting but we didn't.
→ We ______________________.

4 It is impossible that the lecturer misunderstood the question.
→ The lecturer ______________________.

C 내신 실전

1 다음 중 어법에 맞지 않는 세 문장을 찾아 각각 틀린 부분을 바르게 고쳐 쓰시오.

a. I might have been taking a shower when you called.
b. Such a young boy cannot have written this research paper.
c. I mustn't have been blind not to realize the danger we were in.
d. The bus shouldn't have arrived ten minutes ago, but it hasn't come yet.
e. The road is dusty. It may have rained yesterday.

틀린 문장 (   ): __________ → __________
틀린 문장 (   ): __________ → __________
틀린 문장 (   ): __________ → __________

2 다음 글을 읽고, 내용과 일치하도록 〈조건〉에 맞게 문장을 완성하시오.

I wanted to inform you that I found your lecture at the convention center both informative and interesting. Unfortunately, I couldn't enjoy it completely because the conference hall was much too large and crowded. I understand that many people were interested in hearing the lecture, but it was far better suited for a small event in the conference room of a business hotel. By opening it to the public in such a large venue, you inadvertently created an unpleasant atmosphere for attendees such as myself.

*venue: 개최지, 현장

〈조건〉
1. 「조동사+have p.p.」를 이용할 것
2. hold, conference room을 이용할 것

The lecture ______________________
______________________ of a business hotel.

서술형 빈출 구문

40 If + S + 동사의 과거형 ~, S + 조동사의 과거형 + 동사원형 ... (가정법 과거)

41 If + S + had p.p. ~, S + 조동사의 과거형 + have p.p. ... (가정법 과거완료)

A 배열 영작

우리말과 같은 의미가 되도록 괄호 안의 말을 바르게 배열하시오.

1 지구가 평평하다면 어떤 일이 일어날까?
(the earth, flat, if, would, what, happen, were)
→ ______________________________

2 내가 내 공책을 가지고 있다면 나는 너에게 그것을 증명할 수 있을 거야.
(prove, my notebook, could, it, I, to you, I, had)
→ If ______________________________.

3 내가 상황을 알았더라면 너를 방해하지 않았을 거야.
(have, had, interrupted, the circumstances, I, known, not, would, I, you)
→ If ______________________________
______________________________.

4 너의 충고를 받아들이지 않았더라면 나는 사업에서 성공하지 못했을 거야.
(had, I, accepted, could not, succeeded, have, your advice, not, I, in business)
→ If ______________________________
______________________________.

B 문장 전환

주어진 문장과 같은 의미가 되도록 가정법 문장으로 바꿔 쓰시오.

1 As I am not a poet, I cannot write beautiful poems.
→ If ______________________________.

2 As my cat cannot talk, I cannot know exactly how she feels.
→ If ______________________________.

3 As we didn't take the subway, we couldn't arrive on time.
→ If ______________________________.

4 The artist was bankrupt as he couldn't sell his pieces.
→ If ______________________________
______________________________.

C 내신 실전

1 다음 중 어법에 맞지 않는 세 문장을 찾아 각각 틀린 부분을 바르게 고쳐 쓰시오.

> a. Tim would have won if his opponent had not cheat.
> b. If I were in your position, I would do as my boss asked.
> c. If Jimin had been as tall as you, she would buy this coat immediately.
> d. What would have happened if nature hadn't allowed the transformation of energy?
> e. If the polar bear had gotten out of the cage, we would be in great danger.

틀린 문장 ( ): ______________ → ______________
틀린 문장 ( ): ______________ → ______________
틀린 문장 ( ): ______________ → ______________

2 다음 글을 읽고, 글의 흐름에 맞도록 〈조건〉에 맞게 빈칸에 알맞은 말을 완성하시오. 학평 응용

> An airline's management team held a workshop to focus on how to create a better experience for their customers. While everyone else was in meetings on the first day of the workshop, the airline's vice president of marketing had the bed in each person's hotel room replaced with an airline seat. After having spent the night in airline seats, the company's managers came up with some "radical innovations." If the vice president ______________ ______________ their customers' discomfort, the workshop might have ended without any remarkable changes.

〈조건〉
1. 가정법을 이용할 것
2. force, the managers, experience를 이용할 것

____

서술형 빈출 구문

42 If + S + had p.p. ~, S + 조동사의 과거형 + 동사원형 ... (혼합 가정법)

A 배열 영작

우리말과 같은 의미가 되도록 괄호 안의 말을 바르게 배열하시오.

1 저녁 식사를 건너뛰었더라면 나는 지금 배고플 텐데. (be, I, would, had, dinner, skipped, I, now, hungry)
→ If ______________________________.

2 네가 태어나지 않았더라면 내 삶은 무의미할 것이다. (meaningless, be, you, not, born, my life, been, had, would)
→ If ______________________________.

3 Aiden이 전쟁 중에 죽지 않았다면 지금쯤 스무 살일 텐데. (died, twenty, Aiden, now, would, in the war, he, be, hadn't)
→ If ______________________________.

4 설비가 수리됐다면 교통 신호가 작동할 텐데. (work, the traffic signal, repaired, the equipment, been, had, would)
→ If ______________________________.

B 부분 영작

우리말과 같은 의미가 되도록 괄호 안의 말을 이용하여 문장을 완성하시오.

1 그녀가 효과적인 양육 기술을 배우지 않았더라면 지금 곤경에 처해 있을 것이다. (learn, parenting skills)
→ If she ______________________________,
she would be in trouble now.

2 그 부부가 이 길을 택했다면 오늘 여기에 있을 것이다. (take, this route)
→ If the couple ______________________________,
they would be here today.

3 우리가 중국팀을 이기지 못했더라면 우리는 결승전에 없을 것이다. (beat, the Chinese team)
→ ______________________________,
we would not be in the finals.

4 인간이 코끼리들을 사냥하지 않았더라면 그들은 멸종 위기에 있지 않을 것이다. (be, endanger)
→ If humans had not hunted elephants, ________
______________________________.

C 내신 실전

1 다음 중 어법에 맞지 않는 세 문장을 찾아 각각 틀린 부분을 바르게 고쳐 쓰시오.

a. If Jason had taken my advice, he would not be suffering.
b. If you had read this mystery novel, you can understand what I am talking about now.
c. If the infection had been more serious, she would have been very sick today.
d. If I didn't meet my English teacher in high school, I would not be a diplomat.
e. If I had paid the bill, I would not have to pay the additional charge.

틀린 문장 ( ): ____________ → ____________
틀린 문장 ( ): ____________ → ____________
틀린 문장 ( ): ____________ → ____________

2 다음 글을 읽고, 밑줄 친 우리말과 같은 의미가 되도록 〈조건〉에 맞게 영작하시오.

Just like fingerprints, everyone's DNA is different. If criminals leave behind even a little bit of blood, skin or hair at the scene of a crime, the police can obtain their DNA. By matching this DNA against the DNA of suspects, they can then determine who committed the crime. This technology has put many dangerous criminals behind bars. 만약 DNA 검사가 개발되지 않았다면 오늘날 많은 범죄자들이 수감되어 있지 않을 것이다.

〈조건〉
1. 혼합 가정법을 이용할 것
2. develop, many criminals, imprison을 이용할 것

If DNA testing ______________________________,
______________________________ today.

서술형 빈출 구문

43 I wish + 가정법 과거 / 과거완료
44 as if + 가정법 과거 / 과거완료

A 배열 영작

우리말과 같은 의미가 되도록 괄호 안의 말을 바르게 배열하시오. (어형 변화 가능)

1 그들이 내가 이것이 얼마나 절실히 필요한지 이해할 수 있으면 좋을 텐데.
(I, understand, this, wish, badly, how, they, can, need, I)
→ ______________________

2 내가 어젯밤에 그녀의 전화번호를 적어 놓았다면 좋았을 텐데.
(have, write down, I, telephone number, her, I, last night, wish)
→ ______________________

3 너는 마치 내일 죽을 것처럼 살아야 한다.
(tomorrow, you, should, as, you, live, going to, be, if, die)
→ ______________________

4 Ryan은 자신의 실수에 대해 마치 그가 아무 관련이 없는 것처럼 말했다.
(he, Ryan, as, his mistake, have, nothing to do, it, if, with, talked about)
→ ______________________
____

B 문장 전환

주어진 문장과 같은 의미가 되도록 가정법 문장을 완성하시오.

1 I'm sorry that I cannot see what's inside your dreams.
→ I wish ______________________.

2 I'm sorry that I didn't bring some earplugs here.
→ I wish ______________________ here.

3 Jacob gave me advice like he was my teacher. In fact, he is not.
→ Jacob gave me advice ______________________
__________.

4 Emma acts like she studied genetics in college. In fact, she didn't.
→ Emma acts ______________________.

C 내신 실전

1 다음 중 어법에 맞지 않는 세 문장을 찾아 각각 틀린 부분을 바르게 고쳐 쓰시오.

> a. Act as if there is no such thing as failure.
> b. I wish he would get to the point as soon as possible.
> c. I wish I didn't overheard your conversation, but I did.
> d. There was a huge bang, as if something had exploded outside.
> e. My father passed away last year. I wish I can bring him back to life.

틀린 문장 ( ): __________ → __________
틀린 문장 ( ): __________ → __________
틀린 문장 ( ): __________ → __________

2 다음 글을 읽고, 내용과 일치하도록 〈조건〉에 맞게 문장을 완성하시오. 학평 응용

> Andrew Carnegie once heard his sister complain about her two sons. They were away at college and rarely responded to her letters. Carnegie told her that he would get an immediate response. He sent off letters to the boys, and told them that he was happy to send each of them a check for $100. Then he mailed the letters but didn't enclose the checks. Within days he received warm, grateful letters from both boys, who noted at the letters' end that he had unfortunately forgotten to include the check.

〈조건〉
1. 「as if + 가정법」을 이용할 것
2. mean to send, to them을 이용할 것

Carnegie got replies from his two nephews by acting ______________________.

서술형 빈출 구문

45 Without[But for] + 명사(구) (~이 없다면[없었다면])
[= If it were not for / If it had not been for + 명사(구)]

A 배열 영작

우리말과 같은 의미가 되도록 괄호 안의 말을 바르게 배열하시오.

1 소행성 충돌이 없었다면 공룡은 오늘날 살아 있을 것이다.
(would, the asteroid crash, alive, the dinosaurs, without, be, today)
→ ______________________

2 수호가 없었다면 우리는 여기 앉지 못했을 것이다.
(if, have, been, we, for, here, Suho, could not, not, it, sat, had)
→ ______________________

3 불의가 없다면 인간은 정의를 알지 못할 것이다.
(humans, were, justice, injustice, not, would, it, not, know, if, for)
→ ______________________

4 그녀의 도움이 없었다면 나는 힘든 시간을 보냈을 것이다.
(would, a, hard, I, time, without, had, her, help, have)
→ ______________________

B 문장 전환

주어진 문장과 같은 의미가 되도록 가정법 문장을 완성하시오.

1 Without advertising income, newspapers could not be sold so cheaply.
→ If ______________________
______________________.

2 Without television, half the pleasure of our daily lives would be lost.
→ Were ______________________
______________________.

3 But for salt, our civilization would not have been built.
→ If ______________________
______________________.

4 Without the recommendation letter, he would not have gotten a job at the bank.
→ Had ______________________
______________________.

C 내신 실전

1 다음 중 어법에 맞지 않는 세 문장을 찾아 각각 틀린 부분을 바르게 고쳐 쓰시오.

> a. If were not for milk, we would not have cheese.
> b. Without elevators, skyscrapers are not functional.
> c. If it had not been for his error, we would have won.
> d. Were not for the prize money, losing would not be an issue.
> e. But for your timely warning, we would have been unaware of the danger.

틀린 문장 (   ): __________ → __________
틀린 문장 (   ): __________ → __________
틀린 문장 (   ): __________ → __________

2 다음 글을 읽고, 〈조건〉에 맞게 글의 요지를 완성하시오.

> Before human beings came into existence, about one of every million species suffered extinction each year. Today, however, things have changed greatly. Thousands and thousands of species are dying out each year, and it is estimated that human beings are responsible for at least one extinction on an almost daily basis. At the current rate, more than a fifth of the planet's species will be gone within the next 30 years. To make matters worse, many of these doomed species will have disappeared from the planet without ever having been identified by scientists.

〈조건〉
1. 6 단어로 쓸 것
2. 가정법 과거완료를 이용할 것
3. it, humans를 이용할 것

______________________, many extinct species could have survived.

서술형 빈출 구문 ㊻ 화법 전환 (평서문 / 의문문 / 명령문)

A 배열 영작

우리말과 같은 의미가 되도록 괄호 안의 말을 바르게 배열하시오. (어형 변화 가능)

1 엄마는 내게 점심으로 무엇을 먹고 싶은지 물으셨다.
(want, for dinner, to, Mom, me, eat, what, asked, I)
→ ________________

2 그 남자는 다음 날 떠날 것이라고 내게 말했다.
(that, will, he, the next day, me, leave, told, the man)
→ ________________

3 그녀는 나에게 주식 시장에 관심이 있는지 물었다.
(in, me, the stock market, I'd, be, asked, if, she, interested)
→ ________________

4 아버지는 내게 저녁 늦게 나가지 말라고 말씀하셨다.
(me, not, late, my father, in the evening, go out, told)
→ ________________

B 문장 전환

주어진 문장과 같은 의미가 되도록 간접화법을 이용하여 문장을 바꿔 쓰시오.

1 He said, "I'll phone you tomorrow."
→ ________________

2 Karen said to me, "How did you manage to persuade him?"
→ ________________

3 The physician said to me, "Avoid red meat from now on."
→ ________________

4 He said to me, "I decided to take matters into my own hands."
→ ________________

C 내신 실전

1 다음 간접화법 문장 중 어법에 맞지 않는 세 문장을 찾아 각각 틀린 부분을 바르게 고쳐 쓰시오.

a. She told me she is planning to do it that day.
b. The professor asked me if I had read the article.
c. Last week he said me he was satisfied with his job.
d. Mom told me to bring my little brother to school.
e. Amber asked me how long did it take to get to the nearest pharmacy.

틀린 문장 (   ): ________ → ________
틀린 문장 (   ): ________ → ________
틀린 문장 (   ): ________ → ________

2 다음 글을 읽고, 내용과 일치하도록 〈조건〉에 맞게 문장을 완성하시오. 학평 응용

Many years ago, a young boy competing in a spelling bee was asked to spell "echolalia," a word that refers to the condition of repeating whatever one hears. He made a mistake and misspelled the word, but the judge misheard him and said, "You spelled the word correctly, so you can advance." But the boy was honest and confessed that he had actually spelled it wrong. He received a great deal of praise for his behavior, but when he was asked about it, he simply explained, "I didn't want to feel like a liar."

〈조건〉
1. 시제에 유의할 것
2. 지문에 나온 표현을 이용할 것

The judge misheard the boy's answer and told him that ________________ and could advance.

서술형 빈출 구문

47 명사 + 동격의 that

A 배열 영작

우리말과 같은 의미가 되도록 괄호 안의 말을 바르게 배열하시오.

1 우리는 흡연이 건강에 해롭다는 사실을 잊지 말아야 한다.
(bad, we, forget, for, that, smoking, must not, is, the fact, our health)
→ ______________________

2 그가 대상을 받을 것이라는 희망은 거의 없다.
(he, will, not, the Grand Prix, much, that, hope, win, there is)
→ ______________________

3 나는 그가 절대 돌아오지 않을 거라는 사실을 받아들여야 한다.
(he'll, that, I, never, have to, come back, the truth, accept)
→ ______________________

4 혼돈 이론은 작은 것들이 큰 결과를 가져올 수 있다는 개념이다.
(is, Chaos theory, huge, consequences, tiny, have, things, the idea, can, that)
→ ______________________

B 부분 영작

우리말과 같은 의미가 되도록 괄호 안의 말을 이용하여 문장을 완성하시오.

1 나는 Erica가 실종되었다는 소식을 들었다. (go missing)
→ I heard ______________________.

2 2005년부터 과학자들은 플라스마가 액체처럼 작용한다는 믿음을 지지해 오고 있다. (plasma, behave, a liquid)
→ Since 2005, scientists have held ____________
______________________.

3 우리는 생물이 바다 밑에서 진화하기 시작했다는 결론에 도달했다. (conclusion, life, start, evolve)
→ We came to ______________________
under the sea.

4 우리는 부모님이 우리에게 무조건적인 사랑을 준다는 사실을 기억해야 한다. (fact, give, unconditional love)
→ We should remember ____________
______________________.

C 내신 실전

1 다음 중 어법에 맞지 않는 세 문장을 찾아 각각 틀린 부분을 바르게 고쳐 쓰시오.

a. The fact what I was a foreigner was a big disadvantage.
b. The truth that makes people free is a truth that most people prefer not to hear.
c. His experience confirmed the belief which using electricity for heating is less efficient than using natural gas.
d. The idea that galaxies are not formed all at once are now widely accepted.
e. Recent studies have strengthened the evidence that daily exposure to ozone increases the risk of death.

틀린 문장 (   ): ____________ → ____________
틀린 문장 (   ): ____________ → ____________
틀린 문장 (   ): ____________ → ____________

2 다음 글을 읽고, 밑줄 친 우리말과 같은 의미가 되도록 〈조건〉에 맞게 문장을 완성하시오. 학평 응용

When you are walking along the street, you might be asked to sign a petition to prevent animal cruelty. This is a small request, and most people will agree to it. After this, the person will ask if you are interested in buying cruelty-free cosmetics from a nearby store. 대부분의 사람들이 청원서에 서명해 달라는 이전 요구에 이미 동의했다는 사실 때문에, they are more likely to purchase the cosmetics. They make such purchases because the person with the petition is taking advantage of a human tendency to be consistent in words and actions.

〈조건〉
1. 동격의 명사절과 현재완료시제를 이용할 것
2. already, agree to, the prior request를 이용할 것

Due to ______________________
____________ to sign the petition

정답 및 해설 p. 84

서술형 빈출 구문

48 부정어 + (조)동사 + 주어 (도치 구문)
부정어 + do[does / did] + 주어 + 동사 (도치 구문)

A 배열 영작

우리말과 같은 의미가 되도록 괄호 안의 말을 바르게 배열하시오.

1 여기서 너를 만날 줄은 꿈에도 몰랐다.
(here, meeting, you, did, of, dream, I)
→ Never ______________________.

2 비가 내리기 시작했을 때 우리는 막 출발했다.
(it, to, rain, started, had, when, began, we)
→ Hardly ______________________.

3 사람은 강요받을 때 까지는 최선을 다하지 않는다.
(till, one, one's best, one, to, do, is, does, forced)
→ Seldom ______________________.

4 전문가들은 위성이 궤도에서 어긋날 것이라고는 생각하지 못했다.
(its orbit, did, would, miss, experts, the satellite, imagine)
→ Little ______________________.

B 문장 전환

주어진 문장과 같은 의미가 되도록 부정어로 시작하는 문장으로 바꿔 쓰시오.

1 Dan little knew he was digging his own grave.
→ ______________________

2 The audience didn't once applaud the singer.
→ ______________________

3 I had no sooner sat down than there was a loud knock on the door.
→ ______________________
____

4 Good listeners are not only appreciated by others, but they also have many opportunities to learn new things.
→ ______________________
____

C 내신 실전

1 다음 중 어법에 맞지 않는 세 문장을 찾아 각각 틀린 부분을 바르게 고쳐 쓰시오.

a. Never it is too late to learn.
b. Rarely does it snow in Brazil.
c. Not only the juice of grapes is useful, but their skin and seeds can be used to make many things as well.
d. Seldom have so many people come together to contribute to such a worthwhile program.
e. No sooner they started than they were faced with another challenge.

틀린 문장 ( ): __________ → __________
틀린 문장 ( ): __________ → __________
틀린 문장 ( ): __________ → __________

2 다음 글을 읽고, 밑줄 친 우리말과 같은 의미가 되도록 <조건>에 맞게 영작하시오.

Everyone knows that sleeping less than seven hours a night is a bad thing. <u>당신은 항상 피곤하게 될 뿐만 아니라</u>, but you'll also be at greater of risk of numerous health issues, including weight gain and depression. But few people realize that sleeping too much is also dangerous. Sleeping in excess of nine hours a night increases your risk of diabetes and headaches. Therefore, when it comes to sleep, you should aim for the happy medium of seven or eight hours of sleep per night.

<조건>
1. 9 단어로 쓸 것
2. 부정어로 문장을 시작할 것
3. not only, tired, all the time을 이용할 것

____

서술형 빈출 구문

49 It is[was] ~ that ... (강조 구문)

A 배열 영작

우리말과 같은 의미가 되도록 괄호 안의 말을 바르게 배열하시오.

1 그가 나를 찾아온 것은 바로 어젯밤이었다.
(see, came, to, he, me, that)
→ It was last night ______________________.

2 가장 피해를 주는 자연재해는 바로 허리케인이다.
(are, natural disasters, damaging, the most, that)
→ It is hurricanes ______________________.

3 세계 경제의 번영을 가져온 것은 바로 민주주의였다.
(brought about, that, around the world, growth, economic)
→ It was democracy ______________________
______________________.

4 세계 역사상 가장 큰 제국을 건설한 사람은 바로 칭기즈칸이었다.
(built, in the history, of, the largest empire, who, the world)
→ It was Genghis Khan ______________________
______________________.

B 문장 전환

「It is[was] ~ that ...」 구문을 이용하여 밑줄 친 부분을 강조하는 문장으로 바꿔 쓰시오.

1 One can see clearly <u>only with one's heart</u>.
→ ______________________

2 The environmental damage occurred <u>during the conflict</u>.
→ ______________________

3 <u>The locals</u> requested continued monitoring and review of the issue.
→ ______________________
____

4 The likelihood of defeating cancer is greatest <u>in the early stages</u>.
→ ______________________
____

C 내신 실전

1 다음 중 어법에 맞지 <u>않는</u> <u>세 문장</u>을 찾아 각각 <u>틀린</u> 부분을 바르게 고쳐 쓰시오.

a. It is love that makes the impossible possible.
b. It is Shylock who is the most prominent character in this play.
c. It was not the first time what the committee had supported positive measures.
d. It was not until the subway opened in 1974 that did Jongno's traffic improve.
e. It was yesterday where I gave my DNA sample to the researcher.

틀린 문장 ( ): ____________ → ____________
틀린 문장 ( ): ____________ → ____________
틀린 문장 ( ): ____________ → ____________

2 다음 글을 읽고, 밑줄 친 우리말과 같은 의미가 되도록 〈조건〉에 맞게 영작하시오. 학평 응용

Many of us live our lives without examining why we habitually do what we do. Why do we spend so much time working? We may respond to that question by saying, "Because that's what people do." But there is nothing natural about this; instead, we behave like this because the culture we belong to compels us to. Our culture shapes how we think, feel, and act in the most pervasive ways. <u>우리가 우리인 것은 바로 우리의 문화에도 불구하고가 아니라</u>, but precisely because of it.

* pervasive: 널리 스며 있는

〈조건〉
1. 14 단어로 쓸 것
2. 「It is[was] ~ that ...」 구문을 이용할 것
3. in spite of, who we are를 이용할 것

____

서술형 빈출 구문 50 1형식 문장: S + V (+ M)

A 배열 영작

우리말과 같은 의미가 되도록 괄호 안의 말을 바르게 배열하시오.

1 국제적으로 이주 흐름이 증가했다.
(have, migration, internationally, flows, increased)
→ ______________________________

2 내가 은행에 도착했을 때 비는 그쳤다.
(the bank, at, arrived, stopped, I, when, the rain)
→ ______________________________

3 그는 설명 없이 사무실에서 걸어 나왔다.
(the office, walked, without, out of, explanation, he)
→ ______________________________

4 네가 여기에 가져온 약은 나한테는 효과가 없다.
(you, here, doesn't, the medicine, brought, me, work on, that)
→ ______________________________

B 부분 영작

우리말과 같은 의미가 되도록 괄호 안의 말을 이용하여 문장을 완성하시오.

1 그의 정원 중앙에 커다란 소나무 한 그루가 있다.
(be, pine tree)
→ There ______________ in the middle of his garden.

2 그녀가 집에 돌아왔을 때 그녀는 바로 위층으로 올라갔다.
(come, go, straight, upstairs)
→ When she ______________, she ______________.

3 교통 혼잡 문제는 가까운 시일 내에 사라지지 않을 것이다.
(disappear, soon)
→ The problem of heavy traffic ______________.

4 신종 플루가 이번 겨울에 전 세계적인 유행병으로 떠오르지는 않을 것이다. (emerge, as, a global pandemic)
→ The swine flu ______________ this winter.

C 내신 실전

1 다음 중 어법에 맞지 않는 세 문장을 찾아 각각 틀린 부분을 바르게 고쳐 쓰시오.

a. This business doesn't pay that well.
b. When did mammals first appear on the earth?
c. Helium is occurred as a byproduct of natural gas.
d. In her opinion, the best solution laid in education.
e. House prices in this area raised five percent last year.

틀린 문장 ( ): ______________ → ______________
틀린 문장 ( ): ______________ → ______________
틀린 문장 ( ): ______________ → ______________

2 다음 글을 읽고, 밑줄 친 우리말과 같은 의미가 되도록 〈조건〉에 맞게 영작하시오.

Corporate executives and military officers have a great deal of power; teachers do not. However, they do have a special kind of power not found in other occupations. <u>교사의 힘의 중요성은 그 강력함에서가 아니라 지속적인 영향에서 비롯된다.</u> The uniqueness of a teacher's power arises from the fact that it has a lasting influence on people that begins when they are at an impressionable age. Teachers take a piece of raw material and slowly shape it into something complete. The power held by people in other professions may be more impressive, but none is as important and inspiring as that possessed by a teacher.

〈조건〉
1. 11 단어로 쓸 것
2. a teacher's power, arise, from, its strength 를 이용할 것

____
______________ but from its lasting impact.

서술형 빈출 구문

51 2형식 문장: S + V + C

A 배열 영작

우리말과 같은 의미가 되도록 괄호 안의 말을 바르게 배열하시오.

1 Nicole은 배에 타자마자 멀미를 했다.
(Nicole, she, as soon as, the boat, felt, got on, seasick)
→ ______________________

2 네가 말하는 어떤 것도 비밀에 부쳐질 것이다.
(say, kept, be, you, confidential, anything, will)
→ ______________________

3 식수는 납에 오염되었다.
(become, the drinking water, has, with, lead, contaminated)
→ ______________________

4 그 비누는 달콤한 청사과처럼 아주 좋은 향이 났다.
(good, a, smelled, like, sweet, very, green apple, the soap)
→ ______________________

B 부분 영작

우리말과 같은 의미가 되도록 괄호 안의 말을 이용하여 문장을 완성하시오.

1 열대 정글의 공기는 덥고 습하다.
(be, hot, humid)
→ The air in a tropical jungle ______________.

2 그는 그 밴드가 믿어지지 않을 정도로 좋은 소리를 냈다고 말했다.
(sound, incredible)
→ He remarked that the band ______________
______________.

3 이 지역에서 생산된 치즈는 시간이 지날수록 더 좋아진다.
(get, better, with age)
→ The cheese from this region ______________
______________.

4 의학적 관점에서 우리 모두는 6개월간 주의하여야 한다.
(should, stay, cautious)
→ From a medical point of view, all of us ______
______________________.

C 내신 실전

1 다음 중 어법에 맞지 않는 세 문장을 찾아 각각 틀린 부분을 바르게 고쳐 쓰시오.

> a. He was embarrassing by her criticism.
> b. The government is still the main provider of welfare.
> c. The business plan doesn't seem reality.
> d. Despite his old age, his mental faculties remained unimpaired.
> e. Most of them seemed reasonably and well grounded.

틀린 문장 (   ): ____________ → ____________
틀린 문장 (   ): ____________ → ____________
틀린 문장 (   ): ____________ → ____________

2 다음 글을 읽고, 내용과 일치하도록 〈조건〉에 맞게 문장을 완성하시오. 학평 응용

> Today car sharing movements are appearing all over the world. Especially in big cities, car sharing has made a strong impact on how people travel. Even in regions with strong car cultures, such as North America, car sharing has gained popularity. In cities of the U.S. and Canada, membership in car sharing now exceeds one in five adults. Improvements in traffic and pollution have been felt from Toronto to New York, as each shared vehicle replaces around 10 personal cars. Governments of cities struggling with heavy traffic and a lack of parking are driving this trend.

〈조건〉
1. 현재완료시제를 이용해 5 단어로 쓸 것
2. become, popular를 이용할 것

______________________, particularly in urban areas.

서술형 빈출 구문 ㊾ 3형식 문장: S + V + O

A 배열 영작

우리말과 같은 의미가 되도록 괄호 안의 말을 바르게 배열하시오.

1 나는 경제 공황 때문에 직장을 잃었다.
(of, lost, the economic crisis, my job, I, because)
→ ______________________

2 궁금한 점이 있으면 저에게 연락하시면 됩니다.
(me, you, if, contact, any questions, have, can, you)
→ ______________________

3 6세에서 15세 사이의 어린이들은 학교에 다녀야 한다.
(between, school, children, of, attend, the ages, 6 and 15, must)
→ ______________________

4 90% 이상의 학생들이 요구되는 수준에 도달했다.
(standard, 90 percent, than, reached, students, of, more, the required)
→ ______________________

B 부분 영작

우리말과 같은 의미가 되도록 괄호 안의 말을 이용하여 문장을 완성하시오.

1 마지막 순간에 터진 골이 그 팀에게서 승리를 빼앗았다.
(rob, the team, victory)
→ A last-minute goal ______________________.

2 우리는 기본 사항을 논의하기 위해 지역의 지도자들을 만났다.
(meet, community leaders)
→ We ______________________
to discuss some basic ideas.

3 Robert는 회의에 참가하여 그의 옛 친구들을 만났다.
(take part in, the conference, meet)
→ Robert ______________________
______________________.

4 우리는 넓은 관점에서 그 문제에 접근해 왔다.
(approach, the issue)
→ ______________________ from
a broad perspective.

C 내신 실전

1 다음 중 어법에 맞지 않는 세 문장을 찾아 각각 틀린 부분을 바르게 고쳐 쓰시오.

a. Aaron and his classmates provided the poor with clothes.
b. Penguins inhabit the coastal regions of the Southern Hemisphere.
c. My uncle is going to marry with an actress at the end of this month.
d. No one could answer to these questions with clarity.
e. Please enter into your email address below, and we'll send you a new password.

틀린 문장 ( ): ______________ → ______________
틀린 문장 ( ): ______________ → ______________
틀린 문장 ( ): ______________ → ______________

2 다음 글을 읽고, 지문에서 알맞은 말을 찾아 써서 글의 요지를 완성하시오.

People sometimes sabotage their own attempts at success—this type of behavior is called self-handicapping. Researchers looking into this phenomenon have found that people engage in this counterintuitive behavior in order to avoid taking responsibility for their own failures. By choosing to socialize instead of studying hard, for example, students can blame their friends for their bad grades rather than their own lack of intelligence. Although this behavior may be effective in protecting their self-esteem, it obviously prevents them from achieving significant levels of success in life.

* sabotage: 방해하다

People occasionally self-handicap their ________ ______________ to avoid the damage to their ______________ that failure would bring.

서술형 빈출 구문

53 4형식 문장: S + V + IO + DO

A 배열 영작

우리말과 같은 의미가 되도록 괄호 안의 말을 바르게 배열하시오.

1 아버지는 남동생에게 새 자전거를 사 주셨다.
(little brother, bought, a new, bike, my father, my)
→ ____________________

2 의사가 내게 내 발목이 부러지지 않았다고 말했다.
(told, wasn't, my ankle, me, broken, the doctor, that)
→ ____________________

3 넌 네가 한 말에 대해 그에게 사과를 해야 해.
(owe, what, an apology, you, him, for, you, said)
→ ____________________

4 제게 선택할 수 있는 날짜를 몇 개 주세요.
(please, from, a couple, dates, give, to choose, of, me)
→ ____________________

B 문장 전환

주어진 문장과 같은 의미가 되도록 3형식 문장으로 바꿔 쓰시오.

1 The man asked all his friends their opinion.
→ ____________________

2 They sent the parents of the child some flowers as a gesture of sympathy.
→ ____________________
____

3 My cousin cooked me a really amazing meal yesterday.
→ ____________________
____

4 Our experience as refugees taught us many valuable lessons.
→ ____________________
____

C 내신 실전

1 다음 중 어법에 맞지 않는 세 문장을 찾아 각각 틀린 부분을 바르게 고쳐 쓰시오.

a. I passed an English copy of the document for him.
b. They showed us how we could obtain bank loans.
c. Lions offer their cubs protection from their predator.
d. The manager explained them what to do in an emergency.
e. He lent to us his camping equipment.

틀린 문장 ( ): __________ → __________
틀린 문장 ( ): __________ → __________
틀린 문장 ( ): __________ → __________

2 다음 글을 읽고, 내용과 일치하도록 〈조건〉에 맞게 문장을 완성하시오. 학평 응용

Houston Airport executives faced numerous complaints regarding baggage claim time, so they increased the number of baggage handlers. Although it reduced the average wait time to eight minutes, the complaints didn't stop. It took about a minute to get from the arrival gate to the baggage claim area, so the passengers still spent seven minutes waiting for their bags. The solution was to move the arrival gates away from the baggage claim so it took passengers about seven minutes to walk there. This resulted in complaints being reduced to almost zero.

〈조건〉
1. 4형식 문장으로 쓸 것
2. give, they, fewer reasons를 이용할 것

Having passengers spend more time walking to the baggage claim area ____________________ to complain.

정답 및 해설 p. 88

서술형 빈출 구문 54 5형식 문장: S + V + O + C

A 배열 영작

우리말과 같은 의미가 되도록 괄호 안의 말을 바르게 배열하시오.

1 우리는 당신의 안전한 도착을 위해 행운을 빌겠습니다.
(keep, for, crossed, we'll, our fingers, your safe arrival)
→ ______________________

2 상쾌한 가을날은 내게 활기를 준다.
(alive, me, autumn, brisk, make, days, feel)
→ ______________________

3 나는 이것이 꽤 특별한 행동 방침이라고 생각한다.
(I, a quite, consider, extraordinary, this, course, action, of)
→ ______________________

4 코치는 David를 우리 학교 야구팀의 주장으로 임명했다.
(appointed, baseball team, captain, our school, David, the coach, of)
→ ______________________
____

B 부분 영작

우리말과 같은 의미가 되도록 괄호 안의 말을 이용하여 문장을 완성하시오.

1 이 게임은 아이들이 환상의 세계를 경험하도록 해 줍니다.
(let, kids, a fantasy world)
→ This game ______________________.

2 투자자들은 유가가 갑자기 폭락하는 것을 목격했다.
(see, oil prices, drop)
→ Investors ______________________ suddenly.

3 투표자들이 그를 시 의회 의장으로 선출했다.
(elect, chairman of the city council)
→ Voters ______________________.

4 많은 노인들이 그들의 가족들이 그들을 더 자주 방문하기를 원한다. (want, their families, visit)
→ Many elderly people ______________________
______________________ more often.

C 내신 실전

1 다음 중 어법에 맞지 않는 세 문장을 찾아 각각 틀린 부분을 바르게 고쳐 쓰시오.

> a. Rescuers found victims trapped several feet underground.
> b. Insects such as spiders and mosquitos make me nervously.
> c. We will leave no stone unturning in our efforts to find the criminal.
> d. The course helps people acquiring the skills they need to run a business.
> e. The placebo effect makes patients feel better even though they aren't taking real medicine.

틀린 문장 ( ): ____________ → ____________
틀린 문장 ( ): ____________ → ____________
틀린 문장 ( ): ____________ → ____________

2 다음 글을 읽고, 밑줄 친 우리말과 같은 의미가 되도록 〈조건〉에 맞게 영작하시오.

> A team of scientists has created glowing plants by naturally altering their DNA. Four genes from a bioluminescent mushroom were inserted into the DNA of tobacco plants. Each of the genes is connected to the process through which the mushrooms are able to convert caffeic acid into luciferin, a substance that emits energy as light. Most importantly, the luciferin is converted back into caffeic acid, 그 순환이 영원히 반복되게 하면서. The genetically altered tobacco plants are said to project a bright greenish hue.
>
> * bioluminescent: 생물 발광하는

〈조건〉
1. 분사구문을 이용할 것
2. allow, the cycle, repeat, forever를 이용할 것

____

시험에 더 강해지는 고등영문법

#등급 #상승 #비법

정답 및 해설

동아출판

시험에 더 강해지는 고등영문법

#등급 #상승 #비법

정답 및 해설

CHAPTER 01

시제

POINT 1

p. 12

예문 해석

1 그는 매일 아침 7시에 아침 식사를 한다.
2 물은 섭씨 100도에서 끓는다.
3 우리 비행기는 오후 3시에 Heathrow 공항에 도착한다.
4 Liam이 지난주에 파리에서 나에게 엽서를 보냈다.
5 제 1차 세계 대전은 1918년에 끝났다.
6 나는 이번 주 일요일에 이사할 거야. 너를 영원히 기억할게.
7 우리는 교통 체증에 갇혔어. 우리는 늦을 거야.

◆ 수능·내신 어법

- 당신의 개를 찾는 대로 전화 드리겠습니다.
- 비행기가 지연되지 않는다면 나는 오늘 밤 그곳에 있을 것이다.

A **1** ○ **2** discover → discovered **3** ○
4 is → was **5** will reach → reaches

B **1** rains this weekend
2 landed on the moon
3 three is nine

A

1 해석 Jina는 매일 아침 자신의 딸을 어린이집에 데려다준다.
해설 매일 하는 반복되는 일은 현재시제로 쓴다.

2 해석 너는 중국의 농부들이 1974년에 (진시황의) 병마용을 발견했다는 것을 알고 있었니?
해설 과거에 일어난 역사적 사실이므로 과거시제 discovered로 고쳐야 한다.

3 해석 내 아내는 올 9월에 아기를 출산할 예정이다.
해설 이미 결정된 미래의 일이므로 「be going to+동사원형」으로 나타낸다.

4 해석 내가 지난달에 그를 인터뷰했을 때 그는 건강한 상태였다.
해설 과거(지난달)의 상황이므로 과거시제 was로 고쳐야 한다.

5 해석 인구는 특정한 밀도에 도달할 때까지 증가할 것이다.
해설 시간을 나타내는 부사절에서는 현재시제가 미래를 대신하므로 현재시제 reaches로 고쳐야 한다.

B

1 해설 조건을 나타내는 부사절에서는 현재시제가 미래를 대신하므로 현재시제인 rains로 써야 한다.

2 해설 과거에 일어난 역사적 사실이므로 과거시제로 써야 한다. 달은 유일무이한 것이므로 앞에 정관사 the를 붙인다.

3 해설 변하지 않는 수학적 사실이므로 현재시제로 써야 한다.

POINT 2

p. 13

예문 해석

1 Olivia는 그녀의 블로그에 몇 장의 사진을 올리고 있다.
2 나는 오늘 밤에 저녁을 먹으러 Steve를 만날 것이다.
3 어떤 남자가 나에게 와서 인사했을 때 나는 버스를 기다리는 중이었다.
4 선생님이 말씀하시는 동안 몇몇 학생들은 졸고 있었다.
5 다음 토요일 밤에 우리는 보드게임을 하고 있을 것이다.
6 그 작가는 내일 오후 5시에 도서관에서 책에 사인을 하고 있을 것이다.

◆ 수능·내신 어법

- 나는 할 말이 꽤 많다.
- 그녀가 내게 전화했을 때 나는 점심 식사를 하고 있었다.

A **1** are **2** was doing **3** resembles
4 working **5** blending

B **1** are looking for ways
2 was taking a shower
3 will be preparing for

A

1 해석 우리는 이번 주말에 자연사 박물관에 방문할 것이다.
해설 현재진행형으로 확정된 가까운 미래의 일을 나타낼 수 있으므로 are가 적절하다.

2 해석 진수에게 문자를 받았을 때 Cindy는 그녀의 머리를 손질하고 있었다.
해설 과거의 특정 시점에 진행 중인 동작을 나타내는 과거진행형이 되어야 하므로 was doing이 적절하다.

3 해석 내 손주인 Michael은 외모가 그의 아버지와 닮았다.
해설 resemble은 상태를 나타내는 동사로 진행형으로 쓰지 않으므로 resembles가 적절하다.

4 해석 다음 주부터 당신은 마케팅 부서에서 일하게 될 것이다.
해설 미래진행형으로 미래의 예정된 일을 나타낼 수 있으므로 working이 적절하다.

5 해석 그녀는 "네 목소리는 다른 여자아이들과 잘 어우러지고 있지 않다."고 말했다.
해설 말하는 시점에 진행되고 있는 일을 나타내는 현재진행형이 되어야 하므로 blending이 적절하다.

B

1 해설 말하는 시점에 진행되고 있는 일이므로 현재진행형으로 써야 한다.

2 해설 과거의 특정 시점에 진행 중인 동작이므로 과거진행형으로 써야 한다.

3 해설 미래의 특정 시점에 진행 중일 일이므로 미래진행형으로 써야 한다.

POINT 3 p. 14

예문 해석

1 그는 의학 학회에서 막 돌아왔다.
2 너는 일식을 본 적이 있니?
3 그녀는 20년 동안 패션 디자이너로 일해 왔다.
4 우리 회원들 중 한 명이 호텔에 그의 여권을 두고 왔다. (그래서 지금 여권이 없다.)
5 우리 회원들 중 한 명이 지난 여름에 호텔에 그의 여권을 두고 왔다. (그래서 지금 여권이 있는지 없는지 모른다.)
6 우리가 터미널에 도착했을 때 버스는 이미 떠났다.
7 나는 그 전날 빌렸던 책을 잃어버렸다.

◆ 수능·내신 어법 그 기차는 몇 분 전에 떠났다.

A **1** has lent → had lent **2** raised → have raised
3 has come → came **4** ○
5 has enjoyed → had enjoyed
B **1** She had never been abroad
2 I have worked at the library
3 they established a foundation

A

1 해석 나는 그가 전날 내게 빌려줬던 돈을 갚는 것을 잊어버렸다.
해설 돈을 빌린 것이 돈을 갚는 것을 잊어버린 과거보다 더 먼저 일어났던 일이므로 현재완료시제 has lent를 대과거를 나타내는 과거완료시제 had lent로 고쳐야 한다.

2 해석 그들은 그 어린 사내아이가 태어난 직후에 그의 부모가 떠난 이후로 그 아이를 키워 왔다.
해설 어린 사내아이의 부모가 떠난 후부터 지금까지 키워 온 것이므로 현재완료시제 have raised로 고쳐야 한다.

3 해석 David는 군 복무를 마치고 지난주에 영국으로 돌아왔다.
해설 특정 과거 시점을 나타내는 말인 last week가 있으므로 현재완료시제 has come을 과거시제 came으로 고쳐야 한다.

4 해석 오랜 세월에 걸쳐 공동체들은 무용 의식을 통해서 그들의 정체성을 구축해 왔다.
해설 과거부터 지금까지 계속되는 일을 나타내므로 현재완료시제가 쓰인 것이 적절하다.

5 해석 그녀는 그림을 계속 그렸지만 그녀가 이전에 누렸던 명성을 결코 되찾지 못했다.
해설 명성을 누린 것이 과거에 그림을 계속 그리고 되찾는 일보다 더 이전의 일이므로 대과거를 나타내는 과거완료시제 had enjoyed로 고쳐야 한다.

B

1 해설 과거 시점 이전부터 과거의 특정 시점까지의 경험을 나타내므로 과거완료시제로 써야 한다.

2 해설 이사한 이후로 지금까지 계속 하고 있는 일이므로 현재완료시제로 써야 한다.

3 해설 특정한 과거 시점을 나타내는 말(In 2010)이 있으므로 과거시제로 써야 한다.

POINT 4 p. 15

예문 해석

1 그녀는 다음 달이면 10년째 요가를 하는 것이 될 것이다.
2 나는 그 영화를 또 보면 다섯 번 보게 될 것이다.
3 그들은 지난달 이후로 그 프로젝트를 진행해 오고 있다.
4 부모님이 집에 오셨을 때 Oliver와 그의 남동생은 컴퓨터 게임을 하고 있던 중이었다.
5 Smith 교수님은 다음 달이면 20년째 물리학을 가르치고 있는 것이 될 것이다.

A **1** have **2** have lived **3** have **4** have been **5** had
B **1** will have melted by tomorrow evening
2 She had been standing for 5 hours
3 We have been climbing the mountain since 6 a.m.

A

1 해석 나는 네가 그를 다시 만난 이후로 힘든 시간을 보내 온 것을 안다.
해설 현재완료진행형으로 과거부터 지금까지 계속 진행되는 일을 나타낼 수 있으므로 have가 적절하다.

2 해석 Jeremy와 그의 아내는 내년이면 10년째 서울에서 사는 것이 될 것이다.
해설 미래완료시제로 미래의 특정 시점까지 상태의 계속을 나타낼 수 있으므로 have lived가 적절하다.

3 해석 8시 이후에 나에게 전화해라. 그때쯤이면 우리는 저녁 식사를 끝마쳤을 것이다.
해설 미래완료시제로 미래의 특정 시점에 완료될 일을 나타내기 위해 have가 적절하다.

4 해석 그 프로그램이 끝날 때면 그들은 3시간째 TV를 보고 있는 중일 것이다.
해설 미래완료진행형으로 미래의 특정 시점에도 계속 진행될 일을 나타낼 수 있으므로 have been이 적절하다.

5 해석 나는 내가 공항을 떠난 이후로 그가 나에게 연락하려 했다는 것을 깨달았다.
해설 과거완료진행으로 그 이전부터 과거의 특정 시점까지 계속 진행되던 일을 나타낼 수 있으므로 had가 적절하다.

B

1 해설 내일 저녁이라는 미래의 특정 시점에 완료될 일이므로 미래완료시제로 써야 한다.

2 해설 그 이전부터 과거의 특정 시점까지 계속 진행되던 일이므로 과거완료진행형으로 써야 한다.

3 해설 과거부터 현재까지 계속 진행 중인 일이므로 현재완료진행형으로 써야 한다.

문제로 REVIEW pp. 16-17

어법 연습

A **1** was waiting **2** will take place **3** have tried
4 invented

B **1** was made → is made **2** has gone → had gone
3 has become → became
4 are belonging → belong
5 had been planted → have been planted

C **1** ① will have been → has been ③ gives → will give
2 ② will purchase → purchase
3 ① hadn't always had → haven't always had
③ had been → was

서술형 연습

A **1** I was born in China but have lived in Canada since I was six months old.
2 They found that all of them had read science fiction in childhood.

B **1** She worked as a clerk
2 He will have lived in Finland for 5 years
3 more companies are using robots

C **1** will telephone you as soon as the product arrives
2 saw the accident while I was waiting for the bus
3 had never been to a foreign country before I went to college

어법 연습

A

1 해석 다행히도 우리가 도착했을 때 호텔 셔틀버스가 기다리고 있었다.
해설 과거에 진행 중인 일을 나타내야 하므로 과거진행형인 was waiting이 적절하다.

2 해석 우리는 2주 안에 배송이 이루어질 것으로 예상한다.
해설 앞으로 일어날 일을 나타내야 하므로 미래시제인 will take place가 적절하다.

3 해석 나는 이제까지 그 메뉴판에 있는 대부분의 음식을 먹어 보았는데 그것들은 모두 맛있다.
해설 과거에서부터 현재까지 이어지는 경험에 대해 말하고 있으므로 현재완료시제인 have tried를 쓰는 것이 적절하다.

4 해석 1780년에 영국의 William Addis는 최초의 현대적인 칫솔을 발명했다.
해설 특정한 과거의 시점을 나타내는 부사구(In 1780)가 쓰였으므로 과거시제인 invented가 적절하다.

B

1 해석 Galileo Galilei는 은하수가 별들로 구성되어 있다는 것을 발견했다.
해설 과학적 사실은 항상 현재시제로 써야 하므로 was를 is로 고쳐야 한다.

2 해석 우리는 토네이도가 그 도시의 외곽을 지나간 직후에 도착했다.
해설 토네이도가 지나간 것이 우리가 도착한 과거보다 먼저 일어난 일이므로 has gone을 대과거를 나타내는 과거완료시제 had gone으로 고쳐야 한다.

3 해석 1968년에 Shirley Chisholm은 미국 최초의 아프리카계 미국인 여성 국회 의원이 되었다.
해설 특정 과거 시점을 나타내는 부사구(In 1968)가 쓰였으므로 has become을 과거시제 became으로 고쳐야 한다.

4 해석 모든 인간은 같은 조상의 후손이기 때문에 같은 종에 속한다.
해설 소유를 나타내는 동사 belong은 진행형으로 쓸 수 없으므로 are belonging은 현재시제 belong으로 고쳐야 한다.

5 해석 그 프로그램이 시작된 이래로 2만 그루 이상의 나무가 심어졌다.
해설 과거의 한 시점부터 현재까지 이어지는 일에 대해 말하고 있으므로 had been planted를 현재완료시제 have been planted로 고쳐야 한다.

C

1 해석 그 기업은 수년 동안 프린터를 포함한 전자 폐기물을 재활용해 오고 있다. 어디서 구입했는지 상관없이 어떤 프린터든 가져오면, 상점에서 새 프린터에 대한 할인 쿠폰을 줄 것이다.
해설 ① 과거부터 현재까지 수년 동안 계속 진행 중이라는 의미를 나타내는 현재완료진행형이 되어야 하므로 has been으로 고쳐야 한다.
② 프린터를 구입한 것은 과거의 일이므로 과거시제인 bought가 쓰인 것은 맞다.
③ 「명령문+and」는 '~해라, 그러면 …할 것이다'라는 의미로 and 이하는 미래에 일어날 일에 대해 말하고 있으므로 gives를 will give로 고쳐야 한다.

2 해석 이번 주 일요일에 Mexican Grill에서 모금 행사를 개최할 예정입니다. 여러분이 식사를 구입하면 식당에서는 수익금의 50%를 자선 단체에 기부할 것입니다! 그 돈은 우리 지역 사회에서 형편이 어려운 사람들을 돕기 위해 사용될 것입니다.
해설 ① 현재진행형을 써서 확정된 가까운 미래의 일을 나타낼 수 있으므로 are holding이 쓰인 것은 맞다.
② 조건의 부사절에서는 미래의 일을 현재시제를 써서 나타내므로 will purchase는 purchase로 고쳐야 한다.
③ 앞으로 일어날 일에 대해 말하고 있으므로 미래시제인 will be used가 쓰인 것은 맞다.

3 해석 역사를 빠르게 살펴보면 인간은 오늘날 대부분의 발전된 세상에서 누리는 풍부한 음식을 항상 가졌던 것은 아니었다. 사람들은 다음번 식사의 가능성이 확실치 않았기 때문에 음식이 있을 때 더 많이 먹곤 했다.
해설 ① 과거부터 현재까지 이어진 사실에 대해 말하고 있으므로 현재완료시제인 haven't always had로 고쳐야 한다.
② 현재(today)의 상황에 대해 말하고 있으므로 is enjoyed가 쓰인 것은 맞다.
③ 과거(used to)의 상황에 대한 내용이므로 과거형인 was로 고쳐야 한다. 이때 since가 쓰인 부사절은 이유를 나타낸다.

서술형 연습

A

1 해석 나는 중국에서 태어났지만 생후 6개월 때부터 캐나다에서 살고 있다.
해설 '태어났다'는 것은 과거의 특정 시점에 일어난 일이므로 과거시제 was born으로 쓰고, 생후 6개월 때부터 지금까지 캐나다에 살고 있으므로 현재완료시제 have lived로 써야 한다.

2 해석 그들은 자신들 모두가 어렸을 때 공상 과학 소설을 읽었다는 것을 알아냈다.
해설 주절의 시제인 과거(found)보다 이전에 일어난 일을 나타내야 하므로 대과거를 나타내는 과거완료시제 had read로 써야 한다.

B

1 해설 과거의 특정 시점을 나타내는 부사구(several years ago)가 있으므로 동사는 과거시제인 worked를 써야 한다. '~로서'의 의미인 전치사 as와 함께 써서 '~로 일했다'의 의미를 나타낼 수 있다.

2 해설 미래의 특정 시점(this coming July)까지의 계속을 나타내므로 미래완료시제 will have lived를 써야 한다.

3 해설 현재 실행 중인 일에 대해 말할 때에는 현재진행형이 적절하므로 are using을 써야 한다.

C

1 해설 as soon as는 '~하자마자'의 의미로 시간의 부사절을 이끄는 접속사이다. 시간의 부사절에서는 미래의 일을 현재시제를 써서 나타내므로 arrives로 쓰고, 주절의 동사는 미래시제인 will telephone으로 써야 한다.

2 해설 while은 '~하는 동안'의 의미를 나타내는 접속사이다. 과거에 진행 중이었던 일은 과거진행형인 was waiting으로 쓰고, 과거의 한 시점에 일어난 일은 과거시제인 saw를 써야 한다.

3 해설 '대학에 갔다'는 것은 과거의 일이므로 과거시제 went로 쓰고, '외국에 가 본 적이 없다'는 것은 과거 시점 이전부터 대학에 간 특정 시점까지의 경험이 없음을 나타내므로 과거완료시제 had never been으로 써야 한다.

실전 모의고사 pp. 18-20

1 ②	2 ③	3 ⑤	4 ⑤	5 ③
6 ②	7 ②	8 ①	9 ④	10 ①, ③

서술형
1 Our class had practiced what to do in emergencies
2 when she finishes college
3 (b) has been → will have been
(c) am remembering → remember
4 (1) have waited / have been waiting
(2) 과거부터 현재까지 계속된 행동을 나타내므로 현재완료시제 또는 현재완료진행시제를 사용한다.
5 쥐들에게 파트너에게 줄 먹이를 얻기 위해 막대를 잡아당기게 하는 협동 작업을 훈련시켰다.
6 had been helped previously

1 해석 • 독립 영화 제작자 협회의 지원을 받는 그 축제는 1978년 6월 30일에 처음 시작되었다.
• 우리 가족은 내가 고등학교에 들어가기 전에는 주말마다 항상 해변에 갔었다.
해설 과거의 특정 시점의 일이나 과거의 규칙적인 습관을 나타낼 때는 과거시제를 쓴다.

2 해석 • 우리는 2018년 이후로 새로운 프로그램을 운영하고 있는 중인데, 그 해에 이전 프로그램이 심각한 오류를 일으켰다.
• 미국에서 일하고 싶은 희망을 가지고 그녀는 지금 3년 동안 영어를 공부하고 있는 중이다.
해설 2018년이라는 특정 시점 이후로 계속 이어지는 행동과 지금까지 3년 동안 계속되는 행동을 나타낼 때 현재완료진행형을 쓴다.

3 해설 미래의 특정 시점(the end of the year)까지의 동작의 완료를 나타내야 하므로 미래완료시제를 쓴다.

4 해설 과장한 것이 인정한 과거보다 더 먼저 일어난 일이므로 대과거를 나타내는 과거완료시제를 쓴다.

5 해석 ① 그 소년은 이미 그의 어머니께 드리는 사과의 편지를 썼다.
② 내가 기다려 왔던 수업이 드디어 내일 시작한다.
③ 나는 호수를 따라 걷고 있을 때 내 오랜 친구들 중 한 명을 만났다.
④ 나는 내 집의 문을 고칠 계획이었기 때문에 망치를 샀다.
⑤ 줄 서 있던 대부분의 사람들은 이미 떠났지만, 그 가게는 여전히 붐볐다.
해설 ③ 호수를 따라 걷고 있던 과거의 특정 시점에 발생한 일을 나타내므로 주절의 현재완료시제 have met을 과거시제 met으로 고쳐야 한다.

6 해석 ① 네가 이 책을 읽지 않겠다고 약속한다면, 나는 너에게 그 책의 줄거리를 말해 줄 것이다.
② 나이가 들면서, 그는 그의 아버지를 점점 더 닮아간다.
③ 그는 그의 상사가 충분히 읽기도 전에 그 서류를 고객에게 보냈다.
④ 물은 산소와 수소로 구성되어 있어서 산소 운반체의 역할을 한다.
⑤ 그는 영화를 보면서 친구들과 좋은 시간을 보내고 있는 중이었다.
해설 ② resemble은 진행형으로 사용할 수 없는 동사이므로 is resembling을 resembles로 고쳐야 한다.

7 해석 a. Hans는 그 노트북을 훔쳤다고 자백했다.
b. 길 건너편에 있는 식당은 매일 아침 7시 30분에 연다.
c. 네가 다음 번에 돌아올 때, 이 집은 재건축될 것이다.
d. 비행기는 오후 7시에 이륙해서 우리 목적지까지 가는 데 3시간이 걸릴 것이다.
e. 그녀는 몇 주 전 블록체인(공공 거래 장부) 기술에 관해 읽기 전까지, 그것에 대해 들어 본 적이 없었다.
f. 우리는 어렸을 때부터 서로를 매우 잘 알아왔다.
해설 c. 시간의 부사절에서는 현재시제가 미래시제를 대신하므로 will come을 come으로 고쳐야 한다.
e. 블록체인에 대해 들은 것이 그것에 대해 읽은 과거보다 더 먼저 일어난 일이므로 현재완료시제 has never heard를 대과거를 나타내는 과거완료시제 had never heard로 고쳐야 한다.

f. 인식을 나타내는 동사 know는 진행형으로 쓸 수 없으므로 have been knowing을 현재완료시제 have known으로 고쳐야 한다.

8 해석 a. 나는 작년에 이 멋진 캠핑장을 방문했다.
b. 모든 것은 항상 시작이 가장 좋다.
c. 나는 이 책을 다 읽으면 그 다음 책을 살 것이다.
d. Jennifer는 오늘 밤 그녀의 약혼자를 만나기 위해 시내에 갈 것이다.
e. 그 용의자는 그가 1년 전에 그 범죄를 저질렀다는 것을 마침내 시인했다.
f. 너는 그 회사가 곧 지사를 열 것이라는 소문을 들은 적 있니?
해설 a. 과거의 특정 시점을 나타내는 부사구(last year)와 현재완료시제는 같이 쓸 수 없으므로 have visited를 과거시제 visited로 고쳐야 한다.
e. 용의자가 범죄를 저지른 것은 그것을 시인한 과거보다 더 이전에 일어난 일이므로 현재완료시제 has committed를 대과거를 나타내는 과거완료시제 had committed로 고쳐야 한다.

9 해석 • 어젯밤 7시에 팀 동료들과 나는 회의를 하고 있었다.
• 우리가 그 국립 공원을 한 번 더 방문한다면, 우리는 거기에 다섯 번 가게 되는 것이다.
• 현재 그녀는 호숫가에 멋진 오두막을 가지고 있다.
해설 ⓑ 현재까지의 경험이 아니라 미래에 한 번 더 방문하는 시점까지의 경험을 말하고 있으므로 현재완료시제가 아니라 미래완료시제 will have been으로 고쳐야 한다.

10 지문 해석
'칭찬은 고래를 춤추게 한다'라는 격언이 있다. 나는 여러분이 칭찬의 힘을 경험한 적이 있다고 확신한다. 아무리 나이가 많더라도, 칭찬과 격려는 여러분이 스스로에 대해 좋게 느끼는 데 도움이 될 것이다. 또한 칭찬을 받는 것은 여러분이 다른 사람에 대해 긍정적으로 느끼도록 만든다. 만약 누군가가 여러분의 행동에 감탄을 표한다면, 여러분은 그런 식으로 행동하는 것을 더 계속하게 될 것이다. 구체적인 칭찬은 훨씬 더 좋은 효과가 있다. 여러분도 다른 사람들을 칭찬함으로써 그들을 도울 수 있다는 것을 기억하라.
해설 ① 이전부터 현재까지의 일을 말할 때 현재완료시제를 사용해야 하므로, had experienced를 have experienced로 고쳐야 한다.
③ 조건의 부사절에서는 현재시제가 미래시제를 대신하므로 will show를 현재시제 shows로 고쳐야 한다.

서술형

1 해설 지진이 발생했던 시점을 기준으로 그 이전부터 비상시에 대비한 연습을 계속 해왔던 것이므로 과거완료시제를 써야 한다.

2 해설 시간의 부사절에서는 현재시제가 미래시제를 대신하므로 when 절의 동사를 현재시제로 써야 한다.

3 해석 a. 나는 먹을 것을 사기 위해 오늘 오후에 쇼핑몰에 갈 것이다.
b. 그 환자는 내일이면 3개월 동안 아픈 것이 된다.
c. 나는 어젯밤에 나에게 일어난 일을 정확하게 기억하고 있다.
d. 소파 아래에서 그는 한 달 전에 잃어버렸던 차 열쇠를 찾았다.
해설 b. 미래의 특정 시점(tomorrow)까지 계속될 일을 나타낼 때 미래완료시제를 사용해야 하므로, has been을 will have been으로 고쳐야 한다.
c. remember는 진행형으로 쓸 수 없는 동사이므로 현재시제로 고쳐야 한다.

4 해석 나는 그를 거의 두 시간 동안 기다렸지만, 더 이상 기다릴 수가 없다.
해설 과거에서 현재까지 계속된 행동을 나타내므로 현재완료시제나 현재완료진행시제로 고쳐야 한다.

[5-6] 지문 해석
최근 몇 해 동안에 동물 사이에서의 협동이 큰 화제가 되었다. 예를 들어, 언론은 쥐들이 협동이라고 여겨질 수 있는 것을 보여줌을 시사하는 연구를 최근에 보도했다. 낯선 쥐에게 도움을 받았던 자신만의 경험을 바탕으로, 쥐들은 낯설고 관련이 없는 개체에게 도움을 제공한다. 연구자들은 쥐들에게 파트너에게 줄 먹이를 얻기 위하여 막대를 당기는 협동 작업을 훈련시켰다. 모르는 파트너로부터 이전에 도움을 받은 적이 있는 쥐들은 다른 쥐들을 더 많이 돕는 것 같았다. 이 연구 이전에는 사람들은 협동이 인간에게만 있는 독특한 것이라고 믿었었다.

5 해설 과학자들은 쥐들이 협동이라고 할 만한 행동을 할 수 있는지 확인하기 위하여 파트너에게 줄 먹이를 얻도록 막대를 잡아당기게 하는 협동 작업을 훈련시키는 실험을 진행하였다.

6 해설 모르는 파트너로부터 도움을 받았던 것은 다른 쥐에게 도움을 준 과거보다 더 이전에 일어난 일이므로 과거완료시제를 사용해야 하고, 쥐가 '도움을 받은' 대상이므로 수동태로 써야 한다.

CHAPTER 02 수동태

POINT 1

p. 22

예문 해석

1 국제 여성의 날은 (우리들에 의해) 3월에 기념된다.
2 그 광고는 영화감독에 의해 제작되었다.
3 그 강도들은 20년 동안 감옥에 수감되었다.
4 그 사고는 얼음이 녹을 때 일어났다.
5 이 검정 코트는 정말 나에게 어울린다고 생각하지 않는다.

◆ 수능·내신 어법 다행히 그 폭발 사고에서 아무도 다치지 않았다.

A **1** invented → was invented **2** ○
3 was disappeared → disappeared
4 interviewed → was interviewed **5** ○
B **1** were chosen
2 resembles her mother
3 are required

A

1 해석 초기 음성 통신 장치는 1854년쯤 Antonio Meucci에 의해 발명되었다.
해설 통신 장치는 '발명되는' 행위의 대상이므로 수동태 was invented로 고쳐야 한다.

2 해석 외부 음식이나 음료, 냉장 박스는 시설 내에서 허용되지 않는다.
해설 외부 음식이나 음료, 냉장 박스는 '허용되는' 행위의 대상이므로 수동태로 쓴 것이 맞다.

3 해석 그녀의 불안감은 그녀가 군중 속에서 가족을 봤을 때 사라졌다.
해설 disappear는 목적어를 취하지 않는 자동사로 수동태로 쓸 수 없으므로 능동태 disappeared로 고쳐야 한다.

4 해석 그 배우의 매니저는 그의 군 제대에 관해 인터뷰를 했다.
해설 배우의 매니저는 인터뷰하는 행위의 주체가 아니라 대상이므로 수동태 was interviewed로 고쳐야 한다.

5 해석 대부분의 과식은 육체적인 배고픔보다는 감정의 의해 유발된다.
해설 과식은 '유발되는' 행위의 대상이므로 수동태로 쓴 것이 맞다.

B

1 해설 '선발되었다'는 수동의 의미이므로 「be p.p.」의 수동태로 써야 한다.

2 해설 resemble은 수동태로 쓸 수 없는 동사이므로 능동태로 써야 한다. 현재 사실을 말하고 있으므로 동사는 현재형으로 쓴다.

3 해설 '요구된다'는 수동의 의미이므로 「be p.p.」의 수동태로 써야 한다.

POINT 2

p. 23

예문 해석

1 코치가 그에게 조언을 했다.
→ 그는 코치에게 조언을 받았다.
→ 조언이 코치에 의해 그에게 주어졌다.
2 Eric은 학생들에 의해 학생회장으로 선출되었다.
3 그 승객은 버스 운전사에 의해 마스크를 쓰도록 강요받았다.
4 Mia가 개를 산책시키고 있는 것이 경찰에 의해 목격되었다.

◆ 서술형 빈출 구문 그들이 영화 도중에 속삭이는 것이 몇몇 사람들에 의해 들렸다.

A **1** was made to → was made for
2 was read the public → was read to the public
3 ○
4 will be given you → will be given to you
5 was seen enter → was seen to enter / was seen entering
B **1** were sent to
2 were made to gather around
3 was heard shouting

A

1 해석 이 영상은 치과에 가기를 두려워하는 아이들을 위해 만들어졌다.
해설 수여동사 make가 쓰인 수동태 문장에서 간접목적어 앞에 for를 쓰므로 to를 for로 고쳐야 한다.

2 해석 독립 선언서는 7월 4일에 대중에게 낭독되었다.
해설 수여동사 read가 쓰인 수동태 문장에서 간접목적어 앞에 to를 써야하므로 to the public으로 고쳐야 한다.

3 해석 비만인 사람들은 의사들에 의해 건강 식단을 따르라는 조언을 듣는다.
해설 advise가 쓰인 5형식 문장의 수동태에서 「be p.p.」 뒤에 목적격 보어인 to부정사를 그대로 쓰므로 어법상 맞다.

4 해석 그 토스터는 품질 보증 기간이 1년이므로 새 토스터가 판매자에 의해 당신에게 보내질 것입니다.
해설 수여동사 give가 쓰인 수동태 문장에서 간접목적어 앞에 to를 써야하므로 to you로 고쳐야 한다.

5 해석 개회식이 시작될 때쯤 그가 강당으로 들어가는 것이 목격되었다.
해설 지각동사의 목적격보어로 쓰인 동사원형은 수동태에서 to부정사로 바꿔 쓰므로 was seen to enter로 고쳐야 한다. to enter 대신 현재분사 entering으로 고칠 수도 있다.

B

1 해석 합격 통지서가 지원자들에게 우편으로 보내졌다.
해설 수여동사 send가 쓰인 수동태 문장에서 간접목적어 앞에 전치사 to를 써야 한다.

2 해석 직원들은 매니저에 의해 모이게 되었다.

해설 사역동사 make의 목적격보어로 쓰인 동사원형은 수동태에서 to 부정사로 바꿔 써야 한다.

3 해석 그가 "우리는 언론의 자유를 원한다!"라고 소리치는 것이 들렸다.
해설 지각동사의 목적격보어로 쓰인 현재분사는 수동태에서 현재분사 그대로 쓴다.

POINT 3 p. 24

예문 해석
1 많은 동물들이 화장품 성능을 시험하기 위해 이용되고 있다.
2 그 속보는 전 세계에 방송되었다.
3 커피 얼룩은 젖은 티슈로 제거될 수 있다.
4 광장은 새해를 축하하는 사람들로 가득 찼다.
5 학생들은 구내식당의 똑같은 점심 메뉴에 싫증이 나 있다.

◆ 서술형 빈출 구문 와인을 만들기 위해 포도가 그들에 의해 으깨지고 있다.

A **1** should place → should be placed
2 was satisfied about → was satisfied with **3** ○
4 had being absorbed → has been absorbed
5 is being deliver → is being delivered
B **1** will be developed
2 is being awarded
3 has been watched

A

1 해석 소화기는 모든 입구와 출구 가까이에 배치되어야 한다.
해설 소화기는 '배치되어야 한다'는 수동의 의미가 되어야 하므로 조동사 다음에 「be p.p.」를 쓴 should be placed로 고쳐야 한다.

2 해석 Peterson 씨는 사찰에서의 명상 시간에 만족해 했다.
해설 '~에 만족하다'라는 의미는 be satisfied with로 나타낸다.

3 해석 옥수수와 같은 주요 작물들이 충분한 양으로 생산되고 있지 않다.
해설 주요 작물들은 '생산되고 있지 않다'는 수동의 의미가 되어야 하므로 진행형 수동태로 쓴 것은 맞다.

4 해석 지금까지 2개월 동안 그녀는 새와 곤충 연구에 열중해 왔다.
해설 '~에 열중하다'는 be absorbed in으로 표현한다. 과거부터 지금까지 계속 열중해 온 것이므로 현재완료 수동태인 「have[has] been p.p.」로 고쳐야 한다.

5 해석 지금 이 순간 독감 백신이 각 지역 보건소에 배송되고 있다.
해설 백신은 '배송되고 있다'는 수동의 의미가 되어야 하므로 진행형 수동태인 is being delivered로 고쳐야 한다.

B

1 해설 '개발될 것이다'는 수동태로 표현하며, 조동사가 있는 수동태는 「조동사+be p.p.」로 써야 한다.

2 해설 '수여되고 있는 중이다'는 「be being p.p.」 형태의 현재진행 수동태로 써야 한다.

3 해설 '개봉 이후 지금까지 관람되어 온' 것이므로 현재완료 수동태 「have[has] been p.p.」로 써야 한다.

POINT 4 p. 25

예문 해석
1 고양이 한 마리가 트럭에 치여 보살핌을 받아야 한다.
2 환경을 보호하기 위해 이 규칙들이 지켜지도록 하라.
3 아이디와 비밀번호가 공용 컴퓨터에 저장되게 하지 마라.
4 이 참마 종은 동아프리카에서 유래되었다고 전해진다.

◆ 서술형 빈출 구문 건강보다 더 중요한 것은 없다고 생각된다.

A **1** put out → was put out
2 is spoken well of many critics → is spoken well of by many critics
3 let racial equality ignored → let racial equality be ignored
4 is said to build → is said to have built **5** ○
B **1** will be dealt with at the summit
2 Don't let your decision be left
3 It is said that global warming is

A

1 해석 그 화재는 이웃의 빠른 행동 덕분에 진화되었다.
해설 화재는 '진화되었다'는 수동의 의미가 되어야 하므로 수동태로 써야 하는데 동사구 put out은 하나의 동사로 취급하여 수동태로 쓴다.

2 해석 글쓰기의 기술에 관한 그의 최신 저서는 많은 비평가들에게 호평을 받는다.
해설 동사구 speak well of는 하나의 동사로 취급하여 수동태를 쓰므로 동사구의 뒤, 행위자의 앞에 전치사 by를 써야 한다.

3 해석 다가오는 선거에서 인종 평등이 또다시 무시되게 하지 마라.
해설 명령문의 수동태는 「let+목적어+be p.p.」로 쓰므로 ignored를 be ignored로 고쳐야 한다.

4 해석 Shah Jahan 황제가 그의 부인을 위해 타지마할을 건설했다고 전해진다.
해설 전해지는 것보다 타지마할을 건설한 것이 앞서 일어난 일이므로 to build를 to have built로 고쳐야 한다.

5 해석 어떤 과일과 채소는 암을 예방하는 데 도움이 된다고 여겨진다.
해설 목적어가 that절인 문장의 수동태는 가주어 it을 주어로 하여 수동태로 쓸 수 있으므로 「It+be p.p.+that절」의 형태가 맞다.

B

1 해설 동사구 deal with를 하나의 동사로 취급하여 수동태로 써야 한다.

2 해설 명령문의 수동태는 「let+목적어+be p.p.」로 써야 한다.

3 해설 목적어가 that절인 문장을 가주어 it을 주어로 하여 수동태로 쓴 것이므로 It is said that ~으로 써야 한다. that절은 「주어+동사」의 어순으로 쓴다.

문제로 REVIEW pp. 26-27

어법 연습

A **1** to complain **2** covered with **3** is expected
4 be attended

B **1** wear → to wear
2 don't always follow → aren't always followed by
3 has closed → has been closed **4** with → of
5 are resembled → resemble

C **1** ① is called to → is called ③ requires → is required
2 ① were scattering → were scattered
3 ① it was believing that → it was believed that
③ was not permitting → was not permitted

서술형 연습

A **1** The giant panda's home is being endangered by deforestation and poaching.
2 The color green is said to restore and renew depleted energy.

B **1** is considered to have **2** were given to children
3 the tax money be spent

C **1** Fingernails should be kept short to prevent infections.
2 Donors with type O blood are referred to as universal donors.
3 A suspicious person was seen to run away from the crime scene.

어법 연습

A

1 해석 사람들이 베트남 음식에 대해 불평하는 것은 거의 들리지 않는다.
해설 지각동사(hear)가 쓰인 5형식 문장에서 목적격보어로 쓰인 동사원형은 수동태에서 to부정사로 써야 하므로 to complain이 적절하다.

2 해석 최근의 폭풍으로 인해 그 해변은 해초로 뒤덮였다.
해설 '~로 덮여 있다'는 의미의 수동태 구문은 be covered with로 써야 하므로 covered with가 적절하다.

3 해석 TV용 LCD 패널의 가격은 내년에 오를 것으로 예상된다.
해설 주어(The price of LCD panels for TVs)가 '기대하다(expect)'는 행위의 주체가 아닌 대상이므로 수동태 is expected가 적절하다.

4 해석 그 경기에는 유망한 학생 운동선수를 발탁하려는 많은 대학 코치들이 참석할 것이다.
해설 주어(The games)가 '참석하다(attend)'는 행위의 주체가 아닌 대상이므로 수동태 be attended가 적절하다.

B

1 해석 방콕 대학에서 학생들은 시험을 치는 동안 부정행위 방지 헬멧을 쓰게 된다.
해설 5형식 문장의 수동태에서 사역동사의 목적격보어로 쓰인 동사원형은 to부정사로 바뀌어야 하므로 wear를 to wear로 고쳐야 한다.

2 해석 스쿠터 회사들은 안전 규정을 제공하지만, 그 규정들이 스쿠터 타는 사람들에 의해 항상 지켜지지는 않는다.
해설 주어(the regulations)는 '지켜지는' 행위의 대상이므로 수동태인 aren't always followed로 고쳐야 한다. 수동태의 행위자가 언급되므로 앞에 전치사 by를 쓴다.

3 해석 그 박물관은 1979년에 개관했지만 보수를 위해 2015년 이후로 닫혀 있다.
해설 주어(the museum)는 '닫혔다'는 행위의 대상이고 2015년부터 지금까지의 일을 나타내므로 현재완료 수동태인 has been closed로 고쳐야 한다.

4 해석 지구의 중심부는 주로 철과 니켈로 구성되어 있다.
해설 '~로 구성되어 있다'는 의미의 수동태 구문은 be composed of로 써야 하므로 with를 of로 고쳐야 한다.

5 해석 도마뱀과 새는 진화적으로 연관되어 있으며 서로 닮았다.
해설 상태를 나타내는 동사인 resemble은 수동태로 쓸 수 없으므로 are resembled를 resemble로 고쳐야 한다.

C

1 해석 알루미늄은 매우 친환경적이기 때문에 친환경 금속이라고 불린다. 이 금속을 재활용하는 것은 원재료에서 알루미늄을 생산하는 데 필요한 에너지의 95%를 절약한다.
해설 ① 5형식 문장에서 목적격보어로 쓰인 명사는 수동태에서 동사 다음에 그대로 써야 하므로 is called로 고쳐야 한다.
② 동명사구 주어는 단수 취급하므로 saves가 쓰인 것은 맞다.
③ 관계대명사절의 주어(95% of the energy)는 '요구되는' 행위의 대상이므로 수동태인 is required로 고쳐야 한다.

2 해석 지난밤에 덴버 북부의 한 주택에 번개가 내리쳤다. 지붕의 타일은 마당 곳곳으로 흩어졌고 집은 심각하게 파손되었다. 부상당한 주민들은 현재 병원에서 치료를 받는 중이다.
해설 ① 주어(the roof's tiles)는 '흩어지는' 행위의 대상이므로 수동태인 were scattered로 고쳐야 한다.
② 주어(the house)는 '훼손되는' 행위의 대상이므로 수동태인 was damaged가 쓰인 것은 맞다. 부사 heavily가 was 뒤에 삽입되었다.
③ 주어(The injured residents)는 '치료 받는' 행위의 대상이고 현재 진행 중인 동작을 나타내므로 진행형 수동태인 are currently being treated가 쓰인 것은 맞다.

3 해석 1900년 대 초 유럽에서는 신생아를 만지는 것이 세균을 퍼트려서 아기를 허약하게 만들 수 있기 때문에 좋지 않다고 여겨졌다. 당시 고아원에서는 신생아를 안아 주는 것이 허용되지 않았다.
해설 ① that절이 목적어인 문장의 수동태는 가주어 it을 써서 「It+be p.p.+that절」의 형태로 써야 하므로 it was believed that으로 고쳐야 한다.
② 과거 시점에서 미래의 일에 대해 말하고 있으므로 will의 과거형인 would가 쓰인 것은 맞다.
③ 진주어인 to부정사구를 대신해서 가주어 it이 쓰인 문장으로 진주어(to cuddle newborn babies)는 '허락하는' 행위의 주체가 아닌 '허락받는' 행위의 대상이므로 수동태인 was not permitted로 고쳐야 한다.

서술형 연습

A

1 해석 대왕판다의 서식지가 산림 벌채와 밀렵에 의해 위협받고 있다.
해설 현재진행시제의 수동태는 「be being p.p.」 형태가 되어야 하므로 동사는 is being endangered로 바꾸고 행위자인 주어는 문장 맨 뒤로 보내되 전치사 by를 앞에 써야 한다.

2 해석 녹색은 고갈된 에너지를 회복하고 새롭게 한다고 한다.
해설 that절이 목적어인 문장은 가주어 it이나 that절의 주어를 문장의 주어로 하여 수동태로 만들 수 있다. 주어진 문장은 가주어 it을 주어로 쓴 「It+be p.p.+that절」 형태의 수동태 문장이고, that절의 주어를 문장의 주어로 하는 경우 동사가 「be p.p.+to부정사」 형태가 되어야 하므로 is said to restore and renew로 써야 한다.

B

1 해설 주어(Bora Bora)는 '여겨지는' 행위의 대상이므로 수동태를 써야 한다. 5형식 동사 consider의 목적격보어로 쓰인 to부정사는 수동태에서 「be p.p.」 뒤에 그대로 쓰므로 is considered to have로 써야 한다.

2 해설 주어(All of the balloons)는 '주어지는' 행위의 대상이므로 수동태를 써야 한다. 수여동사 give가 쓰인 문장은 수동태에서 간접목적어(children) 앞에 전치사 to를 써야 하므로 were given to children으로 써야 한다.

3 해설 명령문의 수동태는 「Let+목적어+be p.p.」 형태가 되어야 하므로 the tax money be spent로 써야 한다.

C

1 해설 '유지되어야 한다'는 의미를 나타내기 위해 조동사를 포함한 수동태 「should be p.p.」 형태가 되어야 하므로 should be kept로 쓴다. '예방하기 위해서'는 목적을 나타내는 부사적 용법의 to부정사인 to prevent를 써서 나타낼 수 있다.

2 해설 refer to A as B(A를 B로 부르다) 구문의 수동태는 동사구를 하나의 동사로 취급하여 A be referred to as B 형태가 되어야 하므로 are referred to as로 쓴다.

3 해설 '도망치는 것이 목격되었다'는 의미는 지각동사가 쓰인 5형식 문장의 수동태로 써야 하는데 괄호 안의 말 중 to가 있으므로 목적격보어를 to부정사로 써서 was seen to run으로 쓴다.

실전 모의고사 pp. 28-30

1 ③	2 ⑤	3 ⑤	4 ②	5 ③
6 ①	7 ③	8 ④	9 ①	10 ①, ⑤

서술형

1 was seen to come out of the house / was seen coming out of the house
2 was made a fool of by the woman
3 (b) is taken → is taking / takes
(c) had shown → had been shown
4 She was believed to have cooked all the delicious dishes on the table.
5 had been introduced to hospitals in the 1950s
6 transplants

1 해석 • 그 남자는 도망가려고 했지만 경찰에 의해 체포되었다.
• 학생들을 조용히 시켰다.
해설 • 주어(The man)는 '체포되는' 행위의 대상이므로 「be p.p.」의 수동태가 되어야 한다.
• 주어(The students)는 '~하도록 시켜지는' 행위의 대상이므로 「be p.p.」의 수동태가 되어야 한다.

2 해석 • 이 리뷰는 우리의 첫 번째 고객에 의해 우리에게 제공되었다.
• 역사학자들은 최근 그 문서가 18세기에 쓰여졌다는 것을 발견했다.
해설 • 주어(This review)는 '제공되는' 행위의 대상이므로 수동태가 되어야 하고, 4형식 동사 give는 수동태에서 간접목적어 앞에 전치사 to를 써야 하므로 was given to가 적절하다.
• 역사학자들이 발견한 것이 과거 시점이고 문서가 쓰인 것은 그보다 이전 시점이므로 「had been p.p.」 형태의 과거완료 수동태가 되어야 한다.

3 해설 조동사를 포함한 수동태 「조동사+be p.p.」 문장이 되어야 하고, '~하라고 요청받다'는 의미는 「be asked to-v」 구문을 사용한다.

4 해설 '~하는 것으로 여겨진다'는 의미는 「be thought to-v」 구문을 사용한다. '첫 번째의'는 정관사 the를 사용하여 the first로 나타낸다.

5 해석 ① 이웃 마을로 가는 길이 지금 건설되고 있다.
② 폭풍우 때문에 모든 회의가 연기되었다.
③ 여러 종류의 새들이 동시에 지저귀는 소리가 들렸다.
④ 그 신생아는 지금 부모의 보살핌을 받고 있다.
⑤ 그는 내일의 계획을 취소해야 하는 것에 짜증이 났다.
해설 ③ 지각동사 hear의 목적격보어로 쓰인 동사원형은 수동태에서 to부정사로, 현재분사는 그대로 사용되므로 sing을 to sing이나 singing으로 고쳐야 한다.

6 해석 ① 그는 자신의 의사에 반하여 계약서에 서명하도록 강요받았다.
② Ella는 '부탁합니다'라고 말하지 않아 무례하게 여겨졌다.
③ 학번 외 그 어떤 것도 첫 페이지에 기재되면 안 된다.
④ 실종자는 짧고 짙은 갈색 머리를 한 20대 초반으로 묘사됐다.
⑤ 그곳은 편안한 숙박을 위해 당신이 필요로 하는 모든 것을 갖추고 있다.
해설 ① 사역동사 make의 목적격보어로 쓰인 동사원형은 수동태에서 to부정사로 바꿔 써야 하므로 sign을 to sign으로 고쳐야 한다.

7 해석 a. 2시 30분에 정문 앞에서 만나기로 결정되었다.
b. 다음 주말까지 모든 것이 끝날 것이다.
c. 설치 중 내부 오류가 발생했다.
d. 한 남자가 훔친 물건들을 가지고 가게를 나가는 것이 목격되었다.
e. 마케팅 팀은 그 일을 하는 것에 대해 많은 돈을 받고 있다.
f. 그 계획은 지난 4개월 동안 면밀히 검토되어 왔다.
해설 c. '발생하다'라는 의미의 occur는 수동태로 쓸 수 없는 동사이므로 was occured는 occured로 고쳐야 한다.
d. 지각동사 see가 수동태로 쓰일 때 목적격보어로 쓰인 동사원형은 to부정사로, 현재분사는 그대로 사용되므로 leave를 to leave나 leaving으로 고쳐야 한다.

8 해석 a. Brown 씨는 60% 이상의 득표로 회장에 당선되었다.
b. 가족이 살던 오래된 집의 지붕이 나의 삼촌에 의해 수리되고 있다.
c. 갑자기 어디에선가 불쑥 한 무리의 늑대가 나타났다.
d. 감자튀김은 프랑스가 아니라 벨기에에서 만들어진 것으로 전해진다.
e. 그 노인은 정규 교육을 받지 못했다.
f. 남성과 여성의 차이에 관해 많은 책들이 쓰여져 왔다.
해설 c. 자동사 appear는 수동태로 쓸 수 없는 동사이므로 were appeared를 appeared로 고쳐야 한다.
d. 전해지는 것보다 감자튀김이 만들어진 것이 앞서 일어난 일이므로 to be invented를 to have been invented로 고쳐야 한다.
e. 동사 lack은 수동태로 쓸 수 없는 동사이므로 능동태 문장 The old man lacked a formal education.으로 써야 한다.

9 해석 ⓐ 사람들은 그 회사가 심각한 재정난에 빠졌다고 말한다.
ⓑ 그 경찰관은 그에게 그 사건에 대해 그가 알고 있는 모든 것을 말하게 했다.
ⓒ 나는 그에게서 그곳에 있도록 요청받았다.
해설 ⓑ 사역동사 make의 목적격보어로 쓰인 동사원형은 수동태에서 to부정사로 써야 하므로 이 문장을 수동태로 바꾸면 He was made to tell ~.이 된다.
ⓒ 과거완료 시제의 수동태가 쓰였으므로 능동태로 바꾸면 He had asked me to be there.이 된다.

10 지문 해석
미국의 공립 학교는 그 나라의 다양한 이민자 인구를 다루는 한 방법으로 구상되었다. 새로 입국한 이민자들은 종종 영어를 말할 수 없었다. 이러한 정도의 다양성은 사회 문제로 이어질 수 있다고 생각되었다. 모든 인종적, 민족적, 문화적 배경을 가진 아이들이 받아들여지는 것을 보장하는 방법으로 공립 학교가 제안되었다. 공립 학교는 또한 사회적 환경을 향상시키는 동시에 아이들의 사회적 기술을 향상시키는 수단으로도 생각되었다.
해설 ② 주어인 immigrants가 '말하는' 행위의 주체이므로 능동태인 speak으로 고쳐야 한다.
③ 진주어인 that절을 대신하는 가주어 It이 쓰인 문장으로 '여겨지는' 행위의 대상이므로 수동태 was thought로 고쳐야 한다.
④ 주어인 Publicly funded schools는 '제안되는' 행위의 대상이므로 수동태 were proposed로 고쳐야 한다.

서술형

1 해설 주어인 The missing boy는 '목격한' 행위의 주체가 아니라 '목격된' 행위의 대상이므로 수동태가 되어야 한다. 지각동사 see가 수동태로 쓰일 때 목적격보어로 쓰인 동사원형은 to부정사로, 현재분사는 그대로 사용되므로 come을 to come이나 coming으로 쓴다.

2 해설 '~을 놀림거리로 만들다'라는 의미의 동사구 make a fool of를 하나의 동사로 취급하여 수동태로 만든다. 행위자는 「by+행위자」의 형태로 쓴다.

3 해석 a. 서면 계약서가 비서에 의해 준비되고 있다.
b. 연례 기념행사는 9월에 열린다.
c. 그 독립 영화는 개봉되기 전에 그들에게 무료로 상영되었다.
d. 이 건물의 외벽은 주민들에 의해 아름답게 만들어져 왔다.
해설 b. take place는 '(어떤 일이) 일어나다'라는 의미로 수동태로 쓸 수 없으므로 is taken을 is taking이나 takes로 고쳐야 한다.
c. 주어(The independent movie)는 '보여지는' 행위의 대상이므로 had shown을 수동태 had been shown으로 고쳐야 한다.

4 해석 사람들은 그녀가 탁자 위에 있는 맛있는 음식들 전부를 요리했다고 믿었다.
해설 목적어가 that절인 문장을 수동태로 만들 때 that절의 주어를 주어로 하고 that절의 동사를 to부정사로 바꿔 쓴다. that절의 시제가 주절보다 앞서므로 동사는 「to have p.p.」 형태로 쓴다.

[5-6] 지문 해석
1960년대에, 심장 이식을 할 수 있는 능력은 1950년대에 병원에 도입된 인공호흡기 개발과 관련이 있었다. 인공호흡기는 많은 생명을 구할 수 있었지만, 심장이 계속 뛰게 된 모든 사람들이 다른 중요한 기능을 회복한 것은 아니었다. 어떤 경우에, 그들의 뇌는 완전히 기능을 멈추었다. 그러한 환자들이 이식용 장기의 공급원이 될 수 있다는 깨달음은 모든 '식별할 수 있는 중추 신경계 활동'의 부재가 '죽음의 새로운 기준'이 되어야 한다는 제안으로 이어졌다. 그 이후로 그 기준은 약간의 수정을 거쳐, 거의 모든 곳에서 채택되었다.

5 해설 respirators를 선행사로 하는 주격 관계대명사절로 인공호흡기는 '도입되는' 행위의 대상이므로 수동태 구문을 쓴다. 주절의 과거 시점 1960년대 보다 더 이전인 1950년대 일어난 일이므로 과거완료 수동태 「had been p.p.」로 써야 한다.

6 해석 호흡기의 개발은 더 많은 장기 이식을 가능하게 했다.
해설 호흡기의 개발로 인해 죽음의 새로운 기준이 세워지고 그 전에는 사용할 수 없었던 환자의 장기를 이식에 사용할 수 있다는 인식이 만들어졌다는 내용의 글이다.

CHAPTER 03 to부정사/동명사

POINT 1 p. 32

예문 해석

1 다른 문화에서 온 사람들을 만나는 것은 흥미롭다.
2 방과 후 수업에 참여하는 것은 매우 도움이 되었다.
3 Karkar 화산은 1895년에 폭발하기 시작했다.
4 비밀번호를 입력함으로써 등록할 수 있다.
5 그는 내게 모바일 앱을 설치하는 법을 알려 주었다.
6 그의 일은 관광객들을 위해 일정을 짜 주는 것이다.
7 선생님은 내가 음악에 흥미를 갖도록 격려해 주셨다.

◆ 수능·내신 어법
- 홍콩의 야시장을 방문하는 것은 아주 재미있었다.
- 이 안에서 사진을 찍는 것은 허용되지 않는다.

A **1** lose → to lose **2** That → It **3** ○
4 are → is **5** participate → participating
B **1** decide where to go
2 Repeating the same words bores
3 It is a blessing to enjoy

A

1 해석 마지막 단계에서, 뇌는 신체와의 연결이 끊기는 것처럼 보인다.
해설 seem의 주격보어로 to부정사가 오므로 to부정사 형태로 고쳐야 한다.

2 해석 네가 정문을 열어 둔 것은 부주의했다.
해설 진주어인 to부정사구가 문장 뒤에 있으므로 That을 가주어 It으로 고쳐야 한다.

3 해석 아동 도서를 기증하는 방법에 대해 문의해 주셔서 감사합니다.
해설 전치사의 목적어로 쓰인 「의문사+to부정사」는 어법상 맞다.

4 해석 어려운 시기에 집에 머무는 것이 우리가 할 수 있는 최선의 일이다.
해설 to부정사구가 주어로 쓰이면 단수 취급하므로 단수 동사로 고쳐야 한다.

5 해석 국제 교환 프로그램에 참여하는 것에 관심이 있나요?
해설 전치사의 목적어 역할을 하므로 동명사로 고쳐야 한다.

B

1 해설 decide의 목적어로 「의문사+to부정사」 형태를 써야 한다.

2 해설 동명사구가 주어로 쓰이면 단수 취급하므로 단수 동사로 써야 한다.

3 해설 주어 자리에 가주어 It을 쓰고 진주어인 to부정사구가 문장 뒤에 와야 한다.

POINT 2 p. 33

예문 해석

1 경주에는 방문할 만한 많은 유적지가 있다.
2 TV에서 볼 만한 흥미로운 것이라도 찾았니?
3 애완동물을 기르는 것은 함께 놀 친구를 갖게 되는 것을 의미한다.
4 그 요리사들은 이번 금요일에 식당을 개업할 예정이다.
5 너는 내일 오후 3시까지 보고서를 제출해야 한다.
6 그 군인과 그의 아내는 결코 다시는 만나지 못할 운명이었다.
7 성공하려면 너는 노력을 해야 한다.
8 그날 밤에는 별이 보이지 않았다.

A **1** a private resort to stay → a private resort to stay in
2 reliable someone to proofread → someone reliable to proofread **3** ○
4 an advisor to talk → an advisor to talk with[to]
5 ○
B **1** we should have a goal to dream about
2 I want something light to eat
3 If you are to win the game

A

1 해석 그들은 신혼여행 동안 머물 고급 리조트에 있는 방을 하나 예약했다.
해설 stay in a private resort로 쓰므로 to stay를 to stay in으로 고쳐야 한다.

2 해석 나는 내 에세이를 교정 봐 줄 믿을 만한 누군가를 찾고 있다.
해설 -one으로 끝나는 대명사를 형용사와 to부정사가 같이 수식할 때 「대명사+형용사+to부정사」의 어순이 되어야 하므로 someone reliable로 고쳐야 한다.

3 해석 너의 한국어를 향상시킬 이 좋은 기회를 놓치지 마라.
해설 to부정사구가 앞의 명사 opportunity를 수식하는 형용사적 용법으로 쓰였으므로 어법상 맞다.

4 해석 Jason은 직장에서 그의 문제에 대해 이야기를 나눌 조언자를 원한다.
해설 talk with[to] an advisor로 쓰므로 to talk를 to talk with[to]로 고쳐야 한다.

5 해석 그 디자인은 40개의 조각상을 필요로 했으므로, 그 무덤은 거대한 구조물이 될 예정이었다.
해설 예정을 나타내는 「be+to부정사」가 쓰인 것은 맞다.

B

1 해설 dream about a goal로 쓰므로 a goal을 수식하는 형용사적 용법의 to부정사구를 to dream about으로 쓴다.

2 해설 -thing으로 끝나는 대명사를 형용사와 to부정사가 같이 수식할 때 「대명사+형용사+to부정사」의 어순으로 쓴다.

3 해설 의도를 나타내는 「be+to부정사」 구문을 이용하여 조건의 부사절을 완성한다.

POINT 3 p. 34

예문 해석

1 그는 지나가는 배들의 주의를 끌기 위해서 손을 흔들었다.
2 나는 그가 그 나라를 떠났다는 소식을 듣게 되어 충격을 받았다.
3 그렇게 비싼 차를 소유하다니 그들은 부자임에 틀림없다.
4 당신과 함께 일할 기회를 얻게 된다면 저는 무척 기쁠 것입니다.
5 Ronaldo는 자라서 세계적인 축구 선수가 되었다.
6 이 접이식 우산은 휴대하고 보관하기에 편리하다.
7 그 덤프트럭은 터널에 진입하기에는 너무 크다.
8 그의 노래는 청중을 울게 할 정도로 충분히 슬펐다.

◆ 서술형 빈출 구문

• 그 남자는 너무 가난해서 식사 비용을 지불할 수가 없었다.
• Ann은 어떤 직업이든 구할 수 있을 정도로 경험이 충분하다.

A **1** 그렇게 관대한 제안을 거절한 것으로 보아
2 자신의 작문 실력의 향상을 보게 되어
3 그가 영어를 말하는 것을 들으면
4 결국 깨달았다
5 더 훌륭한 지도자가 되기 위해서

B **1** to circulate the air
2 too lazy to put his plans
3 generous enough to forgive

A

1 해석 그렇게 관대한 제안을 거절한 것으로 보아 그녀는 똑똑할 리가 없다.
해설 판단의 근거를 나타내는 to부정사이므로 '~하다니, ~하는 것으로 보아'로 해석한다.

2 해석 자신의 작문 실력의 향상을 보게 되어 그 남자는 기뻤다.
해설 감정의 원인을 나타내는 to부정사이므로 '~하게 되어'로 해석한다.

3 해석 그가 영어로 말하는 것을 들으면 너는 그가 원어민이라고 생각할 것이다.
해설 조건을 나타내는 to부정사이므로 '~한다면'으로 해석한다.

4 해석 그는 서둘러 집에서 나갔지만 자신의 지갑이 여전히 탁자 위에 있다는 것을 결국 깨달았다.
해설 「only to-v」는 결과를 나타내어 '결국 ~하다'로 해석한다.

5 해석 더 훌륭한 지도자가 되기 위해서 당신은 편안한 일상에서 벗어나야 한다.
해설 목적을 나타내는 to부정사이므로 '~하기 위해서'로 해석한다.

B

1 해설 목적을 나타내는 부사적 용법의 to부정사를 이용하여 문장을 완성한다.

2 해설 '너무 ~해서 …할 수 없다'의 의미는 「too ~ to-v」 구문으로 쓴다.

3 해설 '~할 만큼 …한'의 의미는 「~ enough to-v」 구문으로 쓴다. 이때 enough는 부사로 형용사나 부사 뒤에 쓰는 것에 주의한다.

POINT 4 p. 35

예문 해석

1 소비자 단체들은 정부가 그 법안을 통과시키도록 요구했다.
2 경찰관은 운전자가 그의 차에서 내리게 했다.
3 매니저는 고객이 서비스에 대해 불평하는 것을 듣고 있었다.
4 그 체육 교사는 학생들이 매일 체육관 주변을 뛰게 시킨다.
5 시험관은 Heather가 과학 시험에서 부정행위를 하는 것을 보았다.
6 제가 신청서 작성하는 것을 도와주시겠어요?

A **1** to ruin → ruin
2 being → to be
3 ○
4 feed → to feed
5 seeing → (to) see

B **1** lets people make **2** advised him to visit
3 watched them stare[staring]

A

1 해석 이렇게 논쟁의 여지가 있는 선거가 너희들의 우정을 망치게 하지 마라.
해설 사역동사 let의 목적격보어로 원형부정사가 오므로 ruin으로 고쳐야 한다.

2 해석 우리들 대부분은 판매원들이 사교적이고, 외향적이며 에너지가 넘칠 것으로 기대한다.
해설 expect의 목적격보어로 to부정사가 오므로 to be로 고쳐야 한다.

3 해석 나는 건물 밖에서 여러 명의 경찰관이 한 남자를 둘러싸고 있는 것을 봤다.
해설 지각동사 see의 목적어인 경찰관이 하는 동작이 진행 중임을 강조하기 위해 목적격보어로 현재분사 surrounding이 쓰인 것은 맞다.

4 해석 수의사는 애완견에게 초콜릿이나 건포도를 먹이지 말라고 개의 주인에게 경고했다.
해설 warn의 목적격보어로 to부정사가 오므로 to feed로 고쳐야 한다.

5 해석 Pablo Picasso는 우리가 세상을 다르게 볼 수 있도록 돕는 방법으로 입체파 화풍을 사용했다.
해설 준사역동사 help의 목적격보어로 to부정사와 원형부정사 둘 다 올 수 있으므로 to see 또는 see로 고쳐야 한다.

B

1 해설 사역동사 let 뒤에 목적어와 목적격보어인 원형부정사의 어순으로 써서 문장을 완성한다.

2 해설 advise의 목적격보어로 to부정사가 오므로 「advise+목적어+to-v」의 어순으로 문장을 완성한다.

3 해설 watch는 지각동사이므로 목적격보어로 원형부정사나 현재분사의 형태를 써야 한다.

POINT 5

p. 36

예문 해석

1 이번 인턴 사원 근무를 통해 무엇을 얻기를 기대하는가?
2 용의자는 형사의 질문에 대답하는 것을 피했다.
3 그들은 더 이상 먹을 수 없을 때까지 계속 먹었다.
4 그는 집에 오는 길에 세탁물을 찾아오는 것을 잊었다.
5 그녀는 무슨 일이 있었는지 내게 말했던 것을 잊고 다시 내게 말했다.

◈ 수능·내신 어법

- 당신이 시험에 통과하지 못했다는 것을 알리게 되어 유감입니다.
- 그 영화배우는 아이들을 갖지 않은 것을 후회한다.

A **1** reflecting **2** to keep **3** to drop
4 complaining **5** to be
B **1** admitted causing the accident
2 remember to wake me up
3 regrets giving up

A

1 해석 내성적인 사람들은 자신의 생각을 성찰하는 것을 즐긴다.
해설 enjoy는 동명사를 목적어로 취하므로 동명사가 적절하다.

2 해석 다른 학교로 전학한 후에도 계속 연락하는 것을 잊지 마라.
해설 '~할 것을 잊다'의 의미를 나타내야 하므로 forget의 목적어로 to부정사가 적절하다.

3 해석 그는 자신의 사업을 시작하기 위해 대학을 그만두기로 결심했다.
해설 decide는 to부정사를 목적어로 취하므로 to drop이 적절하다.

4 해석 너는 불평하는 것을 멈추고 좀 더 긍정적으로 생각하기 시작하는 게 좋겠다.
해설 stop은 동명사를 목적어로 취하여 '~하는 것을 그만두다'의 의미를 나타내므로 동명사 complaining이 적절하다.

5 해석 Steve는 Jenny에게 친절하게 대하려고 애썼지만, 그는 그럴 수가 없었다.
해설 '~하려고 애쓰다'의 의미를 나타내야 하므로 try의 목적어로 to부정사가 적절하다.

B

1 해설 admit은 동명사를 목적어로 취하므로 cause를 동명사로 써서 문장을 완성해야 한다.

2 해설 remember는 목적어의 형태에 따라 의미가 달라지는데, '~할 것을 기억하다'의 의미를 나타낼 때는 remember 뒤에 to부정사를 써야 한다. wake up은 「타동사+부사」의 형태로 목적어가 대명사일 경우 타동사와 분사 사이에 와야 한다.

3 해설 '~한 것을 후회하다'의 의미를 나타낼 때는 regret의 목적어로 동명사를 써야 한다. 목적어로 to부정사가 쓰이면 '~하게 되어 유감이다'의 의미를 나타낸다.

POINT 6

p. 37

예문 해석

1 그녀는 머리카락을 기르기로 결심했다.
2 웨이터는 그녀가 앉을 의자를 당겨 주었다.
3 네가 부모님께 그렇게 말한 것은 너무 무례했다.
4 사람들은 독서에 대한 열정을 잃어버린 것 같다.
5 모든 운동선수들은 국가 대표 팀에 선발되기를 희망한다.
6 참석자들은 토론에서 지지 않기 위해서 목소리를 높였다.

◈ 수능·내신 어법 내 험담을 하다니 넌 못됐구나.

A **1** to delete → to be deleted
2 for him → of him
3 ○
4 of the staff → for the staff
5 in order to not hurt → in order not to hurt
B **1** not to be accepted **2** to follow
3 appears to have been

A

1 해석 전화기를 버리기 전에 개인 정보는 삭제되어야 한다.
해설 주어(Your personal information)는 '삭제되는' 수동의 관계가 되어야 하므로 to부정사의 수동태 「to be p.p.」로 고쳐야 한다.

2 해석 그가 파일을 저장하지 않고 노트북을 끈 것은 부주의했다.
해설 사람의 성격이나 특성을 나타내는 형용사 careless가 쓰였으므로 to부정사의 의미상 주어를 「of+목적격」으로 나타내므로 of him으로 고쳐야 한다.

3 해석 Wilson 씨는 정부에 의해 고용됐었던 척하지만, 사실은 그런 적이 없다.
해설 Mr. Wilson이 '고용됐었다'는 수동의 의미를 나타내는 to부정사의 수동태가 되어야 하고, 문장의 서술어(pretends)가 나타내는 현재시제보다 이전의 일을 나타내는 완료부정사 형태가 되어야 하므로, 「to have been p.p.」로 쓴 것이 맞다.

4 해석 환자들의 건강이 쇠약해지고 있을 때 직원들이 낙관적이기는 힘들다.
해설 사람의 성격이나 특성을 나타내는 형용사가 쓰이지 않았을 때 to부정사의 의미상 주어는 「for+목적격」으로 나타내므로 for the staff로 고쳐야 한다.

5 해석 상담 교사는 어떤 학생의 기분도 상하지 않도록 하기 위해서 친절하게 말했다.
해설 to부정사의 부정형은 to부정사 바로 앞에 not을 써서 나타내므로 not to hurt로 고쳐야 한다.

B

1 해설 '받아들여지지 않은' 것은 수동의 의미로 to부정사의 수동태로 쓰며, to부정사의 부정은 to부정사 바로 앞에 not을 써서 나타내므로, 「not to be p.p.」 형태로 문장을 완성한다.

2 해설 It은 가주어이고 for travelers가 의미상 주어로 진주어 역할을 하는 to부정사를 써서 문장을 완성한다.

3 해설 '~로 보인다'를 뜻하는 「appear to-v」를 사용하여 문장을 완성한다. '보이는' 것은 현재이므로 appears로 쓰고, '기원전 3세기엔 번영했던' 것은 이전의 과거의 일이므로 완료부정사 to have been으로 쓴다.

POINT 7

p. 38

예문 해석

1 저희와 함께 비행을 해 주셔서 감사합니다.
2 내가 내 자신을 사랑하는 법을 배우도록 네가 도와준 것에 대해 고맙다.
3 부모들은 자신들의 아이가 밤에 혼자 나가는 것을 좋아하지 않는다.
4 나는 우리의 목표를 성취하는 데 일조를 했던 것이 자랑스럽다.
5 그는 부모님에게 아이처럼 취급받는 것에 화가 났다.
6 당신에게 그것에 대해 미리 설명하지 않은 것에 대해 죄송합니다.

A **1** judging → being judged
2 telling not → not telling
3 ○
4 having abandoned → having been abandoned
5 ○

B **1** her failing **2** being called **3** having dated

A

1 해석 어떤 사람들은 다른 사람들에게 평가받는 것을 두려워하지 않는다는 것이 드러났다.
해설 '평가받는다'는 수동의 의미가 되어야 하므로 「being p.p.」 형태의 동명사의 수동태로 고쳐야 한다.

2 해석 Martin은 그녀에게 더 일찍 사실을 말하지 않은 것에 대해 스스로를 탓했다.
해설 동명사의 부정형은 동명사 바로 앞에 not을 써서 나타낸다.

3 해석 영화 상영 동안 Jason이 큰 소리로 말한 것은 다소 당황스러웠다.
해설 동명사의 의미상 주어는 동명사 앞에 소유격이나 목적격으로 나타내므로, 동명사 talking 앞에 소유격 Jason's가 쓰인 것은 맞다.

4 해석 부모에게서 버려졌던 상처는 그녀의 기억에 여전히 생생하다.
해설 의미상 '버려졌다'는 수동의 의미를 나타내는 동명사의 수동태가 되어야 하고, 문장의 서술어(are)가 나타내는 시제보다 이전의 일을 나타내는 완료동명사 형태가 되어야 하므로, 「having been p.p.」 형태로 고쳐야 한다.

5 해석 인간이 한 번에 여러 가지 일을 한다는 개념이 연구되어 왔다.
해설 동명사의 의미상 주어는 동명사 앞에 목적격이나 소유격으로 나타내므로, 동명사 doing 앞에 목적격 humans가 쓰인 것은 맞다.

B

1 해설 동명사의 의미상 주어를 동명사 앞에 목적격이나 소유격으로 써야 한다.

2 해설 '불리는' 것은 수동의 의미이므로 동명사의 수동태 「being p.p.」로 써야 한다.

3 해설 '부인하는' 것은 현재이고 가수와 '사귄 것'은 과거의 일이므로 완료동명사 「having p.p.」로 써야 한다.

POINT 8

p. 39

예문 해석

1 솔직히 말하면 나는 그의 노래들을 전혀 좋아하지 않았다.
2 그는 길을 잃었고, 설상가상으로 비가 오기 시작했다.
3 나는 답례로 미소를 짓고 "괜찮아요!"라고 답하지 않을 수 없었다.
4 인터뷰에 응해 주셔서 고맙습니다. 당신에게서 연락을 받기를 기다리겠습니다.

◆ 수능·내신 어법 일본인들은 왼쪽 도로로 운전하는 것에 익숙하다.

A **1** reading **2** to say **3** trying
4 enjoying **5** to mention

B **1** look forward to receiving
2 so to speak
3 were busy stacking

A

1 해석 나는 그의 모든 책들이 여러 번 읽을 가치가 있다고 확신한다.
해설 '~할 가치가 있다'를 뜻하는 「be worth v-ing」의 구문이 되어야 하므로 동명사가 적절하다.

2 해석 말할 필요도 없이 우리 단체가 도움을 주어야 한다.
해설 '말할 필요도 없이'를 뜻하는 독립부정사 needless to say가 되는 것이 적절하다.

3 해석 자려고 노력해 봐야 소용이 없어서 나는 일어나서 일정을 확인했다.
해설 '~해도 소용없다'를 뜻하는 「It is no use v-ing」 구문이 되어야 하므로 동명사가 적절하다.

4 해석 부모와 아이들은 야외 활동을 즐기는 데 시간을 보낼 것이다.
해설 '~하는 데 시간을 쓰다'를 뜻하는 「spend+시간+v-ing」의 구문이 되어야 하므로 동명사가 적절하다.

5 해석 그 리조트는 깨끗한 것은 말할 것도 없고 무척 편안하고 재미있었다.
해설 '~은 말할 것도 없이'를 뜻하는 독립부정사 not to mention이 되는 것이 적절하다.

B

1 해설 '~하기를 고대하다'를 뜻하는 「look forward to v-ing」 구문으로 문장을 완성한다.

2 해설 '말하자면'은 독립부정사 so to speak으로 나타낸다.

3 해설 '~하느라 바쁘다'를 뜻하는 「be busy v-ing」 구문으로 문장을 완성한다.

문제로 REVIEW pp. 40-41

어법 연습

A 1 to drink 2 flying 3 to be displayed
4 taking

B 1 take → taking 2 of → for
3 shop → shopping 4 creating → being created
5 enable us see → enable us to see

C 1 ② to discuss things → to discuss things with
③ flowing → to flow
2 ① learning → to learn ③ appearing → to appear
3 ② to pay → paying ③ to be spared → to spare

서술형 연습

A 1 The government seems to have decided to reopen its borders to tourists.
2 Some people are lucky enough to win the lottery multiple times.

B 1 not to know how to pronounce
2 to change your password to protect
3 too complicated for me to understand

C 1 It's no use worrying about
2 something interesting to write about
3 apologize for not having been

어법 연습

A

1 해석 건강을 유지하기 위해서 가능한 한 많은 물을 마시는 것이 필요하다.
해설 가주어 it이 주어 자리에 쓰인 문장이므로 진주어 역할을 할 to drink가 적절하다.

2 해석 펭귄이 나는 것을 중단한 이유를 정확히 설명하는 과학적인 이론은 없다.
해설 stop은 동명사를 목적어로 취하는 동사이므로 flying이 오는 것이 적절하다.

3 해석 당신의 고양이가 부끄러움이 많고 소심하다면 그 고양이는 고양이 쇼에서 보여지는 것을 원치 않을 것이다.
해설 want의 목적어 역할을 하는 to부정사가 와야 하는데, 주어가 '보여 주는(display)' 행위의 대상이므로 to부정사의 수동태인 to be displayed가 오는 것이 적절하다.

4 해석 우리 아버지는 더 젊었을 때 치아 관리를 하지 않은 것을 후회하셨다.
해설 regret은 to부정사와 동명사를 목적어로 취할 수 있는데, 문맥상 과거의 일에 대해 후회하고 있는 것이므로 목적어로 동명사인 taking이 와야 한다. to부정사가 오면 '~하게 되어 유감이다'라는 뜻이다.

B

1 해석 휴식을 취하지 않고 너무 많은 시간을 일하는 것은 극도의 피로를 유발할 수 있다.
해설 전치사의 목적어로 동사가 올 때 동명사 형태로 쓰므로 전치사 without 뒤의 take를 taking으로 고쳐야 한다.

2 해석 분명히, 회사가 근로자들로 하여금 자신의 일에 만족하게 만드는 것이 무엇인지 아는 것은 중요하다.
해설 사람의 성격이나 특성을 나타내는 형용사가 없을 때 to부정사의 의미상 주어는 「for+목적격」으로 써야 하므로, of companies를 for companies가 되도록 고쳐야 한다.

3 해석 오늘날의 소비자들은 다양한 상품을 온라인으로 구입하는 것에 익숙하다.
해설 '~에 익숙하다'의 의미인 「be used to v-ing」 구문이 되어야 하므로, shop을 동명사 shopping으로 고쳐야 한다.

4 해석 불행히도 현대화는 새로운 직업이 창출되는 결과를 낳지 못했다.
해설 동명사의 의미상의 주어인 new jobs는 '창출되는'이라는 수동의 의미가 되어야 하므로 creating은 동명사의 수동형인 being created로 고쳐야 한다. new jobs는 동명사의 의미상 주어이다.

5 해석 현미경은 우리가 육안으로 보기에 너무 작은 생물들을 볼 수 있게 해 준다.
해설 enable은 목적격보어로 to부정사를 취하는 동사이므로 see를 to see로 고쳐야 한다.

C

1 해석 우리는 작은 문제들을 실제보다 더 크게 생각하는 경향이 있다. 그러므로 문제들을 함께 의논할 사람이 있다는 것은 도움이 된다. 다른 사람에게 이야기할 때, 우리의 감정을 자유롭게 흐르게 하기가 쉽다.
해설 ① tend는 목적어로 to부정사를 취하는 동사이므로 to consider가 쓰인 것은 맞다.
② 앞에 나온 명사 someone을 수식하는 to부정사구인데, '~와 의논하다'의 의미가 되어야 하므로 to discuss things with로 고쳐야 한다.
③ allow는 목적격보어로 to부정사를 취하는 동사이므로 flowing을 to flow로 고쳐야 한다.

2 해석 지적으로 겸손한 사람들은 다른 사람들이 제시하는 것을 존중한다. 그들은 더 많이 배우길 원하고 다양한 출처로부터 정보를 찾는 것에 개방적이다. 그들은 다른 사람들보다 우월하게 보이려고 애쓰는 데 관심이 없다.
해설 ① want는 목적어로 to부정사를 취하는 동사이므로 to learn으로 고쳐야 한다.
② be open to는 '~에 개방적이다'라는 의미이며 이때 to는 전치사이므로 뒤에 동명사 finding이 쓰인 것은 맞다.
③ 문맥상 '~하려고 노력하다'의 의미가 되도록 try의 목적어로 to appear가 되어야 한다.

3 해석 여행에서 가장 좋은 점들 중 하나는 혼자서 새로운 목적지를 탐험하는 것이다. 하지만 때로는 가이드에게 비용을 지불할 가치가 있다. 당신이 쓸 수 있는 시간이 단지 며칠뿐이라면, 가이드는 당신이 당신의 시간을 최대한 활용하도록 도움을 줄 수 있다.
해설 ① 동명사는 주격보어로 쓸 수 있으므로 exploring이 쓰인 것은 맞다.
② '~할 만한 가치가 있다'는 의미의 「be worth v-ing」 구문이 되어야 하므로 동명사 paying으로 고쳐야 한다.
③ 앞의 명사 a couple of days를 수식하는 to부정사이며, 주어(you)가 '쓰는(spare)' 행위의 주체이므로 to spare로 고쳐야 한다.

서술형 연습

A

1 해석 정부는 관광객들에게 국경을 재개방하기로 결정한 것으로 보인다.
해설 주절의 시제(seems)보다 that절의 시제(decided)가 이전의 일을 나타내므로 동사 seems의 주격보어로 완료부정사 to have decided를 써야 한다.

2 해석 어떤 사람들은 운이 아주 좋아서 복권에 여러 번 당첨된다.
해설 「so ~ that ...」 구문은 「~ enough to-v」 구문으로 바꿔 쓸 수 있으므로 lucky enough to win으로 써야 한다.

B

1 해설 appear의 주격보어로 to부정사가 와야 하고, '알지 못한다'는 부정의 의미를 나타내야 하므로 not to know로 써야 한다. 동사 know의 목적어로 '어떻게 ~하는지'를 뜻하는 「how to-v」를 쓴다.

2 해설 advise는 to부정사를 목적격보어로 취하는 동사이므로 to change를 써야 하고, '보호하기 위해'는 목적을 나타내는 부사적 용법의 to부정사 to protect로 써야 한다.

3 해설 '너무 ~해서 …할 수 없다'의 의미는 「too ~ to-v」 구문으로 나타내고, to부정사의 의미상 주어가 문장의 주어와 다르므로 「for+목적격」을 to부정사 앞에 써서 too complicated for me to understand로 써야 한다.

C

1 해설 '~해 봐야 소용없다'는 의미의 「It is no use v-ing」 구문을 써서 문장을 완성한다.

2 해설 -thing으로 끝나는 대명사를 형용사와 to부정사가 같이 수식할 때는 「대명사+형용사+to부정사」의 순으로 써야 한다.

3 해설 '~에 대해 사과하다'의 의미는 apologize for를 쓰는데, 전치사 뒤에 동사가 올 때는 동명사 형태로 써야 한다. '전화를 받지 못한 것'이 '사과하는 것'보다 이전에 일어난 일이므로 완료동명사를 쓰고, 동명사 앞에 not을 써서 부정의 의미를 나타낸다.

실전 모의고사 pp. 42-44

1 ④	2 ③	3 ①	4 ④	5 ②
6 ④	7 ①	8 ①	9 ⑤	10 ②, ⑤

서술형

1 pleasant person to work with
2 persuaded its readers to take action
3 (a) to have taken → having taken
(d) to give → giving
4 having been driven
5 it is difficult for many companies to introduce a new product
6 (1) the first automobile
(2) 최초의 자동차를 '말이 없는' 마차라고 광고했다. 왜냐하면 소비자들은 예전 제품과 관련짓지 않으면 무엇이 새롭고 다른 것인지 관심을 갖지 않기 때문이다.

1 해석 • 그는 그 방에서 다른 사람들로부터 돈을 받았다는 것을 부인했다.
• 모든 사람이 그녀가 완벽해지려고 애쓰는 것을 멈춰야 한다고 말한다.
해설 deny와 quit은 모두 동명사를 목적어로 취하는 동사들이다.

2 해석 • 물리 치료와 심리 치료를 받은 후에, 나는 아침에 일찍 일어나는 것에 익숙해졌다.
• 나는 지하철의 선로를 만들기 위해서 어떤 종류의 철이 사용되는지 알고 싶다.
해설 '~하는 것에 익숙해지다'는 의미의 관용 표현 「get[be] used to v-ing」가 되는 것이 알맞고, '~하기 위해 사용되다'의 의미가 되도록 부사적 용법의 to부정사가 되는 것이 알맞다.

3 해설 '(결국) ~하게 되었다'는 의미는 결과를 나타내는 부사적 용법의 to부정사 「only to-v」로 쓴다.

4 해설 동사 seems의 주격보어로 to부정사를 써야 한다.

5 해석 ① 나의 꿈은 아름다운 정원이 있는 내 집을 갖는 것이다.
② 그 주인은 손님들이 앉을 수 있는 큰 소파를 찾고 있는 중이다.
③ 그 운동선수는 언젠가 세계 기록을 깰 정도로 충분히 재능이 있다.
④ 그녀는 그 학생의 질문에 대해 이상한 점을 아무것도 발견하지 못한 것 같아 보였다.
⑤ 우선, 너는 의사가 너에게 제시한 모든 지시 사항들을 따라야 한다.
해설 ② for his customers는 to sit의 의미상 주어이고 to sit은 앞의 명사 couch를 수식하는데, '소파에 앉다'라고 할 때는 sit on a couch라고 쓰므로 to sit 뒤에 전치사 on을 써야 한다.

6 해석 ① 막 출발하려고 했을 때, 나는 누군가가 멀리서 무언가 외치는 것을 들었다.
② 네가 필요로 하는 모든 자료들을 모은 후에, 너는 보고서를 쓰는 것을 시작할 수 있다.
③ 당신이 괌에서 어디에 머무를지 고민하고 있다면, 우리 웹 사이트를 방문해 주세요.
④ 시장은 그녀가 하도록 요구받은 것을 정확하게 알지 못했다는 것을 인정했다.
⑤ 한 가지 대안은 당신 정원에 과일과 야채를 재배하는 것이다.

해설 ④ 동명사의 부정은 동명사 앞에 not을 붙여 나타내야 하므로 knowing not을 not knowing으로 고쳐야 한다.

7 해석 a. 어느 누구도 내 허가 없이는 교실에 들어가는 것이 허용되지 않는다.
b. 그 자전거 사고로 인한 부상이 너무 심해서 나는 자연스럽게 걸을 수 없었다.
c. 나는 그가 그 가난한 남자에게 그렇게 말한 것은 매우 불친절했다고 생각한다.
d. 그 기계는 작은 차이를 구분할 정도로 충분히 민감하다.
e. 그 교수는 학생들이 수업 중에 부적절한 질문을 하는 것을 인정하지 않는다.
f. 그 연구자는 그 프로젝트를 포기한 것을 아직도 후회한다.
해설 a. 목적격보어로 to부정사를 취하는 동사인 permit이 쓰인 수동태에서 「be p.p.」 뒤에 목적격보어인 to부정사를 그대로 써야 하므로 enter를 to enter로 고쳐야 한다.
c. 사람의 성격이나 특성을 나타내는 형용사가 있는 경우 to부정사의 의미상 주어는 「for+목적격」이 아니라 「of+목적격」으로 써야 한다.
e. appreciate는 동명사를 목적어로 취하는 동사이므로 to wear를 wearing으로 고쳐야 한다. his students는 동명사의 의미상 주어이다.
f. '~한 것을 후회하다'는 의미를 나타낼 때 「regret v-ing」로 쓰므로 to give를 동명사 giving으로 고쳐야 한다.

8 해석 a. 나는 인상된 사무실 임대료를 지불할 형편이 못 된다.
b. 건강을 유지하는 것은 네 의사들에게가 아닌 너에게 중요하다.
c. 나는 환전했던 것을 잊고, 공항에 그것을 가져가지 않았다.
d. 우리가 아직 역할 분담에 대해서는 이야기조차 하지 않았다는 것을 기억해라.
e. 그 기자는 긴 질문들로 인터뷰 대상자를 혼동시키지 않으려고 열심히 노력하는 중이었다.
해설 a. afford는 to부정사를 목적어로 취하므로 paying을 to pay로 고쳐야 한다.
c. 문맥상 '~한 것을 잊다'는 의미의 「forget+동명사」가 되어야 하므로 to exchange를 exchanging으로 고쳐야 한다.

9 해석 • 그의 충고는 내가 틀렸다기 보다는 다르다는 것을 깨닫게 도와주었다.
• 폭우로 늘어난 하중이 그 건물이 버티기에는 너무 무거웠다.
• 그 노인은 자신의 아들과 진지한 대화를 나누기를 기대했다.
해설 ⓐ 준사역동사 help는 목적격보어로 to부정사와 동사원형을 모두 취할 수 있으므로 realize와 to realize를 모두 사용할 수 있다.

10 지문 해석
우주선과 망원경은 우리가 사는 세상 밖의 세상에 대한 몇 가지 정보를 밝혀냈다. 2015년에, New Horizons 탐사선이 명왕성을 가깝게 통과하는 것이 가능해지면서 왜행성과 그 위성들의 최초 근접 관측을 했다. 그 우주선은 태양으로부터 평균 37억 마일 떨어진 명왕성의 지질학적 특성이 끊임없이 변화하고 있다는 것을 밝혔다. 그것이 지질학적으로 활발하다는 사실은 춥고 멀리 떨어진 세상들조차도 그 내부를 따뜻하게 하기에 충분한 에너지를 얻을 수 있다는 것을 암시하는데, 이것은 지표 아래 액체 상태의 물이나 심지어는 생명체가 있다는 것을 의미한다.
해설 ② 진주어인 to부정사구 to make a close pass of Pluto를 대신하는 가주어 it으로 고쳐야 한다.
⑤ 명사 energy를 수식하는 형용사적 용법의 to부정사 to heat로 고쳐야 한다.

서술형

1 해설 work with the most pleasant person으로 쓰므로 명사 the most pleasant person을 수식하는 to부정사로 쓸 때 전치사 with를 함께 써야 한다.

2 해설 persuade는 목적격보어로 to부정사를 취하는 동사이므로 「persuade+목적어+to-v」의 어순으로 써야 한다.

3 해석 a. 그녀는 몇 년 전에 도자기 수업을 들었던 것을 기억한다.
b. 그 어린 천재는 다르게 대우받는 것을 즐긴다.
c. 비슷한 상황이 그 나라의 다른 지역에서 발견될 수 있다.
d. 나는 가난한 사람들을 돕기 위해 내 시간을 포기하는 것을 꺼리지 않는다.
해설 a. remember는 to부정사와 동명사를 모두 목적어로 취할 수 있는데, 문맥상 '몇 년 전에 들었던 것을 기억한다'는 내용이 되어야 하므로 remember의 목적어로 동명사인 having taken을 써야 한다.
d. mind는 동명사를 목적어로 취하는 동사이므로 to give를 giving으로 고쳐야 한다.

4 해석 Jim은 어제 그의 이웃이 직장까지 태워다 준 것을 고마워한다.
해설 appreciate는 목적어로 동명사를 쓰고, 이웃이 태워다 준 것은 이전의 일이므로 Jim appreciates having been driven ~으로 써야 한다.

[5-6] 지문 해석
회사들은 소비자들에게 혁신적인 특징들을 제공하는 새로운 제품들을 끊임없이 내놓고 있다. 하지만 많은 회사들이 신제품을 소개하는 것은 어려운데, 특히 기존의 것과 대조되지 않으면 그렇다. 소비자들은 이전의 것과 관련이 없는 한, 보통 새롭고 다른 것에 관심을 기울이지 않는다. 그렇기 때문에 새로운 상품이 무엇인지 보다는 무엇이 아닌지를 말하는 것이 종종 더 낫다. 예를 들어, 최초의 자동차는 '말 없는' 마차로 불렸는데, 이것은 대중들이 기존의 운송 방식과 대조함으로써 그 개념을 이해할 수 있게 한 이름이었다.

5 해설 가주어 it과 진주어 to부정사를 활용하고, 형용사 difficult는 사람의 성격이나 특성을 나타내는 것이 아니므로 to부정사의 의미상의 주어로 「for+목적격」의 형태를 to부정사 앞에 써서 영작한다.

6 해설 예시로 든 제품은 최초의 자동차로 이를 소개할 때 '말이 없는' 마차라고 불렸는데, 이것은 기존의 상품과 대조하여 사람들이 그것이 무엇인지 보다는 그것이 무엇이 아닌지를 통해 이해할 수 있도록 하기 위함이라고 했다.

CHAPTER 04 분사

POINT 1

p. 46

예문 해석

1 Sue는 일하는 여성이다. 그녀는 UN을 위해 일하는 여성이다.
2 그는 기사를 읽으며 앉아 있었다. 그는 그것이 흥미롭다는 것을 발견했다.
3 외국에서 사는 것은 흥미진진할 수 있다.
4 그들은 외국에서 살게 되어서 들떠 있다.

◆ 수능·내신 어법

- 졸업식 연사는 존경받는 교육자이다.
- 나는 그가 독일어를 말하는 것을 들은 적이 있다.

A 1 dealt → dealing 2 exhausting → exhausted
3 shocked → shocking
4 disappointing → disappointed 5 ○

B 1 to see the problem solved
2 a computer game advertised on TV
3 crying and looking for their parents

A

1 해석 그는 무책임한 아이를 다루는 책임감 있는 사람이었다.
해설 수식을 받는 명사(man)와의 관계가 능동이므로 현재분사로 고쳐야 한다.

2 해석 축구 선수들은 경기 후에 기진맥진해서 운동장에 누워 있었다.
해설 주어(The soccer players)와의 관계가 수동이므로 주격보어를 과거분사로 고쳐야 한다.

3 해석 전쟁에 관한 충격적인 사실은 희생자들이 죄 없는 사람들이라는 것이다.
해설 수식을 받는 명사(fact)가 감정을 일으키는 주체이므로 현재분사로 고쳐야 한다.

4 해석 그들은 로켓 발사가 연기되었다는 것을 알고 실망했다.
해설 주어(They)가 감정을 느끼는 대상이므로 과거분사로 고쳐야 한다.

5 해석 인공 지능으로 제어되는 로봇은 센서에서 얻은 데이터를 기반으로 한 환경에 적응할 수 있다.
해설 수식을 받는 명사(robot)와의 관계가 수동이므로 과거분사로 쓴 것이 맞다.

B

1 해설 감정(pleased)의 원인을 나타내는 to부정사를 쓰되, 문제가 '해결되는' 것으로 목적어(the problem)와 목적격보어가 수동 관계이므로 solve를 과거분사로 써야 한다.

2 해설 컴퓨터 게임이 '광고되는' 것으로 수식을 받는 명사(a computer game)와의 관계가 수동이므로 advertise를 과거분사로 고쳐서 명사 뒤에 써야 한다.

3 해설 목적어(The children)가 '울면서 부모를 찾고 있는' 것은 능동 관계이므로 목적격보어 cry와 look for를 현재분사로 바꿔 써야 한다.

POINT 2

p. 47

예문 해석

1 보고서를 끝낸 후에 나는 Jack과 영화를 보러 갔다.
2 길을 걷다가 그는 새로운 아이디어가 떠올랐다.
3 시끄러운 음악을 들었기 때문에 나는 현관문 벨소리를 듣지 못했다.
4 주자들은 거칠게 숨을 쉬면서 결승선을 통과했다.
5 문을 열고서 Lily는 바구니를 들고 있는 한 소년을 보았다.
6 규칙적으로 명상을 하면 괴로운 마음을 정화할 수 있다.
7 너의 의도를 알지만 우리는 여전히 너의 방식이 못마땅하다.

◆ 서술형 빈출 구문 그녀는 피곤했기 때문에 어젯밤에 일찍 잠자리에 들었다.

A 1 Working in a print shop
2 Surviving the incident
3 Believing that everyone is watching them
4 Turning to the right
5 battling through every challenge

B 1 Preparing for the exam[examination / test]
2 ruining her new shoes
3 Wearing a black coat

A

1 해석 인쇄소에서 일하는 동안 그 소년은 예술에 관심을 갖게 되었다.
해설 접속사(While)와 주절과 동일한 주어(he)를 생략하고 동사를 현재분사로 고쳐 쓴다.

2 해석 사고에서 생존했지만 그녀는 아직 자신의 삶을 살아갈 준비가 되지 않았다.
해설 접속사(Although)와 주절과 동일한 주어(she)를 생략하고 동사를 현재분사로 고쳐 쓴다.

3 해석 모든 사람이 자신들을 보고 있다고 생각하기 때문에 십 대들은 남의 시선을 무척 의식한다.
해설 접속사(As)와 주절과 동일한 주어(they)를 생략하고 동사를 현재분사로 고쳐 쓴다.

4 해석 오른쪽으로 돌면 당신이 찾고 있는 건물을 발견할 것이다.
해설 접속사(If)와 주절과 동일한 주어(you)를 생략하고 동사를 현재분사로 고쳐 쓴다.

5 해석 그는 장애물에 맞서는 것을 선택해서 모든 도전 과제들과 싸워 나갔다.
해설 접속사(and)와 주절과 동일한 주어(he)를 생략하고 동사를 현재분사로 고쳐 쓴다.

B

1 해설 동사 prepare를 현재분사 형태로 바꿔 이유를 나타내는 분사구문을 완성한다.

2 해설 동사 ruin을 현재분사 형태로 바꿔 연속 동작을 나타내는 분사구문을 완성한다.

3 해설 동사 wear를 현재분사 형태로 바꿔 이유를 나타내는 분사구문을 완성한다.

POINT 3 p. 48

예문 해석

1 소파에 누워서 그녀는 책을 읽었다.
2 일을 끝내고 나서 그는 산책을 하러 갔다.
3 아름다운 풍경을 즐기면서 우리는 해변을 따라 걸었다.
4 경찰의 감시를 받으며 용의자는 밖으로 나갔다.
5 그를 믿지 않아서 그녀는 그가 말하는 모든 것을 의심한다.
6 전에 그를 만난 적이 없었기 때문에 나를 그를 알아볼 수 없었다.

◆ 수능·내신 어법
• 수천 명의 사망자를 낸 그 가뭄은 비극이었다.
• 한국에서 자랐기 때문에 Angela는 한국어를 유창하게 말한다.

A **1** Wounding → Wounded **2** left → leaving
3 Spent → Having spent
4 Having eaten never → Never having eaten
5 ○
B **1** Having finished the investigation
2 (Having been) Built in haste
3 Not knowing what he thinks

A

1 해석 다리에 부상을 입어서 그 군인은 육군 병원으로 이송되었다.
해설 군인이 '부상을 당한' 것이므로 수동 분사구문인 「being p.p.」로 고쳐야 한다. 이때 being은 생략할 수 있다.

2 해석 그 화가의 어머니는 그가 10살 때 돌아가셔서 그는 고아가 되었다.
해설 and she left ~를 분사구문으로 만든 것으로 어머니가 그를 고아로 '남기고 간' 것이므로 능동 분사구문인 leaving으로 고쳐야 한다.

3 해석 평생을 관광업계에서 보냈기 때문에 그는 우리에게 몇 가지 조언을 해 준다.
해설 조언을 하는 것보다 관광업계에서 평생을 보낸 것이 이전에 일어난 일이므로, 「Having p.p.」의 완료 분사구문으로 고쳐야 한다.

4 해석 나는 생선회를 먹어 본 적이 없어서 횟집에서 무엇을 주문해야 할지 몰랐다.
해설 분사구문의 부정형이므로 분사 앞에 never를 써야 한다.

5 해석 과학적 지식으로 무장되어서 사람들은 우리가 사는 방식을 변화시키는 도구들을 만든다.
해설 사람들이 '무장된' 것이므로 being이 생략된 수동 분사구문인 Armed가 쓰인 것이 맞다.

B

1 해설 조사 결과를 발표한 것보다 조사를 끝낸 것이 더 이전의 일이므로 「Having p.p.」의 완료 분사구문으로 써야 한다.

2 해설 창고가 '이전에 지어진' 것이므로 「Having been p.p.」의 완료형 수동 분사구문으로 써야 한다.

3 해설 주어 the committe와 동사 know가 능동의 관계이므로 능동 분사구문으로 쓰되 분사구문의 부정은 분사 앞에 not을 써서 나타내므로 「not v-ing」 형태의 분사구문으로 써야 한다. 동사 know의 목적어로 간접의문문(의문사+S+V)을 쓰되, 주어가 he이므로 동사는 thinks가 되어야 한다.

POINT 4 p. 49

예문 해석

1 날씨가 나빠서 우리는 하이킹을 하러 갈 수 없었다.
2 일을 끝낸 후 그는 TV로 야구 경기를 시청했다.
3 우리의 작은 아파트에 비하면, Bill의 집은 궁전 같았다.
4 그 영화배우는 그의 팬들이 따라오는 채로 그의 밴에 올라탔다.
5 그녀는 머리카락을 분홍색으로 염색한 채로 파티에 갔다.

A **1** Being his dog sick → His dog being sick
2 tapped → tapping
3 Strictly spoken → Strictly speaking
4 ○ **5** was → being
B **1** The budget being tight
2 considering that she lacks experience
3 with the door unlocked

A

1 해석 그의 개가 아팠기 때문에 Dave는 수의사에게 전화했다.
해설 주절과 분사구문의 의미상 주어가 다를 경우에는 분사구문 앞에 주어를 써야 한다. 분사구문에서 아픈 주체가 his dog이므로 his dog이 분사구문의 의미상 주어이다.

2 해석 운전자는 손가락으로 핸들을 두드리면서 노래를 했다.
해설 「with+명사+분사」 구문으로 의미상 주어인 손가락(his fingers)이 핸들을 '두드리는' 능동의 관계이므로 현재분사로 고쳐야 한다.

3 해석 엄밀히 말해서, 그녀의 설명은 증거와 일치하지 않는다.
해설 비인칭 독립분사구문으로 현재분사 speaking으로 고쳐야 한다.

4 해석 그들은 팔을 머리 위로 올린 채 손을 흔들면서 원을 그리며 춤을 췄다.
해설 「with+명사+분사」 구문으로 의미상 주어인 arms는 '올려지는' 수동의 관계이므로 과거분사가 쓰인 것은 맞다.

5 해석 극장에 서는 버스가 없었기 때문에 우리는 거기에 가는 내내 걸어야 했다.
해설 There는 분사구문의 의미상 주어로 문장의 주어와 달라 쓰인 것이므로 was를 being으로 고쳐야 한다.

B

1 해설 분사구문의 주어와 주절의 주어가 다르므로 분사 앞에 주어인 the budget을 써야 한다.

2 해설 '~을 고려하면'의 의미의 비인칭 독립분사구문 considering that을 써서 문장을 완성한다. 접속사 that 뒤에는 「주어+동사」의 어순으로 쓴다.

3 해설 '~한 채로'의 의미를 나타내는 「with+(대)명사+분사」 구문을 사용하여 문장을 완성한다. 의미상 주어인 the door는 '잠겨지지 않은' 수동의 관계이므로 과거분사 unlocked로 써야 한다.

문제로 REVIEW pp. 50-51

어법 연습

A 1 carrying 2 found 3 growing 4 Motivated
B 1 surprising → surprised 2 suffered → suffering
3 Wanting to not → Not wanting to
4 We depending → Depending 5 led → leading
C 1 ② meant → meaning ③ creating → created
2 ② threatening → threatened ③ Rolled → Rolling
3 ① Graduated → Having graduated
② frightening → frightened

서술형 연습

A 1 Not having enough money
2 (Having been) Destroyed by fire
B 1 with all the lights turned off
2 satisfying about working
3 My laptop (being) broken
C 1 Not having finished my work
2 have them delivered
3 Judging from his emails

어법 연습

A

1 해석 그 소설은 불가사의한 화물을 운반하는 우주선의 이야기로 시작한다.
해설 「with+명사+분사」 형태의 분사구문으로 우주선이 화물을 '운반하는' 능동의 관계이므로 현재분사 carrying을 쓰는 것이 적절하다.

2 해석 불가사리는 다양한 색깔과 크기로 발견되는 해양 생물이다.
해설 수식을 받는 명사 marine animals는 '발견되는' 수동의 관계이므로 과거분사 found를 쓰는 것이 적절하다.

3 해석 많은 종류의 열대 과일들이 동남아시아에서 자라는 것을 볼 수 있다.
해설 5형식 문장의 수동태로 동사 뒤에는 목적격보어가 와야 하며, 열대 과일이 '자라는'의 능동의 의미를 나타내야 하므로 현재분사 growing을 쓰는 것이 적절하다.

4 해석 살을 빼려는 동기가 생겨서 그는 저지방 음식을 구입하고 소식을 하며 운동을 하기 시작했다.
해설 분사구문의 생략된 주어는 주절의 주어(he)와 일치하는데, 그가 '동기를 부여 받은' 수동의 관계이므로 과거분사 Motivated를 쓰는 것이 적절하다.

B

1 해석 지원자들은 인성 검사를 받아야 한다는 것을 알고 놀랐다.
해설 주어(The applicants)가 감정을 느끼는 대상이므로 surprising을 과거분사 surprised로 고쳐야 한다.

2 해석 기아로 인해 고통 받는 사람들의 수가 지난 2년 동안 증가했다.
해설 수식을 받는 명사(people)와의 관계가 능동이므로 suffered를 현재분사 suffering으로 고쳐야 한다.

3 해석 소리를 내고 싶지 않았기 때문에 그는 방에 들어갈 때 발끝으로 걸었다.
해설 분사구문의 부정형은 분사 앞에 부정어를 써서 나타내므로 Wanting to not을 Not wanting to로 고쳐야 한다.

4 해석 종에 따라 어떤 개미 군락에는 한 마리 또는 여러 마리의 여왕 개미가 있기도 한다.
해설 depending on은 '~에 따라'라는 의미의 비인칭 독립분사구문이므로 depending 앞에 쓰인 We를 삭제해야 한다.

5 해석 인쇄는 점점 더 저렴하고 더 빨라져 신문과 잡지 수의 폭발적인 증가를 가져왔다.
해설 '~을 초래하면서'라는 능동의 의미로 연속 동작을 나타내는 분사구문이 되도록 led를 현재분사 leading으로 고쳐야 한다.

C

1 해석 허블 우주 망원경은 2003년에 먼 은하계들을 기록했다. 가장 먼 것은 130억 광년 이상 떨어진 것이었는데, 이는 그 은하에서 생성된 빛이 지구에 도달할 때까지 130억년이 걸린다는 것을 의미한다.
해설 ① 주어가 동작의 주체이므로 능동태인 recorded로 쓴 것은 맞다.
② 동시 동작을 나타내는 분사구문으로 '~을 의미하며'의 능동의 의미를 나타내는 현재분사 meaning으로 고쳐야 한다.
③ 수식을 받는 명사 light는 '생성되는' 수동의 관계이므로 과거분사인 created로 고쳐야 한다.

2 해석 동부돼지코뱀은 종종 '좀비 뱀'이라고 불린다. 위협을 받았을 때 그것은 죽은 척을 한다. 포식자들이 공격하는 것을 막기 위해서 등을 둥글게 말고 입을 벌린 채로 그 뱀은 죽은 것처럼 행동한다.
해설 ① 동부돼지코뱀이 '~라고 불리는' 행위의 대상이므로 과거분사인 called가 쓰인 것이 맞다.
② 접속사 When이 쓰인 분사구분으로 생략된 주어 the eastern hognose snake가 '위협을 받는' 수동의 관계이므로 과거분사 threatened로 고쳐야 한다.
③ '~하면서'의 의미인 동시 동작을 나타내는 분사구문이 되어야 하는데, 생략된 주어(the snake)가 '(등을) 둥글게 마는' 능동의 관계이므로 현재분사 Rolling으로 고쳐야 한다.

3 해석 고등학교를 졸업한 뒤 Ellen Church는 간호사로 일했다. 그녀는 Boeing 항공사에 대부분의 사람들이 비행을 두려워하기 때문에 비행 중 간호사가 승객들을 돌봐야 한다고 제안했다. 1930년에 그녀는 미국 최초의 여성 승무원이 되었다.

해설 ① 간호사로 일한 것보다 고등학교를 졸업한 것이 이전의 일이고 주어(Ellen)가 '졸업하는' 능동의 관계이므로 완료 분사구문을 써서 Having graduated로 고쳐야 한다.

② 주어(most people)가 '두려움의 감정을 느끼는' 대상이므로 과거분사인 frightened로 고쳐야 한다.

③ become은 수동태로 사용하지 않는 동사이며 과거시제로 쓰인 것은 적절하다.

서술형 연습

A

1 해석 충분한 돈이 없었기 때문에 나는 전망대에 들어갈 수 없었다.
해설 접속사를 생략하고, 주절과 부사절의 주어가 같으므로 부사절의 주어를 생략한 뒤, 동사를 현재분사로 쓴다. 분사구문의 부정형은 분사 앞에 not을 써서 나타낸다.

2 해석 화재로 소실된 후에 그 건물은 복원되고 재건되었다.
해설 주절의 시제보다 먼저 일어난 일에 대해 말하고 있으므로 완료 분사구문인 「having p.p.」의 형태를 취해야 하는데 수동태로 쓰였으므로 Having been destroyed로 써야 한다. 이때 Having been은 생략할 수 있다.

B

1 해설 「with+명사+분사」의 형태를 써서 '~한 채로'의 의미를 나타낼 수 있다. 분사의 의미상 주어(all the lights)와 분사의 관계가 수동이므로 과거분사를 써야 한다.

2 해설 수식을 받는 명사(something)가 감정을 일으키는 주체이므로 현재분사 satisfying을 써야 한다.

3 해설 분사구문의 주어가 주절의 주어 I가 아니라 my laptop으로 주어와 다르므로 분사 앞에 써야 한다. 분사구문의 주어 My laptop과 동사 break가 수동의 관계이므로 「being p.p.」의 수동 분사구문으로 쓰되 being은 생략할 수 있다.

C

1 해설 분사구문이 나타내는 때가 주절보다 먼저 일어난 일이므로 「having p.p.」의 완료 분사구문이 되어야 하며, 분사구문의 부정형은 분사 앞에 not을 써서 나타낸다.

2 해설 「사역동사 have+목적어+목적격보어」의 5형식 문장으로 써야 하는데, 목적어와 목적격보어의 관계가 수동이므로 목적격보어를 과거분사로 쓴다.

3 해설 '~로 판단하건대'를 뜻하는 비인칭 독립분사구문인 Judging from으로 문장을 시작한다.

실전 모의고사 pp. 52-54

1 ②	**2** ①	**3** ①	**4** ⑤	**5** ②
6 ③	**7** ④	**8** ①	**9** ③	**10** ③, ④

서술형

1 When (being) deprived of water
2 with the water running
3 (a) telling → told (d) questioning → questioned
4 The scientific experiment being over
5 not changed in the conversation
6 (A) judgments (B) thinking

1 해석 • 그녀는 그 남자가 꽤 큰 소리로 혼잣말하는 것을 보았다.
• 시내의 모든 관공서는 내일 문을 닫을 것이다.
해설 • 지각동사 see의 목적어(the man)와 목적격보어(talk)가 능동 관계이므로 현재분사 talking이 적절하다.
• 주어(All government offices)가 문을 닫는(close) 행위의 대상이므로 과거분사 closed가 적절하다.

2 해석 • Sam은 5살 때부터 음악 수업을 듣는 것에 관심이 있었다.
• 원자에 대한 선생님의 설명은 나를 훨씬 더 혼란스럽게 했다.
해설 • 주어(Sam)가 흥미를 느끼는 대상이므로 과거분사 interested가 적절하다.
• 사역동사 make의 목적어(me)가 혼란스러운 감정을 느끼는 대상이므로 과거분사 confused를 써야 한다.

3 해설 the man을 현재분사구가 뒤에서 수식하는 구조로 빈칸에 man dancing on the stage를 써야 한다.

4 해설 분사구문의 의미상 주어인 smoke와 동사 come이 능동의 관계이므로 「with+명사+분사」 구문과 현재분사 coming을 써서 빈칸에 with smoke coming out from을 써야 한다.

5 해석 ① 음악을 즐기며, 팬들은 소리를 지르고 점프했다.
② 나는 할머니가 여러 장의 종이로 덮인 탁자에 앉아 계신 것을 발견했다.
③ 사고에 대해 뭐라고 말해야 할지 몰라 그녀는 침묵을 지켰다.
④ 그의 반응으로 판단하건대, 그는 분명히 살인에 대해 무언가 알고 있었다.
⑤ 모든 사람과 악수를 나눈 후, 그녀는 회의의 목적을 거론했다.
해설 ② 명사 a table을 분사구가 수식하는 구조로, 탁자는 '덮이는' 수동의 관계이므로 현재분사 covering을 과거분사 covered로 고쳐야 한다.

6 해석 ① 하늘에서 보면 사막은 거대한 담요처럼 보인다.
② 모든 것을 고려해 볼 때 내가 생각하기에 일이 꽤 잘 된 것 같다.
③ 경제적으로 사용하면 병 하나로 2주 이상 쓸 수 있을 것이다.
④ 잠을 잘 수 없어서 나는 일어나서 따뜻한 우유를 좀 마시기로 했다.
⑤ 관련된 사람들은 오늘 오후 늦게 이 문제를 논의할 것이다.
해설 ③ 분사구문에서 생략된 주어인 one bottle은 '사용되는' 수동의 관계이므로 현재분사 Using을 과거분사 Used로 고쳐야 한다.

7 해석 a. 그는 어머니의 눈에 비친 분노에 겁을 먹었다.
b. 새로운 업무 구역으로 이동하도록 요청받으면 나는 무엇을 고려해야 하는가?

c. 어제 나는 어떤 노인이 이 건물 앞에 혼자 서 있는 것을 보았다.
d. 모든 돈을 써 버려서 그들은 일자리를 찾기 시작해야 했다.
e. 내일 비가 그친다고 가정하고, 우리는 원래의 계획을 고수할 것이다.
f. 그들은 책을 품에 안고 복도를 달렸다.
해설 f. 「with+명사+분사」 구문에서 분사구문의 의미상 주어인 명사(their books)와 분사가 수동 관계일 경우 과거분사를 쓰므로 holding을 과거분사 held로 고쳐야 한다.

8 해석 a. 땅에 떨어진 낙엽을 봐.
b. 회의에 아무도 오지 않아서 Ethan은 몹시 화가 났다.
c. 처음에 나는 Vincent가 매우 혼란스럽게 하고 따분한 작가라고 생각했다.
d. 지진이 일어났다고 가정하면, 당신은 어떻게 하겠는가?
e. 여러 해 전에 러시아어를 배웠기 때문에 그는 기억하는 단어가 거의 없다.
f. 많은 소셜 네트워킹 사이트에서 광고되어서, 새로 연 레스토랑은 손님들로 꽉 찼다.
해설 d. '만약 ~라면'이라는 의미를 나타내는 비인칭 독립분사구문은 Supposing (that) ~으로 쓴다.
e. 기억하는(remember) 것은 현재의 일이고 러시아어를 배운(learn) 것은 더 이전의 일이므로 완료 분사구문이 되어야 한다. 완료 분사구문은 「having p.p.」의 형태를 취하므로 learn을 과거분사 learned로 고쳐야 한다.

9 해석 • 한 소녀가 들어왔는데, 열두 살쯤 되어 보였고, 그녀의 강아지가 그 뒤를 따랐다.
• 10년 전 발견된 그 문건은 최근 새롭게 주목받았다.
• 부모님은 내가 그런 무서운 영화를 보지 못하게 하실 것이다.
해설 ⓑ 주어(the document)가 '발견된' 수동의 관계이고 발견된 것이 새롭게 주목받은 것보다 더 먼저 일어난 일이므로 완료 분사구문 「Having been p.p.」에서 having been이 생략된 것으로 볼 수 있다.

10 지문 해석
20세기 초에 많은 엔지니어링 회사들은 자신만의 자동차를 디자인하고 싶은 유혹에 저항하기 힘들다는 것을 알았다. Robinson and Price Company의 첫 번째 노력은 몇 대의 자동차만을 생산한 채 성공하지 못했다. 한 번 실패했음에도, 그 회사는 다시 한 번 도전하기로 했다. 이번에는 그들의 신차 출시 후 제1차 세계 대전이 발발했다. 이전의 그들의 노력(에서 생산된 자동차)보다는 더 많이 만들어졌음에도 불구하고, 생산량은 상당한 숫자에 이르지 못했다.
해설 ③ the company를 의미상의 주어로 하는 분사구문으로 회사는 실패하는(fail) 행위의 주체이므로 능동의 의미를 나타내야 하는데, 실패한 것은 다시 한 번 도전하기로 한 것보다 더 먼저 일어난 일이므로 완료 분사구문인 having failed로 고쳐야 한다.
④ 주어 the launch가 뒤따르는(follow) 행위의 대상으로 수동태가 되어야 하므로 현재분사 following을 과거분사 followed로 고쳐야 한다.

서술형

1 해설 분사구문의 뜻을 명확히 하기 위해 접속사 When을 쓰고, 동사 deprive는 분사구문의 의미상 주어인 plants와 수동의 관계이므로 수동 분사구문 being deprived of로 써야 한다. 이때 being은 생략할 수 있다. deprive A of B는 'B에게서 A를 빼앗다'라는 뜻이다.

2 해설 「with+명사+분사」 구문을 써서 '~하면서'의 의미를 나타낼 수 있다. 분사구문의 의미상 주어(the water)와 분사가 능동 관계이므로 현재분사 running을 쓴다.

3 해석 a. 앉으라는 말을 들으면, 내 개는 보통 앉는다.
b. 나는 하루 종일 일해서 지쳤다.
c. 일반적으로 말하면, 운동을 많이 할수록 더 많은 이득을 얻는다.
d. 질문을 받은 참가자들은 그 규칙을 바꾸는 것에 반대한다고 대답했다.
e. 그는 이어폰을 목에 건 채로 컴퓨터 작업을 했다.
해설 a. When은 분사구문의 뜻을 명확히 하기 위해 분사 앞에 남겨진 접속사이고, 분사구문의 의미상 주어인 my dog이 앉으라는 말을 '듣는' 것이므로 현재분사 telling을 과거분사 told로 고쳐야 한다.
d. 문맥상 참가자들은 '질문을 받는' 입장이므로 현재분사 questioning을 과거분사 questioned로 고쳐야 한다. 과거분사 questioned가 앞의 명사 the participants를 수식하는 구조이다.

4 해석 과학적 실험이 끝나자 연구원들은 보고서를 쓰기 시작했다.
해설 부사절의 접속사를 생략하고, 부사절의 주어(the experiment)가 주절의 주어(the researchers)와 다르므로 분사 앞에 그대로 둔 후, 동사를 현재분사로 바꿔 쓴다.

[5-6] 지문 해석
여러분은 정보가 다른 뇌에 전달될 때까지 하나의 뇌에 머물러 있으며 대화 속에서 변하지 않는다고 말할 수 있다. 그것은 전화번호나 열쇠를 놓아 둔 장소와 같은 단순 정보에 대해서도 마찬가지다. 그러나 그것은 지식에는 해당되지 않는다. 지식은 판단에 의존하는데, 여러분은 다른 사람들과의 대화나 자신과의 대화에서 그것을 발견하고 다듬는다. 따라서, 여러분은 자신의 생각을 자세히 말하거나 쓰고 그 결과를 비판적으로 돌아보기 전에는 그 생각의 세부 내용을 알지 못한다.

5 해설 information을 의미상 주어로 하는 분사구문을 완성한다. 정보는 '변화되는' 수동의 관계이므로 과거분사를 써야 하며, 분사구문의 부정형은 분사 앞에 not을 써서 나타내야 한다.

6 해석 지식은 정적인 것이 아니라 대화 속에서 내려지는 판단에 달려 있기 때문에, 생각을 자세히 알기 위해서는 생각을 표현하고 그 결과에 대해 성찰할 필요가 있다.
해설 지식은 판단에 의존하는데, 그 판단은 타인이나 자신과의 대화 속에서 발견되고 다듬어지므로 자신의 생각을 잘 알기 위해서는 그것을 표현하고 그 결과를 비판적으로 돌아보아야 한다는 내용이다.

CHAPTER 05 접속사/전치사

POINT 1

p. 56

예문 해석

1 이 음식은 맛있고 필수 영양소를 제공한다.
2 Mark는 매우 조용하지만 그의 쌍둥이 형제는 외향적이다.
3 디저트로 아이스크림과 케이크 중 어떤 것을 드시겠어요?
4 Julia가 한마디도 하지 않아서 나는 그녀가 화가 난 것을 알았다.
5 그는 이 영화에서 감독과 주연 배우로서의 두 가지 역할을 모두 했다.
6 너는 창쪽 좌석이나 복도쪽 좌석 둘 중 하나를 선택할 수 있다.
7 Judy뿐만 아니라 그녀의 부모님도 바이러스에 감염되었다.

◆ 수능·내신 어법 너는 잠을 덜 자고 나중에 보충하는 습관을 버려야 한다.

A **1** ○ **2** so → but[and] **3** directly → direct
4 and also → but (also) **5** getting → (to) get
B **1** Not, but, is responsible **2** Both, and, are
3 may or may not continue

A

1 해석 피싱 사기는 흔히 이메일이나 인스턴트 메신저를 통해서 일어난다.
해설 '또는'의 의미로 등위접속사 or가 쓰인 것은 적절하다.

2 해석 그들은 하루 종일 토론을 했지만[했으며], 결론을 내릴 수 없었다.
해설 앞뒤 절을 역접의 접속사 but 또는 순접의 접속사 and로 연결하는 것이 적절하다. so는 앞의 절(원인)에 대한 결과를 나타내는 절을 이끄므로 문맥상 적절하지 않다.

3 해석 사실, 예술의 영향은 확실하지도 직접적이지도 않다.
해설 주격보어 역할을 하는 형용사가 상관접속사 neither A nor B로 연결되어야 하므로, 부사 directly를 형용사 direct로 고쳐야 한다.

4 해석 승자뿐만 아니라 패자들도 폐막식을 즐기고 있다.
해설 'A뿐만 아니라 B도'의 의미인 not only A but (also) B가 되도록 but also 또는 but으로 고쳐야 한다.

5 해석 대부분의 학생들은 아침에 일어나서 활동을 시작하는 데 꼬박 한 시간이 걸린다.
해설 to get up과 등위접속사 and로 대등하게 연결되어야 하므로 to get으로 고쳐야 한다. 이때 to는 반복을 피해 생략할 수 있다.

B

1 해설 'A가 아니라 B'의 의미는 not A but B로 표현하며, 동사는 B에 일치시키므로 단수 동사 is를 쓴다.

2 해설 'A와 B 둘 다'의 의미는 both A and B로 표현하며, 동사는 복수 동사 are로 써야 한다.

3 해설 선택의 의미를 나타낼 때는 등위접속사 or를 이용하여 쓴다.

POINT 2

p. 57

예문 해석

1 재채기할 때 심장이 멈춘다는 것은 사실이 아니다.
2 나는 나의 모든 노력이 결실을 맺을 것이라고 믿는다.
3 문제는 그가 항상 생각 없이 먼저 말을 한다는 것이다.
4 네가 그 프로젝트를 완수할지 아닐지는 너에게 달려 있다.
5 나는 회원 할인이 가능한지 궁금하다.
6 지난 여름에 네가 어디에 갔었는지 말해 줄 수 있니?
7 미래에 누가 성공할지는 아무도 모른다.

◆ 수능·내신 어법 그녀는 그가 그녀를 도울지 돕지 않을지 확신하지 못했다.

A **1** where **2** that **3** when it is
4 What do you believe **5** whether
B **1** It is true that Mason is clever
2 how we can minimize **3** Who do you think is

A

1 해석 그녀는 그가 하루 종일 어디에 있었는지 물었지만 그는 말하지 않으려 했다.
해설 문맥상 '그가 어디에 있었는지'에 해당하므로 「의문사+S+V」 어순의 의문사절이 되는 것이 적절하므로, 의문사 where를 쓰는 것이 맞다.

2 해석 모든 사람들이 그 회사의 끔찍한 상품이 성공할 것을 의심한다.
해설 doubt의 목적절로 사실을 나타내는 말이 이어질 때 that절이 오는 것이 적절하다.

3 해석 인생은 끝이 있다는 것을 기억하라; 우리는 그저 그게 언제인지 모를 뿐이다.
해설 know의 목적어 역할을 하는 의문사절(간접의문문)이므로 「의문사+S+V」의 어순이 되는 것이 적절하다.

4 해석 감염을 막기 위해서 우리가 무엇을 할 수 있다고 생각하는가?
해설 주절이 do you think[believe/guess]일 때는 의문사가 문두에 오므로 What do you believe가 적절하다.

5 해석 단체 예약을 하는 것이 가능한지 알려 주세요.
해설 문맥상 know의 목적절을 이끌면서 '~인지 아닌지'의 의미를 나타내는 접속사 whether가 적절하다.

B

1 해설 가주어 it을 문두에 쓰고 진주어 that절을 뒤로 보내 문장을 완성한다.

2 해설 consider의 목적어 역할을 하는 의문사절이 와야 하므로 「의문사+S+V」의 어순으로 써야 한다.

3 해설 의문사(who)가 주어인 간접의문문이 되어야 하므로 「의문사+V」의 어순으로 쓰는데, 주절이 do you think[believe/guess]일 때는 의문사가 문두에 오므로 Who를 문두에 쓰고 동사 is는 do you think 뒤에 써야 한다.

POINT 3 p. 58

예문 해석

1 기차를 기다리는 동안 그녀는 아들에게 전화를 했다.
2 고등학교에 다니기 시작한 이후로 나는 병원에서 자원봉사를 해 왔다.
3 모퉁이를 돌자마자 그 건물이 보일 것이다.
4 우리는 길을 몰랐기 때문에 지도에 의존했다.
5 내 수하물이 무게를 초과했기 때문에 나는 추가 요금을 내야 했다.
6 Jay는 새 직장을 구하게 되어서 안심이 된다.

◆ 수능·내신 어법 저녁 식사를 준비하는 동안, 그녀는 라디오를 들었다.

A **1** 그가 필요한 도움을 얻을 수 없었기 때문에
2 경찰이 도착했을 때쯤
3 그녀가 Jean이 노래하는 것을 들었을 때
4 내가 배턴을 집어 들었던 순간
5 그 모든 땅이 내 것은[소유는] 아니었기 때문에

B **1** As soon as we receive payment
2 when asked to eat raw fish
3 While he was in the hospital

A

1 해석 Brian은 그가 필요한 도움을 얻을 수 없었기 때문에 직장을 그만두었다.
해설 because는 이유의 부사절을 이끌어 '~ 때문에'의 의미를 나타낸다.

2 해석 경찰이 도착했을 때쯤 강도들은 이미 달아났다.
해설 by the time은 시간의 부사절을 이끌어 '~할 때쯤'의 의미를 나타낸다.

3 해석 Jean이 노래하는 것을 들었을 때 Baker 씨의 얼굴에 미소가 떠올랐다.
해설 as가 시간의 부사절을 이끌어 '~할 때'의 의미를 나타낸다.

4 해석 배턴을 집어 들었던 순간 나는 그것이 나의 마지막 기회라는 것을 깨달았다.
해설 the moment는 시간의 부사절을 이끌어 '~하는 순간'의 의미를 나타낸다.

5 해석 그 모든 땅이 내 것은[소유는] 아니었기 때문에 나는 그를 이상하게 쳐다보았다.
해설 since가 이유의 부사절을 이끌어 '~ 때문에'의 의미를 나타낸다.

B

1 해설 '~하자마자'의 의미를 나타내는 접속사 as soon as를 이용하여 문장을 완성한다. 시간의 부사절에서는 현재시제가 미래시제를 대신하므로 동사는 receive로 쓴다.

2 해설 부사절의 주어가 주절과 같은 Samantha이므로 부사절의 주어와 be동사가 생략된 「접속사+분사」 형태의 부사구를 쓴다. ask의 목적어로 to부정사를 쓴다.

3 해설 '~하는 동안'을 뜻하는 접속사 while이 이끄는 부사절을 완성한다.

POINT 4 p. 59

예문 해석

1 정보가 더 필요하다면 우리 웹 사이트를 방문해 주세요.
2 당신이 갑자기 움직이지 않는다면 곰은 당신을 공격하지 않을 것이다.
3 그가 정직하기만 하다면 그는 후회할 일이 없을 것이다.
4 비록 우리 할머니는 80세이시지만 여전히 매우 활동적이시다.
5 비록 20분일지라도 나는 매일 운동한다.
6 그 피아니스트는 기술적으로는 능숙한 반면에 열정은 부족하다.
7 시력을 손상시키지 않도록 선글라스를 써라.
8 자외선이 너무 강해서 그녀는 햇볕에 심하게 탔다.

A **1** 비 올 경우를 대비하여
2 비록 집이 작기는 했지만
3 우리가 상황을 빨리 바로잡지 않으면
4 금값은 계속 오르는 반면에
5 그것들이 깨지지 않도록

B **1** Even if the audience is small
2 as long as they support the goals
3 It was so cold that we couldn't enjoy

A

1 해석 비 올 경우를 대비하여 우산을 가져가는 것이 좋을 것이다.
해설 in case는 조건의 부사절을 이끌어 '~인 경우에'의 의미를 나타낸다.

2 해석 비록 집이 작기는 했지만 답답한 느낌은 없었다.
해설 even though는 양보의 부사절을 이끌어 '비록 ~이지만[일지라도]'의 의미를 나타낸다.

3 해석 우리가 상황을 빨리 바로잡지 않으면 우리는 곤경에 처하게 될 것이다.
해설 unless는 조건의 부사절을 이끌어 '~하지 않는다면'의 의미를 나타낸다.

4 해석 금값은 계속 오르는 반면에 유가는 계속 떨어진다.
해설 while은 대조의 부사절을 이끌어 '~인 반면에'의 의미를 나타낸다.

5 해석 도자기 접시들이 깨지지 않도록 조심해서 포장해라.
해설 so that은 목적의 부사절을 이끌어 '~하기 위해서'의 의미를 나타낸다.

B

1 해설 '~일지라도'의 의미를 나타내는 접속사 even if를 이용하여 양보의 부사절을 완성한다.

2 해설 '~하기만 하면, ~하는 한'의 의미를 나타내는 접속사 as long as를 이용하여 조건의 부사절을 완성한다.

3 해설 '너무 ~해서 …할 수 없다'는 「so ~ that+S+can't …」 구문을 사용하여 문장을 완성한다. 문장의 주어는 날씨를 나타내는 비인칭 주어 it을 사용하고, 동사는 과거시제로 쓴다.

POINT 5 p. 60

예문 해석

1 우리는 열정이 있는 사람을 찾고 있다.
2 빅 데이터를 분석하는 것은 매우 가치 있다.
3 내일 극장에서 만나자.
4 사실, 그 프로젝트는 성공적이지 않았다.

◆ 수능·내신 어법

• 개는 꼬리를 흔들며 사랑을 나타낸다.
• 그는 사람들이 왜 커피를 마시는지 궁금해 한다.

A **1** 동양 철학의 역사에 대한 **2** 등록함으로써
3 웨딩드레스를 입은 **4** 문 가까이의 벽에 붙여
5 생산하기 위한 방법

B **1** with advanced technology
2 from 20 degrees to minus 10
3 by not letting the tap run

A

1 해석 그것은 동양 철학의 역사에 대한 좋은 입문용 책이다.
해설 on은 주제를 나타내어 '~에 대한'의 의미를 나타낸다.

2 해석 당신은 오늘 우리의 환상적인 프로그램에 등록함으로써 시작할 수 있다.
해설 by는 도구, 방법을 나타내어 '~함으로써'의 의미를 나타낸다.

3 해석 그 부부는 웨딩드레스를 입은 그들의 딸을 보았다.
해설 in은 착용을 나타내어 '~을 입은'의 의미를 나타낸다.

4 해석 그 사다리는 문 가까이의 벽에 붙여 기대어져 있었다.
해설 against는 찬반 외에도 '~에 붙여, ~가까이'의 의미를 나타내고, near는 위치를 나타내어 '~에 가까이'의 의미를 나타낸다.

5 해석 제빵사들은 빵을 생산하기 위한 새로운 방법을 연구하고 있다.
해설 for는 목적을 나타내어 '~을 위한'의 의미를 나타낸다.

B

1 해설 '~을 써서, 이용하여'를 나타내는 with를 이용하여 문장을 완성한다.

2 해설 '~에서 …까지'의 의미를 나타내는 from ~ to ...를 이용하여 문장을 완성한다.

3 해설 '~함으로써'는 도구를 나타내는 전치사 by를 사용하여 「by v-ing」로 표현하고, 동명사의 부정형은 동명사 바로 앞에 not을 써서 나타낸다. 사역동사 let은 목적격보어로 동사원형을 쓴다.

POINT 6 p. 61

예문 해석

1 Jim과 나는 5년 동안 서로 알고 지내 왔다.
2 우리는 유럽 여행 동안 박물관 몇 곳을 방문했다.
3 그는 대스타임에도 불구하고 대부분의 팬들의 메일에 답장을 한다.

◆ 수능·내신 어법 모든 비행편은 화산재 때문에 취소될 것이다.

A **1** by **2** since **3** because of
4 while **5** Although

B **1** during the peak season
2 until late at night
3 Despite[In spite of] the risk of infection

A

1 해석 지원서는 늦어도 다음 주 금요일까지 제출되어야 한다.
해설 어느 시점까지 완료되어야 하는 일이므로 전치사 by가 적절하다. until은 어느 시점까지 계속되는 일을 나타낼 때 쓴다.

2 해석 Harry는 2015년의 자동차 사고 이후로 무직 상태이다.
해설 '~ 이후로' 계속 무직 상태임을 나타내야 하므로 since가 적절하다. from은 특정 시점만을 나타낼 때 쓴다.

3 해석 나는 선약 때문에 참석할 수 없었다.
해설 뒤에 명사구가 오므로 because of가 적절하다. 접속사 because는 뒤에 주어와 동사를 포함한 절이 올 때 쓴다.

4 해석 한 유명 정신과 의사가 그 죄수가 감옥에 있는 동안 그와 인터뷰를 했다.
해설 뒤에 주어와 동사를 포함한 절이 오므로 while이 적절하다. 전치사 during은 뒤에 명사(구)가 올 때 쓴다.

5 해석 비록 과학자들이 실수를 범하지만 과학은 스스로 수정할 수 있다.
해설 뒤에 주어와 동사를 포함한 절이 오므로 Although가 적절하다. 전치사 despite는 뒤에 명사(구)가 올 때 쓴다.

B

1 해설 특정 기간 동안을 나타내야 하므로 전치사 during을 써서 문장을 완성한다.

2 해설 어느 시점까지 계속 한 일을 나타내야 하므로 전치사 until을 써서 문장을 완성한다.

3 해설 '~에도 불구하고'의 의미를 나타내야 하는데 뒤에 명사구(the risk of infection)가 나오므로 전치사 Despite나 In spite of를 써야 한다.

문제로 REVIEW pp. 62-63

어법 연습

A 1 during 2 that 3 Although 4 unless
B 1 and → nor 2 important so → so important
3 how do others feel → how others feel
4 since → while[but]
5 Because of → Because[Since / As]
C 1 ① If you will manage → If you manage
② feel → feeling
2 ① saw → seeing[having seen]
3 ② encourage → to encourage
③ to achieving → to achieve

서술형 연습

A 1 Although[Even though] he knew he was wrong, he kept making the same mistakes.
2 I changed into exercise clothes as soon as I got home from work.
B 1 where I was from 2 worked hard so that
3 whether the software is installed
C 1 either at the hotel or at the airport
2 Despite[In spite of / Although] being injured
3 the air is so polluted (that)

어법 연습

A

1 해석 러시아워 동안에 교통 체증에 꼼짝 못하는 것이 운전자들에게 일상이 되어 버렸다.
해설 특정 기간을 나타내는 명사구(rush hour) 앞이므로 전치사 during이 적절하다.

2 해석 나는 대부분의 사람들이 자신들과 비슷한 사람을 고용하고 싶어 한다는 것을 알아냈다.
해설 목적어절의 내용이 확실한 사실이므로 접속사 that을 쓰는 것이 적절하다.

3 해석 심한 복통이 있음에도 불구하고 Mandy는 검진 받는 것을 거부했다.
해설 뒤에 주어(she)와 동사(had)를 포함한 절이 나오므로 접속사 Although를 쓰는 것이 적절하다.

4 해석 사진처럼 정확한 기억력을 타고나지 않았다면 나중에 참고하기 위해 글로 써서 기록해 두어라.
해설 문맥상 '~하지 않는다면'의 의미인 접속사 unless가 적절하다.

B

1 해석 이상하게도, 그들은 Celia가 실종되었을 때 충격을 받지도 겁을 먹지도 않아 보였다.
해설 문맥상 'A도 B도 아닌'의 의미인 neither A nor B 구문을 써야 하므로, or를 nor로 고쳐야 한다.

2 해석 자전거 헬맷은 매우 중요해서 정부는 그것을 착용하는 것을 의무화했다.
해설 문맥상 '너무 ~해서 …하다'의 의미인 「so ~ that ...」 구문을 써야 하므로, important so를 so important로 고쳐야 한다.

3 해석 공감 능력이 부족한 사람들은 다른 사람들이 어떻게 느끼는지를 이해하는 능력이 없다.
해설 의문문이 목적절의 역할을 할 때에는 「의문사+S+V」의 어순인 간접의문문의 형태를 취해야 하므로, 동사 understand의 목적절 how do others feel을 how others feel로 고쳐야 한다.

4 해석 바다는 유한하고 쉽게 접근할 수 있는 반면, 우주는 무한하고 닿기 어렵다.
해설 두 개의 절이 대조되는 내용을 나타내고 있으므로 접속사 since를 대조의 부사절을 이끄는 접속사 while 또는 역접의 접속사 but으로 고쳐야 한다.

5 해석 바닷속에 있는 대부분의 플라스틱 입자들은 너무 작기 때문에 바다를 청소할 수 있는 실질적인 방법은 없다.
해설 because of 뒤에는 명사(구)가 와야 하는데 주어(most of ~ in the ocean)와 동사(are)를 포함한 절이 이어지므로, Because of를 접속사 Because나 Since 또는 As로 고쳐야 한다.

C

1 해석 당신의 스트레스를 효과적으로 관리하고 당신의 정신적, 신체적 건강을 돌본다면, 당신이 무기력하게 느낄 가능성은 크게 줄어들 것이고 더욱 생산적이게 될 것이다.
해설 ① 문맥상 '~라면'의 의미의 조건절을 이끄는 접속사 If가 쓰인 것은 맞다. 단, 조건의 부사절에서 현재시제가 미래시제를 대신하므로 will manage를 manage로 고쳐야 한다.
② 전치사 뒤에 동사가 올 때 동명사의 형태가 되어야 하므로 feel을 동명사 feeling으로 고쳐야 한다.
③ 주어 your chances는 행위(reduce)의 대상이므로 수동태에 쓰이는 과거분사 reduced가 쓰인 것은 맞다.

2 해석 Joseph Friedman은 자신의 딸이 밀크셰이크 빨대를 입에 넣으려고 힘겹게 구부리는 것을 본 후에, 구부러지는 빨대를 발명했다. 환자들이 침대에 누워 있는 동안에도 구부러지는 빨대로 음료를 마실 수 있게 해 주었기 때문에 병원에서는 이것을 즉각 사용하기 시작했다.
해설 ① after는 전치사와 접속사로 사용된다. 전치사는 목적어로 동사가 올 때 동명사 형태로 써야 하므로 seeing으로 고쳐야 하고, 접속사는 뒤에 주어와 동사가 있는 절이 오므로 after he saw ~를 전환한 분사구문 having seen으로 고쳐야 한다.
② 주절에 대한 이유를 설명하는 부사절이므로 이유를 나타내는 접속사 as가 쓰인 것은 맞다.
③ 부사절의 「주어+be동사」는 생략할 수 있으므로 they are가 생략된 while lying이 쓰인 것은 맞다.

3 해석 특허의 본래 의도는 발명가들에게 수익에 대한 독점적인 보상을 주기 위한 것이 아니라 그들이 자신의 발명품을 공유하도록 장려하려는 것이었다. 어느 정도의 지적 재산법은 이것을 이루는 데 분명 필요하다.
해설 ① '~로 보상하다'는 의미이므로 수단을 나타내는 with가 쓰인 것은 적절하다.
② not A but B 구문에서 A와 B에는 문법적으로 대등한 형태가 와야 하는데, A 자리에 to부정사인 to reward가 쓰였으므로 B에 해당하는 encourage를 to encourage로 고쳐야 한다.

③ '~하기 위해서'라는 목적의 의미가 되어야 하므로 to부정사인 to achieve로 고쳐야 한다.

서술형 연습

A

1 해석 그는 자신이 틀렸다는 것을 알았음에도 계속 같은 실수를 했다.
해설 '자신이 틀렸다는 것을 알고 있음에도 불구하고 계속 같은 실수를 했다'는 의미가 되어야 하므로, 첫 번째 문장 앞에 양보를 나타내는 접속사 although나 even though를 써서 부사절로 만든다.

2 해석 나는 퇴근하고 집에 도착하자마자 운동복으로 갈아입었다.
해설 '집에 도착하자마자 운동복으로 갈아입었다'는 의미가 되어야 하므로, 두 번째 문장 앞에 접속사 as soon as를 써서 부사절로 만든다.

B

1 해설 동사 asked의 직접목적어로 명사절이 와야 한다. 의문문이 명사절로 쓰일 때에는 「의문사+S+V」의 어순이 되어야 하므로 where I was from을 쓴다.

2 해설 '~하기 위해'의 목적을 나타내는 「so that+S+V」의 구문으로 문장을 완성한다.

3 해설 목적어의 내용이 확실하지 않은 사실일 때 '~인지 아닌지'를 뜻하는 접속사 whether가 이끄는 명사절을 쓴다. 접속사 뒤에는 「주어+동사」의 어순으로 쓴다.

C

1 해설 'A나 B 둘 중 하나'라는 의미를 나타내는 either A or B 구문을 사용하여 문장을 완성한다.

2 해설 분사구(being injured) 앞에 접속사 Although를 쓸 수도 있다. 동명사구(being injured) 앞에 전치사 Despite[In spite of]를 써서 '~에도 불구하고'라는 의미를 나타낸다.

3 해설 '너무 ~해서 …하다'의 의미를 나타내는 「so ~ that+S+V」 구문으로 문장을 완성한다. 접속사 that은 생략하고 쓸 수 있다.

실전 모의고사 pp. 64-66

1 ②	2 ③	3 ②	4 ④	5 ⑤
6 ⑤	7 ②	8 ③	9 ④	10 ①, ③

서술형

1 so stubborn (that) she never listens
2 so (that) he could continue his research
3 (a) If → Whether
(b) Despite → Although[Though / Even though]
4 (1) don't → doesn't (2) not only A but also B 구문이 주어로 쓰일 때 B에 동사의 수를 일치시킨다.
5 how homeowners felt the crash affected the price
6 사람들은 자신이 소유한 것이 훨씬 더 가치가 있다고 여기기 때문이다.

1 해석 • 이 옷장은 오크로만 만들어졌다.
• 그녀는 친구와 함께 그 무거운 짐을 들 수 있었다.
• 그들은 정오까지는 파티를 위해 음식을 준비해야 한다.
• 그 소년은 자신의 답안지를 조심스레 테이블에 올려 놓았다.
해설 전치사 of는 재료를 나타내어 '~으로'의 뜻을, with는 '~와 함께'의 뜻을, by는 시간을 나타내어 '~까지는'의 뜻을, on은 장소를 나타내어 '~ 위에'의 뜻을 의미한다.

2 해석 • 기상 캐스터는 내일까지 비가 올 것이라고 발표했다.
• 극심한 가뭄 동안에 밭에서 농작물이 죽었다.
해설 어느 시점까지의 계속을 나타낼 때 until을 쓴다. '~ 동안에'라는 의미로 특정 기간을 나타내는 명사와 함께 쓰이는 전치사는 during이다.

3 해설 wonder의 목적어로 간접의문문 형태의 의문사절을 써야 한다. 간접의문문은 「의문사+S+V」의 어순으로 쓰는데, 주어 자리에 to get ready to go out을 진주어로 하는 가주어 it을 쓴다.

4 해설 '~가 …할 수 있도록'을 뜻하는 「so that+S+V」를 쓴다.

5 해석 ① 네가 남든 떠나든 나에게는 전혀 중요하지 않다.
② 그 어린 소녀는 매우 친절하고 다정해서 모든 사람이 그녀를 좋아한다.
③ 위로하는 음악도 무료 음료도 화난 관중을 진정시키지 못했다.
④ 경찰은 길에서 도둑을 보자마자 그를 쫓기 시작했다.
⑤ 그는 그녀의 관심을 얻는 방법뿐만 아니라 그녀와 연락하는 방법도 알고 싶어 한다.
해설 ⑤ A as well as B는 'B뿐만 아니라 A도'라는 의미로, A와 B에는 문법적으로 대등한 형태가 와야 한다. know의 목적어로 「how to-v」가 쓰였으므로 to get을 how to get으로 고쳐야 한다.

6 해석 ① 그 축제는 폭우로 인해 취소되었다.
② 나는 겨울 방학 동안에 시카고에 있는 친구를 방문할 계획을 갖고 있다.
③ 그의 샐러드는 가장 쉽게 이용할 수 있는 재료들로 만들어진다고 알려져 있다.
④ 모두를 위한 케이크가 충분하지 않았다는 것만 빼면, 파티는 잘 진행되었다.
⑤ 이 반의 모든 학생들은 월요일에 숙제를 제출해야 한다.
해설 ⑤ until은 특정 시점까지 계속 이어지는 행동을 언급할 때 사용하는데, 월요일이라는 마감 시간까지 숙제를 제출해야 하는 상황이므로 동작이 마무리되어야 하는 시점을 말할 때 사용하는 by로 고쳐야 한다.

7 해석 a. 우리는 러시아워 동안에 도심을 통과해야 한다.
b. 한 남자가 강가에서 두 아들과 함께 야구를 하고 있다.
c. 그 파티는 10시에 끝날 것이기 때문에, 너는 11시쯤에는 집에 와야 한다.
d. 이른 아침에, 구름 한 점 보이지 않는 가운데 태양이 수평선 위로 떠올랐다.
e. 내 학교는 가까워서 나는 스쿨버스를 탈 수 없지만, 걸어서 학교에 가기에는 너무 멀다.
f. 우리가 직면한 경제 불황 때문에 많은 상점들이 문을 닫았다.
해설 b. 전치사 besides는 '~ 외에'의 의미를, 전치사 beside는 '~의 옆에'의 의미를 나타낸다. '강가에서'라는 의미가 되도록 besides를 beside로 고쳐야 한다.
e. 교통편을 말할 때 일반적으로 「by+교통수단」으로 나타내지만, 걸어서 갈 때는 on foot으로 쓴다.

f. 접속사 뒤에는 절이 와야 하는데 명사구(the economic recession)가 쓰였으므로 접속사 because를 전치사 because of로 고쳐야 한다. we faced는 앞에 있는 명사 the economic recession을 수식하는 목적격 관계대명사절이다.

8 해석 a. 그 실험이 성공적이었는지 아닌지 확인해 보겠습니다.
b. 내 남동생은 그 문제를 해결할 수 없거나 해결하고 싶어 하지 않았다.
c. 결혼식에 초대받은 후에 Hazel은 무슨 옷을 입어야 할지 고민했다.
d. 단일 주식에 투자하는 것이 나은지 뮤추얼 펀드에 투자하는 것이 나은지는 아무도 모른다.
e. 그 그룹에게 칭찬뿐 아니라 비판도 주어졌다.
f. 대중들에 의해 강력하게 지지를 받았지만, 그 법안은 부결되었다.
해설 a. 문장 끝에 or not이 쓰였으므로 that을 '~인지 아닌지'의 의미를 가진 접속사 whether로 고쳐야 한다.
e. '~뿐만 아니라 …도'의 의미를 나타내는 not only A but (also) B 구문이 되어야 하므로, and를 but 또는 but also로 고쳐야 한다.

9 해석 ⓐ 대부분의 식물은 제대로 자라기 위해 충분한 햇빛을 필요로 한다.
ⓑ 그가 파티에 도착했을 때쯤, 그는 그의 친구들이 이미 떠났다는 것을 알았다.
ⓒ 메시지를 받지 않으면, 알림 아이콘은 깜박이지 않을 것이다.
해설 ⓑ by the time은 시간의 부사절을 이끄는 접속사이기 때문에 when으로 바꿀 수 있다.

10 지문 해석
우주 왕복선은 우주 비행사들을 우주로 실어 날랐을 뿐만 아니라, 움직이는 화물차처럼 사용되기도 했다. 그것은 종종 궤도로 발사될 수 있도록 위성을 우주로 실어 날랐다. 또한 우주 왕복선은 국제 우주 정거장을 건설하는 동안에 많은 부품을 운송하는 일을 맡았다. 그것은 때때로 실험실로도 사용되었다. 이것은 우주에서 실험을 하는 것이 지구상에서 하는 것과는 다르기 때문이었다. 우주 왕복선의 발사는 각각 우주 비행 임무로 불렸다. 100회가 넘는 우주 비행 임무가 이루어졌고, 각각은 1~2주 동안 지속되었다.
해설 ① alike는 '비슷한, 비슷하게'를 의미하는 형용사나 부사이다. 문맥상 '~처럼'을 의미하고 동명사 moving 앞에 쓸 수 있는 전치사 like로 고쳐야 한다.
③ 형용사 different와 함께 쓰여 '~와는 (다른)'의 뜻을 나타내는 접속사 than이 사용되었으므로 동명사 conducting과 병렬 구조를 이루어 to do를 doing으로 고쳐야 한다.

서술형

1 해설 '너무 ~해서 …하다'는 의미를 나타내는 「so ~ (that)+S+V」 구문을 사용하여 문장을 완성한다. 현재시제의 문장이므로 that절도 현재시제로 쓴다.

2 해설 '~하기 위하여'의 의미를 나타내는 부사절을 이끄는 접속사 so (that)을 사용하여 문장을 완성한다.

3 해석 a. 이 상품의 가격이 높든지 낮든지는 중요하지 않아 보인다.
b. 불황이 계속되었지만, 그는 자신의 사업을 확장하기 시작했다.
c. 북부에 있는 학교들은 시설이 더 좋은 것에 비해, 남부에 있는 학교들은 상대적으로 빈곤하다.
d. 너는 무언가 이상한 것을 느끼자마자 이 약을 먹어야 한다.
해설 a. if와 whether 둘 다 '~인지 아닌지'의 의미로 명사절을 이끌 수 있지만, if는 주로 목적절을 이끌고 주어 자리에는 쓰지 않으므로 If를 Whether로 고쳐야 한다.
b. despite는 전치사이므로 뒤에 명사(구)가 와야 하지만 주어(the recession)와 동사(continued)가 이어지고 있으므로, Despite를 접속사 Although나 Though, Even though로 고쳐야 한다.

4 해석 국가 대표 팀 주자들뿐만 아니라 그들의 코치도 커피를 마시지 않는다.
해설 not only A but also B 구문이 주어로 쓰일 때 B에 동사의 수를 일치시키므로 don't를 doesn't로 고쳐야 한다.

[5-6] 지문 해석
한 연구에서, 농구 표를 얻은 학생들은 2,400달러 미만으로는 그것을 팔지 않을 것이라고 말했다. 그러나 표를 얻지 못한 학생들은 170달러만 지불할 것이라고 말했다. 이는 학생들이 표를 소유하고 나면 그것을 훨씬 더 가치가 있는 것으로 여겼다는 것을 시사한다. 마찬가지로, 2008년 주택 시장의 폭락 시기에 주택 소유자들이 어떻게 그 폭락이 그들의 집의 가격에 영향을 미쳤다고 느끼는지를 알기 위해 조사가 행해졌다. 응답자의 92%가 그것이 인근에 있는 다른 집들의 가치를 떨어뜨렸다고 응답했지만, 62%는 그것이 그들 자신의 집의 가치를 높였다고 믿었다.

5 해설 see의 목적어로 간접의문문 「의문사+S+V」 형태의 의문사절을 써서 문장을 완성한다. 주어가 the crash, 동사는 affected이고 homeowners felt는 삽입절이다.

6 해설 사람들은 자신이 소유한 것에 대해 과대평가하는 경향이 있음을 사례를 들어 설명한 글이다.

CHAPTER 03

관계사

POINT 1

p. 68

예문 해석

1 Jones 씨는 캐나다에서 온 영어 선생님이다.
2 내 옆에 앉은 남자는 무척 말이 많았다.
3 내가 떨어트린 휴대폰은 수리가 안 된다.
4 그들의 행동을 이해할 수 없는 몇몇 사람들이 있다.

A **1** which → whose[of which] **2** whose → who(m)[that]
3 ○ **4** who → whose
5 whom → who[that]

B **1** Those who[that] booked tickets online
2 the book which[that] you borrowed two weeks ago
3 The woman whose child was in danger

A

1 해석 그들은 병으로 잎사귀가 검게 된 나무들을 잘라 냈다.
해설 선행사가 the trees인데 관계사 뒤에 명사가 나왔으므로 소유격 관계대명사 whose 또는 of which로 고쳐야 한다.

2 해석 그녀가 서평에서 비평했던 작가가 그녀에게 항의하기 위해 전화를 했다.
해설 선행사가 사람인 the author이고 관계대명사절에서 목적어 역할을 하므로, 목적격 관계대명사 who(m) 또는 that으로 고쳐야 한다.

3 해석 물고기가 유선형의 매끈한 몸을 갖고 있는 것은 우연이 아니다.
해설 선행사가 사물인 bodies이고 관계대명사절에서 주어 역할을 하므로, 주격 관계대명사 which가 쓰인 것은 맞다.

4 해석 이 식당은 자신이 쓴 요리책이 수백만 권 팔린 요리사에 의해 운영된다.
해설 선행사가 a chef인데 관계사 뒤에 명사가 나왔으므로 소유격 관계대명사 whose로 고쳐야 한다.

5 해석 여러분은 그들이 하는 일로 자신을 소개하는 사람들을 종종 만날 것이다.
해설 선행사가 사람인 people이고 관계대명사절에서 주어 역할을 하므로, 주격 관계대명사 who 또는 that으로 고쳐야 한다.

B

1 해설 '~한 사람들'이므로 those를 선행사로 하고 주격 관계대명사 who나 that이 이끄는 절을 써서 문장을 완성한다.

2 해설 the book을 선행사로 하고 목적격 관계대명사 which나 that이 이끄는 절을 써서 문장을 완성한다.

3 해설 the woman을 선행사로 하고 '그녀의 아이'가 되어야 하므로 소유격 관계대명사 whose가 이끄는 절을 써서 문장을 완성한다.

POINT 2

p. 69

예문 해석

1 눈에서 놀고 있는 소년과 그의 개가 보이니?
2 이것은 내가 먹어본 중 최고의 피자이다.
3 우리는 우리가 생각할 수 있는 모든 것을 준비할 것이다.
4 쇼핑몰에서 내가 산 것은 수제 팔찌였다.
5 그들이 보고 싶은 것은 역사적 기록의 유적이다.
6 그들은 과학자들이 발견한 것에 놀랐다.
7 배달된 상품은 그녀가 온라인으로 주문했던 것이 아니다.

◆ 수능·내신 어법

• 그가 말했던 것은 사실이 아니었다.
• 그가 말했던 것은 사실이 아니었다.

A **1** that → what
2 what → that
3 that → what
4 what → that **5** ○

B **1** What worries us most
2 The only thing that overcomes hard luck
3 what many teenagers want to do

A

1 해석 내가 부탁하지 않는다면 네가 생각하는 것을 절대 내게 말하지 마라.
해설 앞에 선행사가 없고 관계대명사절에서 직접목적어 역할을 해야 하므로, that을 관계대명사 what으로 고쳐야 한다.

2 해석 그 책은 길에서 살았던 가수와 그녀의 고양이에 대한 것이다.
해설 선행사가 「사람+동물」이므로 관계대명사 that으로 고쳐야 한다.

3 해석 당신이 하고 있는 것에 대한 믿음이 당신을 더 열정적으로 만들 것이다.
해설 앞에 선행사가 없고 in의 목적어 역할을 하는 명사절이 되어야 하므로 관계대명사 what으로 고쳐야 한다.

4 해석 우리는 바자회를 통해 번 모든 돈을 기부할 것이다.
해설 선행사 all the money가 있고 선행사에 all이 포함되었으므로 관계대명사 that으로 고쳐야 한다.

5 해석 이것은 다른 예술가들에 의해 가장 영감을 주는 작품 중 하나로 선택된 것이다.
해설 앞에 선행사가 없고 주격보어의 역할을 해야 하므로 관계대명사 what을 쓴 것이 맞다.

B

1 해설 문장에서 주어 역할을 해야 하고 선행사 역할의 명사가 없으므로 관계대명사 what을 이용하여 문장을 완성한다.

2 해설 '유일한 것'이 문장의 주어이므로 선행사를 the only thing으로 하고 관계대명사 that이 이끄는 절을 이용하여 문장을 완성한다.

3 해설 주격보어 역할을 하므로 명사절을 이끄는 관계대명사 what을 이용하여 문장을 완성한다.

POINT 3 p. 70

예문 해석

1 그들은 고아원에서 만났던 아이를 입양했다.
2 나는 지난 토요일에 Steve가 입었던 것과 같은 재킷을 샀다.
3 스마트폰에 중독된 많은 사람들이 있다.
4 이것은 일자리에 지원할 때 유용한 정보이다.
5 나는 우리가 묵었던 오래된 통나무집을 기억한다.
6 Peterson 씨는 내가 함께 일했던 남자이다.

◆ 수능·내신 어법

• 이곳이 우리 아버지가 졸업한 대학이다.
• 이곳은 가장 좋은 방학 프로그램을 제공하는 대학이다.

A **1** about who → about whom **2** ○ **3** ○
4 who → who are / who 생략
5 in that → in which

B **1** an organization involved in protecting
2 whom we can depend on / on whom we can depend
3 the job which he was looking for / the job for which he was looking

A

1 해석 그녀가 일전에 네가 우리에게 말했던 새 매니저니?
해설 전치사 바로 뒤에 who는 쓸 수 없으며 관계사절에 목적어가 없으므로, who를 목적격 관계대명사 whom으로 고쳐야 한다.

2 해석 그 연구원은 그가 정보를 수집한 사람들의 이름을 절대 밝히지 않는다.
해설 the people을 선행사로 하는 목적격 관계대명사 that이 쓰인 것은 적절하다. 관계대명사가 전치사의 목적어일 때 전치사는 관계대명사 절의 끝에 올 수 있다.

3 해석 몇 년 전 호주에서 나는 John Walton이라는 이름의 비범한 남자를 만났다.
해설 a remarkable man과 named 사이에 「주격 관계대명사+be동사」 who[that] was가 생략되어 a remarkable man named로 쓰인 것은 적절하다.

4 해석 의사들은 혈액암으로 고통받고 있는 환자들을 위한 새로운 치료법을 발견했다.
해설 patients (who are) suffering이 되어야 하므로 who are를 그대로 쓰거나 who를 생략하여 patients suffering으로 써야 한다.

5 해석 그가 〈The Satyr〉를 그렸던 정원은 적진의 한가운데에 있었다.
해설 관계대명사 that은 전치사 바로 뒤에 올 수 없는데 선행사가 The garden이고 관계사절에서 전치사 in의 목적어가 필요하므로, in which로 고쳐야 한다.

B

1 해설 관계대명사가 주어지지 않았으므로 「주격 관계대명사+be동사」가 생략된 형태로 「명사+과거분사」의 순으로 문장을 완성해야 한다.

2 해설 close friends를 선행사로 하는 관계대명사 whom으로 시작하는 절을 쓰거나 '~에 의지하다'는 depend on의 on을 목적격 관계대명사 앞에 써서 「전치사+목적격 관계대명사」로 시작하는 절을 써야 한다.

3 해설 선행사(the job) 뒤에 목적격 관계대명사 which로 시작하는 절을 쓰거나 '~을 찾다'는 look for의 for를 「전치사+목적격 관계대명사」로 시작하는 절을 써야 한다.

POINT 4 p. 71

예문 해석

1 그들은 딸이 한 명 있는데, 그녀는 패션모델이 되고 싶어한다.
cf. 그들은 패션모델이 되고 싶어 하는 딸이 한 명 있다.
2 그는 외국에서 공부하고 싶어 하는데, 그것은 비용이 많이 든다.
3 Angela는 오디션에 떨어졌는데, 그것은 우리를 실망시켰다.
4 나는 번역 앱을 하나 다운로드했는데, 그것은 영어를 공부하는 데 유용하다.
5 Mia는 남자 형제가 세 명 있는데, 그들 모두 야구 선수이다.
6 나는 피카소가 그린 그림을 몇 점 봤는데, 그것들 대부분이 인상적이었다.

◆ 수능·내신 어법

• 나는 고양이가 두 마리 있는데, 둘 다 갈색이다.
• 나는 고양이가 두 마리 있는데, 둘 다 갈색이다.

A **1** Steve Jobs
2 a vegan salad and a vegan sandwich
3 The locker room was painted bright red
4 Bali
5 a crowd of anxious freshmen

B **1** which she made herself
2 both of whom soon left the firm
3 most of which were successful

A

1 해석 나의 롤 모델은 Steve Jobs인데, 그는 뛰어난 혁신가로 기억된다.
해설 who의 선행사는 앞 절의 Steve Jobs이다.

2 해석 나는 채식 샐러드와 채식 샌드위치를 주문했는데, 그것들 둘 다 무척 맛있었다.
해설 which의 선행사는 앞 절의 목적어인 a vegan salad and a vegan sandwich이다.

3 해석 락커룸은 선홍색으로 칠해져 있었는데, 그것은 선수들을 더 공격적으로 만들었다.
해설 which는 앞 절 전체를 선행사로 받는다.

4 해석 그는 발리로 휴가를 가고 싶어 하는데, 그곳은 '신들의 섬'이라는 별칭을 갖고 있다.
해설 which는 바로 앞 절의 Bali를 선행사로 받는다.

5 해석 그녀는 한 무리의 긴장한 신입생들 옆에 서 있었는데, 그들 중 몇몇은 나중에 그녀의 친구가 되었다.
해설 whom은 앞 절의 a crowd of anxious freshmen을 선행사로 받는다.

B

1 해설 her first music video를 선행사로 받는 계속적 용법의 관계대명사 which를 써서 문장을 완성한다.

2 해설 two new staff members를 선행사로 하고, 그 중 전체에 대한 부연 설명이므로 「부정대명사+of+목적격 관계대명사」의 형태로 문장을 완성한다.

3 해설 twenty new recipes를 선행사로 하고 그 중 일부에 대한 부연 설명이므로, 관계대명사 which를 이용해 「부정대명사+of+목적격 관계대명사」의 형태로 문장을 완성한다.

POINT 5 p. 72

예문 해석
1 나는 Harry와 내가 처음 만난 날을 기억한다.
2 이 박물관이 〈모나리자〉가 전시된 장소이다.
3 이것이 도둑이 우리 집에 침입한 방법이다.
4 너는 그녀가 법학을 공부하기로 결정한 이유를 아니?
5 우리는 상점을 방문했는데, 그곳에서 기념품을 샀다.
6 올빼미는 밤에 활동적인데, 그때 대부분의 사냥을 한다.

◆ 수능·내신 어법
• 우리는 부산을 방문했는데, 그곳은 우리 아버지의 고향이다.
• 우리는 부산을 방문했는데, 그곳에서 우리 아버지는 성장하셨다.

A **1** the way how → the way / how **2** ○
3 the reason, why → the reason why / the reason / why
4 in when → when **5** which → where
B **1** the way you calculate overtime hours
2 the year (when) we graduated from high school
3 where we will celebrate

A

1 해석 우리들 대부분은 아마도 우리가 양육된 방식으로 양육한다.
해설 the way와 관계부사 how는 둘 중 하나만 써야 한다.

2 해석 1950년대는 인공 지능의 개념이 처음 소개된 때이다.
해설 앞에 선행사인 the time이 생략된 형태로 관계부사 when이 쓰인 것은 맞다.

3 해석 Helen이 그녀의 소설을 다시 쓰기 시작한 이유를 너는 아니?
해설 관계부사 why는 계속적 용법으로 쓰지 않으므로 콤마(,)를 삭제해야 한다. 선행사가 the reason일 경우 관계부사 why를 생략하고 the reason만 쓸 수도, the reason을 생략하고 관계부사 why만 쓸 수도 있다.

4 해석 잎 질병은 여름에 잘 퍼지는데, 그때는 해바라기 작물들이 자라는 때이다.
해설 in summer를 선행사로 하는 계속적 용법의 관계부사 when이 쓰인 문장으로, 관계부사는 전치사를 포함하는 말이기 때문에 앞에 전치사 in을 삭제해야 한다.

5 해석 밀은 해변에서 그들에게 주어졌는데, 그곳에서 그것(밀)은 금방 모래와 섞였다.
해설 뒤에 완전한 절이 왔으므로 on the beach를 선행사로 하는 계속적 용법의 관계부사 where로 고쳐야 한다.

B

1 해설 the way와 관계부사 how는 둘 중 하나만 쓰므로 주어진 선행사 the way를 쓰고, 그 뒤에 주어와 동사를 연결하여 관계부사가 생략된 관계부사절을 완성한다.

2 해설 시간의 관계부사 when이 이끄는 절이 선행사 the year를 수식하는 구조로 배열하되, 관계부사 when은 생략할 수 있다.

3 해설 Times Square를 선행사로 하는 계속적 용법의 관계부사 where를 이용하여 관계사절을 완성한다.

POINT 6 p. 73

예문 해석
1 이 앱을 만든 사람이 누구든지 천재이다.
2 네가 무엇을 하기로 선택할지라도 우리는 네 결정을 지지할 것이다.
3 그 다리는 비가 올 때면 언제든 물에 잠긴다.
4 그가 아무리 세심하게 설명했더라도 그들은 이해하지 못했다.

◆ 수능·내신 어법
• 제 도움이 필요할 때면 언제든지 제게 전화하세요.
• 나는 어려움에 처한 사람은 누구든지 도울 것이다.

A **1** 그에게 반대하는 사람은 누구든지
2 무슨 일이 일어나더라도
3 제품이 아무리 훌륭하다고 해도
4 내가 이 기계를 사용할 때는 언제나
5 더 싼 것은 어느 것이든지
B **1** However smart he is
2 Whatever you may do
3 wherever the scenery was beautiful

A

1 해석 나의 사장은 그에게 반대하는 사람은 누구에게나 화를 낸다.
해설 whoever는 with의 목적어 역할을 하는 명사절을 이끌어 '~하는 사람은 누구든지'의 의미를 나타낸다.

2 해석 무슨 일이 일어나더라도 올바른 태도가 차이를 만든다.
해설 whatever가 양보의 부사절을 이끌어 '무엇이 ~할지라도'의 의미를 나타낸다.

3 해석 제품이 아무리 훌륭하다고 하더라도 과도한 경쟁이 존재한다.
해설 however는 양보의 부사절을 이끌어 '아무리 ~할지라도'의 의미를 나타낸다.

4 해석 내가 이 기계를 사용할 때는 언제나 커피가 충분히 따뜻해지지 않는다.
해설 whenever가 시간의 부사절을 이끌어 '~할 때는 언제나'의 의미를 나타낸다.

5 해석 그는 돈이 많지 않아서 더 싼 것은 어느 것이든지 구입했다.
해설 whichever가 bought의 목적어 역할을 하는 명사절을 이끌어 '~한 것은 어느 것이든지'의 의미를 나타낸다.

B

1 해설 '아무리 ~할지라도'라는 뜻의 복합관계부사 however를 이용하여 양보의 부사절을 완성한다. however 바로 뒤에 형용사나 부사를 써야 한다.

2 해설 '무엇을 ~할지라도'라는 뜻의 복합관계대명사 whatever를 이용하여 양보의 부사절을 완성한다.

3 해설 '~하는 곳은 어디든지'라는 뜻의 복합관계부사 wherever를 이용하여 장소의 부사절을 완성한다.

문제로 REVIEW pp. 74-75

어법 연습

A 1 where 2 that 3 that 4 in which
B 1 that → what 2 some of them → some of which / and some of them 3 however → whatever
4 which → when 5 that → which
C 1 ② that → what ③ what → which
2 ② when → that[which] ③ many of them → many of which / and many of them
3 ① what → that[which] ③ whenever → wherever

서술형 연습

A 1 Older people often take multiple drugs, some of which serve no useful purpose.
2 An oasis is a place in the middle of the desert where[in which] water is found.
B 1 the only species that
2 to whoever needs them
3 many restaurants from which
C 1 What makes Belgian chocolate unique
2 science-backed reasons why music is
3 none of whom showed interest

어법 연습

A

1 해석 캔들은 공장으로 보내지는데, 그곳에서 그것들은 새로운 제품으로 탈바꿈된다.
해설 선행사 the plant가 관계사절 안에서 장소를 나타내는 부사 역할을 하므로, 관계부사인 where가 적절하다.

2 해석 Seedy Sunday는 2002년부터 매년 개최되고 있는 씨앗 교환 행사이다.
해설 a seed exchange event가 선행사이므로 주격 관계대명사로 that이 적절하다.

3 해석 눈에 보이는 우주는 망원경으로 관찰될 수 있는 우주의 부분들로 구성된다.
해설 선행사가 the parts of space이고 관계대명사절의 주어가 없으므로 주격 관계대명사 역할을 할 수 있는 that을 쓰는 것이 맞다.

4 해석 화석이 박혀 있는 돌을 분석함으로써 우리는 화석의 연대를 추정할 수 있다.
해설 선행사 the rock은 문맥상 전치사 in의 목적어가 되어야 하므로 in which를 쓰는 것이 맞다. be embedded in은 '~에 박혀 있다'는 의미이다.

B

1 해석 나쁜 소식을 들은 사람들은 벌어진 일에 대해 처음에는 부정하는 경향이 있다.
해설 관계사 뒤에 불완전한 절이 이어지고 관계사절 앞에 선행사가 없으므로, that을 선행사를 포함한 관계대명사 what으로 고쳐야 한다.

2 해석 이 박물관에는 200개가 넘는 조각상이 있는데, 그 중 일부는 그리스 신들을 묘사하고 있다.
해설 두 개의 절이 접속사 없이 연결되고 있는데 them이 앞 절의 over 200 statues를 가리키는 대명사이므로 「접속사+대명사」 역할을 하는 관계대명사 which로 고쳐야 한다. 또는 접속사를 쓰고 「부정대명사+of+대명사」 형태로 고쳐야 한다.

3 해석 그녀의 부모님은 그녀가 어떤 것을 하겠다고 결정하든 그녀를 지지할 것이라고 말씀하셨다.
해설 do의 목적어 역할을 하면서 양보의 부사절을 이끄는 복합관계대명사가 필요하므로 however를 whatever로 고쳐야 한다.

4 해석 17세기는 사람들이 세계에 관해 새로운 생각을 갖기 시작한 시기였다.
해설 관계사 뒤에 완전한 절이 이어지고 선행사 a time이 관계사절 안에서 시간을 나타내는 부사 역할을 하므로 which를 관계부사 when으로 고쳐야 한다.

5 해석 현대의 건물들에는 종종 자동문이 있는데, 그것은 원래 장애가 있는 사람들을 돕기 위해 고안된 것이었다.
해설 선행사(automatic doors)를 부가적으로 설명하는 계속적 용법의 관계대명사절이므로, that을 which로 고쳐야 한다. 관계대명사 that은 계속적 용법으로 쓰지 않는다.

C

1 해석 사람들이 당신이 쓴 것을 읽고 이해하기를 원한다면 구어체로 글을 써라. 문어체는 좀더 격식 있고 거리감이 있는데, 그것은 독자들로 하여금 집중력을 잃게 만든다.
해설 ① want는 to부정사를 목적격보어로 취하는 동사이므로 to read가 쓰인 것은 맞다.

② 관계사 뒤에 불완전한 절이 이어지고 관계사절 앞에 선행사가 없으므로 선행사를 포함한 관계대명사 what으로 고쳐야 한다.
③ what은 계속적 용법으로 쓸 수 없으며, 앞 절 전체 내용을 받는 계속적 용법의 관계대명사 which로 고쳐야 한다.

2 해석 그가 프랑스의 아를에서 보낸 시간 동안 Van Gogh는 수많은 그림과 데생을 그렸는데, 그 중 많은 수가 현재 19세기 미술의 걸작으로 여겨진다.
해설 ① 특정한 기간을 나타내는 말 앞이므로 during을 쓴 것이 맞다.
② 선행사(the time)가 관계사절 안에서 spent의 목적어 역할을 하므로, 목적격 관계대명사 that이나 which로 고쳐야 한다.
③ 두 개의 절이 접속사 없이 연결되고 있으므로 them을 「접속사+대명사」의 역할을 하는 계속적 용법의 관계대명사 which로 고쳐야 한다. 또는 앞에 접속사를 써서 and many of them으로 고칠 수 있다.

3 해석 지진은 판 경계의 움직임과 그 움직임 동안 쌓이는 압력에 의해 발생한다. 압력이 방출될 때 지진이 생성되기 때문에 판 경계가 있는 곳이면 어디든지 지진이 발생할 가능성이 더 높다.
해설 ① 관계사절 앞에 선행사 the pressure가 있고 뒤에 바로 동사(builds)가 이어지므로, what을 주격 관계대명사 that이나 which로 고쳐야 한다.
② 문맥상 이유나 원인을 나타내는 접속사 Since를 쓴 것이 맞다.
③ 관계사 뒤에 완전한 절이 이어지고 '~하는 곳은 어디든지'의 의미가 되어야 하므로 장소의 부사절을 이끄는 복합관계부사 wherever로 고쳐야 한다.

서술형 연습

A

1 해석 노인들은 종종 여러 가지 약을 먹는데, 그것들 중 일부는 아무런 쓸모가 없다.
해설 앞에 나온 명사(multiple drugs)의 일부를 부연 설명하고 있으므로, 「부정대명사+of which」의 형태로 써야 한다.

2 해석 오아시스는 사막 한가운데에 있는, 물이 발견되는 장소이다.
해설 there는 a place를 가리키므로 a place를 선행사로 하는 관계부사 where가 이끄는 관계부사절을 완성한다.

B

1 해설 the only의 수식을 받는 선행사 뒤에는 관계대명사 that을 쓸 수 있다.

2 해설 '~하는 사람은 누구든지'의 의미이므로 명사절을 이끄는 복합관계대명사 whoever를 써야 하며, 관계사절이 전치사 to의 목적어 역할을 하므로 관계사절 앞에 to를 써야 한다.

3 해설 선행사가 many restaurants이고 관계사절 안에서 전치사와 함께 써야 하므로 from which로 써야 한다.

C

1 해설 주어 역할을 하는 명사절을 써야 하는데 선행사가 없으므로 관계대명사 what이 이끄는 관계대명사절을 완성한다. 「make+목적어+목적격보어(형용사)」의 5형식 문형으로 쓴다.

2 해설 선행사가 이유를 나타내는 reasons이고 뒤에 완전한 절이 나오므로, 관계부사 why를 써야 한다.

3 해설 앞에 나온 명사(20 people)의 전체에 대해 부연 설명하는 관계대명사절이 되어야 하므로, 「부정대명사(none)+of whom」을 써야 한다.

실전 모의고사 pp. 76-78

1 ④	2 ③	3 ①	4 ⑤	5 ⑤
6 ③	7 ②	8 ③	9 ②	10 ①, ⑤

서술형
1 which annoyed everyone in the room
2 both of whom are from the medical school
3 (c) that → what (d) the way how → the way / how
4 다양한 상품
5 the economic system in which they live
6 (A) Influence (B) Acts

1 해석 • 세 장의 사진이 있었는데, 그 중 한 장의 사진은 심각한 표정을 짓고 있는 한 남자의 모습을 담고 있었다.
• 나는 모두가 교복을 입는 학교에 다녔다.
해설 • 선행사 three photos의 일부를 부연 설명하고 있으므로 「부정대명사(one)+of which」가 적절하다.
• 관계사 뒤에 완전한 절이 나왔으므로 관계부사 where가 적절하다.

2 해석 • 나는 머리카락이 허리까지 내려오는 여자를 보았다.
• 내가 팀원들에게 할 수 있는 말은 내가 최선을 다했다는 것뿐이다.
해설 • a woman을 선행사로 하면서 관계대명사 뒤에 명사가 나왔으므로 소유격 관계대명사 whose가 적절하다.
• 선행사에 all이 있을 경우 관계대명사는 that을 쓴다.

3 해설 동사 change의 목적어로 선행사를 포함한 관계대명사 what을 사용한 관계대명사절을 써서 change what you can't accept가 들어가야 한다.

4 해설 '~할 때는 언제든지'를 뜻하는 복합관계부사 whenever를 사용하여 call me whenever you need를 써야 한다.

5 해석 ① 작년에 뉴질랜드에서 우리가 만났던 사람들을 너는 기억하니?
② 그는 1년 만에 3만 5천 달러의 수익을 올렸는데, 이는 모두를 놀라게 했다.
③ 우리 할아버지는 전쟁이 시작된 날을 선명하게 기억하신다.
④ 그 감독은 형제가 셋인데, 영화계에는 그 중 아무도 없다.
⑤ 우리는 선례가 없는 도전적인 문제를 극복해야 한다.
해설 ⑤ '~에 대한 선례'라고 할 때 precedent for라고 표현한다. 선행사 challenging problems는 관계사절에서 전치사 for의 목적어 역할을 하므로, which를 for which로 고치거나 전치사 for를 관계대명사절의 끝으로 보내야 한다.

6 해석 ① 지금 내게 필요한 것은 물 한 잔뿐이다.
② 그녀가 한 말은 나로 하여금 우리 사이에 공통점이 있다는 생각이 들게 했다.

③ 빈민에게 관심을 보여라. 그들은 병들고 다칠 가능성이 가장 높다.
④ 이 책은 어려운 시기에 위안이 필요한 사람 누구에게나 제격이다.
⑤ 우리는 아름다운 호텔에 묵었는데, 그 호텔의 이름은 내가 지금 기억하지 못한다.
해설 ③ 관계대명사 that은 계속적 용법으로 쓸 수 없으므로, that을 사람(the poor)을 선행사로 하는 주격 관계대명사 who로 고쳐야 한다.

7 해석 a. 주민들 모두가 자동차가 허용되지 않는 그 거리를 좋아한다.
b. Oliver는 마침내 그가 생명을 구해 준 소년을 만났다.
c. 그녀는 다른 마을로 이사를 갔는데, 그것은 나를 불행하게 만들었다.
d. 나는 많은 친구들이 있는데, 그들 중 몇몇은 다른 나라에서 왔다.
e. 여러분은 바랄 때는 언제든지 강당에서 나갈 수 있다.
f. 그 회의는 내일 시카고에서 열리는데, 그곳에서 몇 년째 개최되어 왔다.
해설 b. the boy를 선행사로 하면서 관계대명사 뒤에 명사가 왔으므로 목적격 관계대명사 whom을 소유격 관계대명사 whose로 고쳐야 한다.
e. 관계사 뒤에 완전한 절이 나왔으므로 부사절로 고치는 것이 적절하며 문맥상 시간의 부사절을 이끄는 복합관계부사 whenever로 고쳐야 한다.
f. 문맥상 시카고라는 장소에 대한 부연 설명이 되는 것이 적절하므로, 관계부사 when을 where로 고쳐야 한다.

8 해석 a. 나는 상황을 평가하는 것이 목적인 회의에 갔다.
b. 문이 닫히는 것을 막을 만한 무언가가 있니?
c. 그가 몰래 집에서 나간 이유를 아니?
d. 그에게 일어난 일이 무엇이든 그것은 그녀의 잘못이 아니다.
e. 파란색으로 칠해진 건물을 아니?
f. Louise에게는 그녀가 스페인어로 대화를 나누는 세 명의 아르헨티나 급우들이 있다.
해설 b. Do you have something?과 It will stop the door from closing.의 두 문장을 이어줄 관계대명사가 필요하므로, it을 주격 관계대명사 that으로 고쳐야 한다.
d. 복합관계대명사 whatever가 이끄는 명사절이 문장의 주어이고 복합관계대명사 뒤에는 불완전한 절이 이어지므로 whatever가 happened의 주어로 쓰여 it이 필요 없으므로 삭제해야 한다.
e. 관계부사 where 뒤에는 완전한 절이 와야 하므로 where를 the building을 선행사로 하는 주격 관계대명사 that 혹은 which로 고쳐야 한다.

9 해석 • 나는 냉장고 안에 무엇이 있든 그것으로 샐러드 만드는 것을 좋아한다.
• 이 프로그램은 내가 교육에 대해 알아야 할 것들을 가르쳐 줄 것이다.
• 고양이는 자신의 새끼 고양이들 중 한 마리를 제외하고 전부 옮겼는데, 그 한 마리는 어린 소녀가 구했다.
해설 ⓒ 관계대명사 which 뒤에 단수 동사 was가 쓰였으므로 선행사는 all but one of its kittens가 아니라 one of the kittens이다.

10 지문 해석
최근에 나는 거의 5시간을 같이 보낸 적이 있었던 고객과 함께 있었다. 우리가 그날 다루었던 것에 대해 되새기고 있는 동안, 나는 그가 한쪽 다리를 몸에서 직각으로 유지하고 있다는 것을 알아차렸는데, 보기에 (그가) 일어나 뛰어가고 싶은 것 같았다. 그때 나는 "당신은 지금 정말 떠나야 하죠, 그렇지 않나요?"라고 말했다. "네."라고 그는 인정했다. "정말 미안하지만 저는 5분 안에 런던에 전화해야 해요!" 그의 발은 내게 그가 여기 있고 싶지만 가야 한다는 것을 말해 주었던 것이었다.
해설 ② 관계사절 앞에 선행사가 없으므로 선행사를 포함하는 관계대명사 what으로 고쳐야 한다.
③ 접속사 없이 주절에 이어지기 위해서는 he를 의미상 주어로 하는 분사구문이 되어야 하는데 주어 he가 '원하는' 능동의 관계이므로 wanted를 현재분사 wanting으로 고쳐야 한다.
④ 부가의문문 앞의 동사가 일반동사이므로, aren't는 don't로 고쳐야 한다.

서술형

1 해설 '그것'은 앞의 절 전체를 가리키므로 계속적 용법의 관계대명사 which를 사용하여 문장을 완성한다.

2 해설 선행사는 two volunteers이고 선행사의 전체에 대한 부연 설명이 되어야 하므로 「부정대명사(both)+of whom」의 형태로 관계사절의 주어를 써서 문장을 완성한다.

3 해석 a. 그녀가 제안한 아이디어는 실제로 연구에 의해 뒷받침된다.
b. 여러분이 어디를 가든지, 여러분의 가족이 항상 여러분과 함께 있다는 것을 잊지 마라.
c. 사람들은 그 고고학자가 폐허가 된 도시에서 발굴한 것을 보고 놀랐다.
d. 나는 결과에 조금 실망스럽지만, 그것이 내 자신에 대해 느끼는 방식을 바꾸지는 않는다.
해설 c. 동사 see의 목적어 역할을 할 수 있는 명사절이 필요한데, 관계대명사 앞에 선행사가 없으므로 that을 선행사를 포함한 관계대명사 what으로 고쳐야 한다.
d. the way와 how는 함께 쓰지 않으므로 the way 혹은 how로 고쳐야 한다.

4 해석 그 회사는 커피 머그잔부터 침대 시트까지 다양한 상품을 제공하는데, 그 대부분은 품질이 우수하다.
해설 which는 a range of products를 선행사로 하는 계속적 용법의 관계대명사이다.

[5-6] 지문 해석
경제 문화는 과거와 현재의 미시 경제적 맥락에서 많이 파생된 것으로 보인다. 사실, 개인은 사회의 집단적 이익이나 국가적인 사욕을 해칠 수도 있는 방식으로 행동할 수도 있다. 그러나 개인이 고의로 개인 자신의 사욕 혹은 회사의 그것에 반하는 비생산적인 방식으로 행동하는 경우는 드물다. 그렇기에 문화적 속성의 역할은 전반적인 기업 환경과 한 사회의 제도의 영향으로부터 분리되기 어렵다. 사회에서 사람들이 행동하는 방식은 그들이 살고 있는 경제 시스템에서 만들어진 신호와 장려책과 많은 관련이 있다.

5 해설 관계대명사절이 the economic system을 꾸며 주는 구조로 문장을 완성해야 한다. '~에 산다'는 live in으로 표현하는데, 「전치사+관계대명사」를 사용하라고 했으므로 the economic system in which they live로 써야 한다.

6 해석 경제 시스템이 개인의 행동에 미치는 영향
해설 개인이 행동하는 방식은 경제 시스템 전체의 영향으로부터 분리되기 어렵다는 내용의 글이다.

CHAPTER 07

명사/관사/대명사

POINT 1 p. 80

예문 해석

1 우리는 그 행사를 위해 강당과 50개의 의자가 필요하다.
2 청중은 질문을 하는 것이 허락되지 않는다.
3 청중들은 찬성하여 박수를 치고 있었다.
4 Roger Federer는 역대 최고의 테니스 선수 중 한 명이다.
5 나는 돈으로 사랑이나 행복을 살 수 없다고 생각한다.
6 집에서 만든 빵을 만들기 위해 유기농 달걀과 밀가루, 우유를 사용해라.
7 나는 하루에 적어도 다섯 잔의 물을 마시려고 노력한다.

◈ 수능·내신 어법
• 집에 있는 모든 가구는 내 남동생에 의해 만들어졌다.
• 경찰들은 여전히 범죄를 수사하고 있다.

A **1** Most consumer magazine → Most consumer magazines **2** More than 100 sheet of papers → More than 100 sheets of paper **3** ○
4 Select a clothing → Select clothing
5 the realities of poverties → the realities of poverty

B **1** Our luggage was waiting
2 Her family have to stay
3 two pieces of cheese

A

1 해석 대부분의 상업 잡지는 구독료와 광고에 의존한다.
해설 magazine은 셀 수 있는 명사인데 뒤에 복수 동사 depend가 쓰였으므로 복수형으로 고쳐야 한다.

2 해석 100장 이상의 종이가 이 모형 비행기를 만드는 데 사용되었다.
해설 paper는 셀 수 없는 명사로 복수형으로 쓰지 않으므로 단위명사인 sheet를 복수형으로 고쳐야 한다.

3 해석 위원회는 10개의 환경 단체 대표들로 구성되어 있다.
해설 문맥상 committee가 하나의 집합체를 나타내므로 단수 동사 is가 쓰이는 것이 맞다.

4 해석 기온과 환경 조건에 알맞은 옷을 선택하라.
해설 clothing은 복수형으로 쓰지 않고 앞에 a[an]이 붙지 않으므로, 부정관사 a를 삭제해야 한다.

5 해석 아프리카의 그 지역에서 자원봉사를 한 것은 내가 빈곤의 실상을 접하게 했다.
해설 poverty는 추상명사로 복수형으로 쓰지 않는다. reality가 실제로 존재하는 상황을 가리킬 때는 셀 수 있는 명사로 취급한다.

B

1 해설 luggage는 복수형으로 쓰지 않고 단수 취급하며, '~하고 있었다'의 과거진행시제의 문장이므로 동사는 was waiting으로 써야 한다.

2 해설 family가 개별 가족 구성원을 나타내므로 복수 취급하여 have to로 써야 한다.

3 해설 cheese는 물질명사로 복수형으로 쓰지 않고 단위명사인 piece를 복수형으로 써야 한다.

POINT 2 p. 81

예문 해석

1 좋은 책은 좋은 친구와 같다.
2 나는 1분에 500단어를 타이핑할 수 있다.
3 그녀는 어제 헤어드라이어를 샀다. 그 헤어드라이어는 지금 고장 났다.
4 세상에서 가장 훌륭한 사람들의 성공 비결을 배워라.
5 나는 버스를 타고 학교에 간다.
cf. 너는 그 학교가 보이니?
6 그는 그렇게 오랫동안 점심 식사 후 농구를 하지 않았다.

A **1** ○, ○
2 question → a question / questions, ○
3 ○, the reliable architect → a reliable architect
4 quite beautiful a view → quite a beautiful view
5 the day → a[per] day, ○

B **1** The only way to overcome
2 so rare a phenomenon
3 such a common problem

A

1 해석 나는 교회 종소리에 깨서 해가 떠오르고 있는 것을 알아차렸다.
해설 the sound는 of church bells의 수식을 받으므로 정관사 the가 쓰이는 것이 맞고, 유일무이한 것 앞에 정관사 the를 쓰므로 the Sun이 맞다.

2 해석 질문이 있으면 editors@nff.com으로 이메일을 보내서 연락하시기 바랍니다.
해설 question은 보통명사이므로 앞에 부정관사 a를 쓰거나 복수형으로 써야 한다. by e-mail은 통신 수단을 나타내므로 e-mail 앞에 관사를 쓰지 않는 것이 맞다.

3 해석 내 집을 개조하고 싶어. 믿을 수 있는 건축가를 알고 있니?
해설 보통명사 house 앞에 소유격이 있으므로 관사를 쓰지 않는 것이 맞다. 문맥상 불특정한 하나를 가리키는 경우이므로 형용사의 수식을 받는 단수 명사 reliable architect 앞에 부정관사 a를 써야 한다.

4 해석 방문객들은 너무나 멋진 풍경에 거의 넋이 빠졌다.
해설 「quite a[an]+형용사+명사」의 순으로 고쳐야 한다.

5 해석 그것은 하루에 약 400칼로리, 즉 머핀 하나에서 얻을 수 있는 것과 거의 같은 양의 칼로리가 필요하다.

해설 문맥상 '~당(per)'의 의미를 나타내는 부정관사 a나 per로 고쳐야 한다. same이 붙은 말 앞에는 정관사 the를 써야 한다.

B

1 해설 only가 붙은 말 앞에는 정관사 the를 써야 한다.

2 해설 「so+형용사+a[an]+명사」의 순으로 써야 한다.

3 해설 「such+a[an]+형용사+명사」의 순으로 써야 한다.

POINT 3

p. 82

예문 해석

1 날이 흐리고 간간이 소나기가 내릴 것이다.
2 어떤 이미지가 수정된 것인지 구분하기는 쉽지 않다.
3 그녀는 실망감을 감추기 어렵다는 것을 알았다.
4 이것은 학생회관이고, 저것은 교사 휴게실이다.
5 나의 학교 생활은 다른 평범한 십 대들의 학교 생활과 비슷하다.
6 10만원 이상을 쓰는 사람들은 경품을 받을 것이다.

A **1** That → It **2** these → those
3 one → it **4** that → those **5** ○
B **1** It is difficult for me to concentrate
2 from that of other travelers
3 take it for granted that

A

1 해석 화재 경보가 울리기 시작한 때는 11시 정각이었다.
해설 시간을 나타내는 비인칭 주어 It으로 고쳐야 한다.

2 해석 대부분의 근로자들은 피곤하지만 에너지로 충만한 사람들이 있다.
해설 '~한 사람들'의 의미를 나타내는 those who가 되도록 고쳐야 한다.

3 해석 이 새로운 음식 배달 서비스는 균형 잡힌 식단을 지키는 것을 쉽게 만든다.
해설 진목적어인 to부정사구가 문장 뒤에 있으므로 가목적어 it으로 고쳐야 한다.

4 해석 2015년의 공정 무역 상품의 판매 수치는 2010년의 판매 수치의 두 배 높았다.
해설 the sales numbers를 대신해야 하므로 those로 고쳐야 한다.

5 해석 긴급 구조원들 중 일부는 상담이 필요하다고 여겨진다.
해설 that 이하의 진주어를 대신하는 가주어 It을 쓴 것이 맞다.

B

1 해설 가주어 it과 의미상 주어(for me), 진주어인 to부정사구(to concentrate ~)를 이용하여 문장을 완성한다.

2 해설 attitude를 대신하는 말로 that을 써서 문장을 완성한다.

3 해설 진목적어 that절(that Judy won ~)을 대신하는 가목적어 it을 take 뒤에 써서 문장을 완성한다. take ~ for granted는 '~을 당연한 일로 여기다'라는 의미이다.

POINT 4

p. 83

예문 해석

1 너의 물건이 아니더라도 물건을 낭비하지 마라.
2 나는 내 집에서 그녀의 이 사진을 발견했다.
3 너 자신을 믿어라, 그러면 네 꿈을 이룰 수 있다.
4 그 자신이 실패에 대한 책임을 져야 한다.
5 아버지가 돌아가신 이후 그녀는 혼자 그 호텔을 운영해 왔다.

◆ 수능·내신 어법
• 너는 너 자신이 결백하다는 것을 증명해야 한다.
• 너는 그녀가 결백하다는 것을 증명해야 한다.

A **1** me → mine **2** ○
3 us → ourselves **4** her → hers
5 her → herself
B **1** A patient of his **2** She cut herself
3 help yourselves to

A

1 해석 내 친구 중 한 명이 그의 앞 타이어 중 하나에 못이 박혔다는 것을 알았다.
해설 한정사(a)가 명사 앞에 올 경우 소유격과 함께 쓸 수 없으므로 「한정사+명사+of+소유대명사」의 형태로 써야 하므로, 소유대명사 mine으로 고쳐야 한다.

2 해석 내 아이들이 노는 소리 그 자체가 나를 안심시키기에 충분하다.
해설 단수 명사 sound를 강조하는 강조 용법의 재귀대명사가 되어야 하므로 itself가 쓰인 것은 맞다.

3 해석 점심을 싸서 신선한 공기를 마시며 공원에서 즐거운 시간을 보내자.
해설 Let's는 Let us의 단축형으로 문장의 주어(us)와 enjoy의 목적어가 동일하므로 재귀대명사 ourselves로 고쳐야 한다.

4 해석 불행하게도 사건에 대한 그의 진술은 그녀의 진술과 일치하지 않는다.
해설 her account를 대신해야 하므로 소유대명사인 hers로 고쳐야 한다.

5 해석 Victoria는 스스로가 자랑스러웠고 자신의 엄마가 무척 기뻐하시는 것을 보고 정말 기분이 좋았다.
해설 전치사(of)의 목적어가 주어(Victoria)와 동일하므로 재귀대명사 herself로 고쳐야 한다.

B

1 해설 한정사(a)가 명사 앞에 올 경우 소유격과 함께 쓸 수 없으므로 「한정사+명사+of+소유대명사」의 형태로 써야 한다.

2 해설 cut의 목적어가 주어(She)와 동일하므로 재귀대명사로 써야 한다.

3 해설 '~을 마음껏 먹다'의 의미를 나타낼 때 help oneself to로 쓰며, '여러분들'이라고 했으므로 복수형 yourselves로 써야 한다.

POINT 5 p. 84

예문 해석

1 자리가 있다면 창가 자리로 주세요.
2 정비사가 낡은 타이어들을 새것으로 교체했다.
3 그의 세 아들 중 한 명은 뉴욕에 살고 나머지는 LA에 산다.
4 어떤 사람들은 실내 활동을 좋아하고, 또 어떤 사람들은 야외 활동을 선호한다.
5 재킷의 색상이 마음에 안 들어요. 다른 것을 보여 주시겠어요?

◆ 수능·내신 어법

- 그는 그의 자전거를 잃어버렸다. 그는 새로운 것을 사고 싶어 한다.
- 그의 자전거가 고장 났다. 그는 그것을 수리할 것이다.

A **1** one → ones **2** ones → one
3 the other → another **4** other → others
5 other → the other
B **1** others prefer city life **2** I can buy a new one
3 the other has a gift for music

A

1 해석 그녀는 인원이 많은 수업과 적은 수업 모두에서 발생하는 부정행위에 대한 자료를 모은다.
해설 복수 명사 classes를 대신하므로 ones로 고쳐야 한다.

2 해석 오늘 아침에 열차가 너무 붐벼서 나는 다음 열차를 타야 했다.
해설 단수 명사 train을 대신하므로 one으로 고쳐야 한다.

3 해석 한 일자리에서 다른 일자리로 승진할 때 당신은 몇 가지 것들을 고려해야 한다.
해설 둘 중 나머지 하나가 아니라 '또 다른 (하나의) 일자리'를 가리키므로 another로 고쳐야 한다.

4 해석 그 환자는 담당 의사에게 왜 어떤 두통은 다른 것들보다 훨씬 더 오래 지속되는지를 물었다.
해설 불특정한 다른 두통을 가리키므로 other를 others로 고쳐야 한다.

5 해석 쌍둥이 한 명은 암이 발병했고, 다른 한 명은 암이 발병하지 않고 건강하게 오래 살았다.
해설 둘 중 나머지 한 명을 가리키므로 the other로 고쳐야 한다.

B

1 해설 앞에 불특정한 어떤 사람들을 가리키는 some이 쓰였고 불특정한 다른 사람들을 가리켜야 하므로 others를 주어로 써서 문장을 완성한다.

2 해설 앞에 나온 computer와 같은 종류의 다른 하나를 나타내는 one을 써서 문장을 완성한다.

3 해설 두 아들 중 다른 한 명을 가리키는 the other를 주어로 쓰고 뒤에 단수 동사를 써서 문장을 완성한다.

POINT 6 p. 85

예문 해석

1 각각의 주제가 회의에서 논의되었다.
2 모든 십 대는 미래에 대한 불안감을 느낀다.
3 모든 증거가 제출되었다.
4 선수들 대부분은 여자아이들이다.
5 그 와인은 조금도 마시지 않았다.
6 어떤 답도 옳지 않다.
7 그의 부모님 두 분 다 같은 날 태어나셨다.
8 그 팀들 중 어느 한 팀이 점수를 낼 때마다 나는 흥분된다.
9 그들 중 누구도 요리하는 법을 모른다.

A **1** have **2** Most **3** seems **4** Some **5** All
B **1** All of the technical problems were
2 Neither of the products meets[meet]
3 Every student in this class needs

A

1 해석 그들의 딸 둘 다 금발 머리와 파란 눈을 가지고 있다.
해설 both 뒤에는 항상 복수 동사가 온다.

2 해석 체육관에 있는 대부분의 학생들은 교장 선생님이 말씀하시는 것에 주의를 기울였다.
해설 뒤에 복수 명사(students)와 복수 동사(were)가 있으므로 Most가 적절하다.

3 해석 그 프로그램들 각각은 세미나 참석자들의 관심을 끄는 것 같다.
해설 each는 「each+단수 명사」 또는 「each of+복수 명사」의 형태로 쓰이지만, 어느 경우라도 주어로 쓰일 때 항상 단수 취급하므로 단수 동사 seems가 오는 것이 적절하다.

4 해석 여기 있는 몇몇 음식은 콩이나 가짜 고기 제품으로 만들어졌다.
해설 뒤에 복수 명사(dishes)와 복수 동사(are)가 있으므로 Some이 적절하다.

5 해석 모든 사업은 비슷한 문제와 요구가 있다.
해설 뒤에 복수 명사(businesses)와 복수 동사(have)가 있으므로 all이 적절하다.

B

1 해설 all은 뒤에 나오는 명사의 수에 동사를 일치킨다. 주어가 '문제들'이므로 All of the technical problems로 나타내고, 과거 시제의 문장이므로 복수 동사 were를 써서 문장을 완성한다.

2 해설 '그 제품들 중 어떤 것'은 「neither of+복수 명사」를 써서 Neither of the products로 나타내고, 「neither of+복수 명사」가 주어로 쓰인 경우 단·복수 취급이 모두 가능하므로 동사는 단수 동사 meets나 복수 동사 meet을 써서 문장을 완성한다.

3 해설 every는 「every+단수 명사」의 형태로 쓰이므로 every student를 주어로 쓰고, 단수 취급하므로 단수 동사 needs를 써서 문장을 완성한다.

문제로 REVIEW pp. 86-87

어법 연습

A **1** the others **2** the same **3** it **4** It

B **1** the train → train **2** most → the most

3 have → has **4** are → is **5** those → that

C **1** ② give → gives ③ one → it

2 ① whom → who[that] ② that → those

3 ① you → yourself ③ this → it

서술형 연습

A **1** It is interesting to see

2 The analyst finds it necessary to mark

B **1** a big fan of theirs

2 find such a comfortable place

3 a great option for those who

C **1** to set goals for themselves

2 eight glasses of water a[per] day

3 All of the planets, move around

어법 연습

A

1 해석 그 소년은 학급의 다른 학생들로부터 소외감을 느끼는 것처럼 보인다.
해설 한 학급에서 소년을 제외한 나머지 다른 학생들을 가리키는 것이므로 the others를 쓰는 것이 맞다.

2 해석 그녀는 여성도 남성과 똑같은 권리를 가져야 한다고 선언했다.
해설 same이 붙은 말 앞에는 the를 붙여 the same으로 쓰는 것이 적절하다.

3 해석 어떤 유방암 환자들은 유전 때문에 이 병을 앓게 된다.
해설 앞에 나온 명사 breast cancer를 가리키는 대명사가 와야 하므로 it이 적절하다.

4 해석 때때로 대량 생산된 상품 안에 정확히 무엇이 들어 있는지 아는 것은 어렵다.
해설 문장의 진주어인 to부정사구(to know ~ products)를 대신하는 가주어가 주어 자리에 와야 하므로 It을 쓰는 것이 맞다.

B

1 해석 시드니 공항은 시내에서 기차로 고작 13분 떨어진 거리에 위치해 있다.
해설 교통 수단을 나타내는 말 앞에는 관사를 쓰지 않으므로 the train을 train으로 고쳐야 한다.

2 해석 인류의 전 역사를 통틀어 우리는 지구상에서 가장 창의적인 존재였다.
해설 최상급 앞에는 정관사 the를 써야 하므로 most를 the most로 고쳐야 한다.

3 해석 이 두 단어는 잘못 사용될 수 있는데, 그것들 각각은 뚜렷하게 구분되는 의미를 가지고 있다.
해설 「each of+복수 명사」는 단수 취급하므로 have를 has로 고쳐야 한다.

4 해석 이 사업의 핵심 고객층은 34세 이상의 여성으로 구성된다.
해설 audience가 하나의 집합체를 의미할 때는 단수 취급하므로 are를 is로 고쳐야 한다.

5 해석 인간은 종종 자신들의 지능이 동물의 지능보다 더 뛰어나다고 추정한다.
해설 앞에 나온 명사 intelligence의 반복을 피하기 위한 대명사가 와야 하므로 those를 단수형 that으로 고쳐야 한다.

C

1 해석 제빵사들은 모든 케이크 재료들이 고유한 역할을 한다는 것을 알고 있다. 예를 들어, 밀가루는 케이크의 구조를 만들어 주는 반면 베이킹 소다는 그것이 부풀도록 만든다. 버터와 기름은 질긴 성질을 줄여 주는 한편 설탕은 촉촉함을 더해 준다.
해설 ① every의 수식을 받는 명사는 단수 취급하므로 단수 동사인 plays가 쓰인 것이 맞다.
② flour는 셀 수 없는 명사이고, 셀 수 없는 명사는 단수 취급하므로, 단수 동사인 gives로 고쳐야 한다.
③ 앞에 나온 the cake을 가리키는 말이 되어야 하므로 it으로 고쳐야 한다.

2 해석 스페인어와 영어를 일상생활에서 사용하는 이중 언어 사용자의 뇌는 단일 언어 사용자의 뇌보다 민첩했다. 그 두 개의 언어를 자주 바꾸어 사용하지 않는 이중 언어 사용자들은 이점이 훨씬 적게 나타났다.
해설 ① 선행사가 bilinguals이고 관계사절 내에서 주어 역할을 해야 하므로 주격 관계대명사인 who 또는 that으로 고쳐야 한다.
② 앞에 나온 the brains의 반복을 피하기 위한 대명사이므로 복수형인 those로 고쳐야 한다.
③ 앞에서 언급된 특정한 두 개의 언어(Spanish, English)를 가리키므로 정관사 the가 명사 앞에 쓰인 것은 맞다.

3 해석 대부분의 사람들이 꽤 행복하지 않는 곳에서 여러분이 우울하다면, 여러분은 여러분 주변의 사람들과 자신을 비교하며 그렇게 아주 나쁘다고 느끼지 않는다. 그러나 모든 사람들이 행복한 곳에서 우울해지는 것은 어려운 일임에 틀림없다.
해설 ① 문장의 주어와 목적어가 같은 대상이므로 재귀대명사 yourself로 고쳐야 한다.
② those가 주격 관계대명사 who의 선행사 역할을 하여 '~하는 사람들'이라는 의미로 쓰인 것이므로 those가 쓰인 것은 맞다.
③ 문장의 진주어인 to부정사구(to be happy)를 대신하는 가주어가 필요하므로 it으로 고쳐야 한다.

서술형 연습

A

1 해석 그가 여자아이들 앞에서 어떻게 다르게 행동하는지 보는 것은 흥미롭다.
해설 to부정사가 주어로 쓰인 문장이므로 가주어 it을 주어 자리에 쓰고 진주어인 to부정사를 뒤로 보낸다.

2 해석 그 분석가는 자신의 일에 모든 작은 오류를 표시하는 것이 필요하다고 여긴다.
해설 가목적어 it을 사용하여 「find it ~ to-v」의 문장을 완성한다. 목적절의 보어 necessary를 목적격보어로 쓰고 주어인 동명사구를 진목적어인 to부정사구로 고쳐 뒤로 보낸다.

B

1 해설 '그들의 팬 중의 열렬한 팬'이라는 의미이므로 이중소유격을 써서 나타낸다. 이중소유격은 「한정사+명사+of+소유대명사」의 형태로 쓴다.

2 해설 「such a[an]+형용사+명사」의 어순에 유의한다.

3 해설 「those+주격 관계대명사 who」를 이용하여 '~하는 사람들'이라는 의미를 나타낸다.

C

1 해설 encourage는 to부정사를 목적격보어로 취하는 동사이며, 「for+재귀대명사」를 써서 '스스로'의 의미를 나타낼 수 있다.

2 해설 water는 셀 수 없는 명사이므로 '8잔의 물'은 단위명사 glass를 이용해서 「수사+단위명사+of+명사」의 형태로 나타낸다. a[per]는 '~당'이라는 뜻이다.

3 해설 planets가 전치사구 in the solar system의 수식을 받고 있으므로 앞에 정관사 the를 써야 한다. 「all of+복수 명사」는 복수 취급한다.

실전 모의고사 pp. 88-90

1 ①	2 ②	3 ②	4 ①	5 ③
6 ②	7 ③	8 ④	9 ③	10 ③, ⑤

서술형

1 He made such a huge mistake
2 This cafe is so charming a place
3 (b) him → himself (c) them → it
4 (1) one → it (2) 앞에서 언급한 특정한 것인 your job을 가리키므로 one이 아니라 it을 사용해야 한다.
5 lower air pressure, temperature
6 is warmed by the Sun and evaporates

1 해석 • Allen 씨는 혼자 사는데 일주일 내내 아무도 찾아오지 않았다.
• 그의 실수로 그의 팀이 졌을 때, 그 선수는 제정신이 아니었다.
해설 by oneself는 '혼자서, 홀로'의 의미로, beside oneself는 '제정신이 아닌'의 의미로 사용되는 재귀대명사의 관용적 표현이다.

2 해석 • 왜 똑같은 일을 한 후에 어떤 사람들은 녹초가 되지만 다른 사람들은 그렇지 않은가?
• 탁자 위에 있는 두 요리 중 하나는 주방장이 요리를 했고, 다른 하나는 실습생이 했다.
해설 불특정한 대상 중 일부는 some으로, 나머지 중 일부는 others로 나타낸다. 두 대상 중 하나는 one으로, 나머지 하나는 the other로 나타낸다.

3 해설 「such a[an]+형용사+명사」의 어순으로 목적어를 쓴다.

4 해설 가목적어 it을 사용하여 「made it ~ to-v」의 문장을 완성한다.

5 해석 ① 책임감을 기를 수 있도록 그가 직접 그것을 하게 하라.
② 그는 매우 똑똑한 학생이어서 혼자서 대수학을 익힐 수 있었다.
③ 네 얼굴에 무엇이 묻었는지 확인하기 위해 거울 속 자신의 모습을 자세히 봐라.
④ 건물에 불이 났을 경우에 너는 어떻게 탈출해야 하는지 알아야 한다.
⑤ 그는 종이 한 장으로 동물과 로봇 같은 다양한 것들을 만들 수 있다.
해설 ③ 명령문의 생략된 주어는 you이고 전치사의 목적어도 같은 대상이므로, you를 재귀대명사 yourself로 고쳐야 한다.

6 해석 ① 배우자 한 명은 한국인이고 다른 한 명은 한국인이 아니라면, 어떻게 혼인 신고를 할 수 있을까요?
② 그 손님은 바리스타에게 커피에 얼음 세 조각만 넣어달라고 요청했다.
③ 내 첫째 아들의 몸무게는 둘째 아들의 몸무게보다 최소 두 배는 더 나간다.
④ 내 컴퓨터의 모니터가 더 이상 작동하지 않아서, 나는 새것을 사고 싶다.
⑤ 나의 관리자는 나에게 금이 주식 시장보다 더 안전하기 때문에 좋은 투자라고 말했다.
해설 ② ice는 셀 수 없는 명사로 a cube of를 이용해 수량을 나타내므로, cubes of ice로 고쳐야 한다.

7 해석 a. 컵케이크들이 먹음직스러워 보여서, 나는 하나를 먹기로 결정했다.
b. 우리 반 학생들 중 어느 누구도 어른들과 선생님들께 무례하게 행동하지 않는다.
c. 모든 말은 말하기 전에 주의 깊게 생각해야 한다.
d. 이 가게의 대부분의 청소용품은 친환경적이다.
e. 이 사진에 있는 각각의 사람들은 같은 날, 같은 병원에서 태어났다.
f. 수컷 해마는 알이 부화할 준비가 될 때까지 그것들을 주머니에 넣고 다닌다.
해설 c. every는 항상 단수 명사와 단수 동사만을 취한다.
e. each of는 뒤에 복수 명사가 와도 항상 단수 취급한다.

8 해석 a. 너의 친구라면 누구라도 콘서트에 오는 것을 환영한다.
b. 경찰이 좁은 길에서 무기를 들고 있는 용의자와 대치하고 있는 중이다.
c. 우리 제품은 제조 과정을 간소화함으로써 당신이 돈을 절약하게 할 것이다.
d. 내 남동생의 오랜 친구는 꽤 특이한 사람이다.
e. 젊은 디자이너는 로코코 시대의 여성복에 감탄한다.
f. 그 감독들은 그들이 직접 한 선택에 대해 만족하지 못했다.
해설 a. '너의 친구라면 누구라도'의 의미를 나타내기 위하여 이중소유격(한정사+명사+of+소유대명사)을 사용해야 한다. you의 소유대명사는 yours이다.
d. quite이 쓰였을 때 관사는 형용사 앞에 위치하므로, quite an unusual person으로 고쳐야 한다.
e. clothing은 복수형으로 쓰지 않고 앞에 관사도 붙지 않는 명사이므로 clothing으로 고쳐야 한다.

9 해석 • 엄마는 내 방에 크기에 비해 너무 많은 가구가 있다고 항상 말씀하신다.
• 그 신문은 지난달부터 일주일에 두 번 발행되기 시작했다.
• 나는 햇빛에서 3시간 동안 일하고 있던 중이었기 때문에 물 한 잔을 정말 마시고 싶다.
해설 ⓑ twice a week에서 부정관사 a는 per의 의미로 사용되어 '~당, ~마다'를 나타낸다.

10 지문 해석

우리는 우리가 아는 사람들과 오랫동안 연락하지 않고 지내는 경향이 있다. 그러다 우리는 갑자기 그 상황을 깨닫고 오랫동안 말을 걸지 않았던 사람들에게 전화를 걸면서, 하나의 작은 노력이 우리가 만들어낸 몇 년 동안의 거리를 없애길 바란다. 그러나 이것은 거의 효과가 없다. 우리 관계에서, 우리는 반드시 너무 많은 시간이 지나지 않도록 해야 한다. 이것은 당신이 말을 건 지 오래됐다는 이유만으로 누군가에게 일부러 전화를 걸어서는 안 된다는 말이 아니다. 단지 처음부터 여러분 스스로 연락이 끊기지 않도록 하는 것이 더 이상적이라는 말이다.

해설 ① 전치사 without 다음에 동사가 올 때는 동명사 형태가 되어야 하므로, reach를 reaching으로 고쳐야 한다.

② 과거부터 지금까지 계속된 일을 나타낼 때 현재완료시제를 사용해야 하므로, hadn't spoken을 haven't spoken으로 고쳐야 한다.

④ to let 이하를 진주어로 하는 가주어 it으로 고쳐야 한다.

서술형

1 해설 「such a[an]+형용사+명사」의 어순으로 목적어를 쓴다.

2 해설 결과를 나타내는 「so ~ that ...」 구문을 완성한다. 일반적으로 so와 that 사이에는 형용사나 부사가 오는데, 명사까지 있는 경우는 「so+형용사+a[an]+명사」의 어순으로 쓴다.

3 해석 a. 이렇게 먼 나라에서 너를 만나게 되다니 정말 뜻밖이다.

b. 그가 직접 그 일을 하게 해라. 나는 그것이 결국에는 그의 성장을 도울 것이라고 생각한다.

c. 그는 매우 부지런했기 때문에, 위원회는 그에게 그 일을 제안하는 것이 합리적이라고 생각했다.

d. 어떤 사람들은 그 비행기의 조종사들 중 그 누구도 그 사고에 책임이 없다고 생각했다.

해설 b. 첫 번째 문장의 끝에 쓰인 him은 강조 용법의 재귀대명사 himself로 고쳐야 한다.

c. 5형식 동사 thought 뒤의 them은 진목적어인 to부정사구를 대신하는 가목적어 it으로 고쳐야 한다.

4 해석 너는 너의 일을 그만두기 전에 그것에 대해서 신중하게 생각해야 한다.

해설 one은 your job을 가리키므로 it으로 고쳐야 한다.

[5-6] 지문 해석

증발은 어떤 물질이 액체 상태에서 기체 상태로 변할 때 발생한다. 액체인 물이 증발할 때, 그것은 수증기가 된다. 낮은 기압은 증발의 속도를 높이는 데 도움이 되지만, 온도가 주된 요인이다. 예를 들어, 물이 담긴 냄비를 탁자 위에 두면 냄비 안의 모든 물은 결국 증발할 것이다. 그러나 그것을 레인지에서 끓이면, 물은 더 빨리 증발할 것이다. 바다, 호수, 강의 물 일부는 태양에 의해 데워지고, 증발한다.

5 해설 액체의 증발을 촉진하는 요인으로 낮은 기압과 온도를 들었다.

6 해설 「some of+명사」의 경우 전치사 of 다음의 명사에 수를 일치시키므로, 단수 명사 water에 맞춰 동사도 단수형(is, evaporates)으로 써야 한다.

CHAPTER

형용사/부사/비교

POINT 1

p. 92

예문 해석

1 이것은 무늬를 만드는 데 유용한 간단한 도구이다.
2 그 어린 여자아이는 술 취한 남자가 이상한 말을 하는 것을 들었다.
3 나는 너무 피곤해서 간신히 깨어 있었다.
4 그의 무례한 태도는 청중을 화나게 했다.
5 그는 약간의 우유와 몇 개의 비스킷을 곁들여서 차 마시는 것을 좋아한다.

◆ 수능·내신 어법

- 자고 있는 사자를 깨우지 마시오.
- 이 바는 금요일 밤에 라이브 음악을 한다.

A **1** alone **2** golden sand **3** Many
4 alive **5** a few

B **1** let's do something different
2 There are few customers
3 A great amount of toxic waste

A

1 해석 혼자 여행하기에 관한 이 팁들은 당신이 즐겁고 안전하게 지내는 데 도움이 될 것이다.

해설 '혼자 여행하기'의 의미가 되어야 하므로 서술 용법으로 쓰이는 형용사 alone이 적절하다.

2 해석 오셔서 깨끗한 파란 바다와 수마일에 걸친 금빛 모래를 즐기세요.

해설 golden은 한정 용법으로 쓰여 명사를 꾸미므로 sand 앞에 와야 한다.

3 해석 많은 참가자들은 휴식의 한 형태로 레크리에이션에 참여한다.

해설 셀 수 있는 명사인 participants를 꾸미는 수량 형용사로 many를 쓰는 것이 맞다.

4 해석 어린 사냥꾼들을 살아 있도록 도운 것은 사실 이상한 의식 절차였다.

해설 keep의 목적격보어로 형용사 alive가 적절하다.

5 해석 누군가가 다른 개인을 평가하는 데는 단 몇 초밖에 걸리지 않는다.

해설 셀 수 있는 명사인 seconds를 꾸미는 수량 형용사로 a few가 적절하다.

B

1 해설 -thing으로 끝나는 명사는 형용사가 뒤에서 꾸며 주는 것에 유의하여 문장을 완성한다.

2 해설 「There are+복수 명사 ~.」의 문장을 완성한다. '거의 없는'의 의미로 셀 수 있는 명사인 customers를 꾸미는 수량 형용사는 few로 명사 customers 앞에 써야 한다.

3 해설 '많은 양의'의 의미로 셀 수 없는 명사인 waste를 꾸미는 수량 형용사로 a great amount of를 써야 한다.

POINT 2 p. 93

예문 해석

1 사실 우리는 교통 체증 때문에 아주 천천히 이동하고 있었다.
2 그녀는 또다시 같은 실수를 절대 하지 않겠다고 약속했다.
3 그것을 확인하고 싶다면 지금 당장 저희 웹 사이트에 방문하세요!
4 그는 충분히 열심히 일했다. cf. 그는 충분한 일을 했다.
5 Tim은 최근에 거의 잠을 못 잔다. 그는 어젯밤에 늦게까지 깨어 있었다.

◆ 수능·내신 어법

• 그녀의 공연은 성공적으로 보였다.
• 그녀는 공연을 성공적으로 끝마쳤다.

A **1** lose often → often lose **2** ○
3 feel greatly → feel great
4 turn off it → turn it off **5** ○
B **1** does not work fast enough
2 just throw them away
3 highly developed persuasion skills

A

1 해석 십 대들은 친구들에게 비난받을 때 종종 자신감을 잃는다.
해설 빈도부사는 일반동사 앞에 위치해야 하므로 often lose로 고쳐야 한다.

2 해석 우리 아빠는 음악가로 매우 늦은 시간까지 일을 하셔서 주말마다 늦게까지 주무셨다.
해설 문맥상 '늦게'라는 의미의 부사 late가 쓰인 것이 적절하다.

3 해석 단순히 너의 기분을 좋게 하는 피드백은 너 자신을 향상시키는 데 도움이 되지 않을 것이다.
해설 감각동사 feel의 보어로 형용사가 와야 하므로 부사 greatly를 형용사 great로 고쳐야 한다.

4 해석 알람 시계가 침대에서 멀리 떨어져 있어서 나는 알람을 끄기 위해 침대에서 일어나야 했다.
해설 「타동사+부사」의 목적어가 대명사일 때는 타동사와 부사 사이에 대명사가 와야 하므로 turn it off로 고쳐야 한다.

5 해석 왼쪽 엔진이 힘을 잃기 시작했고 오른쪽 엔진도 이제 거의 꺼졌다.
해설 '거의'라는 뜻의 부사 nearly가 형용사 dead 앞에서 dead를 꾸며 준 것이 적절하다.

B

1 해설 enough가 부사를 수식할 때 다른 부사 뒤에 오므로 fast enough의 어순으로 써야 한다.

2 해설 throw away는 「타동사+부사」로 목적어가 대명사(them)이므로 타동사와 부사 사이에 대명사를 써야 한다.

3 해설 highly는 '매우, 대단히'의 의미의 부사로 형용사(developed)를 꾸며 줄 때 형용사 앞에 와야 한다. 또한 형용사 developed는 명사 persuasion skills를 꾸며 주도록 명사 앞에 써야 한다.

POINT 3 p. 94

예문 해석

1 내 다섯 살배기 아들은 그의 형만큼 키가 크다.
2 이 컵케이크는 초콜릿만큼 달콤하지 않다.
3 이달의 수입은 지난달 수입의 여섯 배 많다.
4 가능한 한 빨리 답변을 주세요.
5 내 휴대 전화는 네 것만큼 많은 기능을 가지고 있지 않다.
6 너는 오래 살기보다는 잘 살기 위해 노력해야 한다.

A **1** 영어를 말하는 것만큼 유창하게
2 겁에 질렸다기보다 놀란
3 보이는 것만큼 간단하지 않은
4 가능한 한 많은 등장인물들을
5 컴퓨터 사용자 비율의 세 배나 높은
B **1** three times as many words as
2 yell for help as loudly as possible / yell for help as loudly as you can
3 not as[so] important as fame

A

1 해석 Anthony는 영어를 말하는 것만큼 프랑스어와 이탈리아어를 유창하게 말한다.
해설 「as+원급+as」는 '~만큼 …한[하게]'의 의미를 나타낸다.

2 해석 그 건물 관리자는 겁에 질렸다기보다는 놀랐다.
해설 「not so much A as B」는 'A라기보다는 B인'의 의미를 나타낸다.

3 해석 완벽한 스크램블드에그를 만드는 것은 보이는 것만큼 간단하지 않다.
해설 「not as+원급+as」는 원급 비교 「as+원급+as」의 부정형으로, '~만큼 …하지 않은'의 의미를 나타낸다.

4 해석 몇몇 작가들은 그들의 이야기에 가능한 한 많은 등장인물들을 포함하는 것을 선호한다.
해설 「as many+명사+as possible」은 '가능한 한 많은 ~'의 의미를 나타낸다.

5 해석 전자책 단말기 사용자의 비율은 컴퓨터 사용자 비율의 세 배나 높다.
해설 「배수사+as+원급+as」는 '~배 …한[하게]'의 의미를 나타낸다.

B

1 해설 '세 배나 많은 ~'의 의미를 나타내기 위해 「배수사+as many+명사+as」의 형태로 문장을 완성해야 한다.

2 해설 '가능한 한 ~하게'의 의미를 나타내기 위해 「as+원급+as possible」 또는 「as+원급+as+S+can」의 형태로 문장을 완성해야 한다.

3 해설 '~만큼 …하지 않은'의 의미를 나타내기 위해 원급 비교의 부정 「not as[so]+원급+as」의 형태로 문장을 완성해야 한다.

POINT 4

p. 95

예문 해석

1 창의성이 전문적인 기술보다 더 중요하다.
2 전자책이 일반 책보다 덜 비싸다.
3 급하게 더 많은 보고서를 쓸수록 나는 더 많은 실수를 했다.
4 그 나이 든 환자는 자신이 점점 더 약해지고 있는 것처럼 느꼈다.
5 주차장에는 겨우 20대의 차를 주차할 공간이 있다.

A **1** 겨우 10명의 사람들
2 원작 소설보다 덜 흥미로운
3 세 배 더 무거운
4 백 명이나 되는 사망자
5 우리가 더 잘 이해할수록, 더 적은 노력을 쏟는다

B **1** more and more nervous
2 less convenient than motorbikes
3 the more expensive goods are

A

1 해석 극장에는 겨우 10명의 사람들이 있었다.
해설 no more than은 '겨우 ~인'을 뜻한다.

2 해석 영화는 원작 소설보다 덜 흥미로웠다.
해설 「less+원급+than」은 '~보다 덜 …한'을 뜻한다.

3 해석 그는 그 나이 또래의 보통 아이보다 몸무게가 세 배 더 무겁다.
해설 「배수사+비교급+than」은 '~보다 …배 더 -한'을 뜻한다.

4 해석 백 명이나 되는 사망자가 정체불명의 질병으로 발생했다.
해설 no less than은 '~나 되는'을 뜻한다.

5 해석 우리가 무언가를 더 잘 이해할수록 그것에 대해 곰곰이 생각하는 데 더 적은 노력을 쏟는다.
해설 「the+비교급(+S+V) ~, the+비교급(+S+V) …」은 '~하면 할수록 더 …하다'를 뜻한다.

B

1 해설 '점점 더 ~한'의 의미를 나타낼 때는 「비교급+and+비교급」으로 나타낸다. nervous는 앞에 more를 붙여 비교급을 만드므로 「more and more+원급」의 형태인 more and more nervous로 써서 문장을 완성한다.

2 해설 '~보다 덜 …한'의 의미를 나타낼 때는 「비교급+than」의 형태로 써서 문장을 완성한다. convenient의 비교급은 less convenient로 쓴다.

3 해설 '~하면 할수록 더 …하다'의 의미를 나타낼 때는 「the+비교급(+S+V) ~, the+비교급(+S+V) …」의 형태로 써서 문장을 완성한다. expensive의 비교급은 more expensive로 쓴다.

POINT 5

p. 96

예문 해석

1 발 길이에 따라 가장 알맞은 사이즈를 선택하라.
2 가장 좋은 좌석은 가장 먼저 예약한 사람들에게 간다.
3 Charlie Chaplin은 역대 최고의 코미디언들 중 한 명이다.
4 솔직히, 그것은 지금까지 내가 본 것들 중 최악의 영화였다.
5 인천은 한국에서 두 번째로 큰 항구 도시이다.

A **1** ○ **2** three → third
3 shortest → the shortest **4** ○
5 photographer → photographers

B **1** the fastest method of transport
2 the most impressive tour (that) I've[I have] ever taken
3 one of the most beautiful structures

A

1 해석 당신이 참석했던 가장 최근의 강의나 발표를 돌이켜 생각해 보라.
해설 최상급 앞에 the가 맞게 쓰였고, recent의 최상급은 most recent가 맞다.

2 해석 청력 손실은 요즘 세 번째로 가장 흔한 건강상 문제이다.
해설 '~번째로 가장 …한'의 의미를 나타낼 때는 「the+서수+최상급」으로 표현하므로 three를 서수 third로 고쳐야 한다.

3 해석 그 도시는 세계에서 가장 짧은 지하철 노선을 가지고 있는 것으로 유명하다.
해설 최상급 앞에는 the를 붙이므로 shortest를 the shortest로 고쳐야 한다.

4 해석 어떤 사람들은 아침 식사를 하루 중 가장 덜 중요한 식사로 여긴다.
해설 '가장 덜 ~한'의 의미를 나타낼 때의 최상급은 「least+원급」으로 쓰며, 최상급 앞에 the가 맞게 쓰였다.

5 해석 그는 20세기에 가장 유명한 사진작가 중 한 명으로 여겨진다.
해설 '가장 ~한 …들 중 하나'의 의미를 나타낼 때 「one of the+최상급+복수 명사」로 쓰므로, photographer를 복수형 photographers로 고쳐야 한다.

B

1 해설 「the+최상급」의 형태를 사용하여 최상급 비교 표현이 쓰인 문장을 완성한다. fast의 최상급은 fastest이다.

2 해설 '지금까지 ~한 것들 중 가장 …한'의 의미는 「the+최상급+(that)+S+have[has] ever p.p.」로 나타낸다. impressive의 최상급은 most impressive이다.

3 해설 '가장 ~한 …들 중 하나'의 의미는 「one of the+최상급+복수 명사」의 형태로 나타낸다. beautiful의 최상급은 most beautiful이다.

POINT 6 p. 97

예문 해석

1 흰긴수염고래는 세상에서 가장 큰 포유동물이다.
2 흰긴수염고래는 세상에서 다른 어떤 포유동물보다 더 크다.
3 세상에서 어떤 다른 포유동물도 흰긴수염고래보다 크지 않다.
4 세상에서 어떤 다른 포유동물도 흰긴수염고래만큼 크지 않다.
5 그 여행은 내가 기대했던 것보다 훨씬 더 흥미진진했다.
6 그녀는 단연코 세계 최고의 배구 선수이다.

◆ 수능·내신 어법 긍정적인 것은 부정적인 것보다 당신의 삶을 훨씬 더 행복하게 만든다.

A **1** creatures → creature
2 shorter → short
3 very → much[even/far/still/a lot]
4 far → much[by far]
5 most → more

B **1** No other, more popular than
2 much[far/still] bigger selection
3 by far the most talented contestant

A

1 해석 돌고래는 다른 어떤 해양 생물보다 더 똑똑하다.
해설 「비교급+than any other+단수 명사」의 형태가 되어야 하므로 creatures를 creature로 고쳐야 한다.

2 해석 그 남자아이는 다른 어떤 달도 2월만큼 짧지 않다는 것을 배웠다.
해설 「부정 주어 ~ as[so]+원급+as」의 형태로 쓰므로, shorter를 원급인 short로 고쳐야 한다.

3 해석 어떤 조화들은 실제 꽃보다 훨씬 더 진짜처럼 보인다.
해설 비교급을 강조할 때는 very는 쓸 수 없으며 much, even, far, still, a lot 등을 써야 한다.

4 해석 Ricky는 그의 세대에서 단연코 가장 완벽한 선수였다.
해설 최상급을 강조하는 표현이 되어야 하므로 far를 much, by far 등으로 고쳐야 한다. the very는 최상급을 강조할 때 「the very+최상급」의 형태로 쓰고, 주로 「원급+-est」 형태의 최상급을 강조할 때 사용하므로 주의해야 한다.

5 해석 〈하바네라〉는 그 오페라에서 다른 어떤 아리아보다 더 유명하다.
해설 「비교급+than any other+단수 명사」의 형태가 되어야 하므로, most famous를 비교급인 more famous로 고쳐야 한다.

B

1 해설 「No other+단수 명사 ~ 비교급+than」의 형태로 최상급 문장을 완성한다. popular의 비교급은 more popular이다.

2 해설 비교급을 강조할 때 much, far, still 등을 비교급 앞에 쓴다. 앞에 관사 a가 있으므로 even은 쓸 수 없다.

3 해설 최상급을 강조하는 표현 중 빈칸 개수로 보아 by far를 최상급 앞에 써서 문장을 완성한다. talented의 최상급은 most talented이다.

문제로 REVIEW pp. 98-99

어법 연습

A **1** is sometimes **2** number **3** by far **4** much

B **1** alive → live **2** more → much
3 most → more **4** hard → hardly
5 deadliest → the deadliest

C **1** ① as earlier as → as early as
② contaminating → contaminated
2 ① difficultly → difficult ② easy → easier
③ send down them → send them down
3 ① well → better ② very → much[even/far/still/a lot] ③ more tight → more tightly

서술형 연습

A **1** than any other star in the night sky
2 as[so] intelligent as human beings

B **1** look as confident as possible
2 not less than 5,000 words
3 twice as fast as the rest of the planet

C **1** the most beautiful diamond ring (that) I've[I have] ever seen
2 became more and more vivid
3 one of the most mysterious places

어법 연습

A

1 해석 기후 변화는 때때로 '지구 온난화'라고 불린다.
해설 빈도부사는 일반동사 뒤, be동사와 조동사 앞에 위치하므로 is sometimes로 쓰는 것이 맞다.

2 해석 가장 흔하게 사용되는 많은 단어들은 많은 의미를 가지고 있다.
해설 복수 명사 meanings가 쓰였으므로 셀 수 있는 명사 앞에서 '많은'의 의미를 나타내는 a great number of를 쓰는 것이 맞다.

3 해석 학교에 다니는 젊은이들에게 자전거는 단연코 가장 중요한 교통 수단이다.
해설 최상급인 the most important의 의미를 강조하는 말 by far를 쓰는 것이 적절하다.

4 해석 그는 자동차 사고로 심하게 부상을 입어 과다 출혈로 사망했다.
해설 blood는 셀 수 없는 명사이므로 much를 쓰는 것이 적절하다.

B

1 해석 몇몇 과학자들은 과학 연구에 살아 있는 동물을 사용하는 것을 옹호한다.
해설 animals를 수식하는 한정 용법의 형용사가 와야 하므로 alive를 live로 고쳐야 한다. alive는 보어로 쓰이는 서술 용법의 형용사이다.

2 해석 사람들은 스마트폰이나 태블릿을 여가에 사용하는 것만큼이나 많이 업무에 사용한다.
해설 '~만큼 …한[하게]'의 의미를 나타내는 「as+원급+as」 구문이 되어야 하는데, 문맥상 동사를 수식하는 부사의 원급이 필요하므로 more를 much로 고쳐야 한다.

3 해석 당신이 우울해질수록 당신의 생각은 더욱 부정적으로 변할 것이다.
해설 '~하면 할수록 더 …하다'의 의미를 나타내는 「the+비교급(+S+V) ~, the+비교급(+S+V) …」 구문이 되어야 하므로, the most를 the more로 고쳐야 한다.

4 해석 많은 사람들이 한때 뒷마당에서 배드민턴을 쳤는데, 이 활동은 거의 운동으로 여겨지지 않았다.
해설 동사 was considered를 수식할 수 있는 부사가 되어야 하고, 문맥상 '거의 ~하지 않다'의 의미가 되어야 하므로, hard를 hardly로 고쳐야 한다.

5 해석 모기는 그들이 옮기는 질병 때문에 세상에서 가장 치명적인 동물 중 하나이다.
해설 '가장 ~한 …들 중 하나'의 의미를 나타내는 「one of the+최상급+복수 명사」 구문이 되어야 하므로, deadliest를 the deadliest로 고쳐야 한다.

C

1 해석 살모넬라균은 식중독의 흔한 형태이다. 그것이 야기하는 증상은 당신이 오염된 음식을 먹은 후 빠르면 여섯 시간이 되었을 때 시작될 수 있다. 증상은 일주일까지 지속될 수 있다. 닭고기와 계란은 종종 살모넬라균의 발병을 유발한다.
해설 ① 원급 비교 구문 「as+원급+as」를 써서 '빠르면, 일찍이'의 의미를 나타내야 하므로, earlier를 early로 고쳐야 한다.
② food를 앞에서 수식하며 '오염된'이라는 수동의 의미를 나타내야 하므로 과거분사인 contaminated로 고쳐야 한다.
③ 빈도부사는 일반동사 앞에 위치하므로 often cause로 쓰인 것은 어법상 맞다.

2 해석 해저는 춥고 어두운데, 그 점이 그곳을 여행하는 것을 어렵게 만든다. 사람들을 깊은 바닷속으로 내려 보내는 것보다 우주로 보내는 것이 사실상 더 쉽다.
해설 ① 동사(make)의 목적격보어로 부사는 올 수 없기 때문에 형용사 difficult로 고쳐야 한다.
② 뒤에 비교급과 함께 쓰여 '~보다'의 의미를 나타내는 than이 있으므로 비교급 easier로 고쳐야 한다.
③ 「타동사+부사」의 목적어로 대명사가 올 때에는 동사와 부사 사이에 대명사를 써야 하므로 send them down으로 고쳐야 한다.

3 해석 나무와 같은 고체는 공기가 일반적으로 음파를 전달하는 것보다 음파를 훨씬 더 잘 전달하는데, 그것은 고체 속의 분자들이 공기 중의 분자들보다 훨씬 더 가깝고 서로 촘촘하게 모여져 있기 때문이다.
해설 ① 비교급과 함께 쓰여 '~보다'의 의미를 나타내는 than이 있으므로 well의 비교급인 better로 고쳐야 한다.
② 비교급 closer 앞에서 그 의미를 강조하는 말이 와야 하므로 much, even, far, still, a lot 등으로 고쳐야 한다.
③ 과거분사 packed의 의미를 앞에서 수식하는 말이 되어야 하므로 부사 tightly의 비교급인 more tightly로 고쳐야 한다.

서술형 연습

A

1 해석 시리우스는 밤 하늘에서 다른 어떤 별보다 더 밝다.
해설 비교급을 이용해서 최상급의 의미를 나타낼 때 「비교급+than any other+단수 명사」의 형태를 쓴다.

2 해석 지구상에서 어떤 다른 생물도 인간만큼 지적이지 않다.
해설 원급을 이용해서 최상급의 의미를 나타낼 때 「부정 주어 ~ as[so]+원급+as」의 형태를 쓴다.

B

1 해설 '가능한 한 ~한[하게]'의 의미를 나타내는 「as+원급+as possible」 구문을 이용해서 문장을 완성한다.

2 해설 '적어도'의 의미를 나타내는 not less than을 이용해서 문장을 완성한다. no less than은 '~나 되는'의 의미이다.

3 해설 as를 이용해서 '두 배 빠르게'의 의미를 나타내려면 원급 비교 구문 앞에 배수사를 쓴 twice as fast as로 쓸 수 있다.

C

1 해설 '지금까지 ~한 것들 중 가장 …한'의 의미를 나타내는 「the+최상급+(that)+S+have[has] ever p.p.」 구문을 이용하여 문장을 완성한다.

2 해설 '점점 더 ~한'의 의미를 나타내는 「비교급+and+비교급」 구문을 이용하여 문장을 완성한다.

3 해설 '가장 ~한 …들 중 하나'라는 의미를 나타내는 「one of the+최상급+복수 명사」를 이용하여 문장을 완성한다.

실전 모의고사 pp. 100-102

1 ③	2 ⑤	3 ⑤	4 ④	5 ②
6 ③	7 ①	8 ③	9 ③	10 ②, ③

서술형
1 reconstructed as accurately as possible
2 trains were three times as fast as
3 (a) pick up it → pick it up (d) extensive → extensively
4 With her demanding career, she rarely has time for her personal life.
5 just to be able to see as well as before
6 (A) defend (B) improve

1 해석 • 치즈는 생쥐에게 좋은 냄새가 나지만 피해야 할 덫이 있다.
• 선생님은 학생들에게 주의 깊게 듣고 지시받은 대로 하라고 했다.
해설 • 감각동사 smell 뒤에는 형용사가 보어로 와야 하므로 good이 적절하다.
• 동사 listen을 수식하는 것은 부사이므로 carefully가 적절하다.

2 해석 • 그는 이제까지 올림픽에 출전한 가장 어린 선수이다.
• 그 쌍둥이는 내가 인생에서 만난 사람들 중 가장 좋은 사람들이다.

해설 • ever는 '지금까지, 이제까지'의 의미로 최상급의 의미를 강조하므로 최상급 youngest가 적절하다.
• 「the+최상급+(that)+S+have ever p.p.」의 최상급 구문이 되어야 하므로 the nicest가 적절하다.

3 해설 '~하면 할수록 더 …하다'를 뜻하는 「the+비교급(+S+V) ~, the+비교급(+S+V) …」 구문이 되어야 하므로 the more people he helped를 써야 한다.

4 해설 '가장 ~한 …들 중 하나'를 뜻하는 「one of the+최상급+복수 명사」 구문이 되어야 하므로 one of the most talented를 써야 한다.

5 해석 ① 그는 나와 겨우 2미터 떨어져서 걷고 있었다.
② 자고 있는 아기를 깨우지 않도록 조용히 이야기해라.
③ 중국의 황허 강은 세계에서 여섯 번째로 긴 강이다.
④ 내가 사는 곳으로부터 기껏해야 10분 거리에 거대한 공원이 있다.
⑤ 치어리더 팀을 구성하기 위해서 우리는 가능한 한 많은 사람들이 필요하다.
해설 ② 형용사 asleep은 명사를 수식하는 한정 용법으로 쓰이지 않으므로 asleep을 sleeping으로 고쳐야 한다.

6 해석 ① 여러분은 너무 빨리 운전하는 성급한 운전자를 많이 발견할 수 있다.
② 그 아이는 부모를 기다리며 꼼짝도 않고 앉아 있었다.
③ 그날 밤 그는 약간의 수프와 빵을 먹었고, 평화롭게 잠을 잤다.
④ 천천히 양손을 더 멀리 벌린 다음 더 가까이 모아라.
⑤ 이러한 증상 중 일부는 대개 스트레스로 인해 발생할 수 있다.
해설 ③ 동사 slept를 수식할 수 있어야 하므로, 형용사 peaceful을 부사 peacefully로 고쳐야 한다.

7 해석 a. 나에게 필요한 것은 나의 탁자를 장식할 튤립 몇 송이이다.
b. 최근 역사상 가장 강력한 허리케인 중 하나가 플로리다 주를 강타했다.
c. 그는 나이가 들수록 그가 가진 모든 것에 더 감사하게 된다.
d. 회의에 무슨 일이 생겼는지 아니? 그녀가 갑자기 그것을 취소했어.
e. AI는 경험이 풍부한 의사만큼 정확하게 질병을 진단할 수 없다.
f. 나는 이 책이 내가 읽은 책 중 최고라고 장담할 수 있다.
해설 a. 셀 수 있는 명사 앞에는 a few, 셀 수 없는 명사 앞에는 a little을 쓰므로 tulips 앞에 쓰인 a little을 a few로 고쳐야 한다.
b. 「one of the+최상급+복수 명사」 구문이 되어야 하므로 the severe를 최상급 the most severe로 고쳐야 한다.
d. 「타동사+부사」의 목적어가 대명사인 경우 목적어는 동사와 부사 사이에 위치해야 하므로 called off it은 called it off로 고쳐야 한다.
e. 동사 diagnose를 수식해야 하므로 형용사 accurate를 부사 accurately로 고쳐야 한다.

8 해석 a. 나는 지금 당장 먹거나 마실만한 달콤한 무언가를 원한다.
b. 토성은 지구보다 부피가 763배 더 크다.
c. 나는 10년 넘게 마감 기한을 놓친 적이 거의 없다.
d. 나무늘보는 내가 아는 다른 어떤 동물보다 더 느리게 움직인다.
e. 우리는 배가 너무 고파서 최대한 빨리 먹고 싶었다.
f. 그녀가 만든 양파 수프는 보기보다 훨씬 더 맛이 없었다.
해설 a. -thing으로 끝나는 명사는 형용사가 명사 뒤에서 수식하므로, sweet something은 something sweet로 고쳐야 한다.
b. 뒤에 비교급과 함께 쓰여 '~보다'의 의미를 나타내는 than이 있으므로 원급 large는 비교급 larger로 고쳐야 한다.
e. '가능한 한 ~한[하게]'라는 뜻은 「as+원급+as possible」로 나타내므로, 최상급 fastest는 원급 fast로 고쳐야 한다.

9 해석 • 생물에게 물보다 더 필요한 것은 없다.
• 나쁜 행동을 잊어버리는 것이 올바른 행동을 배우는 것보다 훨씬 더 어렵다.
• 낚싯배는 아직도 호수에 떠 있다.
해설 ⓑ very는 비교급을 강조하는 역할을 할 수 없다.

10 지문 해석
흔히 화가가 가진 경험의 양은 그림을 시작할 때 얼마나 가볍고 천천히 그림을 그리는가에 반영된다. 그림이 유연하거나 개방적으로 오래 유지될수록, 시간이 지나면서 그 디테일의 정확도가 더 높아질 수 있다는 것을 경험이 많은 화가는 알고 있다. 허황된 추측으로 한 구역을 채우는 것보다 비워두는 것이 더 좋다. 가볍게 그림을 그리면 여러분은 결과에 만족하게 될 것이다. 연습을 하면서 여러분의 손은 그림을 그리는 데 있어 좋은 결정을 내리는 데 익숙해질 것이고, 가볍고 정확하게 시작하는 것은 시간이 지나면서 힘들지 않게 될 것이다.
해설 ① 주어가 an artist이므로 단수 동사 has로 고쳐야 한다.
④ be accustomed to에서 to는 전치사로 뒤에 동명사가 와야 하므로 make를 making으로 고쳐야 한다.
⑤ 동사 become은 2형식 동사로 뒤에 보어가 와야 하는데 부사는 보어가 될 수 없으므로 부사 effortlessly를 형용사 effortless로 고쳐야 한다.

서술형

1 해설 '가능한[최대한] 한 ~한[하게]'의 의미를 나타내는 「as+원급+as possible」 구문을 사용하여 문장을 완성한다.

2 해설 '~보다 (몇) 배 …하게'라는 의미를 나타내는 「배수사+as+원급+as」 구문을 사용하여 문장을 완성한다.

3 해석 a. 갑자기 전화벨이 울려서 나는 전화를 받으러 달려갔다.
b. 발표를 시작하면서 그는 점점 더 차분해졌다.
c. 무선 신호가 끊기고 있어서 우리는 그가 하는 말을 거의 이해할 수 없었다.
d. 그것은 Davis 씨가 지금껏 개발한 장치 중 가장 광범위하게 사용된 장치다.
해설 a. 「타동사+부사」의 목적어가 대명사일 때 대명사는 동사와 부사 사이에 위치해야 하므로 pick up it을 pick it up으로 고쳐야 한다.
d. 과거분사 used를 수식하고 있으므로 형용사 extensive를 부사 extensively로 고쳐야 한다.

4 해석 힘든 직업 때문에, 그녀는 개인적인 삶을 위한 시간이 거의 없다.
해설 빈도부사 rarely는 일반동사 앞에 위치한다.

[5-6] 지문 해석
많은 학생들은 교육에 관심이 있기 때문이 아니라 대학에 진학하는 모든 또래들로부터 자신의 현재 사회적 위치를 지키기 위해서 대학에 진학한다. 그것은 마치 관중이 많은 축구 경기장에서 중요한 경기를 보는 것과 같다. 맨 앞줄에 앉은 관중이 더 잘 보기 위해 일어서고, 연쇄 반응이 뒤따른다. 곧 모두가 일어서게 되는데, 단지 이전만큼 잘 볼 수 있기 위해서이다. 모두가 앉아 있기보다는 서 있지만, 어느 누구의 위치도 나아지지 않았다. 그리고 만약 누군가가 일어서기를 거부한다면, 그는 경기장에 아예 없는 편이 낫다.

5 해설 '~하기 위해서'를 뜻하는 부사적 용법의 to부정사와 '~만큼[처럼] …한[하게]'를 뜻하는 「as+원급+as」를 이용하여 문장을 완성한다.

6 해석 몇몇 상황에서, 사람들은 자신의 위치를 개선하기 보다는 자신의 위치를 지키기 위해서 행동한다.
해설 축구 경기장에서 앞사람이 일어섰을 때 사람들이 이전처럼 잘 볼 수 있기 위해 일어서지만 이전보다 더 잘 보게 되는 것은 아닌 것처럼, 자신의 위치는 개선하는 것 보다 단지 이전만큼의 위치를 지키기 위해 행동한다는 내용의 글이다.

CHAPTER 09 조동사

POINT 1 p. 104

예문 해석

1 그 운동선수는 수술에서 회복 후 다시 걸을 수 있다.
2 스노보드가 없다면 내 것을 빌려도 됩니다.
3 이 상자들 나르는 것 좀 도와줄래[도와주시겠어요]?
4 몇몇 전문가들은 우리가 올해 경제 위기에 직면할 수 있다고 말했다.
5 지하철을 타는 게 더 빠를지도 모른다.
6 너는 주말 동안 그 책을 빌려가도 된다.
7 신의 은총이 있기를!
8 평안히 잠들기를!

수능·내신 어법

- 그는 중국어를 말할 수 있다.
- Molly가 너에게 돈을 빌려줄 수 있을지도 모른다.

A **1** might → may[can]
2 May you bring → Can[Could] you bring
3 are able to be → may[might / could] be
4 can make → be able to make **5** ○

B **1** may not enter this area
2 may mistake the garbage for food
3 Where can I download a test version

A

1 해석 양식 작성하는 것이 끝났다면 지금 가도 됩니다.
해설 허가를 나타내는 표현이 되도록 might를 may나 can으로 고쳐야 한다. might는 추측을 나타낸다.

2 해석 그 책의 신품이 필요합니다. 내일 한 권 가져다주시겠어요?
해설 책을 가져다 달라는 요청의 의미이므로 요청의 표현 Can you ~?가 되도록 May를 Can으로 고쳐야 한다. 좀 더 정중한 요청의 표현으로 Could를 쓸 수도 있다.

3 해석 네 말이 맞을지도 모르지만, 너는 그것을 증명할 어떤 증거도 없다.
해설 불확실한 추측이나 가능성을 나타내므로 are able to를 may나 might, could로 고쳐야 한다.

4 해석 Bradley는 프로그램의 바로 첫날에는 올 수 없을 것 같다.
해설 조동사는 연달아 쓸 수 없으므로 can을 be able to로 고쳐야 한다.

5 해석 다른 사람의 관점에서 상황을 바라보는 것은 새로운 해결책으로 이어질 수 있다.
해설 새로운 해결책으로 이어질 수 있다는 가능성을 나타내므로 can을 쓴 것은 맞다.

B

1 해설 '~하면 안 된다'는 「may not+동사원형」으로 쓴다.

2 해설 '추측'을 나타내는 조동사 may 뒤에 동사원형을 이어 써서 문장을 완성한다. 'A를 B로 착각하다'는 「mistake A for B」로 나타낸다.

3 해설 '가능'을 나타내는 조동사 can을 쓰되, 의문사가 있는 의문문이므로 「의문사+can+주어+동사원형 ~?」의 어순으로 배열한다.

POINT 2 p. 105

예문 해석

1 너는 정오 전에 그곳에 도착하려면 지금 출발해야 한다.
2 Andy는 정말 창백해 보인다. 그는 아픈 게 틀림없다.
3 너는 운전면허증 없이 운전해서는 안 된다.
4 오늘은 날씨가 따뜻하다. 너는 외투를 입을 필요가 없다.
5 너는 1년에 적어도 두 번은 치과에 가야 한다.
6 너는 A 학점을 받고 싶으면 제때에 과제물을 제출하는 게 낫다.

◆ 수능·내신 어법

• 너는 아침을 거르지 말아야 한다.
• 너는 오늘 밤에 나가지 않는 것이 좋겠다.

A **1** should **2** can't be **3** had to go
4 get **5** not to
B **1** don't have to pay to use
2 must think about how to say
3 had better not plant

A

1 해석 우유가 신선하게 유지되도록 냉장고에 보관해야 한다.
해설 우유를 신선하게 유지하기 위해 당연히 해야 할 일을 나타내므로 should가 적절하다.

2 해석 그는 그곳에 없었다. 그러므로 그가 다이아몬드를 훔친 도둑일 리가 없다.
해설 현장에 없었으므로 도둑일 리가 없다는 부정적 추측을 나타내야 하므로 can't be가 적절하다.

3 해석 그녀는 식중독에 걸려서 응급실에 가야 했다.
해설 종속절의 시제로 보아 과거의 일이므로 과거의 의무를 나타내는 had to가 적절하다.

4 해석 나는 긴 여행을 앞두고 있어서 잠을 좀 자는 편이 낫겠다.
해설 had better 뒤에는 동사원형이 와야 하므로 get이 적절하다.

5 해석 우리는 플라스틱 제품 사용을 중단해야 한다. 예를 들어, 우리는 비닐봉지를 사용해서는 안 된다.
해설 ought to의 부정형은 ought not to이다.

B

1 해설 '~할 필요가 없다'는 불필요를 나타내는 「don't have to+동사원형」을 쓴다.

2 해설 '~해야 한다'는 must를 쓰고, '~에 대해 생각하다'를 뜻하는 think about에 쓰인 전치사 about의 목적어로 「의문사+to부정사」를 쓴다.

3 해설 '~하지 않는 것이 낫다'는 「had better not+동사원형」로 쓴다.

POINT 3 p. 106

예문 해석

1 네가 그만한 가치가 있다는 걸 내가 너에게 보여 주겠다.
2 그는 치료 후에 곧 회복될 것이다.
3 나와 자리를 바꿔 주겠니[주시겠어요]?
4 그는 어렸을 때 초콜릿을 많이 먹었지만, 지금은 그것을 좋아하지 않는다.
5 이곳에 은행이 있었는데, 없어졌다.
6 온라인으로 예약할까?
7 크리스마스 선물로 뭘 살까?

◆ 수능·내신 어법

• 그는 자전거를 타고 학교에 가곤 했다.
• 나는 (도로의) 오른쪽에서 운전하는 것에 익숙해 있었다.
• 박테리아는 치즈를 만드는 데 사용된다.

A **1** would **2** wearing **3** Shall **4** create **5** used to
B **1** Would you mind
2 Rainforests used to cover
3 Shall I add you to the list

A

1 해석 그에게 문제가 생길 때마다 그녀는 그를 위해 그것을 해결해 주곤 했다.
해설 과거의 반복적인 습관을 나타내므로 would가 적절하다.

2 해석 내 딸은 이제 콘택트렌즈를 착용하는 데 익숙하다.
해설 문맥상 be used to는 '~에 익숙하다'라는 뜻으로 쓰여 뒤에 동명사가 와야 하므로 wearing이 적절하다.

3 해석 당신의 업무 경력에 대해 이야기하는 것으로 시작할까요?
해설 제안의 표현 Shall we ~?가 되도록 Shall을 쓰는 것이 적절하다.

4 해석 파티에 따뜻한 환경을 조성하기 위해 둥근 탁자들이 사용되었다.
해설 문맥상 '~하기 위해 사용되다'라는 의미의 「be used to-v」을 써야 하므로 create가 적절하다.

5 해석 그 여자는 모국에 살았을 때 재봉사였다.
해설 과거의 지속적인 상태를 나타내므로 used to가 적절하다.

B

1 해설 '~해도 괜찮겠습니까?'라는 뜻의 공손한 요청을 할 때 「Would you+동사원형 ~?」을 쓴다.

2 해설 과거의 지속적인 상태를 나타낼 때 「used to+동사원형」을 쓴다.

3 해설 '~해 드릴까요?'라는 뜻의 제안하는 표현 「Shall I+동사원형 ~?」을 쓴다.

POINT 4 p. 107

예문 해석

1 암흑 물질은 빅뱅 이전에 존재했을지도 모른다.
2 내 스마트폰을 찾을 수가 없다. 내가 사무실에 두고 왔음에 틀림없다.
3 Tom은 열심히 공부하지 않았다. 그가 시험에 합격했을 리가 없다.
4 우리는 늦었다. 우리는 지하철을 탔어야 했다.
5 너는 마라톤에 참가하는 편이 낫겠다.
6 나는 오늘 저녁 식사로 고기를 먹느니 차라리 생선을 먹겠다.
7 그녀는 양파 껍질을 벗기는 동안 울지 않을 수 없었다.

A **1** ○ **2** should come → should have come
3 would rather to make → would rather make
4 may → can't **5** can't help form → can't help forming / can't but form

B **1** you cannot[can't] but laugh
2 must have pressed the wrong key
3 he might as well go back

A

1 해석 그들은 선사 시대 사람들이 살았을지도 모르는 몇몇 장소들을 발견했다.
해설 '살았을지도 모른다'는 과거 사실에 대한 추측을 나타낼 때 「might have p.p.」를 쓴 것은 맞다.

2 해석 공연 티켓이 방금 매진되었습니다. 좀 더 일찍 오셨어야 합니다.
해설 표가 매진되기 이전에 왔어야 한다는 내용이 되어야 하므로, 유감을 나타내는 should have come으로 고쳐야 한다.

3 해석 교과서를 통째로 집으로 가져가느니 차라리 복사를 하겠다.
해설 would rather 뒤에는 동사원형이 와야 하므로 to make를 make로 고쳐야 한다.

4 해석 나쁜 검사 결과로 미루어 보아, 그가 의사의 지시사항을 따랐을 리가 없다.
해설 의사의 지시를 따랐다면 결과가 나쁘지 않았을 것이므로, 과거 사실에 대한 부정적 추측을 나타내는 「can't have p.p.」가 되도록 may를 can't로 고쳐야 한다.

5 해석 물질 만능주의자가 아닌 사람들조차도 어떤 옷들에 애착을 갖지 않을 수 없다.
해설 '~하지 않을 수 없다'는 뜻의 관용 표현은 「can't help v-ing」 또는 「can't but+동사원형」으로 쓸 수 있으므로, can't help forming 또는 can't but form으로 고쳐야 한다.

B

1 해설 '~하지 않을 수 없다'는 뜻의 「cannot but+동사원형」을 써서 문장을 완성한다.

2 해설 '~했음에 틀림없다'는 뜻의 「must have p.p.」를 써서 문장을 완성한다.

3 해설 '~하는 편이 낫다'는 뜻의 「might as well+동사원형」을 써서 문장을 완성한다.

문제로 REVIEW pp. 108-109

어법 연습

A **1** used to **2** than **3** don't have to **4** may

B **1** ought to not → ought not to
2 shall → should
3 suspected → suspect
4 to fill → fill
5 has to → must

C **1** ② aren't able → aren't able to / cannot[can't]
③ must → may[can]
2 ① be used to capturing → be used to capture
② take → be taken
3 ② would can → would be able to

서술형 연습

A **1** I shouldn't have started working part-time at a convenience store.
2 She must have been delighted when she won the lottery.

B **1** had better not click
2 many schools used to allow
3 you must not open the bottle

C **1** couldn't help agreeing with them
2 may[might] not have been interested in
3 they would rather spend time

어법 연습

A

1 해석 고대 그리스에서는 사람들이 세상이 평평하다고 생각했었다.
해설 과거의 지속적인 상태는 used to로 나타낸다.

2 해석 응답자들의 절반은 버스를 타느니 차라리 자전거를 타겠다고 말했다.
해설 'B하느니 차라리 A하겠다'라는 뜻을 나타내는 표현 「would rather A than B」가 되어야 하므로 than이 적절하다.

3 해석 이 카메라는 방수이므로 빗속에서 사용하는 것에 대해 걱정을 할 필요가 없다.
해설 문맥상 '걱정할 필요가 없다'라는 의미가 되어야 하므로 don't have to(~할 필요가 없다)가 적절하다.

4 해석 아무리 많이 과거를 기억하거나 미래를 예상할 수 있다 하더라도 당신은 현재에 살고 있다.
해설 과거를 기억하거나 미래를 예상한다는 불확실한 추측을 나타내야 하므로 may가 적절하다.

B

1 해석 너는 길을 건너는 동안 전화기를 사용해서는 안 된다.
해설 ought to의 부정은 ought not to로 써야 한다.

2 해석 지금쯤 소포가 도착했어야 했는데, 그것이 어딘가에서 분실되었다.

해설 과거에 일어났어야 했는데 그러지 않은 일에 대한 유감을 표현하는 「should have p.p.」가 되도록 shall을 should로 고쳐야 한다.

3 **해석** 은행이 금리를 인상할 것이라고 그녀가 의심하는 것은 당연하다.
해설 may well(~하는 것이 당연하다) 뒤에는 동사원형이 와야 하므로 suspected를 suspect로 고쳐야 한다.

4 **해석** 벽을 페인트칠하기 전에 무언가로 틈을 메우는 것이 좋겠다.
해설 '~하는 것이 좋겠다'라는 뜻의 조동사 had better 뒤에는 동사원형이 와야 하므로 to fill을 fill로 고쳐야 한다.

5 **해석** 그녀는 소음 때문에 어젯밤에 잠을 잘 못 잤다. 그녀는 피곤함에 틀림없다.
해설 '~임에 틀림없다'는 뜻의 강한 추측은 must를 써야 한다.

C

1 **해석** 비타민 A는 피부가 건조해지는 것을 막는 데 도움을 준다. 비타민 A를 충분히 섭취하지 못하는 사람들은 어둠 속에서 잘 볼 수 없다. 그들은 눈이 건조해지는 질환이 생길 수도 있다.
해설 ① 준사역동사 help 뒤에는 to부정사와 원형부정사가 모두 올 수 있다.
② 능력을 나타내는 be able to의 부정은 be not able to로 나타낸다. 또는 cannot[can't]으로 쓸 수도 있다.
③ 비타민 A의 부족으로 인해 질환이 생길 수 있는 가능성을 나타내야 하므로 불확실한 추측을 나타내는 may[can]로 고쳐야 한다.

2 **해석** 사진 촬영은 범죄 현장의 세부 사항을 포착하는 데 사용될 수 있다. 이 사진들은 다양한 각도에서 촬영되어야 한다. 그것들은 법정에서 가치 있는 증거로 여겨질 수도 있다.
해설 ① 세부 사항을 포착하는 데 사용된다는 의미가 되어야 하므로 「be used to+동사원형」으로 고쳐야 한다.
② 사진들이 '촬영하는' 것이 아니라 '촬영되는' 것이므로 수동태로 써야 한다. 조동사 should가 있는 수동태이므로 be taken으로 고쳐야 한다.
③ 문맥상 추측을 나타내므로 may가 쓰인 것은 어법상 맞다.

3 **해석** 당신의 친구들이 때때로 행복하거나 슬프다고 말할지도 모르지만, 그들이 당신에게 말하지 않았다고 하더라도, 당신은 그들이 어떤 기분을 느끼고 있는지 잘 추측할 수 있었을 것이라고 나는 확신한다.
해설 ① 불확실한 추측을 나타내기 위해 might가 쓰였다.
② 과거의 일을 말하므로 will의 과거형 would가 쓰인 것은 적절하다. 조동사는 연달아 쓸 수 없으므로 would 뒤에 can을 대신할 수 있는 be able to를 쓴다.
③ 의문사 what이 전치사 about의 목적어인 명사절을 이끌고 있는 간접의문문으로 「의문사+S+V」 어순으로 쓰인 것은 적절하다.

서술형 연습

A

1 **해석** 나는 편의점에서 아르바이트를 시작하지 말았어야 했다.
해설 과거에 한 일에 대한 후회를 나타낼 때 「shouldn't have p.p.」를 사용한다.

2 **해석** 그녀는 복권에 당첨되었을 때 기뻤음이 틀림없다.
해설 '~했음에 틀림없다'는 의미로 과거의 일에 대한 강한 추측을 나타낼 때 「must have p.p.」를 사용한다.

B

1 해설 '~하는 것이 좋겠다'는 뜻의 강한 충고는 had better로, 그 부정은 had better not으로 쓴다.

2 해설 '(과거에) ~했었다'는 뜻으로 현재는 그렇지 않은 과거의 반복적인 행동이나 지속적인 상태를 나타낼 때 used to를 쓴다.

3 해설 '~해서는 안 된다'는 뜻의 금지는 must not으로 나타낸다. '~할 필요가 없다'는 의미의 don't have to와 혼동하지 않도록 주의한다.

C

1 해설 '~하지 않을 수 없다'는 뜻의 「cannot help v-ing」의 과거형을 써서 문장을 완성한다.

2 해설 '(과거에) ~하지 않았을지도 모른다'는 불확실한 추측은 「may[might] not have p.p.」로 표현한다.

3 해설 '차라리 ~하겠다'는 「would rather+동사원형」으로 표현한다.

실전 모의고사 pp. 110-112

1 ③ **2** ② **3** ① **4** ④ **5** ②
6 ⑤ **7** ③ **8** ③ **9** ③ **10** ①, ④

서술형
1 cannot[can't] help emphasizing the importance
2 cannot[can't] have been at the theater
3 (a) had not better → had better not
(d) may want → may[might] have wanted
4 should have listened
5 must have discouraged them and negatively affected
6 다른 사람들에게 그들이 대단히 중요한 존재라는 감정이 들게 만드는 것

1 **해석** • 리더는 그룹 구성원들의 가장 사소한 행동조차도 무시해서는 안 된다.
• 너는 거기에서 담배를 피우지 않는 것이 좋겠다. 공원에서의 흡연은 불법이다.
해설 ought to의 부정은 ought not to이고, had better의 부정은 had better not이다.

2 **해석** • 나는 심한 두통을 누그러뜨리기 위해서 이 약들을 먹곤 했다.
• 그는 매우 인기가 많아서, 그의 주변에 사람들이 있는 것에 익숙하다.
해설 문맥상 첫 번째 문장은 '~하곤 했다'는 뜻의 과거의 습관을 나타내는 「used to+동사원형」이, 두 번째 문장은 '~하는 데 익숙하다'는 뜻의 「be used to+동명사」가 되는 것이 적절하다.

3 **해설** '~하지 않을 수 없었다'는 뜻은 「could not but+동사원형」으로 표현한다.

4 **해설** 과거에 이루지 못한 일에 대한 후회나 아쉬움을 나타내는 표현 「should have p.p.」를 사용한다.

5 **해석** ① 너는 시청까지 지하철을 타는 게 낫겠다.
② 그의 웃음으로 판단하건대, 그는 좋은 시간을 보내고 있음이 틀림없다.

③ 사람들은 수년 내에 자율 주행 자동차를 소유할 수 있을지도 모른다.
④ 당신의 이름과 연락처를 우리 자원봉사자 명단에 추가해도 될까요?
⑤ 선생님이 대회에서 우승한 것에 대해서 학생들을 자랑스러워하는 것은 당연하다.
해설 ② 조동사 must 뒤에는 동사원형이 나와야 하므로, 진행형을 표현하기 위해서는 be having을 사용해야 한다. have는 원래 진행형으로 쓸 수 없는 동사이지만, '가지다, 소유하다'는 의미가 아닌, '시간을 보내다, 먹다'의 의미로 사용될 때에는 진행형으로 쓸 수 있다.

6 해석 ① 그녀는 그가 자신에 대한 소문을 들었을까 봐 걱정했다.
② 너는 허가를 받지 않았다면 여기에서 사진을 찍으면 안 된다.
③ 너는 선생님께 그 문제를 어떻게 푸는지 여쭤보는 게 좋겠다.
④ 몇 달 안에, 그 회사는 모든 빚을 갚을 수 있을 것이다.
⑤ 나는 그의 뛰어난 업적에 대해 그를 칭찬하지 않을 수 없다.
해설 ⑤ '~하지 않을 수 없다'는 의미는 「cannot help v-ing」 또는 「cannot but+동사원형」으로 표현한다.

7 해석 a. 사람들은 목줄 없이 자신들의 개를 산책시켜서는 안 된다.
b. 나는 어젯밤에 어머니에게 전화를 했어야 했는데, 깜박 잊고 안 했다.
c. TV 쇼를 본 후에, 나는 그것을 쓴 사람에 감탄하지 않을 수 없었다.
d. 오븐이 있었을 때, 나는 친구들을 위해 쿠키를 구워 주곤 했다.
e. 이 실험실의 연구자들은 폭발물을 다룰 때 매우 조심해야 한다.
f. 장학금을 받고 싶다면, 너는 기말고사를 위해 더 열심히 공부하는 게 좋겠다.
해설 d. 과거의 습관을 나타낼 때 「used to+동사원형」을 사용한다.
f. '~하는 게 좋다'는 의미를 나타낼 때 「had better+동사원형」을 사용한다.

8 해석 a. 한 켤레의 좋은 신발은 네 발에 편안함을 가져다 주어야 한다.
b. 그녀는 자신이 가진 돈의 액수를 과장했던 것이 틀림없다.
c. 식사를 마치면 너는 식당을 나가도 된다.
d. 어떤 사람들은 높은 봉급을 받기보다는 안정된 직업을 갖기를 원한다.
e. 예약이 되어 있지 않다면, 진료를 보기 위해 기다려야 할 것이다.
f. 공원 근처에 큰 호텔이 있었는데, 그곳은 더 이상 운영되지 않는다.
해설 d. would rather A than B는 'B보다는 A를 하고 싶다'는 의미를 나타내는데, A와 B는 문법적으로 대등하게 연결되어야 하므로 getting을 get으로 고쳐야 한다.
f. '~이었다'는 의미로 과거의 지속적인 상태를 나타낼 때 「used to+동사원형」을 사용하므로 is를 삭제해야 한다.

9 해석 • 그들이 그 사고에 대해 자세한 설명을 요구하는 것은 당연하다.
• 어렸을 때, 나는 아버지와 농구를 하곤 했다.
• 당신의 사진을 제가 온라인에 올려도 될까요?
해설 ⓒ would는 과거의 부탁을 나타내는 것이 아니라, 정중한 부탁을 위해 쓰인 조동사이다.

10 지문 해석
당신의 몸이 아침에 잘 기능하기를 원한다면, 매일 마시는 커피를 잊는 것이 좋다. 물 한 잔을 마시는 것이 당신의 하루를 시작하는 더 좋은 방법이다. 수분 공급은 소화기 계통을 활성화하고 건강을 증진시킨다. 만약 일찍 깨는 것이 익숙하지 않다면, 물을 마시는 것이 그것을 더 쉽게 만들 것이다. 당신이 물을 얼마나 많이 마시는지를 추적하는 것을 돕고, 매일 아침 수분 보충하는 것을 잊지 않도록 상기시켜 주는 알림을 보내 줄 앱을 내려받을 수도 있다.
해설 ① had better 뒤에는 동사원형을 써야 하므로 forgetting을 forget으로 고쳐야 한다.
④ '~에 익숙하다'는 의미를 나타낼 때 「be used to v-ing」를 써야 하므로 wake up을 waking up으로 고쳐야 한다.

서술형

1 해설 '~하지 않을 수 없다'는 의미를 나타내는 표현 「cannot[can't] help v-ing」를 사용하여 문장을 완성한다.

2 해설 과거의 사실에 대한 강한 부정적 추측을 나타내는 표현은 「cannot[can't] have p.p.」를 사용하여 문장을 완성한다.

3 해석 a. 너는 동물원 동물들에게 먹이를 주지 않는 것이 좋다. 그것은 규정 위반이다!
b. 그 노인은 손자의 행동에 웃지 않을 수 없었다.
c. 이 지표는 제품의 비용과 이익을 측정하기 위해 사용된다.
d. 그녀는 에펠 탑에서 더 많은 시간을 보내고 싶었을지도 모르겠지만, 바쁜 일정 때문에 떠나야 했다.
해설 a. 「had better+동사원형」의 부정은 「had better not+동사원형」이므로 had not better을 had better not으로 고쳐야 한다.
d. 문맥상 과거의 일에 대한 추측을 나타내고 있으므로 「may[might] have p.p.」를 사용하여 may want를 may[might] have wanted로 고쳐야 한다.

4 해석 우리 가족은 휴가를 갔다. 아빠가 나에게 가까이 있으라고 하셨는데, 나는 그를 무시했다. 나는 둘러보던 중 길을 잃었고, 돌아가는 길을 찾을 수 없었다. 나는 그의 말을 들었어야 했다.
해설 과거에 이루지 못한 일에 대한 후회나 아쉬움을 표현할 때 「should have p.p.」를 써야 한다.

[5-6] 지문 해석
리더들은 어떻게 사람들이 중요한 존재라고 느끼도록 만드는가? 리더들은 사람들의 말을 듣고 그들이 의견을 말할 수 있게 한다. 예전에 한 친구가 관리자들에게 다음과 같이 말한 어떤 CEO에 대해서 나에게 말해 주었다. "내가 이전에 이미 생각하지 못했던 것을 여러분이 나에게 말해 줄 수 있는 것이라곤 아무것도 없습니다. 내가 묻지 않는 한, 여러분이 생각하는 것을 내게 말하지 마세요." 그것은 틀림없이 그들을 낙심시켰을 것이고, 그들의 실적에 부정적으로 영향을 미쳤을 것이다. 반면에, 다른 사람들에게 대단히 중요한 존재라는 생각을 느끼게 만들 때, 에너지 수준이 급격하게 증가할 것이다. 그것은 그들로 하여금 정말로 온 세상을 다 가진 것처럼 느끼게 할 것이다.

5 해설 과거의 일에 대한 확신을 나타낼 때 「must have p.p.」를 써야 한다.

6 해설 대명사 It은 앞 문장 내용 '다른 사람들에게 그들이 대단히 중요한 존재라는 감정이 들게 만드는 것'을 가리킨다.

CHAPTER 10

가정법

POINT 1

p. 114

예문 해석

1 이 신발이 할인 중이라면, 나는 그것을 살 수 있을 텐데.
(→ 이 신발은 할인 중이 아니기 때문에 나는 그것을 살 수 없다.)
2 비가 오면, 미세 먼지가 사라질 텐데.
(→ 비가 오지 않아서 미세 먼지가 사라지지 않을 것이다.)
3 네가 도와주지 않았더라면, 나는 제시간에 끝낼 수 없었을 텐데.
(→ 네가 도와주었기 때문에 나는 제시간에 끝낼 수 있었다.)
4 충분히 준비했더라면, 나는 실수하지 않았을 텐데.
(→ 충분히 준비하지 못했기 때문에 나는 실수를 했다.)

A **1** ○ **2** cared → had cared
3 ○ **4** had heard → heard
5 have bought → buy
B **1** were[was] good, could be
2 had campaigned, would[could / might] have won
3 had not been / hadn't been, could have processed

A

1 해석 헬륨이 공기보다 가볍지 않다면, 헬륨으로 가득 찬 풍선이 위로 떠오르지 않을 것이다.
해설 주절의 동사로 보아 가정법 과거의 문장이므로, if절의 동사를 과거형으로 쓴 것은 맞다.

2 해석 학교에 다닐 때 다른 사람들을 더 신경 썼더라면, 그는 더 많은 친구들을 사귈 수 있었을 텐데.
해설 주절의 동사로 보아 가정법 과거완료의 문장이므로, if절의 동사를 had p.p.로 고쳐야 한다.

3 해석 내가 도착하지 않았다면, 그는 결국 굶주려 죽었을 것이다.
해설 if절의 동사로 보아 가정법 과거완료의 문장이므로, 주절의 동사를 「조동사의 과거형+have p.p.」 형태로 쓴 것은 맞다.

4 해석 누군가가 당신의 이름을 말하는 것을 듣는다면, 당신은 주의를 기울이고 듣게 될 것이다.
해설 주절의 동사로 보아 가정법 과거의 문장이므로, if절의 동사를 과거형으로 고쳐야 한다.

5 해석 내가 백만 달러를 따낸다면, 나는 멋진 정원이 있는 거대한 저택을 살 텐데.
해설 if절의 동사로 보아 가정법 과거의 문장이므로, 주절의 동사를 「조동사의 과거형+동사원형」으로 고쳐야 한다.

B

1 해석 그녀가 연기를 잘한다면, 그 영화에서 주연이 될 수 있을 텐데.
해설 현재 사실과 반대되는 상황에 대한 가정이므로, 「If+S+동사의 과거형 ~, S+조동사의 과거형+동사원형 ...」 형태의 가정법 과거 문장을 완성한다.

2 해석 선거 운동을 열심히 했더라면, 그녀는 선거에서 이겼을 텐데.
해설 과거 사실과 반대되는 일에 대한 가정이므로, 「If+S+had p.p. ~, S+조동사의 과거형+have p.p. ...」 형태의 가정법 과거완료 문장을 완성한다.

3 해석 내 컴퓨터가 오래되지 않았다면, 나는 그 파일들을 빠르게 처리할 수 있었을 텐데.
해설 과거 사실과 반대되는 일에 대한 가정이므로, 「If+S+had p.p. ~, S+조동사의 과거형+have p.p. ...」 형태의 가정법 과거완료 문장을 완성한다.

POINT 2

p. 115

예문 해석

1 지도를 확인했더라면, 우리는 지금 길을 잃지 않을 텐데.
(→ 우리는 지도를 확인하지 않았기 때문에 지금 길을 잃었다.)
2 해변에서 자외선 차단제를 발랐더라면, 나는 햇볕에 타지 않을 텐데.
(→ 나는 해변에서 자외선 차단제를 바르지 않아서 햇볕에 탔다.)
3 박 선생님은 그가 그녀의 수업을 들을 것을 제안했다.
4 그 의사는 모든 사람이 금연을 해야 한다고 주장했다.
5 지원자는 반드시 그 양식을 작성해야 한다.

◆ 수능·내신 어법
• 그 남자는 우리가 즉시 떠나야 한다고 주장했다.
• 그 남자는 자신이 결백하다고 주장했다.

A **1** has been → had been
2 was installed → (should) be installed **3** ○
4 would have been → would be
5 met → (should) meet
B **1** had read, could answer
2 hadn't been invented, would be
3 insisted that, (should) not use

A

1 해석 뱀에 물린 상처에 독이 있었다면, 그녀는 지금 많이 아플 것이다.
해설 과거에 뱀에 물린 상처가 현재 그녀의 상태에 영향을 미치는 상황이므로, 혼합 가정법 문장이 되도록 if절을 가정법 과거완료 「had p.p.」로 고쳐야 한다.

2 해석 그 남자는 자신의 건물에 방탄유리가 설치될 것을 요구했다.
해설 요구를 나타내는 동사 demand 뒤의 that절의 내용이 현재 일어나지 않은 일을 나타내므로, that절의 동사를 가정법 현재 「(should)+동사원형」으로 고쳐야 한다.

3 해석 자신의 학습 스타일에 맞는 필기 방법을 개발하는 것이 중요하다.
해설 판단을 나타내는 형용사 important 뒤의 that절의 내용이 일어나야 한다고 생각되는 일을 말하고 있으므로, that절의 동사를 가정법 현재인 (should) develop으로 쓴 것이 맞다.

4 해석 만약 시가 작년에 지하철 시스템을 만들었다면, 요즘 교통량이 적을 텐데.
해설 주절의 nowadays로 보아 과거의 일이 현재에 영향을 미치는 상황을 나타내는 혼합 가정법 문장이 되어야 하므로, 주절을 가정법 과거 「조동사의 과거형+동사원형」으로 고쳐야 한다.

5 해석 그는 다음 날 아침에 변호사들과 다시 만날 것을 제안했다.
해설 아직 일어나지 않은 다음 날 아침의 일에 대한 제안이므로, that절의 동사를 가정법 현재 「(should)+동사원형」으로 고쳐야 한다.

B

1 해설 과거의 일이 현재에 영향을 미치는 상황을 나타내므로 if절은 가정법 과거완료 「had p.p.」, 주절은 가정법 과거 「조동사의 과거형+동사원형」의 혼합 가정법으로 써야 한다.

2 해설 if절은 과거의 일을 나타내고 주절은 현재의 일을 나타내므로 혼합 가정법으로 써야 한다.

3 해설 일어나야 한다고 생각되는 일에 대한 주장을 나타내야 하므로 주장을 나타내는 동사 insist 뒤에 that절을 써서 문장을 완성해야 하며, that절은 가정법 현재 「(should)+동사원형」으로 써야 한다.

POINT 3 p. 116

예문 해석
1 나의 부모님이 나와 더 많은 시간을 보내면 좋을 텐데.
(→ 나의 부모님이 나와 더 많은 시간을 보내지 못해서 유감이다.)
2 내가 마지막 질문에 대한 답을 알았더라면 좋을 텐데.
(→ 내가 마지막 질문에 대한 답을 알지 못했어서 유감이다.)
3 그 로봇은 마치 진짜 사람인 것처럼 걷고 말한다.
(→ 사실 그 로봇은 진짜 사람이 아니다.)
4 그는 마치 악몽을 꿨었던 것처럼 무서웠다.
(→ 사실 그는 악몽을 꾸지 않았다.)

A **1** ○ **2** saw → had seen
3 have had → had had
4 had been → were[was]
5 is → were[was]
B **1** wish we had developed
2 wish I could predict
3 she felt as if she were

A

1 해석 졸업한 후에 아동 도서 삽화가로 일할 수 있으면 좋을 텐데.
해설 아동 도서 삽화가로 일하고 싶다는 현재의 소망을 나타내므로 「I wish+가정법 과거」로 나타낸 것은 맞다.

2 해석 Jerry는 이전에 이 뮤지컬을 여러 번 보았던 것처럼 그것에 대해 말했다.
해설 뮤지컬을 여러 번 본 시점이 말했던 시점보다 이전(before)이라고 했으므로 「as if+가정법 과거완료」로 고쳐야 한다.

3 해석 내가 젊었을 때 세계 여행을 할 만큼 충분한 돈이 있었더라면 좋았을 텐데.
해설 젊었을 때인 과거의 일에 대한 아쉬움을 나타내므로 「I wish+가정법 과거완료」로 고쳐야 한다.

4 해석 그날은 마치 불가사의한 어떤 일이 막 일어날 것처럼 안개가 자욱했다.
해설 문맥상 주절과 같은 시제인 과거의 일에 대한 가정을 나타내야 하므로 「as if+가정법 과거」로 고쳐야 한다.

5 해석 은퇴를 했음에도 불구하고, 그는 여전히 축구 선수인 것처럼 계속 행동한다.
해설 주절의 시제와 일치하는 시점의 일을 반대로 가정하고 있으므로 「as if+가정법 과거」로 고쳐야 한다.

B

1 해설 과거에 백신을 개발하지 못한 것에 대한 아쉬움을 나타내므로 「I wish+가정법 과거완료」의 문장을 완성한다.

2 해설 현재 사실과 반대되는 소망을 나타내므로 「I wish+가정법 과거」의 문장을 완성한다.

3 해설 주절의 시점과 일치하는 시점의 일을 가정하는 내용이므로 「as if+가정법 과거」의 문장을 완성한다.

POINT 4 p. 117

예문 해석
1 네가 더 잘 준비되어 있다면, 그 일자리를 얻을 텐데.
2 그가 위험을 알아차렸더라면, 무엇이라도 했을 텐데.
3 태양열이 없다면, 아무것도 살 수 없을 것이다.
4 그의 도움이 없었다면, 그녀는 익사했을 것이다.
5 나는 창문을 열었다. 그렇지 않았다면 이 안이 너무 더워졌을 것이다.
6 네가 그들에게 그 사고에 대한 진실을 말할 때이다.

◆ 서술형 빈출 구문 스마트폰이 없다면, 나는 지루할 거야.

A **1** Not had it been for → Had it not been for **2** ○
3 were → would be **4** ○
5 couldn't know → couldn't have known
B **1** Had it not been for your help
2 couldn't have taken first place
3 Suppose there were a fire

A

1 해석 그 쥐들이 없었다면, 캠핑은 그렇게 나쁘지 않았을 텐데.
해설 가정법에서 if절의 if를 생략하면 주어와 동사가 도치되므로, Not had it been for를 Had it not been for로 고쳐야 한다.

2 해석 오늘이 당신 인생의 마지막 날이라고 가정해 보자. 당신은 가장 먼저 무엇을 하겠는가?

해설 Suppose (that)은 가정법 표현으로, that절의 내용이 현재 사실과 반대되는 일을 가정하고 있으므로 were의 쓰임은 적절하다.

3 해석 겨울에 긴 밤이 없다면, 나는 북유럽에서 살아서 행복할 텐데.
해설 If it were not for는 가정법 과거로 현재 사실의 반대를 가정하므로 주절의 were를 would be로 고쳐야 한다.

4 해석 소수 집단의 영향력이 없다면, 우리에게 어떤 혁신이나 사회 변화도 없을 것이다.
해설 without(~이 없다면)이 쓰인 가정법 과거 문장이 맞게 쓰였다.

5 해석 그녀는 그 책을 읽었음이 틀림없다. 만약 그렇지 않았다면, 그녀는 이야기가 어떻게 끝났는지 알지 못했을 것이다.
해설 문맥상 otherwise는 if she had not read the book을 의미하므로 couldn't know를 가정법 과거완료인 couldn't have known으로 고쳐야 한다.

B

1 해설 가정법 과거완료의 if절이 필요한데, if가 주어지지 않은 것으로 보아 if가 생략된 가정법 문장이므로 주어와 동사가 도치된 Had it not been for로 써야 한다.

2 해설 '~할 수 없었을 것이다'는 가정법 과거완료 문장이므로 주절의 동사는 「조동사의 과거형+had p.p.」로 쓴다.

3 해설 '~라고 가정해 보자'는 「Suppose (that)+가정법 과거」로 쓰며, 이때 that은 생략할 수 있다.

문제로 REVIEW pp. 118-119

어법 연습

A 1 Had it 2 took 3 be 4 Without
B 1 would be → were[was]
2 would have been → would be
3 can → could
4 applied → (should) apply
5 have been → had been
C 1 ① didn't collide → hadn't collided
2 ② It had been → If it had been / Had it been
③ continued → (should) continue
3 ① says → said ③ attempt → attempted

서술형 연습

A 1 I wish you had told me about the problem earlier.
2 If the patient hadn't gotten physical therapy, she wouldn't feel better now.
B 1 recommended that he try on
2 Had it not been so hot outside
3 we couldn't have understood
C 1 If I had stepped on the brake
2 aquatic animals might not survive
3 as if she were[was] there by herself

어법 연습

A

1 해석 페널티 킥이 없었더라면, 우리는 경기에서 졌을지도 모른다.
해설 가정법 과거완료 문장으로, if절에서 if가 생략되면 주어와 동사가 도치되므로 Had it이 적절하다.

2 해석 취약 계층을 위한 금융 서비스 개선을 위한 조치를 취해야 할 때이다.
해설 '~할 때이다'라는 뜻으로 진작 했어야 하는 일을 나타내는 「It's time (that)+가정법 과거」 문장이므로, 과거형 took이 적절하다.

3 해석 만약 인공 조명의 비용이 거의 공짜 수준으로 떨어지지 않았다면, 우리가 오늘날 누리는 어떤 것도 가능하지 않을 텐데.
해설 과거의 일이 현재에 영향을 미치는 혼합 가정법 문장이므로 주절에는 동사의 과거형(would be)이 와야 한다. 따라서, 답은 be가 맞다.

4 해석 용해되어 있는 산소가 없다면, 지구의 바닷속 생명체는 존재하지 않을 것이다.
해설 주절이 가정법 과거이므로 if it were not for를 의미하는 without이 적절하다.

B

1 해석 그는 진실을 말하고 있을 때조차 마치 거짓말을 하고 있는 것처럼 행동한다.
해설 주절의 시제와 일치하는 시점의 일을 가정하고 있으므로 「as if+가정법 과거」를 사용하여 would be를 were로 고쳐야 한다.

2 해석 그 남자가 달아나려고 하지 않았다면, 그는 오늘 자유로울 텐데.
해설 과거의 일이 현재에 영향을 미치는 혼합 가정법 문장이다. 따라서 주절의 would have been을 가정법 과거인 would be로 고쳐야 한다.

3 해석 나는 사고로 청력을 잃었다. 내가 다시 나의 가족의 말을 들을 수 있으면 좋을 텐데.
해설 현재의 이룰 수 없는 소망을 나타내므로 「I wish+가정법 과거」를 사용하여 can을 could로 고쳐야 한다.

4 해석 그 교수는 자신이 가장 좋아하는 학생이 장학금을 신청할 것을 제안했다.
해설 제안을 나타내는 동사 suggest 뒤의 절이 일어나지 않은 일을 나타내므로 applied를 가정법 현재인 (should) apply로 고쳐야 한다.

5 해석 소방관들이 제때에 현장에 도착할 수 있었더라면 화재는 그렇게 빨리 번지지 않았을 것이다.
해설 과거의 일에 대한 가정을 나타내는 가정법 과거완료가 되어야 하므로, if절의 have been을 had been으로 고쳐야 한다.

C

1 해석 만약 소행성이 지구와 충돌하지 않았다면, 오늘날 인간이 존재하지 않을 것이다. 공룡을 몰살함으로써, 그것은 포유류에게 이점을 주었다. 이런 이점이 없었다면, 포유류는 공룡에 대항할 기회가 없었을 것이다.
해설 ① 과거에 소행성이 지구와 충돌하지 않았다면, 오늘날 인간이 존재하지 않을 것이라는 혼합 가정법 문장이므로, if절을 가정법 과거완료인 hadn't collided로 고쳐야 한다.
② 수여동사 give의 간접목적어 mammals 앞에 전치사 to가 맞게 쓰였다.

③ 과거의 일에 대한 가정을 나타내기 위해 「조동사의 과거형+have p.p.」가 쓰인 것은 맞다.

2 해석 임신한 동물에 대한 실험이 없었기 때문에 그 약의 위험성은 발견되지 않았다. 만약 그랬다면(실험을 했다면), 그 결과는 태아에 미치는 영향을 보여 주었을지도 모른다. 이는 몇몇 사람들이 동물 실험이 계속되어야 한다고 주장하는 한 가지 이유다.
해설 ① 약의 위험성이 '발견된' 것이므로 수동태가 맞게 쓰였다.
② 가정법 과거완료 문장이 되어야 하므로 if를 문두에 쓰거나, if가 생략된 가정법 문장이 되도록 주어와 동사를 도치시켜서 Had it been으로 고쳐야 한다.
③ 주장을 나타내는 동사 insist가 이끄는 that절의 내용이 일어나야 한다고 생각되는 일을 나타내므로 continued를 가정법 현재인 (should) continue로 고쳐야 한다.

3 해석 의사가 당신에게 살날이 6개월 남았다고 말하고 원하는 모든 것을 할 것을 권했다고 가정해 보자. 당신은 어떻게 할 것인가? 당신은 항상 스카이다이빙을 하고 싶었지만 다칠까 봐 두려웠는가? 당신이 그것을 시도한다면 어떤 차이가 있을까?
해설 ① suppose 뒤에 가정법 과거가 사용된 문장이 되어야 하므로, say를 and 뒤의 recommended와 병렬 구조를 이루는 said로 고쳐야 한다.
② 권유를 나타내는 동사 recommend 뒤의 절이 일어나지 않은 일을 나타내므로 가정법 현재인 (should) do로 쓰인 것은 맞다.
③ 주절이 가정법 과거이므로 if절의 동사를 과거형으로 고쳐야 한다.

서술형 연습

A

1 해석 네가 좀 더 일찍 그 문제에 대해 내게 말했다면 좋았을 텐데.
해설 과거의 일에 대한 유감을 나타내므로 「I wish+가정법 과거완료」로 바꿔 쓴다.

2 해석 물리 치료를 받지 않았더라면 그 환자는 지금 몸이 더 나아지지 않을 것이다.
해설 과거의 일이 현재에 영향을 미치고 있으므로 if절은 가정법 과거완료, 주절은 가정법 과거인 혼합 가정법으로 바꿔 쓴다.

B

1 해설 권유를 나타내는 동사 recommend 뒤에 가정법 현재가 쓰인 문장이 되어야 하므로 「recommend that+S+(should) 동사원형」의 어순으로 배열한다.

2 해설 if절에서 if가 생략된 가정법 과거완료 문장이 되어야 하므로 if절의 주어와 동사가 도치된 형태로 배열한다.

3 해설 if it had not been for를 의미하는 without이 사용된 가정법 과거완료 문장이므로 주절을 「S+조동사의 과거형+had p.p.」의 어순으로 배열한다.

C

1 해설 과거 사실의 반대되는 일을 가정하고 있으므로 가정법 과거완료의 if절 「if+S+had p.p.」의 형태로 쓴다.

2 해설 현재 사실의 반대를 가정하는 가정법 과거의 주절 「S+조동사의 과거형+not+동사원형」의 형태로 쓴다.

3 해설 '마치 ~인 것처럼'의 의미로 주절의 시제와 같은 시점의 일을 가정하고 있으므로 「as if+가정법 과거」를 쓴다.

실전 모의고사 pp. 120-122

1 ④	2 ④	3 ③	4 ③	5 ④
6 ⑤	7 ③	8 ③	9 ④	10 ③, ④

서술형

1 If it were not for the Sun / Were it not for the Sun / But for the Sun
2 he looked as if he had seen
3 (a) would have → would have had
(b) studied → had studied
4 you could come to Ms. Norma's farewell party.
5 If you were telling someone[somebody] how to get to your local shop
6 (A) (m)eaning (B) (s)ituation

1 해석 • 만약 내가 나비라면, 나는 자유롭고 아름다울 텐데.
• 만약 그가 내 파티에 왔더라면, 나는 그와 이야기를 나눴을 텐데.
해설 • 현재 사실의 반대를 나타내는 가정법 과거 문장으로, if절의 동사가 be동사일 때 원칙적으로 were를 쓰지만 was도 쓸 수 있다.
• 과거 사실의 반대를 나타내는 가정법 과거완료 문장으로, if절에는 「had p.p.」를 써야 한다.

2 해석 • 그때 당신이 내 충고를 들었더라면, 지금 곤경에 처하지 않을 텐데.
• 증인은 그날 자신이 그녀를 봤다고 주장한다.
해설 • 주절에 현재를 나타내는 부사 now가 있는 것으로 보아, 과거의 일이 현재에 영향을 미치고 있음을 나타내는 혼합 가정법 문장으로 if절에는 가정법 과거완료를, 주절에는 가정법 과거를 써야 한다.
• that절의 내용이 과거에 이미 일어난 사실이므로 동사는 과거시제가 되어야 한다.

3 해설 '~가 없었더라면'은 가정법 과거 If it had not been for로 써야 한다.

4 해설 현재 사실과 반대되는 일에 대한 소망을 나타내는 「I wish+가정법 과거」 문장이 되어야 하므로 I wish you could see를 써야 한다.

5 해석 ① 여러분이 건강에 좋지 않은 간식을 그만 먹어야 할 때다.
② 회사의 사장은 자신에게 최우선권이 주어져야 한다고 요구했다.
③ 당신의 도움이 없었더라면, 나는 큰 곤경에 처했을 것이다.
④ 그녀는 고양이들이 마치 자신의 아이들인 것처럼 돌본다.
⑤ 만약 우리 팀이 이기고 있다면, 나는 이 경기를 훨씬 더 즐기고 있을 텐데.
해설 ④ 주절의 시제와 같은 시점의 사실과 반대되는 일을 가정하고 있으므로, 「as if+가정법 과거」가 되도록 would have been을 were로 고쳐야 한다.

6 해석 ① 그 어린 소녀는 마치 자신이 공주인 것처럼 행동한다.
② 만약 당신이 그의 딸이라고 가정한다면, 어떻게 하겠는가?
③ 나는 이것을 쓰지 않았다. 만약 그랬다면, 나는 그것을 바로잡았을 것이다.
④ 만약 그가 스웨터를 입지 않았다면, 지금 추울 텐데.
⑤ 당신이 그곳에 없었더라면, 상황은 달랐을 것이다.
해설 ⑤ 과거 사실의 반대를 가정하는 가정법 과거완료 문장의 if절에서 if가 생략되면서 if절의 주어와 동사가 도치된 문장이다. 따라서 Have you는 Had you로 고쳐야 한다.

7 해석 a. 만약 내가 그녀를 놓아준다면, 그녀는 더 잘 살 것이다.
b. 나는 Jonathan이 나의 친형제인 것처럼 그를 걱정한다.
c. 그는 제때에 브레이크를 밟았다. 그렇지 않았다면 그는 심하게 다쳤을 수도 있다.
d. 만약 Florence Nightingale이 오늘날 살아 있다면, 그녀는 간호직이 발전한 방식에 대해 자랑스러워할 텐데.
e. 나는 마라톤을 뛸 수 있도록 다시 젊어지면 좋겠다.
f. 그녀의 출장이 없었더라면 그녀는 지난 일요일에 우리와 합류했었을 것이다.
해설 d. if절에 있는 today로 보아 현재 사실과 반대되는 내용을 가정하는 가정법 과거 문장이므로 had been을 were로 고쳐야 한다.
f. 과거 사실에 대한 가정을 나타내는 가정법 과거완료 문장이 되어야 하므로 were not을 had not been으로 고쳐야 한다.

8 해석 a. 이 책이 없었더라면, 나는 발표를 할 수 없었을 것이다.
b. 아픈 사람들이 병원에 가는 것은 필수적이다.
c. 그는 마치 Stephen King의 소설을 많이 읽었던 것처럼 말한다.
d. 만약 그녀가 충분히 용감하다면, 지금 여기에 있을 텐데.
e. 만약 내가 더 열심히 학습 자료를 공부했다면, 나는 지난 시험에 합격했을 텐데.
f. 우리 모두가 자신의 행동에 대해 책임을 져야 할 때다.
해설 b. 판단을 나타내는 형용사 vital 뒤의 that절이 일어나야 한다고 생각되는 일을 나타내므로 went를 (should) go로 고쳐야 한다.
e. 과거 사실에 대한 가정을 나타내는 가정법 과거완료 문장이 되어야 하므로 studied를 had studied로 고쳐야 한다.

9 해석 • 나는 그녀가 미래를 위해 돈을 좀 모아야 한다고 주장했다.
• "모든 날을 마치 너의 마지막 날인 것처럼 살아라."라고 누군가가 언젠가 말했다.
• 부모님의 지지가 없었더라면[없다면] 그들은 성공하지 못할 것이다.
해설 ⓐ that절에 동사원형이 쓰인 것으로 보아 사실을 주장하는 것이 아니라 '~해야 한다'는 당위를 나타내는 문장이다.

10 지문 해석
요즘 점점 더 많은 사람들이 멸종 위기에 처한 동물들을 보호하는 것에 관심을 보이고 있다. 하지만 그들은 주로 더 큰 생물들에 초점을 맞추고, 반면에 작은 생물들은 무시한다. 그러나 만약 그들이 주의 깊게 본다면, 작은 생명체들이 매우 중요하다는 것을 발견할 것이다. 예를 들어 나비와 벌이 없다면, 꽃은 수분이 이루어지지 않을 것이다. 크기와 상관없이 모든 동물이 중요하다는 것을 인간이 이해하는 것이 중요하다. 모든 종은 지구의 생태계를 건강하게 유지하기 위해 필요하다. 모든 생물은 지구가 계속 번성할 수 있도록 하는 데 중요한 역할을 한다.
해설 ③ 현재 사실의 반대를 가정하는 If it were not for에서 If를 생략하고 주어 it과 동사 were가 도치된 것이므로 Had it not been for를 Were it not for로 고쳐야 한다.
④ 판단을 나타내는 형용사 뒤의 that절이 일어나야 한다고 생각되는 일을 나타내므로 to understand를 (should) understand로 고쳐야 한다.

서술형

1 해설 '~가 없다면'의 의미를 나타내는 가정법 과거가 되어야 하고 for를 사용해야 하므로 If it were not for나 if를 생략한 Were it not for, 또는 But for를 사용하여 문장을 완성한다.

2 해설 주절의 시점인 과거시제보다 이전 시점의 일을 가정하고 있으므로 「as if+가정법 과거완료」를 사용하여 문장을 완성한다.

3 해석 a. 만약 내가 어제 너와 함께 갔더라면, 우리는 즐거웠을 텐데.
b. 내가 지난번에 미국에 머무는 동안 영어 공부를 더 열심히 했었더라면 좋았을 텐데.
c. 만약 의사가 더 일찍 왔더라면, 그녀는 오늘 살아 있을지도 모른다.
d. 그렇지(기부되지) 않았다면 버려졌을 비누는 난민들에게 기부된다.
해설 a. 과거 사실의 반대를 가정하고 있으므로 가정법 과거완료 문장이 되도록 주절의 would have를 would have had로 고쳐야 한다.
b. 과거에 이루지 못한 일에 대한 후회를 나타내므로 「I wish+가정법 과거완료」 문장이 되도록 studied를 had studied로 고쳐야 한다.

4 해석 네가 Norma 씨의 송별회에 올 수 있으면 좋을 텐데.
해설 현재 사실에 대한 아쉬움을 나타내는 「I wish+가정법 과거」를 사용한다.

[5-6] 지문 해석
'가까이' 그리고 '멀리'와 같은 말은 여러분이 어디에 있고 무엇을 하고 있는지에 따라 다른 의미를 가질 수 있다. 만약 여러분이 동물원에 있다면, 여러분이 손을 뻗어 동물 우리 창살을 통해 동물을 만질 수 있다면, 동물에 '가까이' 있다고 말할지도 모른다. 여기서 '가까이'라는 말은 팔을 뻗으면 닿는 거리를 의미한다. 만약 여러분이 누군가에게 동네 가게에 가는 방법을 말해 주고 있다면, 걸어서 5분 정도의 거리라면 그것을 '가까이'라고 부를 수도 있다. 이제 '가까이'라는 말은 팔을 뻗으면 닿는 거리보다 훨씬 더 먼 것을 의미한다. '가까이', '멀리', '작은', '큰', '뜨거운', '차가운'과 같은 말들은 모두 서로 다른 시기에 서로 다른 사람들에게 서로 다른 것을 의미한다.

5 해설 일어나지 않은 현재 상황에 대한 가정을 나타내고 있으므로 「If+S+동사의 과거형」의 형태로 가정법 과거의 if절을 완성한다. '~에 가는 방법'은 「how to-v」를 쓴다.

6 해석 '가까이'와 같은 말의 의미는 상황에 따라 달라질 수 있다.
해설 동물원에 있을 때와 동네 가게에 가는 법을 알려줄 때와 같이 서로 다른 상황에서 '가까이'라는 말이 의미가 다를 수 있는 것처럼, 말의 의미는 상황에 따라 달라질 수 있다는 내용이다.

CHAPTER 11 일치/화법

POINT 1 p. 124

예문 해석

1 그 나라의 공식 언어는 영어이다.
2 회의 전에 논의할 많은 것들이 있다.
3 경제학은 노동, 임금과 자본 문제들을 다룬다.
4 당뇨병은 심각한 질병이지만, 조절될 수 있다.
5 건강에 좋은 음식을 먹는 것은 건강을 유지하는 가장 효과적인 방법이다.
6 내 말은 내가 네 의견에 전적으로 동의한다는 것이다.
7 100만 달러는 많은 사람들에게 여전히 큰 돈이다.
8 지적인 사람들은 독서를 즐기는 것 같다.

◆ 수능·내신 어법 부상자들은 복도에서 치료를 기다리고 있었다.

A **1** is **2** needs **3** is **4** has **5** doesn't
B **1** the homeless are mostly aged
2 Every student was given
3 helps us become more open-minded

A

1 해석 대부분의 사람들은 2년이 은퇴를 준비하는 데 충분한 시간이 아니라고 생각한다.
해설 two years가 하나의 단위로 쓰였으므로 단수 취급한다.

2 해석 태풍 때문에 필리핀은 다른 나라들의 지원이 필요하다.
해설 the Philippines는 복수 형태의 나라 이름이므로 단수 취급한다.

3 해석 열대 생태계에서 무화과 나무를 보호하는 것은 중요한 보존 목표이다.
해설 동명사구(Protecting ~ ecosystems) 주어는 단수 취급한다.

4 해석 어린 시절의 홍역은 어린이들의 면역 체계에 심각한 영향을 미친다.
해설 measles(홍역)는 병명이므로 단수 취급한다.

5 해석 그가 대학을 졸업했는지 안 했는지는 우리 회사에는 중요하지 않다.
해설 Whether ~ or not은 명사절이므로 단수 취급한다.

B

1 해설 「the+형용사」는 '~한 사람들'이라는 뜻으로 복수 취급하므로 복수 동사를 쓴다.

2 해설 '모든'이라는 뜻의 every는 단수 명사를 수식하며 단수 취급하므로 단수 동사 was를 써야 한다.

3 해설 주어 Learning about other cultures가 동명사구이므로 단수 취급하여 단수 동사 helps를 써야 한다.

POINT 2 p. 125

예문 해석

1 대부분의 숲은 1960년대에 확인되어 지도상에 표시되었다.
2 지구 표면의 약 70퍼센트가 물로 덮여 있다.
3 너와 그 둘 다 우리 부모님께 좋은 친구였다.
4 교사뿐만 아니라 학생들도 최상의 결과를 원한다.
5 Mike나 내가 가능한 한 빨리 너에게 다시 전화할 것이다.
6 문 옆에 있는 사람은 그 사건과 관련되어 있었다.
7 겨울 방학 이후에 시작하는 과정은 아직 정해지지 않았다.
8 읽고 쓰는 능력은 오늘날 매우 중요하다.
9 가난하게 사는 사람들은 영양실조로 고통받을 가능성이 더 높다.

◆ 수능·내신 어법
• 아프리카에서 많은 사자들은 사슴을 잡아먹는다.
• 미세 플라스틱은 직경 5밀리미터 이하의 작은 플라스틱 조각들이다.

A **1** was → were **2** ○ **3** knows → know
4 doesn't → don't **5** ○, are → is
B **1** to work abroad doesn't come
2 are responsible for the incident
3 A number of studies have shown

A

1 해석 이 건물에 설치된 정수기는 작은 회사에서 만들었다.
해설 주어가 복수 명사 The water purifiers이므로 복수 동사 were로 고쳐야 한다. 과거분사구 installed in this building은 주어를 수식하는 수식어구이다.

2 해석 그 회사의 베트남 지사 직원들 중 일부가 공석에 지원하고 싶어 한다.
해설 전치사구 in the company's Vietnamese branch의 수식을 받는 Some employees가 주어이므로 복수 동사 want가 오는 것이 맞다.

3 해석 교수와 학생들 둘 다 그 주제에 대해 많이 알고 있지 않다.
해설 neither A nor B가 주어일 경우 동사를 B에 일치시키므로 the students에 맞춰 복수 동사 know로 고쳐야 한다.

4 해석 그녀가 모든 일을 끝내서 나머지 우리들은 어떤 일도 할 필요가 없다.
해설 the rest of 뒤의 us가 복수이므로 복수 동사 don't로 고쳐야 한다.

5 해석 성공한 가정 출신의 성공하지 못한 사람들의 수가 그 증거이다.
해설 주격 관계대명사절의 동사는 선행사에 일치시키므로 선행사 people에 맞춰 복수 동사 come을 쓰는 것이 맞다. the number of는 '~의 수'라는 의미로 단수 취급하므로 주절의 동사 are를 단수 동사 is로 고쳐야 한다.

B

1 해설 to부정사구 to work abroad의 수식을 받는 주어 The opportunity가 단수이므로 단수 동사 doesn't come을 써서 문장을 완성한다.

2 해설 both A and B가 주어일 때 복수 취급하므로 복수 동사 are를 써야 한다. '~에 책임이 있다'는 be responsible for로 표현한다.

3 해설 a number of는 '많은'이라는 뜻으로 뒤에 복수 명사와 함께 쓰이므로 studies로 쓰고 복수로 취급되므로 복수 동사 have shown을 써야 한다.

POINT 3 p. 126

예문 해석

1 엄마는 내가 밴드 때문에 공부를 덜 한다고/했다고/할 것이라고 생각하신다.
2 Tom은 사고가 횡단보도에서 일어날 수 있었다고/일어났었다고 말했다.
3 그들은 빨간색이 행운과 행복을 가져다준다고 믿었다.
4 선생님은 정직이 최선의 방책이라고 우리에게 말씀하셨다.
5 그는 한국 전쟁이 1950년에 일어났다고 대답한다.
6 그가 사람들 앞에서 노래하는 것을 연습한다면, 상황은 더 나아질 것이다.

◆ 수능·내신 어법

• 나는 물이 100도에서 끓는다는 것을 배웠다.
• 그 책에는 제2차 세계 대전이 1945년에 끝났다고 쓰여 있다.

A **1** ○ **2** traveled → travels **3** was → is
4 is → was **5** ○
B **1** They said (that) normal rain has
2 Ryan had lied in court
3 the Berlin Wall was constructed

A

1 해석 Michael이 결승선에 다다랐을 때 관중들이 환호하기 시작했다.
해설 종속절의 시제가 주절과 일치하므로 어법상 맞다.

2 해석 그녀는 소리가 초당 약 330미터의 속도로 이동한다고 말했다.
해설 소리의 이동 속도와 같은 과학적 사실은 항상 현재시제로 써야 하므로 travels로 고쳐야 한다.

3 해석 나는 일란성 쌍둥이의 그것을 제외하고는 모든 사람들의 DNA가 독특하다는 것을 배웠다.
해설 종속절의 내용이 과학적 사실이므로 현재시제로 고쳐야 한다.

4 해석 그는 대한민국 임시 정부가 1919년에 수립되었다고 말했다.
해설 종속절의 내용이 역사적 사실이므로 과거시제로 써야 한다.

5 해석 고고학자들은 그들이 그 지역에서 가장 중요한 장소들 중 하나를 발견했다는 것을 깨달았다.
해설 장소들 중 하나를 발견한 것이 깨달은 시점보다 이전의 일이므로, 주절의 시제(과거시제)보다 앞선 과거완료 시제로 쓴 것이 맞다.

B

1 해설 주절은 과거시제로, 종속절의 내용은 과학적 사실이므로 현재시제로 써야 한다.

2 해설 Ryan이 법정에서 거짓말을 한 것이 증인이 밝힌 과거 시점보다 이전이므로 과거완료시제(had p.p.)로 써야 한다.

3 해설 종속절의 내용이 역사적 사실에 해당하므로 과거시제로 써야 하고, 의문사절은 「의문사+주어+동사」의 어순으로 쓴다.

POINT 4 p. 127

예문 해석

1 그는 "나는 어제 휴대 전화를 잃어버렸어."라고 말했다.
그는 그 전날 휴대 전화를 잃어버렸다고 말했다.
2 나는 그에게 "어디에 있었니?"라고 물었다.
→ 나는 그에게 어디에 있었느냐고 물었다.
3 간호사가 소녀에게 "이제 몸은 괜찮니?"라고 물었다.
→ 간호사는 소녀에게 그때 몸이 괜찮았는지 물었다.
4 그녀는 그에게 "더 많이 연습하고 스트레스를 받지 마."라고 말했다.
→ 그녀는 그에게 더 많이 연습하고 스트레스 받지 말라고 조언했다.

◆ 서술형 빈출 구문

• Ron은 그들이 그날 TV를 봤다고 말했다.
• 그녀는 그에게 창문을 열지 말라고 말했다.

A **1** did he travel → he had traveled, ago → before
2 me → him, myself → himself
3 Not → Don't, there → here
B **1** told us to fasten our safety belts
2 there had been an earthquake the previous night [the night before]
3 asked him if[whether] he was planning

A

1 해석 미나는 Daniel에게 "너는 3년 전에 어디를 여행했니?"라고 물었다. → 미나는 Daniel에게 그가 3년 전에 어디를 여행했는지 물었다.
해설 의문사가 있는 의문문은 간접화법에서 「의문사+주어+동사」의 어순으로 써야 하며, 주절의 시제보다 이전의 일을 묻고 있으므로 동사를 과거완료로 고쳐야 한다. ago는 주절의 시제에 맞게 before로 고친다.

2 해석 그는 "내가 혼자서 그 문제들을 푸는 것은 어렵다."라고 말했다.
→ 그는 혼자서 그 문제들을 푸는 것이 어렵다고 말했다.
해설 직접화법의 me는 전달자와 일치하므로 전달자 He에 맞춰 him으로, myself는 himself로 고쳐야 한다.

3 해석 공원 관리자는 나에게 내 개가 거기에서 놀게 하지 말라고 말했다.
→ 공원 관리자는 나에게 "당신의 개가 여기에서 놀게 하지 마세요."라고 말했다.
해설 not to let으로 보아 부정명령문을 간접화법으로 나타낸 것이므로 직접화법의 Not을 Don't로 고쳐야 한다. 간접화법에서 쓰인 부사구 there는 직접화법에서는 전달자의 시점에 맞추어 here로 고쳐야 한다.

B

1 해석 비행기 승무원은 우리에게 안전벨트를 매라고 말했다.

해설 명령문은 간접화법에서 to부정사로 나타낸다. 종속절의 인칭대명사(your)를 전달자에 맞게 our로 바꿔 쓴다.

2 해석 그는 그 전날 밤에 지진이 일어났었다고 말했다.
해설 종속절의 동사를 주절보다 한 시제 앞선 과거완료로 바꾸고, last night은 the previous night 또는 the night before로 고쳐야 한다.

3 해석 기자는 그에게 대통령에 출마할 계획인지 물었다.
해설 의문사가 없는 의문문의 간접화법은 「if[whether]+주어+동사」의 형태로 쓴다. 직접화법의 2인칭 you는 간접화법의 목적어와 동일한 인물이므로 he로 고치고, 주절이 과거시제이므로 직접화법의 현재진행형을 과거진행형으로 고쳐야 한다.

문제로 REVIEW pp. 128-129

어법 연습

A 1 is 2 discovered 3 have 4 do
B 1 had → has 2 has → have
3 are → is 4 has → had 5 deal → deals
C 1 ③ was → were
2 ② was → were ③ they do → they did
3 ② know → knows ③ is → was

서술형 연습

A 1 The boy asked the teacher why oil doesn't dissolve in water.
2 The man told me to call the next day if I had any questions.
B 1 insisted that she writes in her journal
2 The unemployed receive certain benefits
3 protect astronauts from the Moon's harsh environment
C 1 is considered foolish as well as deceptive
2 whether his electric wheelchair would fit
3 Not only the elderly but also children have been

어법 연습

A

1 해석 그녀는 속담이 말하듯 엎질러진 우유를 두고 울어 봐야 소용없다는 것을 깨달았다.
해설 속담은 주절의 시제와 상관없이 항상 현재시제로 쓴다.

2 해석 너는 아인슈타인이 언제 상대성 이론을 발견했는지 아니?
해설 역사적 사실은 항상 과거시제로 쓴다.

3 해석 이스터섬의 거의 모든 모아이 석상들은 머리가 몹시 크다.
해설 all of 뒤의 명사(the Moai Statues)가 복수형이므로 복수 동사를 쓰는 것이 적절하다.

4 해석 이것은 미국인들의 85퍼센트가 충분한 과일과 채소를 먹지 않는 이유의 일부일 수 있다.
해설 ~ percent of 뒤의 명사(Americans)가 복수형이므로 복수 동사가 오는 것이 적절하다.

B

1 해석 우리는 지구가 그것을 둘러싸고 있는 자기장을 갖고 있다고 배웠다.
해설 종속절의 내용이 과학적 사실이므로 현재시제로 고쳐야 한다.

2 해석 해양 생물의 3분의 2가 아직 발견되지 않은 것으로 추정된다.
해설 분수 뒤의 명사(marine species)가 복수형이므로 복수 동사로 고쳐야 한다.

3 해석 그 유명 인사의 사인을 받기 위해 줄 서서 기다리고 있는 팬들의 수가 인상적이다.
해설 the number of는 단수 취급하므로 동사 are를 단수 동사 is로 고쳐야 한다. waiting in line to get the celebrity's autograph는 fans를 수식하는 현재분사구이다.

4 해석 그 남자는 자신이 퀴즈 쇼에서 불공평한 대우를 받았다고 불평했다.
해설 불공평한 대우를 받은 것이 불평한 과거 시점보다 이전의 일이므로 현재완료를 과거완료(had p.p.)로 고쳐야 한다.

5 해석 한 전통적 정의에 따르면, 미학은 아름다움, 특히 예술에서의 아름다움을 다루는 철학의 분야이다.
해설 주격 관계대명사 that의 선행사가 단수 명사 philosophy이므로 관계대명사절의 동사 deal을 단수 동사 deals로 고쳐야 한다.

C

1 해석 오스카상을 수상한 대부분의 영화들은 티켓 판매의 증가를 누린다. 2019년에 〈그린 북〉은 개봉 후 약 3개월 후에 최우수 작품상을 수상했다. 그 영화의 미국 내 총 수익의 약 6분의 1이 그 이후에 발생했다.
해설 ① 주어 films가 복수 명사이고 일반적인 사실을 말하므로 enjoy가 쓰인 것은 맞다.
② 최우수 작품상을 수상한 것보다 개봉된 시점이 3개월 이전의 일이므로 과거완료가 쓰인 것은 맞다.
③ 분수 뒤의 명사(total earnings)가 복수형이므로 복수 동사 were로 고쳐야 한다.

2 해석 그는 학생들이 앞면에 큰 인기 있는 로고가 있는 운동복 상의로 갈아입게 함으로써 조명 효과를 조사했다. 그들 중 거의 40%는 다른 사람들이 운동복 상의에 쓰인 말을 기억할 것이라고 확신했지만, 단지 10%만이 기억했다고 말했다.
해설 ① 사역동사 have의 목적격보어로 동사원형이 쓰인 것은 맞다.
② ~ percent of 뒤에 복수형 대명사 them이 왔으므로 복수 동사로 고쳐야 한다.
③ 주절의 시제가 과거이므로 종속절도 과거시제로 고쳐야 한다.

3 해석 원주민들은 1만 년도 훨씬 전에 붉은 황토를 채굴했다. 그들은 그것을 의식과 일상 활동에 사용했지만, 심지어 오늘날에도 아무도 그들이 그것으로 무엇을 했는지 정확히 알지 못한다. 그러나 동굴에 보존된 암벽화들은 고고학자들에게 그 광물이 어떻게 추출되었는지를 보여 주었다.
해설 ① 원주민들이 붉은 황토를 사용한 것은 과거의 사실이므로 과거시제로 쓴 것은 맞다.
② no one은 단수 취급하므로 단수 동사를 써야 한다.
③ 광물이 추출된 것은 과거의 사실이므로 과거시제로 고쳐야 한다.

서술형 연습

A

1 해석 소년은 선생님에게 기름이 왜 물에 녹지 않는지 물었다.
해설 의문사가 있는 의문문을 간접화법으로 바꿀 때 「의문사+주어+동사」의 어순으로 쓰며, 기름이 물에 녹지 않는 것은 과학적 사실이므로 시제를 일치시키지 않고 그대로 현재시제로 쓴다.

2 해석 그 남자는 나에게 질문이 있으면 다음 날 전화하라고 말했다.
해설 명령문을 간접화법으로 바꿀 때 인용문은 to부정사로 바꾼다. 부사 tomorrow는 the next day로 바꾸고, 인칭대명사 you는 주절의 목적어 me에 맞게 I로 바꾼 후 시제를 주절에 맞게 과거시제로 바꾼다.

B

1 해설 동사 insist의 목적어로 that절을 완성한다. 매일 밤 일기를 쓰는 것과 같은 현재의 습관은 현재시제로 쓴다.

2 해설 「the+형용사」는 '~한 사람들'의 뜻으로 복수 취급한다.

3 해설 주격 관계대명사절의 동사는 선행사에 일치시키므로 선행사 the spacesuits에 맞춰 복수 동사 protect를 쓴다. 우주복의 기능은 일반적 사실이므로 현재시제로 쓴다.

C

1 해설 동명사구 주어는 단수 취급하므로 단수 동사를 쓴다. '간주되다'는 수동태(be p.p.)로 쓰고, A as well as B는 'B뿐만 아니라 A도'의 의미를 나타내므로 A와 B의 순서에 유의한다.

2 해설 의문사가 없는 의문문의 간접화법으로 「whether+주어+동사」의 형태로 쓴다. 주절의 시제에 맞게 과거시제로 바꿔 would로 쓴다.

3 해설 'A뿐만 아니라 B도'를 뜻하는 상관접속사 not only A but also B를 사용하여 주어를 쓴다. 이때 동사를 B(children)에 일치시키므로, 복수 동사를 쓴다. 주어가 영향을 받아 온 대상이므로 현재완료 수동태 (have[has] been p.p.)로 쓴다.

실전 모의고사 pp. 130-132

1 ③	2 ③	3 ⑤	4 ④	5 ④
6 ③	7 ③	8 ④	9 ④	10 ④, ⑤

서술형

1 she said (that) actions speak louder
2 Half of the budget of our trip is going to be spent
3 (b) are → is (c) sells → sell
4 (1) All of the students (~ in their classroom)
(2) who ~ in their classroom은 선행사 All of the students를 수식하는 관계대명사절이고 실제 주어는 All of the students이므로, 복수 동사 are를 쓴 것은 적절하다.
5 the number of elderly people is rising
6 노인 인구가 급증하는 것

1 해석 • 이 책에는 내가 관심을 갖게 되었고 사랑에 빠진 많은 등장인물들이 있다.
• 그 영화에 나오는 등장인물의 수는 셀 수 없이 많다.
해설 「a number of+복수 명사」는 '많은 ~'을 의미하여 복수 취급하고, 「the number of+복수 명사」는 '~의 수'를 의미하여 단수 취급한다.

2 해석 • 내가 친구로부터 받은 모든 편지는 손으로 쓴 것이어서, 나는 받을 때마다 기분이 좋다.
• 두 선생님 모두 학생 상담 프로그램에 참여하기로 결정했다.
해설 every는 뒤에 단수 명사가 와서 단수 취급하고, both는 뒤에 복수 명사가 와서 복수 취급한다.

3 해설 전달동사 ask의 과거형 asked를 쓰고, '~인지 아닌지'를 의미하는 whether절을 문장의 목적어로 사용하여 「whether+주어+동사」의 어순으로 써야 한다. 빈칸에 들어갈 알맞은 말은 asked her whether she would이다.

4 해석 그 대표는 새로운 정책을 그날 밤에 발표할 것이라고 말했다.
해설 직접화법 문장을 간접화법 문장으로 바꿀 때, 종속절의 시제를 주절에 맞춰야 하므로 과거시제 would announce를 써야 하고, 부사 tonight은 that night으로 바꿔 써야 한다.

5 해석 ① 내가 어젯밤에 먹었던 식당은 정말 훌륭했다.
② 우리 반 친구들 중 두 명은 그 파티에 초대받았지만, 나머지 우리들은 초대받지 못했다.
③ 대다수의 비평가들은 우리 영화를 좋아했고, 우리에게 좋은 평을 해 주었다.
④ 많은 사람들이 그 사고를 목격했지만, 몇 명의 사람들만 법정에서 증언할 의향이 있었다.
⑤ 우리가 콜레스테롤에 대해서 알아야 하는 것은 우리가 그것을 통제할 수 있다는 것이다.
해설 ④ a few (people)은 '소수의 사람들'을 의미하므로 was를 복수 동사 were로 고쳐야 한다.

6 해석 ① 그녀는 매일 아침 5시에 일어난다고 우리에게 자랑스럽게 말했다.
② 눈이 오면, 야외 콘서트의 무대를 설치하는 사람들은 기쁘지 않을 것이다.
③ 그 판매 직원은 자신이 다음 날 나에게 다시 연락할 것이라고 말했다.
④ 내일 수업은 실크 로드와 그것이 세상에 어떻게 영향을 미쳤는지에 대한 것이 될 것이다.
⑤ 16세기에, 코페르니쿠스는 지구가 태양 주위를 돈다고 주장했다.
해설 ③ 주절의 동사가 과거시제(said)이므로 시제 일치에 의해 종속절의 조동사 will을 would로 고쳐야 한다.

7 해석 a. 그녀는 기회는 결코 두 번 찾아오지 않는다고 계속 반복해서 말했다.
b. 토론에서 각각의 참가자는 자기만의 의견을 가지고 있다.
c. 많은 식물들이 지구 온난화로 인해 멸종되고 있다.
d. 그녀는 그에게 그 강좌를 들으려면 얼마의 비용이 드는지 물었다.
e. 10주는 고추나 토마토 같은 작물을 재배하기에 충분한 시간인 것 같다.
f. 경제학은 내가 대학에서 공부하기로 선택한 것은 아니었다.
해설 a. 속담이나 격언은 항상 현재시제를 사용하므로 knocked를 knocks로 고쳐야 한다.
f. economics와 같이 복수 형태의 학문 이름은 단수 취급을 하므로 동사 were를 was로 고쳐야 한다.

8 해석 a. 선생님은 나에게 학급 학생들 앞에서 그 문장을 읽으라고 말씀하셨다.

b. 5,000달러가 그녀가 퀴즈 쇼에서 받은 돈이다.
c. 이 책을 쓰는 것을 마치면, 나는 그것을 영어로 번역하는 것을 시작할 것이다.
d. 이것들이 버려진 농장에서 구출된 강아지들이다.
e. 그 지역의 일부 자원들은 필수적인 것으로 여겨진다.
f. 그 주인은 꽃 가게가 매일 9시부터 8시까지 연다고 나에게 말했다.

해설 a. 명령문을 간접화법으로 전환한 문장으로 쓰려면 said를 told로 고쳐야 한다.
b. Five thousand dollars가 하나의 단위로 쓰였으므로 are를 단수 동사 is로 고쳐야 한다.
f. 꽃 가게의 영업 시간은 현재의 습관으로 볼 수 있으므로 주절의 시제와 상관없이 현재시제(is)로 써야 한다.

9 해석 • 나는 금융 뉴스만을 다루는 신문 몇 부를 살 것이다.
• 아버지는 나에게 그날 나를 찾아오실 것이라고 말씀하셨다.
• 2040년에 전 세계 전력의 가장 큰 부분은 재생 에너지에서 생산될 것이라고 예상된다.

해설 ⓑ 간접화법의 that day는 직접화법으로 바꿀 때 today로 바꿔야 한다.

10 지문 해석
한 개인의 선택이 다른 이들에게 영향을 미칠 수 있다는 것은 사실인 것 같아 보인다. 아델리 펭귄을 예로 들어보자. 그들은 종종 얼음처럼 차가운 물에서 무리를 지어 먹이를 찾곤 하는데, 포식 동물인 바다표범들이 그곳에서 그들을 기다린다. 당신은 이 상황에서 그들이 무엇을 하는지 추측할 수 있는가? 그들은 그들 중 하나가 포기하고 뛰어들어갈 때까지 물가에서 기다린다. 그런 일이 발생하는 순간에, 오랫동안 기다려왔던 나머지 펭귄들은 기대를 갖고 지켜본다. 만약 선발로 뛰어든 펭귄이 살아남으면, 다른 모두는 따라갈 것이다. 한 펭귄의 운명이 다른 모두의 운명을 바꾼다.

해설 ④ the rest of의 경우 뒤에 오는 명사 the penguins에 수를 일치시켜야 하므로 동사는 watch로 고쳐야 한다.
⑤ 조건의 부사절에서는 현재시제가 미래시제를 대신하므로 will survive를 survives로 고쳐야 한다.

서술형

1 해설 속담이나 격언 등은 주절의 시제와는 상관없이 항상 현재시제로 쓴다.

2 해설 half of는 뒤에 오는 명사에 수를 일치시키는데, 단수 명사 the budget이 쓰였으므로 is를 사용하여 문장을 완성한다. 예산은 '소비되는' 것으로 수동의 의미이므로 수동태를 쓴다.

3 해석 a. 내가 관심이 있는 대부분의 분야는 생물학과 밀접하게 관련되어 있다.
b. 계단 아래에는 많은 물건을 보관하기에 충분한 공간이 있다.
c. 내 사무실 근처에 건강 음료를 파는 약국이 몇 개 있다.
d. 네가 나와 영화를 보러 간다면, 내가 너에게 팝콘을 사 줄 것이다.

해설 b. 주어가 단수 명사 room이므로 are를 단수 동사 is로 고쳐야 한다.
c. 주격 관계대명사 that의 선행사는 my office가 아니라 several drugstores이므로 관계사절의 동사 sells를 sell로 고쳐야 한다.

4 해석 선생님께서 교실에 게시하신 이 공지를 보는 모든 학생들은 가능한 한 빨리 행정실에 알려야 한다.

해설 주어는 All of the students ~ in their classroom이고, who ~ in their classroom이 선행사 All of the students를 수식하는 관계대명사절로 실제 주어는 All of the students이므로 복수 동사 are를 쓴 것은 맞다.

[5-6] 지문 해석
전 세계에 걸쳐서, 인구가 노령화되고 있다. 출산율이 여전히 높은 곳에서조차, 노인의 수는 급격하게 증가하고 있다. 65세 이상 인구는 2015년 약 6억 명에서 2050년에는 15억 명 이상으로 급등할 것으로 예상된다. 이러한 증가의 대부분은 개발 도상국에서 발생할 것이다. 이런 추세가 낮은 출산율과 결합되면서, 많은 지역들이 노동 인구의 규모에 비해 노인 인구 수의 급격한 증가를 보게 될 것인데, 이는 노인 부양률이 늘어나는 원인이 될 것이다.

5 해설 '~의 수'를 의미하는 the number of는 뒤에 복수 명사가 오지만 단수 동사를 취한다.

6 해설 this trend는 글 전반부에서 언급한 노인 인구의 급증을 의미한다.

CHAPTER 12

주의할 구문

POINT 1 p. 134

예문 해석

1 우리는 하와이에 가서 해변에서 쉬기를 고대하고 있다.
2 그는 공부를 계속할지 아니면 직업을 구할지 결정해야 한다.
3 나는 서랍 또는 사물함 중 한 곳에 내 일기장을 두었다.
4 그녀는 Brown 씨가 보이는 것만큼 젊지 않다고 생각한다.
5 질병을 예방하는 것이 질병을 치료하는 것보다 더 낫다.
6 그들의 증상은 다른 여자아이들의 증상보다 더 가볍다.

◆ 수능·내신 어법 내 남동생의 시험 점수는 그의 반 친구들의 점수보다 더 높다.

A **1** apply → applied
2 generously → generous
3 ○ **4** damaged → damaging
5 those → that

B **1** for hiring and firing employees
2 neither increased nor decreased
3 than those in my country

A

1 해석 간호사는 환자를 씻기고, 붕대를 감고, 그를 위해 약간의 음식을 준비했다.
해설 동사 bathed, apply, prepared가 등위접속사 and에 의해 대등하게 연결되어야 하므로, apply를 과거형 applied로 써야 한다.

2 해석 미덕은 누군가가 너무 관대하지도 너무 인색하지도 않은 중간 지점이다.
해설 neither A nor B 구문에서 A와 B는 문법적으로 대등한 형태로 쓰여야 한다. A와 B가 주격보어 역할을 하므로 generously를 형용사 generous로 고쳐야 한다.

3 해석 누워 있으며 아무것도 먹지 않는 것보다 일어나서 무언가를 먹는 것이 훨씬 더 낫다.
해설 비교되는 두 대상이 진주어 역할을 하는 to부정사구로 맞게 쓰였다. than 뒤에 to부정사의 to가 생략된 형태이다.

4 해석 우리는 천연자원을 다 써 버리고 있을 뿐만 아니라 자연을 훼손해 오고 있다.
해설 not only A but (also) B 구문에서 A와 B가 현재완료진행형 「have been v-ing」의 일부인 현재분사가 되어야 하므로 damaged를 damaging으로 고쳐야 한다.

5 해석 여성 응답자의 응답률은 남성 응답자의 응답률만큼 높았다.
해설 those는 앞에 나온 the response rate을 대신하는 것이므로 that으로 고쳐야 한다.

B

1 해설 '~의 책임을 맡고 있다'는 be responsible for를 사용하여 문장을 완성한다. 전치사 for의 목적어로 동사가 올 때 동명사 형태가 되어야 하므로 hire와 fire를 동명사로 써서 등위접속사 and로 병렬 연결한다.

2 해설 조동사 has와 over the last year로 보아 문장의 시제는 현재완료 「have[has] p.p.」가 되어야 하므로 increase와 decrease를 과거분사 형태로 바꿔 neither A nor B로 병렬 연결한다.

3 해설 「비교급+than」의 비교 구문을 완성한다. 비교 대상은 '런던의 물가'와 '우리나라의 물가'이므로 prices를 대신하는 those를 사용하여 비교 구문을 쓴다.

POINT 2 p. 135

예문 해석

1 Judy가 나를 (파티에) 초대하지 않았기 때문에 나는 파티에 가지 않을 것이다.
2 Max는 (그가) 더 어렸을 때 팀에서 그저 후보 선수였다.
3 Ben과 이야기하고 있는 여자는 우리의 새 매니저이다.
4 내가 알기로, 그녀의 남편은 컴퓨터 공학을 전공했다.
5 사실은 이렇다. 군인들 중 부상을 입은 사람은 설령 있다 해도 소수이다.
6 그는 태양계에서 가장 큰 행성인 목성을 관찰하고 있다.
7 그녀가 영어를 잘하지 못한다는 사실은 큰 약점이다.

A **1** 설령 한다 해도 **2** 네거티브 선거 운동이 효과가 있다는 사실(을)
3 (그녀는) 몹시 겁을 먹었지만 **4** 언덕 위에 서 있는
5 Linx라는 유명한 무용수

B **1** when not driving
2 Though[Although] young
3 the news that Mark had resigned

A

1 해석 그 여배우가 가족과 친구들에게 연락하는 것은 설령 한다 해도 드물다.
해설 if ever는 '설령 있다 해도'라는 의미의 삽입구이다.

2 해석 그들은 네거티브 선거 운동이 효과가 있다는 사실을 부인할 수 없었다.
해설 that 이하가 the truth를 설명하는 동격절이다.

3 해석 그녀는 몹시 겁을 먹었지만 겉으로는 태연함을 유지했다.
해설 양보의 부사절에서 접속사 though 뒤에 「주어+be동사」인 she was가 생략된 문장이다.

4 해석 그것은 언덕 위에 서 있으며 멋진 전망을 제공하는 건물이었다.
해설 현재분사 standing 앞에 「주격 관계대명사+be동사」인 which[that] was가 생략된 문장이다.

5 해석 사회자가 모자에서 무작위로 Linx라는 유명한 무용수의 이름을 뽑았다.

해설 a well-known dancer와 Linx가 콤마(,)로 연결된 동격 관계이다.

B

1 해설 시간의 부사절에서 주절과 일치하는 부사절의 「주어+be동사」는 생략 가능하므로 when 뒤에 they are가 생략된 부사절을 완성한다.

2 해설 양보의 부사절에서 주절과 일치하는 부사절의 「주어+be동사」는 생략 가능하므로 양보를 나타내는 접속사 Though[Although] 뒤에 he[she] is를 생략한 부사절을 완성한다.

3 해설 the news를 설명하는 동격의 that절을 연결하여 문장을 완성한다. 충격을 받은 것보다 사임한 시점이 이전이므로 종속절의 동사는 과거완료 「had p.p.」로 쓴다.

POINT 3 p. 136

예문 해석

1 문 바로 너머에 그녀의 부모님이 서 있었다.
2 문 바로 너머에 그들이 서 있었다.
3 그는 훌륭한 가수일 뿐 아니라 재능 있는 작곡가이기도 하다.
4 그는 자신이 배우가 되리라고 결코 생각지 못했다.
5 우리 아빠는 의료 업계에서 일하시고, 엄마도 그렇다.
6 그녀는 컴퓨터 게임을 잘 못한다. 나도 그렇다.

◆ 수능·내신 어법 나무들 앞에 정자가 있었다.

A **1** dictate scientists → do scientists dictate **2** ○
3 she had hung up → had she hung up
4 neither am I → so am I **5** is → are
B **1** did the young man expect his business to do
2 has she given up hope
3 are several corporate strategies

A

1 해석 과학자들이 과학적 의제를 지시하는 일은 거의 없다.
해설 부정어(only rarely)가 문두에 와서 주어와 동사가 도치되어야 하는데 동사가 일반동사이므로 do scientists dictate로 고쳐야 한다.

2 해석 방 저쪽 끝에 있는 문을 통해 한 여자가 나타났다.
해설 부사구(through a door ~)가 문두에 와서 주어와 동사가 도치된 문장으로 어법상 맞다.

3 해석 그녀는 전화를 끊자마자 무슨 말을 하려고 했는지 깨달았다.
해설 no sooner A than B는 'A하자마자 B'의 뜻으로 부정어(no sooner)가 문두에 와서 주어와 동사가 도치되어야 하므로 had she hung up으로 고쳐야 한다.

4 해석 내 친구들 모두 대학에 합격하지 못할까 봐 두려워하고, 나도 그렇다.
해설 긍정문 뒤에서 '~도 또한 그렇다'의 의미를 나타내기 위해서 「so+동사+주어」를 써야 하므로 so am I로 고쳐야 한다.

5 해석 그러한 수십 개의 홈들의 각각에 수백 개의 털 같은 튀어나온 부분들이 있다.
해설 부사구(on each of those dozens of grooves)가 문두에 와서 주어와 동사가 도치된 문장으로, 주어가 hundreds of hair-like bumps이므로 복수 동사 are로 고쳐야 한다.

B

1 해석 그 청년은 자신의 사업이 그렇게 잘될 것이라고는 거의 예상하지 못했다.
해설 부정어인 hardly가 문두에 오고 일반동사의 과거형(expected)이 쓰였으므로 「부정어+did+주어+동사」로 써서 문장을 완성한다.

2 해석 그녀는 역경에 직면해서도 결코 희망을 포기하지 않았다.
해설 부정어인 never가 문두에 왔으므로 「부정어+has+주어+p.p. ~」로 써서 문장을 완성한다.

3 해석 숫자 99 이면에는 몇 가지 기업 전략이 있다.
해설 부사구(behind the number 99)가 문두에 왔으므로 주어와 동사를 도치하여 「부사구+be동사+주어」로 써서 문장을 완성한다.

POINT 4 p. 137

예문 해석

1 Ben은 쇼핑몰에서 나에게 모자를 사 주었다.
2 쇼핑몰에서 나에게 모자를 사 준 사람은 바로 Ben이었다.
3 Ben이 쇼핑몰에서 나에게 사 준 것은 바로 모자였다.
4 Ben이 나에게 모자를 사 준 곳은 바로 그 쇼핑몰이었다.
5 나는 네가 졸업한 이후로 잘 해 오고 있다고 정말로 믿는다.
6 Federer는 결승전 동안 정말 이상하리만치 기진맥진해 보였다.
7 Olivia는 그가 처음부터 거짓말하고 있다고 말한 바로 그 사람이다.
8 그는 하루 종일 일했지만 조금도 피곤한 것 같지 않았다.
9 공원까지 잠깐만 걸었어서 나는 전혀 피곤하지 않다.

◆ 서술형 빈출 구문 Andrew가 어제 쓴 것은 바로 봄에 대한 시였다.

A **1** It was only the brightest red giant stars that[which] we could see in the sky. **2** In fact, temperatures there did decrease over the same period. **3** It was that one talk that[which] changed my self-image by giving it a little twist.
B **1** It was the accident that taught me
2 Ashley did continue to ignore
3 at the very front of the line

A

1 해석 우리가 하늘에서 볼 수 있었던 것은 오직 가장 빛나는 붉고 거대한 별들이었다.
해설 목적어를 강조할 때 강조하고자 하는 목적어를 It is[was]와 that 사이에 쓴다. that 대신 which를 쓸 수 있고, 과거시제의 문장이므로 It 뒤의 be동사는 was로 쓴다.

2 해석 사실 그곳의 기온은 같은 기간 대비 정말로 떨어졌다.
해설 과거시제로 쓰인 일반동사를 강조할 때 동사 앞에 did를 써서 「did+동사원형」의 형태로 쓴다.

3 해석 약간의 전환을 줌으로써 나의 자아상을 바꾼 것은 그 작은 대화였다.

해설 강조하고자 하는 말이 주어이므로 주어를 It is[was]와 that 사이에 쓴다. one talk 뒤에 오는 that은 대신 which를 쓸 수 있고, 과거시제의 문장이므로 It 뒤의 be동사는 was로 쓴다.

B

1 해설 강조하는 말인 주어 the accident를 It was와 that 사이에 쓰고, that 뒤에는 주어가 빠진 문장을 쓴다.

2 해설 '정말로 계속 무시했다'는 말로 보아, 동사를 강조한 문장을 완성한다. 과거시제로 쓰인 동사를 강조하므로 「did+동사원형」의 형태로 쓴다. '계속해서 ~하다'는 continue to-v로 표현한다.

3 해설 강조하는 말(front) 앞에 the very를 쓴다.

문제로 REVIEW pp. 138-139

어법 연습

A 1 asked 2 was his publisher 3 that 4 to take

B 1 attend → attending 2 is → are
3 those → that 4 which → that[when]
5 Not only it is → Not only is it

C 1 ① neither → so
② Rarely they are → Rarely are they
2 ① humans are → are humans ② which → that
3 ② does → did

서술형 연습

A 1 I believe that slow and steady does win the race.
2 It was inside the cabin of the plane that[where] the passengers waited. / Inside the cabin of the plane waited the passengers.

B 1 While working as an actor 2 so did the birds
3 the news that the museum would be closed

C 1 It is anemia that causes people
2 did we expect that
3 harder than losing weight

어법 연습

A

1 해석 꿈에 대한 질문을 받았을 때 Jill은 외교관이 되고 싶다고 대답했다.

해설 주절의 주어와 일치하는 부사절의 주어와 be동사는 생략할 수 있으므로 they were가 생략된 형태인 asked를 쓰는 것이 맞다.

2 해석 그는 자신의 작업에 대해 만족하지 못했고, 그의 출판사도 마찬가지였다.

해설 부정문 뒤에서 '~도 또한 그렇지 않다'는 뜻을 나타낼 때 「neither+동사+주어」로 써야 하므로 was his publisher가 적절하다.

3 해석 그 손님들은 자신들이 환영받지 못한다는 메시지를 받을지도 모른다.

해설 앞에 나온 명사 message의 의미를 부연 설명하는 동격절이 이어지므로 접속사 that을 쓰는 것이 맞다.

4 해석 위험을 무릅쓴다는 것은 언젠가는 성공한다는 것을 의미하지만, 위험을 감수하지 않는다는 것은 결코 성공하지 못한다는 것을 의미한다.

해설 to부정사구가 주어인 두 개의 절이 접속사 but으로 병렬 연결된 구조이므로 to take가 적절하다.

B

1 해석 어떤 사람들은 실제 경기를 참관하는 것보다 TV로 경기를 시청하는 것을 더 선호한다.

해설 비교를 나타내는 prefer A to B(B보다 A를 더 좋아하다) 구문에서 A와 B는 동일한 형태로 쓰여야 하며 동시에 동사 perfer의 목적어 역할을 해야 하므로 attend를 동명사 attending으로 고쳐야 한다.

2 해석 지도에는 지리적 특징을 나타내는 다양한 기호들이 있다.

해설 부사구 on the map이 문장 앞으로 나와 주어와 동사가 도치된 문장으로 주어(various symbols)가 복수이므로 동사 is를 are로 고쳐야 한다.

3 해석 만다린 중국어 사용자 수가 다른 어떤 언어의 그것(= 사용자 수)보다 더 많다.

해설 비교 대상은 만다린 중국어 사용자 수와 다른 언어 사용자 수이므로, those를 the number of speakers를 대신하는 대명사 that으로 고쳐야 한다.

4 해석 Vincent van Gogh가 그의 왼쪽 귀의 일부를 자른 것은 1888년 12월 23일이었다.

해설 부사구 on December 23, 1888을 강조하는 「It was ~ that ...」 강조 구문이 되어야 하므로 which를 that으로 고쳐야 한다. 강조하는 대상이 시간의 부사구일 때는 that 대신 when을 쓰기도 한다.

5 해석 변화에 적응하는 것도 중요하지만 그것을 예상하는 능력을 갖는 것 역시 필수적이다.

해설 부정어구 not only가 문두에 쓰여 주어와 동사가 도치되어야 하므로 Not only it is는 Not only is it으로 고쳐야 한다.

C

1 해석 운동선수들은 코치에 의해 훈련을 받는데, 많은 사업가들도 그렇다. 그들이 독학하는 경우는 거의 없다. 대부분은 학교에서든 직장에서든 어떤 순간에 누군가의 지도를 받는다.

해설 ① 긍정문 뒤에서 '~도 또한 그렇다'는 뜻을 나타내야 하므로 so로 고쳐야 한다.
② 부정어 rarely가 문두에 나오면 주어와 동사는 도치되므로 are they로 고쳐야 한다.
③ 전치사구 in school과 in the workplace가 등위접속사 or에 의해 대등하게 연결되었다.

2 해석 위가 가득 찼을 때 동물들은 먹는 것을 멈추지만, 인간은 좀처럼 언제 멈춰야 할지를 확신하지 못한다. 이는 대체로 식량의 꾸준한 공급이 불확실하다는 불안에서 기인한다. 그러므로 사람들은 먹을 수 있을 때 가능한 한 많이 먹는다.

해설 ① 부정어 seldom이 문두에 있으므로 주어와 동사가 도치된 are humans로 고쳐야 한다.

② anxiety의 의미를 부연 설명하는 동격절이 되어야 하므로 접속사 that으로 고쳐야 한다.
③ 원급 비교 구문이므로 「as+원급+as」 형태인 as much as가 쓰인 것은 맞다.

3 해석 Kelly는 그녀의 유명한 엄마만큼 성공하지는 못했지만, 그것이 결코 그녀가 영리하지 않다는 의미는 아니다. 그녀는 분명 엄마의 탁월함은 부족했지만, 이 세상의 다른 거의 모든 사람들도 마찬가지였다.
해설 ① '결코, 어떻게 해서든'이라는 의미로 문장 사이에 삽입되어 의미를 강조하는 by any means가 쓰인 것은 적절하다.
② do는 동사 앞에 쓰여 동사(lack)의 의미를 강조하는 역할을 하는데, 문장의 시제가 과거이므로 did로 고쳐야 한다.
③ 긍정문 뒤에서 '~도 또한 그렇다'는 뜻을 나타내는 so가 쓰인 것은 적절하다.

서술형 연습

A

1 해석 나는 느려도 착실하면 꼭 이긴다는 것을 믿는다.
해설 종속절의 동사 wins가 일반동사이므로 동사 앞에 do동사를 써서 강조할 수 있다. 3인칭 단수 현재형 동사 wins가 쓰였으므로 「does+동사원형」 형태로 쓴다.

2 해석 승객들은 비행기의 객실 안에서 기다렸다.
해설 「It is[was] ~ that ...」 강조 구문을 사용하여 부사구를 강조할 수 있다. 과거시제의 문장이므로 강조할 부분은 It was와 that 사이에 쓰고 문장의 나머지 부분을 that 다음에 쓴다. 강조하는 부분이 장소의 부사구이므로 that 대신 where를 쓸 수 있다. 또는 부사구를 문두에 두고 주어와 동사를 도치하여 강조를 표현할 수 있다.

B

1 해설 부사절과 주절의 주어가 같으면 부사절의 「주어+be동사」를 생략할 수 있으므로 While he was working에서 he was가 생략된 형태인 While working으로 쓸 수 있다. '~으로서 일하다'는 work as로 표현한다.

2 해설 앞 문장(긍정문)의 내용에 대해 '~도 또한 그렇다'는 의미를 나타낼 때에는 「so+동사+주어」의 어순으로 쓰며, 앞 문장의 동사가 일반동사 과거형이므로 동사는 did로 쓴다.

3 해설 동격의 that절을 써서 앞에 나온 명사의 의미를 부연 설명하는 경우, 「명사(the news)+that+주어+동사」의 어순으로 쓴다.

C

1 해설 It is와 that 사이에 anemia(빈혈)을 넣어서 주어를 강조하는 문장을 완성한다.

2 해설 부정어(Never)가 문두에 와서 부정어를 강조하는 문장으로 동사(expect)가 일반동사이고 과거시제로 쓰였으므로 「부정어+ did+주어+동사원형」으로 쓴다.

3 해설 「비교급+than」 구문에서 비교하는 두 대상의 형태가 대등해야 하므로 than 다음에 동명사구 losing weight로 써야 한다.

실전 모의고사 pp. 140-142

1 ②	2 ④	3 ③	4 ⑤	5 ③
6 ⑤	7 ③	8 ③	9 ①	10 ②, ④

서술형

1 have I ever been, neither has my friend
2 the truth that this experiment is a failure
3 (b) which → that (c) were → was
4 (A) It was the last piece of cake that[which] John ate.
(B) It was only then that[when] I understood what he meant. / Only then did I understand what he meant.
5 펠리컨이 육지에서는 그저 못생겼지만 바다 위에서는 아름답듯이, 글쓴이도 육지에서는 또래와 어울리지 못하고 생활에 적응하지 못했지만 바다에서는 편안함과 자유를 느꼈기 때문에
6 It was only in the ocean that I felt free.

1 해석 • 개의 시력은 고양이의 시력과 다르다.
• 정원의 장미는 생생함 때문에 꽃병에 있는 장미보다 대개 선호된다.
해설 비교되는 두 대상을 대등한 형태로 병렬해야 하므로, vision을 대신하는 that과 roses을 나타내는 those를 써야 한다.

2 해석 • 사람들이 이제 더 오래 산다는 사실로 인해 노인 인구가 크게 늘어날 것이다.
• Tom과 나는 이렇게 아름다운 미술품을 본 적이 거의 없다.
해설 • the fact와 동격절을 이끄는 접속사 that이 적절하다.
• 부정어 seldom이 문두에 나와 주어와 동사가 도치된 문장으로, 주어가 복수(Tom and I)이므로 복수 동사 have가 와야 한다.

3 해설 부정의 부사구가 문두에 왔으므로 조동사와 주어를 도치해야 한다. '어떤 상황에서라도'를 뜻하는 부사구 under no circumstances 뒤에 can we provide를 쓴다.

4 해설 강조하고자 하는 말이 주어 the secretary이므로 It was와 that 사이에 the secretary를 써서 was the secretary that told가 되어야 한다.

5 해석 ① 길을 따라 런던의 상징인 커다란 빨간 버스가 내려왔다.
② 이것은 신중한 검토 후 그들에 의해 선택된 선택 사항이다.
③ Jake는 약속했던 대로 정말로 제때에 집에 왔다.
④ 어렸을 때, 그녀는 남동생이 놀려서 울곤 했다.
⑤ 대부분의 영화 평론가들은 그 감독의 상상력을 높이 평가하고, 나도 그렇다.
해설 ③ did가 동사를 강조하기 위해 쓰였고, 뒤에는 동사원형이 와야 하므로 came을 come으로 고쳐야 한다. 또는 강조의 의미를 없애고 단순 과거시제 came으로 고칠 수도 있다.

6 해석 ① 폭풍은 단 한 그루의 나무도 쓰러뜨리지 못했다.
② 그는 그 뉴스의 영향을 거의 깨닫지 못했다.
③ 집주인은 농담을 전혀 이해하지 못하는 것 같다.
④ Christine은 다른 사람들 앞에서 자신의 의견을 말하는 경우가 설령 있다 해도 거의 없다.
⑤ 그 코치는 건강한 음식을 먹는 것뿐 아니라 규칙적으로 운동하는 것도 권고했다.

해설 ⑤ not only A but also B는 'A뿐 아니라 B도'라는 의미로 A와 B에는 문법적으로 대등한 형태가 와야 하는데, recommend의 목적어로 동명사가 오므로 exercised를 exercising으로 고쳐야 한다.

7 해석 a. 사랑하는 것과 사랑받는 것은 서로 다른 두 가지이다.
b. 법학과 학생으로서, 나는 법률 서적을 읽는 것을 좋아한다.
c. 그 회사의 가격은 경쟁사의 가격보다 높다.
d. 그 소녀는 아름다울 뿐만 아니라 마음씨도 따뜻하다.
e. 우리가 촬영한 영상은 우리가 봤던 영화보다 훨씬 나았다.
f. 내 생각에는 그 영화에는 사람들로 하여금 계속 추측을 하게 만드는 재미있는 줄거리가 있다.
해설 c. 복수 명사 prices를 대신하도록 that을 those로 고쳐야 한다.
e. 비교 대상이 절이므로 than 뒤의 we watched the movie를 the movie we watched로 고쳐야 한다.

8 해석 a. 그는 건강을 잃기 전까지는 그 가치를 깨닫지 못했다.
b. 경찰은 그 사고의 모든 증거를 정말로 수집했다.
c. 크로아티아의 관광 수입은 이웃 나라인 슬로베니아의 관광 수입을 넘어선다.
d. 사람들이 공유 작업 공간이라는 아이디어를 낸 것은 바로 2015년이었다.
e. 나는 소년들 중 한 명이 신원 도용에 관련되었다는 뉴스를 들었다.
f. 교외 거주자들은 도시 거주자들보다 이웃과 더 많은 시간을 보낸다.
해설 a. 부정어구가 문두에 나와 주어와 동사가 도치되었는데, 이때 도치된 did he 뒤에는 동사원형을 써야 하므로 realized를 realize로 고쳐야 한다.
e. which 뒤에 문장의 필수 성분이 모두 갖춰져 있고 the news의 내용을 설명하고 있으므로, which를 동격절을 이끄는 접속사 that으로 고쳐야 한다.

9 해석 • 어떤 이들에게는 삶이 즐거움이고, 다른 이들에게는 삶이 고통이다.
• 그가 결정을 했다는 것은 사실이다.
• 경찰이 확실히 알고 있었던 증거가 있다.
해설 ⓑ It을 가주어로 하고 that절을 진주어로 하는 문장이며, 이 경우 that은 which로 바꿔 쓸 수 없다.
ⓒ that 뒤에 전치사 about의 목적어가 없어 불완전하므로 동격절을 이끄는 접속사 that이 아니라 evidence를 선행사로 하는 관계대명사 that이다.

10 지문 해석
인내가 언제나 가장 중요하다는 것을 기억하라. 사과가 받아들여지지 않는다면, 여러분의 말을 끝까지 들어 준 것에 대해 그 사람에게 감사하고 그 사람이 화해하고 싶을 경우를 위해 가능성을 열어 두라. 누군가가 여러분의 사과를 받아들인다고 해서 그 사람이 당신을 완전히 용서했다는 뜻은 아니라는 사실을 인식해라. 상처 받은 당사자가 완전히 떨쳐 버리고 여러분을 다시 전적으로 믿을 수 있으려면 시간, 아마도 오랜 시간이 걸릴 수도 있다. 이 과정의 속도를 높이기 위해 여러분이 할 수 있는 일은 거의 없다. 그 사람이 진정으로 여러분에게 중요하다면, 그 사람에게 치유에 필요한 시간과 공간을 주는 것이 가치 있다. 그 사람이 즉시 평상시처럼 행동하는 것으로 돌아갈 것이라고 기대하지 마라.
해설 ① 사과를 받는 사람이 하는 행동을 설명하는 것이 아닌 독자에게 하는 충고의 말로, thank ~ out과 leave ~ reconcile이 등위접속사 and로 대등하게 연결되어야 하므로 leaving을 leave로 고쳐야 한다.
③ 문맥상 상처를 준 사람이 아니라 상처받은 사람에 대한 설명이므로 능동의 의미를 나타내는 현재분사 injuring은 수동의 의미를 나타내는 과거분사 injured로 고쳐야 한다.
⑤ expect의 목적격보어로 to부정사가 와야 하므로 go를 to go로 고쳐야 한다.

서술형

1 해설 첫 번째 빈칸에는 '타 본 적이 없다'는 경험을 나타내는 현재완료를 써야 하는데, 부정어가 문두에 있으므로 주어와 동사를 도치하여 have I ever been으로 쓴다. 두 번째 빈칸에는 앞에 나온 부정문에 이어 '~도 또한 그렇지 않다'는 뜻을 나타내야 하므로 neither has my friend로 쓴다.

2 해설 the truth 뒤에 동격의 that절을 써서 문장을 완성한다.

3 해석 a. 여러분 자신의 의견을 다른 사람의 의견과 비교하지 않도록 노력하라.
b. 너는 아름다움은 피상적인 것일 뿐이라는 속담을 아니?
c. 그들이 떠난 후에야 운전자는 시동을 걸 수 있었다.
d. 중요한 것은 얼마나 많은 돈을 가지고 있느냐가 아니라 돈을 얼마나 현명하게 쓰느냐 하는 것이다.
해설 b. which 뒤에 완전한 절이 이어지고 the saying의 내용을 설명하는 절이 이어지고 있으므로, which를 동격절을 이끄는 접속사 that으로 고쳐야 한다.
c. 부사구 Only after they left가 문두에 나와 주어와 동사가 도치된 문장으로, 주어가 the driver이므로 복수 동사 were는 단수 동사 was로 고쳐야 한다.

4 해석 (A) John이 먹은 것은 케이크의 마지막 조각이었다.
(B) 나는 그때서야 그의 뜻을 이해했다.
해설 (A) 과거시제의 문장이므로 「It was ~ that ...」 강조 구문을 사용하여 It was와 that 사이에 강조하고자 하는 목적어를 넣는다.
(B) 「It was ~ that ...」 강조 구문을 사용하여 부사구 only then을 강조할 수도 있고, 강조를 위해 only then을 문두로 위치시키고 주어와 동사를 도치할 수도 있다.

[5-6] 지문 해석
펠리컨들은 완벽한 대형을 이루며 날았고, 깃털이 파도로부터 겨우 1인치 떨어진 채로 바다의 상승과 하강의 리듬을 타는 것 같았다. 누가 그토록 아름다운 우아함의 표현을 만들어 낼 수 있을까? 육지에서 펠리컨은 그저 못생겼을 뿐이다. 하지만 바다 위에서 그것은 아름다웠다. 아마도 나와 똑같다고 나는 생각했다. 육지에서 나는 어색했고 또래들과 어울리지 못하고 생활에 적응하지 못하는 기분이었다. 나는 바다에 달려가 그 품에 안겨 몸으로 파도타기를 할 수 있을 때까지는 모든 것이 너무나 균형이 맞지 않는 것 같았다. 바다에서 나는 편안함을 느꼈다. 내가 자유롭다고 느낀 것은 바로 바다 위에서뿐이었다.

5 해설 자신이 육지에서는 또래와 어울리지 못하고 생활에 적응하지 못하지만 바다에서는 편안함과 자유를 느끼는 것을 펠리컨이 육지에서는 못생겼지만 바다 위에서는 아름다운 것에 비유하는 내용의 글이다.

6 해설 과거시제의 글이므로 「It was ~ that ...」 강조 구문을 사용하여 부사구 only in the ocean을 강조하는 문장을 쓴다.

WORKBOOK ANSWERS

서술형 빈출 구문 ❶ ❷ p. 2

A 1 An Italian restaurant has just opened in town. 2 The baseball team hasn't won a game since last month. 3 He confessed that he had stolen the diamond necklace. 4 She has been promoted to assistant manager.

B 1 she hadn't broken any laws 2 these advances have become important parts of our lives 3 we have not seen her since 4 he had left his key at home

C 1 (b) already → yet / already 삭제 (c) has visited → visited (e) have → had
2 was not new as humans had observed

B

1 해설 주장한 것(insisted)보다 법을 어기지 않은 것이 더 이전의 일이므로 과거완료(had p.p.)를 써야 한다.

2 해설 과거부터 현재까지 지난 10년 동안(Over last 10 years) 지속되는 일을 나타내므로 현재완료(have p.p)를 써야 한다.

3 해설 1년 전에 떠난(went) 과거 시점 이후로 현재까지 보지 못했다는 의미이므로 현재완료를 써야 한다.

4 해설 주머니에 손을 넣고 알게된 것(put, found)보다 열쇠를 두고 온 것이 더 이전의 일이므로 과거완료를 써야 한다.

C

1 해석 a. 그는 자신의 일을 끝마쳤다고 말했다.
b. 저는 당신에게서 아직 어떤 이메일 요청도 받지 못했습니다.
c. 그녀는 3년 전에 친구들과 방콕을 방문했다.
d. 우리는 대학교를 다녔을 때부터 서로 알아 왔다.
e. 그는 그들이 이미 떠났다는 것을 알고 실망했다.
해설 b. already는 긍정문에서 쓰는 부사이므로 부정문에 쓰는 부사 yet으로 고치거나 삭제해야 한다.
c. 명확한 과거를 나타내는 부사구 3 years ago가 쓰였으므로 현재완료를 과거시제로 고쳐야 한다.
e. 실망한 것(was disappointed)보다 그들이 떠난 것이 더 이전의 일이므로 과거완료로 고쳐야 한다.

2 지문 해석 색의 물리적 특징들에 대한 과학적 연구는 Isaac Newton까지 거슬러 올라갈 수 있다. 어두워진 방에서 그는 가느다란 햇빛 줄기를 삼각기둥의 유리 프리즘에 떨어지게 했다. 흰색 빛이 프리즘에 닿자마자 빛은 익숙한 무지개 색들로 나눠졌다. 사람들은 태초 이래로 무지개를 관찰해 왔기 때문에, 이 발견은 새롭지 않았다. 그러나 Newton이 스펙트럼의 경로에 두 번째 프리즘을 놓았을 때, 그는 새로운 것을 발견했다. 합성된 색들이 흰색 광선을 만들어 냈다. 그는 흰색 빛이 스펙트럼의 색들을 합쳐서 만들어질 수 있다고 결론지었다.
해설 Newton의 발견보다, 사람들이 태초부터 무지개를 관찰해 온 것이 더 이전의 일이므로, 주절은 과거시제(was not new)로, 종속절은 과거완료(had observed)로 쓴다. as는 이유의 접속사로 쓰였다.

서술형 빈출 구문 ❸ p. 3

A 1 Humans have been drinking coffee for centuries. 2 I have been thinking about getting a new job for a long time. 3 The number of smokers has been decreasing in recent years. 4 Recently, we have been noticing damage caused by plastic waste around the island.

B 1 have been feeling a bit depressed 2 has been reading books for 2 hours 3 He has been working for the school 4 have been talking about the issue for half an hour

C 1 (a) been knowing → known (c) had → has (e) am living → have been living / have lived
2 have been trying to understand what makes certain things beautiful

B

1 해설 주어가 1인칭이므로 have been feeling으로 쓴다.

2 해설 주어가 3인칭 단수이므로 has been reading으로 쓰며, 기간을 나타내는 말 앞에는 전치사 for를 써야 한다.

3 해설 주어가 3인칭 단수이므로 has been working으로 쓴다.

4 해설 주어가 3인칭 복수이므로 have been talking으로 쓰며, 기간을 나타내는 말 앞에는 전치사 for를 써야 한다.

C

1 해석 a. 나는 이제 20년 동안 그녀를 알고 지내왔다.
b. 비가 계속 내리고 있어서 땅이 여전히 젖어 있다.
c. 그는 18살 때부터 음악을 작곡해 오고 있다.
d. 우리는 몇 시간 동안 기다리고 있는 것 같은 기분이 든다.
e. 나는 3년 전에 이사온 후로 이곳에 살고 있다.
해설 a. '인지'를 나타내는 동사 know는 진행형으로 쓸 수 없으므로, 현재완료시제를 이루는 과거분사 known으로 고쳐야 한다.
c. 18세 이후로 계속 작곡하고 있다는 의미이므로 현재완료진행형의 has로 고쳐야 한다.
e. 3년 전 이사 온 이후로 계속 살고 있다는 의미이므로 현재완료진행형 have been living 또는 현재완료 have lived로 고쳐야 한다.

2 지문 해석 고대 그리스인들은 아름다움이 우리가 흔히 '황금률'이라고 부르는 것에 의해 만들어진다고 믿었다. 이것은 아름다운 물체에 주요 포인트를 지정하고 포인트들 사이에 줄을 그어서 계산되는 치수였다. 그리스인들에 따르면, 아름다운 꽃, 건물, 사람들은 모두 1:1.618의 동일한 비율을 공유한다. 아름다움을 측정하는 이 개념은 오늘날에도 여전히 추구되고 있다. 예를 들어, 한 현대의 연구원은 기술을 이용해 수천 명의 매력적인 얼굴들을 분석하여 '보편적인 미'의 기준을 만들어 냈다. 당신의 얼굴이 그 기준에 얼마나 가깝게 일치하는지가 당신이 얼마나 매력적인지를 결정한다고 추정된다.
→ 역사를 통해, 사람들은 무엇이 특정한 사물을 아름답게 만드는지 이해하려고 노력해 왔다.
해설 현재완료진행형으로 써야 하므로 have been trying to understand가 되어야 하고, understand의 목적어로 what makes certain things beautiful의 어순으로 명사절을 쓴다.

서술형 빈출 구문 4 p. 4

A 1 We are united by a common language and culture. 2 The children were not picked up at the time agreed upon. 3 The price of this product will be lowered next week. 4 The sleeping child was wrapped in a nest of blankets.

B 1 The empire was divided into three countries by religion. 2 The bridge was not completed (by people) on time. 3 A rise in sea level can be produced by climate change. 4 The shelters for orphans were opened by a French nun.

C 1 (a) to → by (b) blocked → was[is] blocked (c) was happened → happened
2 UTC is corrected by a leap second

B

1 해석 그 제국은 종교에 의해 3개의 국가로 나뉘었다.
해설 목적어 the empire를 주어로 쓰고, 과거시제 devided를 was divided로 바꿔 쓴 뒤, 문장 끝에 행위자를 by religion으로 쓴다.

2 해석 그 다리는 제 시간에 (사람들에 의해) 완성되지 못했다.
해설 목적어 the bridge를 주어로 쓰고, 과거시제의 부정문이므로 was not completed로 써야 한다. 행위자가 일반 사람을 나타낼 때는 생략할 수 있다.

3 해석 해수면의 상승은 기후 변화에 의해 생길 수 있다.
해설 목적어 a rise in sea level을 주어로 쓰고, 조동사가 있는 수동태 문장이므로 can be produced로 쓴 뒤, 행위자 climate change 앞에 by를 쓴다.

4 해석 고아들을 위한 그 쉼터는 어떤 프랑스 수녀에 의해 문을 열었다.
해설 목적어 the shelters for orphans를 주어로 쓰고, 과거시제이므로 were opened로 쓴 뒤, by a French nun으로 행위자를 쓴다.

C

1 해석 a. 영화 〈ET〉는 Steven Spielberg에 의해 연출되었다.
b. 내 시야가 내 앞에 있는 키 큰 남자에 의해 가려졌다[가려진다].
c. 오늘 아침에 사무실에서 재미있는 일이 일었다.
d. 그 조직은 1971년 소수의 의사들에 의해 설립되었다.
e. 전기는 땅 밑의 케이블을 통해 도시 전체로 전송된다.
해설 a. Steven Spielberg는 영화를 연출한 행위자이므로 전치사 to를 by로 고쳐야 한다.
b. 뒤에 by a tall man이 있는 것으로 보아, 내 시야가 가려진다는 수동태가 되어야 하므로 was[is] blocked로 고쳐야 한다.
c. happen은 수동태를 쓸 수 없는 자동사이다.

2 지문 해석 협정 세계시(UTC)는 엄청나게 정밀한 원자 시계에 의해 정해진다. 한편 천문시는 지구의 자전에 의해 결정되는데, 이 자전은 불규칙적이다. 그러므로 UTC 하루는 정확히 86,400초로 이루어져 있지만, 천문학적 하루의 정확한 길이는 대개 달의 조수의 가속에 따라 달라진다. 이런 이유로, 두 개의 시스템을 동일하게 맞추기 위해 대략 18개월마다 협정 세계시(UTC)는 윤초에 의해 교정된다.
해설 시간이 '교정된다고' 하였으므로 수동태로 써야 하고, 행위자는 전치사 by를 써서 by a leap second로 나타내야 한다.

서술형 빈출 구문 5 6 p. 5

A 1 A few boys were seen dancing in the square.
2 We were made to learn 50 new words every week.
3 A visitor was heard to ask about the entrance fee.
4 Some journalists were made to leave the courtroom.

B 1 were never seen to argue by her 2 was heard barking excitedly by him 3 was made to wait several minutes by the manager 4 was observed driving 90 miles per hour by the police

C 1 (b) play → to play / playing (c) digging → to dig (e) observe → are observed 2 were observed playing by their peers

B

1 해석 그녀의 부모님이 다투는 것이 그녀에게 보여진 적이 결코 없었다.
해설 saw가 지각동사이므로 수동태로 바꿀 때 목적격보어인 원형부정사 argue를 to argue로 바꿔 써야 한다.

2 해석 강아지가 흥분해서 짖고 있는 것이 그에게 들렸다.
해설 heard가 지각동사이므로 목적격보어인 현재분사 barking을 수동태에서 그대로 써야 한다.

3 해석 나는 그 매니저에 의해 몇 분간 기다리게 됐다.
해설 made가 사역동사이므로 수동태로 바꿀 때 목적격보어인 원형부정사 wait를 to wait로 바꿔 써야 한다.

4 해석 그가 경찰에 의해 시속 90마일로 운전하는 것이 목격되었다.
해설 observed가 지각동사이므로 목적격보어인 현재분사 driving을 수동태에서 그대로 써야 한다.

C

1 해석 a. 종종 그녀가 혼자 울고 있는 것이 들렸다.
b. 그 아이들이 공원에서 농구를 하고 있는 것이 보였다.
c. 죄수들은 구멍을 파고 다시 메꾸게 되었다.
d. 기차가 역에 도착하기 전에 반복적으로 멈추는 것이 보였다.
e. 태양계 밖에서 많은 행성들이 별들 주위를 돌고 있는 것이 관찰된다.
해설 b. 지각동사가 쓰인 5형식 문장의 목적격보어는 수동태에서 to부정사나 현재분사가 되어야 하므로 to play나 playing으로 고쳐야 한다.
c. 사역동사가 쓰인 5형식 문장의 목적격보어는 수동태에서 to부정사가 되어야 하므로 to dig으로 고쳐야 한다.
e. '많은 행성들이 관찰된다'는 뜻이 되어야 하므로 수동태 are observed로 고쳐야 한다.

2 지문 해석 한 심리학자가 306명의 사람들을 3개의 연령 집단(13-16세의 어린 청소년, 18-22세의 나이가 더 많은 청소년, 그리고 24세 이상의 성인)으로 나눴다. 참가자들은 운전 게임을 하도록 요구되었고 무작위로 혼자 또는 동일한 나이의 두 명과 함께 게임을 하게 되었다. 나이가 더 많은 청소년들은 또래들이 방에 있을 때 위험하게 운전하는 지표에서 50퍼센트 더 높게 득점을 했고, 어린 청소년들의 운전은 또래들이 같이 있을 때 두 배 더 무모한 것으로 평가되었다. 이와 대조적으로, 혼자 있는 성인과 또래와 함께 있는 성인 사이에는 차이가 거의 없었다.
→ 성인들과 비교하면, 청소년들은 또래들에 의해 게임을 하고 있는 것이 관찰될 때 운전 게임에서 위험을 감수할 가능성이 더 높았다.
해설 과거시제의 수동태 were observed를 쓴다. 지각동사 observed의 목적격보어가 수동태 문장에서 to부정사와 현재분사가 되어야 하는데 6 단어로 써야 하는 조건이 있으므로 현재분사인 playing으로 써야 한다. 행위자 their peers는 전치사 by 뒤에 써서 나타낸다.

서술형 빈출 구문 7 8 p. 6

A **1** Tornadoes have never been seen in this country.
2 His behavior was being recorded by a security camera. **3** All the apples had been cut into small pieces. **4** The old train station is being transformed into a museum.

B **1** The cat is being treated **2** Many whale fossils have been discovered **3** The coffee machine was being cleaned **4** How many tickets have been sold

C **1** (a) destroy → destroyed (b) considering → considered (d) attacked → been attacked
2 have been created by the human imagination

B

1 해설 치료를 받고 있는 중이므로 현재진행형 수동태 is being treated로 써야 한다.

2 해설 이제까지 발견되어 온 것이므로 현재완료 수동태 have been discovered로 써야 한다.

3 해설 세척되고 있는 중이었으므로 과거진행형 수동태 was being cleaned로 써야 한다.

4 해설 지금까지 계속 팔린 수량을 묻는 내용이므로 현재완료 수동태 have been sold로 써야 한다.

C

1 해석 a. 큰 면적의 열대 우림이 파괴되고 있다.
b. 수 세기 동안 그들의 소리는 경고 신호로 여겨져 왔다.
c. 많은 고속도로들이 폭설로 폐쇄되고 있었다.
d. 그의 뇌와 신경계는 이미 바이러스에 의해 공격당했다.
e. 댐의 가장 나쁜 영향은 연어가 강을 거슬러 올라가는 것에서 발견되어 왔다.
해설 a. 진행형 수동태(be being p.p.)가 되어야 하므로 과거분사 destroyed로 고쳐야 한다.
b. 소리가 경고 신호로 '여겨져 왔다'는 뜻의 현재완료 수동태(have been p.p.)가 되어야 하므로 과거분사 considered로 고쳐야 한다.
d. 행위자인 by the virus가 쓰인 것으로 보아, 과거완료 수동태(had been p.p.)가 되도록 been attacked로 고쳐야 한다.

2 지문 해석 내가 아주 어렸을 때 나는 공룡과 용의 차이점을 이해하는 데 어려움을 겪었다. 물론 둘 사이에는 상당한 차이가 있다. 용은 인류의 역사 내내 신화, 전설 그리고 다른 허구의 이야기들에 등장했다. 하지만 그들은 존재하지 않았다. 하지만 공룡은 한때 정말로 살았었다. 인간들이 보지 못했지만 그들은 매우 오랫동안 지구에 존재했다. 그들은 2억년 전쯤 존재했었고 우리는 그들의 뼈가 화석으로 보존되어 왔기 때문에 그들에 대해 알고 있다.
→ 용은 인간의 상상력에 의해 창조되어 왔지만, 공룡들은 오래전에 실제로 존재했었다.
해설 글의 내용과 주어진 단어로 보아 '용은 인간의 상상력에 의해 창조되어 왔다'는 문장이 되도록 현재완료 수동태 have been created로 쓰고 by 뒤에는 행위자 the human imagination을 쓴다.

서술형 빈출 구문 9

p. 7

A **1** It is believed that the house was built in the 1600s.
2 It is said that she has talent as an artist.
3 It was thought that cooperation was unique to humans. **4** It is suggested that regular intake of the vitamin improves brain function.

B **1** is known that chocolate reduces stress **2** is said that the taste of failure is bitter **3** is thought that Latin is a difficult language to learn **4** is believed that he was a pilot in the air force during the war

C **1** (a) saying → said (c) increasing → increase (e) believes → is believed **2** It is said that the brown peel of almonds contain tannin

B

1 해석 초콜릿은 스트레스를 줄여 준다고 알려져 있다.
해설 that절이 목적어인 문장을 가주어 it을 이용해 수동태로 바꿀 때 「It is[was] p.p. that+S+V」의 형태로 써야 한다. 행위자는 일반 사람을 나타내므로 삭제한다.

2 해석 실패의 맛은 쓰다고들 한다.
해설 수동태의 주어가 It이므로 「It is said that+S+V」의 형태로 써야 한다.

3 해석 라틴어는 배우기 어려운 언어라고 생각된다.
해설 It is thought that을 쓰고 그 뒤에 주어와 동사가 이어지는 절을 쓴다.

4 해석 그가 전쟁 중에 공군 조종사였다고 생각된다.
해설 수동태의 주어가 It이므로 「It is believed that+S+V」의 형태로 써야 한다.

C

1 해석 a. 시간은 훌륭한 치료제라고 종종 일컬어진다.
b. 인류가 4만년 전에 음악을 만들었다는 설이 있다.
c. 흡연은 폐암으로 발전될 위험을 증가시키는 것으로 널리 알려져 있다.
d. 혜성이 그 행성들 중 하나와 충돌할 것으로 예측된다.
e. 그 바이러스는 원래 원숭이에게서 나온다고 여겨진다.
해설 a. 내용상 말하고 있는 것이 아니라 '말해진다'는 뜻의 수동태가 되어야 하므로 과거분사 said로 고쳐야 한다.
c. that절의 주어를 수동태로 만들 때 that절의 동사를 to부정사로 바꿔야 하므로 to increase로 고쳐야 한다.
e. that절의 내용이 '믿어진다'는 수동태가 되어야 하므로 is believed로 고쳐야 한다.

2 지문 해석 물에 적신 아몬드는 건강에 매우 좋다. 이것은 밤새 물에 담그는 것이 아몬드의 영양 가치를 높이기 때문이다. 아몬드의 갈색 껍질은 탄닌을 함유하고 있다고 하는데, 탄닌은 신체가 영양소를 흡수하는 것을 더 어렵게 만드는 물질이다. 아몬드를 적시는 것은 껍질을 벗기기 더 쉽게 만들어서 결과적으로 더 많은 양의 영양소가 나오게 한다. 아침에 5-10개의 적신 아몬드를 먹는 것은 당신의 하루를 건강하게 시작하게 만들며 나중에 배고픔을 덜 느끼게 해 줄 것이다.
해설 say와 that이 제시되어 있고 현재시제의 수동태로 쓰라고 했으므로 「It is said that+S+V」 형태의 문장을 완성한다.

서술형 빈출 구문 10

p. 8

A **1** We all need a good friend to rely on.
2 Call me when there's no one for you to talk to.
3 Ben needed a shoulder to cry on.
4 The bored child wanted another toy to play with.

B **1** found a roommate to live with **2** seemed to need a chair to sit on **3** a good subject to talk about
4 He reserved a hotel room to stay in

C **1** (b) live → live in (c) about → with (e) number → number on **2** will be no one around to talk to

B

1 해설 a roommate를 수식하는 형용사적 용법의 to부정사를 쓰되, '함께' 살 룸메이트이므로 to부정사 뒤에 전치사 with를 써야 한다.

2 해설 a chair를 수식하는 형용사적 용법의 to부정사를 쓰되, (위에) 앉을 의자이므로 전치사 on과 함께 써야 한다.

3 해설 a good subject를 수식하는 형용사적 용법의 to부정사를 쓰되, 주제에 '대해' 이야기를 나누는 것이므로 전치사 about과 함께 써야 한다.

4 해설 a hotel room을 수식하는 형용사적 용법의 to부정사를 쓰되, 호텔'에' 묵는 것이므로 전치사 in과 함께 써야 한다.

C

1 해석 a. 입어 볼 원피스를 가져다 주시겠어요?
b. 그 커플은 살 집을 찾느라 바쁘다.
c. 그는 그 문제를 함께 논의하기에 적격인 사람이다.
d. 나는 이번 주에 처리해야 할 재정적인 사안들이 몇 개 있다.
e. 제 전화번호를 적을 종이 한 장을 건네주시겠어요?
해설 b. 집'에서' 사는 것으로 전치사 in이 필요하므로 live in으로 써야 한다.
c. 그 문제를 '함께' 논의할 사람이라는 의미가 되어야 하므로 about을 with로 고쳐야 한다.
e. 종이 '위에' 번호를 적는 것으로 전치사 on이 필요하므로 number 뒤에 on을 써야 한다.

2 지문 해석 여러분의 인생에서 여러분을 믿고 응원하는 사람들이 있다는 것은 좋은 일이다. 그들은 여러분이 성취하려고 노력하고 있는 것에 진심으로 관심을 가지며 여러분의 모든 목표와 노력을 지지한다. 우리는 각자 인생에서 우리가 자신감을 느낄 수 있도록 격려해 주는 사람들이 필요하다. 하지만 때로는 주위에 이야기할 사람이 아무도 없을 것이다. 이런 일이 일어날 때, 우울해하지 마라. 대신에 여러분 스스로에게 격려의 말을 해라. 아무도 여러분의 장점과 소질을 여러분보다 더 잘 알지 못하므로, 그 어느 누구도 여러분보다 여러분에게 동기 부여를 더 잘 할 수 없다.
해설 주어로 there가 제시되어 있고 미래시제의 문장이므로 will be

no one around를 쓰고, 형용사적 용법의 to부정사구 to talk to가 no one을 뒤에서 수식하는 구조로 쓴다.

서술형 빈출 구문 11 12 p. 9

A **1** She was too young to recognize the coming danger. **2** He is tall enough to change the bulb without a chair. **3** The old man is strong enough to go hiking in the mountains. **4** The kids were too excited to get to sleep at their regular bedtime.

B **1** I was so tired that I couldn't get up off the sofa. **2** You are so old that you can retire soon. **3** Human legs are thick and strong enough to carry the body's weight. **4** Plankton is too small to be easily seen by the human eye.

C **1** (b) couldn't hardly → could hardly / hardly 삭제 (d) enough old → old enough (e) so → too
2 becomes fertile enough to produce a bountiful harvest

B

1 해석 나는 너무 피곤해서 소파에서 일어날 수가 없었다.
해설 「too ~ to-v」는 「so ~ that+S+can't ~」로 바꿔 쓸 수 있으므로 so tired that I couldn't get ~으로 써야 한다. 시제 일치에 주의하여 couldn't로 쓴다.

2 해석 당신은 너무 나이가 많아서 곧 은퇴할 수 있다.
해설 「~ enough to-v」는 결과를 나타내는 「so ~ that+S+can ~」으로 바꿔 쓸 수 있으므로 so old that you can retire로 써야 한다.

3 해석 인간의 다리는 체중을 견딜 만큼 두껍고 튼튼하다.
해설 「so ~ that+S+can」은 「~ enough to-v」로 바꿔 쓸 수 있으므로 thick and strong enough to carry로 써야 한다.

4 해석 플랑크톤은 너무 작아서 인간의 눈에는 쉽게 보이지 않는다.
해설 「so ~ that+S+cannot」은 「too ~ to-v」로 바꿔 쓸 수 있으므로 too small to be로 써야 한다.

C

1 해석 a. 그 언덕은 너무 가팔라서 자전거로 올라갈 수 없다.
b. 너무 어두워서 우리는 (거의) 볼 수가 없었다.
c. 도로 표면이 너무 뜨거워져서 녹았다.
d. 그 아이들은 이제 자신들을 돌볼 만큼 충분한 나이이다.
e. 날이 너무 추워서 해변에서 몇 분 이상 보내지 못했다.
해설 b. hardly가 부정의 의미를 나타내고 있으므로 couldn't를 could로 고치거나 삭제해야 한다.
d. 「~ enough to-v」의 어순이 되어야 하므로 enough old를 old enough로 고쳐야 한다.
e. 너무 추워서 해변에서 시간을 보낼 수 없었다는 내용이므로 「too ~ to-v」 구문이 되도록 so를 too로 고쳐야 한다.

2 지문 해석 삼포식 농업은 중세 시대에 유럽에 도입되었던 발전된 농업 생산 기법이다. 그것은 지역 농토의 1/3을 경작하지 않은 채로 두면서 그 동안 다른 1/3에는 가을에 밀, 보리 혹은 호밀을 심고, 마지막 1/3에는 봄에 귀리나 보리 혹은 콩을 심는다. 그 경작되지 않은 땅은 다음 해에 풍성한 수확량을 생산할 만큼 충분히 비옥해진다. 이런 이유로, 그 역할은 매년 순환되어야 한다.
해설 동사 become의 보어로 형용사 fertile을 쓰고 그 뒤에 fertile을 수식하는 「~ enough to-v」 구문을 이용하여 becomes fertile enough to produce a bountiful harvest로 쓴다. 주어가 3인칭 단수이므로 becomes로 쓰는 것에 주의한다.

서술형 빈출 구문 13 14 p. 10

A **1** The court ordered him to pay a $500 fine.
2 I watched a strange man enter the building.
3 I had the staff bring my luggage to my room.
4 The police warned people not to drive too fast in the fog.

B **1** persuade him to change his mind **2** should not let your kids do everything **3** He told his assistant to send **4** I noticed a woman in sunglasses sitting[sit]

C **1** (a) pass → to pass (c) to brush → brush[brushing] (d) drying → dry **2** encourage you to react to a patient with understanding

B

1 해설 persuade는 목적격보어로 to부정사를 취하므로 persuade him to change로 써야 한다.

2 해설 let은 사역동사로 목적격보어로 원형부정사를 취하므로 let your kids do everything으로 써야 한다.

3 해설 tell은 목적격보어로 to부정사를 취하므로 told his assistant to send로 써야 한다.

4 해설 지각동사 notice는 목적격보어로 현재분사나 원형부정사를 취하므로 I noticed a woman in sunglasses sitting[sit]으로 써야 한다.

C

1 해석 a. 그는 그녀가 지나갈 수 있도록 뒤로 한 발짝 물러섰다.
b. 나는 그의 팔을 잡고 그가 나를 보도록 몸을 돌리게 했다.
c. 그녀는 갑자기 뭔가가 그녀의 팔에 스치는 것을 느꼈다.
d. 신발을 신기 전에 그것이 완전히 마르도록 해라.
e. 날짜 변경에 대한 이메일을 그들에게 보내라고 내게 상기시켜 줘.
해설 a. allow는 목적격보어로 to부정사를 취하는 동사이므로 pass를 to pass로 고쳐야 한다.
c. 지각동사 feel은 목적격보어로 원형부정사나 현재분사를 취하므로 to brush를 brush나 brushing으로 고쳐야 한다.

d. 사역동사 let은 목적격보어로 원형부정사를 취하므로 drying을 dry로 고쳐야 한다.

2 지문 해석 치매를 앓고 있는 사람들은 자제력 저하와 충동 통제 불능을 보이기도 한다. 예를 들어, 그들은 다른 사람들에 대해 얘기하는 것에 아주 부주의해질 수 있다. 그들은 퉁명스럽고 심지어 무례하기도 하며, 그들의 언어는 서툴러지기도 한다. 다른 문제들로는 돌보는 사람과의 협력 거부, 적절하지 못한 탈의, 그리고 물리적인 폭력성이 있다. 여러분은 치매가 이런 종류의 행동의 원인임을 항상 기억해야만 한다. 이것을 염두에 두는 것은 여러분이 분노와 좌절 대신에 이해심을 갖고 환자에게 반응하도록 독려할 수 있다.

해설 encourage는 목적격보어로 to부정사를 취하므로 encourage you to react로 써야 한다. react to는 '~에 반응하다'라는 뜻으로 뒤에 대상인 a patient를 쓴다.

서술형 빈출 구문 15 16 p. 11

A 1 Everyone desires to be loved and respected by others. 2 I seem to have lost my car key somewhere. 3 The story does not need to be told to everyone. 4 His careless smoking is thought to have caused the fire.

B 1 waited for the winner to be announced 2 are likely to have left the country 3 are required to be kept in the refrigerator 4 The writer is known to have served

C 1 (a) identify → identified (c) discover → be discovered (e) happen → have happened
2 are likely to be influenced by the Internet

B

1 해설 우승자가 발표하는 것이 아니라 발표되는 것이므로 to부정사의 수동태 to be announced로 써야 한다.

2 해설 '~할 가능성 있다'는 「be likely to-v」로 쓰며, 내용상 용의자들이 떠난 것이 먼저 일어난 일이므로 완료부정사 to have left로 써야 한다.

3 해설 '요구된다'는 수동의 의미이므로 are required로 쓰고 그 뒤에 '보관되도록'의 뜻이 되도록 to부정사의 수동태 to be kept로 써야 한다.

4 해설 '알려져 있다'는 수동의 의미이므로 is known을 써야 한다. 참전한 것이 알려진 것보다 먼저 일어난 일이므로 완료부정사 to have served를 쓴다.

C

1 해석 a. 참가국들은 아직 확인되지 않았다.
b. 명단에 오류가 있는 것 같다.
c. 과학자들은 그 질병의 치료법이 곧 발견될 것으로 예상한다.
d. 많은 젊은 군인들이 그 전투에서 사망했다고 한다.
e. 어떤 일이 지난 수년 동안 그곳에서 발생했던 것 같다.
해설 a. 참가국이 확인된다는 내용의 to부정사의 수동태가 되어야 하므로 과거분사 identified로 고쳐야 한다.
b. 치료법은 발견하는 것이 아니라 발견되는 것이므로 be discovered로 고쳐야 한다.
e. 추측하는 시점보다 앞선 과거에 어떤 일이 일어났다는 내용이므로 완료부정사가 되도록 have happened로 고쳐야 한다.

2 지문 해석 2006년에, 조사에 응한 미국 쇼핑객의 81%가 구매를 계획할 때 온라인 고객 평점과 후기를 중요하게 고려한다고 말했다. 젊은 사람들은 무엇을 선택할지 결정할 때 특히 온라인 추천에 크게 의존한다. 그들은 흔히 폭넓은 사회관계망을 가지고 있으며, 수천 명에 영향을 미칠 잠재력을 가지고 수십 명의 다른 사람들과 정기적으로 소통한다. 6세에서 24세의 젊은 사람들이 전체 소비의 약 50%에 영향을 미치는 것으로 보고된다. 그러므로 온라인의 글은 그들이 인터넷에 의해 영향을 받을 가능성이 있기 때문에 젊은 사람들을 대상으로 하는 사업에 매우 중요할 수 있다.
해설 「be likely to-v」 구문을 써야 하며 영향을 받는다고 했으므로 to부정사의 수동태 「to be p.p.」를 써야 한다. 따라서 are likely to be influenced by the Internet이 된다.

서술형 빈출 구문 17 18 p. 12

A 1 You can control test anxiety by being prepared.
2 I feel sorry for not having helped the girl.
3 She was praised for having told the truth.
4 He was angry about being ignored by his boss.

B 1 dislike being treated like children 2 after having completed the training program 3 returned from having spent 2 weeks 4 of being watched by someone

C 1 (b) been → being (c) infecting → being infected (e) chose → chosen 2 being watched by others

B

1 해설 dislike는 동명사를 목적어로 취하며 '취급받는 것을 싫어한다'는 내용이므로 동명사의 수동태(being p.p.)를 이용하여 dislike being treated로 써야 한다.

2 해설 연수를 마친 것이 여행을 간 것보다 먼저 일어난 일이므로 전치사 after 뒤에 완료동명사 having completed를 써야 한다.

3 해설 돌아온 것(returned)보다 2주를 보낸 것이 먼저 일어난 일이므로 전치사 from 뒤에 완료동명사 having spent를 써야 한다.

4 해설 '~하는 느낌'은 「the feeling of v-ing」로 쓰며 관찰되고 있다는 수동의 의미이므로 being watched by someone이 이어져야 한다.

C

1 해석 a. 그들은 마침내 실수를 했음을 인정했다.
b. 짜증을 내는 대신에 그녀는 꽤 즐거운 것 같았다.
c. 손을 자주 씻는 것은 당신이 병균에 감염되는 것을 막아 줄 수 있다.
d. 상어에게 공격받을 실제 확률은 아주 적다.

e. 그는 아들이 국가 대표 팀에 선발된 것을 자랑스러워한다.

해설 b. 전치사 of의 목적어로는 동명사가 와야 하므로 being으로 고쳐야 한다.

c. '감염되는' 것을 예방한다는 수동의 내용이므로 being infected로 고쳐야 한다.

e. 완료형 수동태이므로 chose를 과거분사 chosen으로 고쳐야 한다.

2 지문 해석 사람들이 커피값을 기부하는 양심 상자 가까이에, 연구자들은 사람의 눈 이미지와 꽃 이미지를 번갈아 가며 놓아 두었다. 각각의 이미지는 한 번에 일주일씩 놓여 있었다. 꽃 이미지가 놓여 있던 주보다 눈 이미지가 놓여 있던 주에 더 많은 기부가 이루어졌다. 연구가 이루어진 10주 동안, '눈 주간'의 기부금이 '꽃 주간'의 기부금보다 거의 세 배나 많았다. 이 결과는 사회적으로 이익이 되는 성과를 내게끔 효과적으로 넌지시 권하는 방법에 대한 암시를 내포한다.

→ 기부의 심리는 타인에 의해 관찰되고 있다는 미묘한 자극에 매우 민감하다.

해설 꽃 이미지보다 눈 이미지가 있을 때 기부금이 3배나 많았다는 내용의 글이므로, cues와 동격을 나타내는 전치사 of 뒤에 수동형 동명사구인 being watched by others를 써야 한다.

서술형 빈출 구문 19 p. 13

A 1 We sat on the beach watching a spectacular sunset. / Watching a spectacular sunset, we sat on the beach. 2 Wanting to help the environment, I never use paper cups. 3 Although hurting his ankle, he refused to go to hospital. 4 Having no children of their own, they decided to adopt.

B 1 walking to the bus station 2 Looking real 3 Seeing it from a distance 4 Leaving the company

C 1 (a) Know → Knowing (b) He reading → Reading (e) to leave → leaving 2 Feeling proud of their victory

B

1 해석 그녀는 버스 정류장으로 걸어가다가 길을 잃었다.

해설 두 절의 주어와 시제가 같으므로 접속사, 주어를 생략하고 동사 was를 현재분사 being으로 바꿔 쓰는데 being은 생략하고 쓰므로 walking으로 시작한다.

2 해석 진짜 같아 보이지만 그 진주들은 가짜였다.

해설 두 절의 주어와 시제가 같으므로 접속사, 주어를 생략하고 동사 looked를 현재분사 Looking으로 바꿔 쓴다.

3 해석 멀리서 보면 그 오래된 성은 매우 낭만적으로 보인다고 생각했다.

해설 두 절의 주어와 시제가 같으므로 접속사, 주어를 생략하고 동사 saw를 현재분사 seeing으로 바꿔 쓴다.

4 해석 회사를 그만두었기 때문에 그는 더 이상 그 프로젝트에 대한 책임이 없었다.

해설 두 절의 주어와 시제가 같으므로 접속사와 주어를 생략하고 Leaving ~으로 분사구문을 쓴다.

C

1 해석 a. 질문에 대한 답을 알고 있어서 나는 손을 들었다.

b. 책을 읽고 있어서 그는 누군가 들어오는 것을 알아채지 못했다.

c. 그 호텔에서 시간을 보내면서 나는 그 직원을 알게 됐다.

d. 다른 도시로 이사 가게 되어서 Rachel은 직장을 그만두어야 했다.

e. 방해를 받으면 그 새는 둥지를 떠나 새끼 새들이 죽게 내버려 둘지도 모른다.

해설 a. 동사 Know를 현재분사의 형태로 고쳐서 분사구문을 만들어야 한다.

b. 분사구문으로 전환할 때 주어가 같으면 생략하므로 He를 삭제해야 한다.

e. 연속 동작을 나타내는 분사구문이 되어야 하므로 to leave가 아니라 leaving으로 고쳐야 한다

2 지문 해석 2차 세계 대전 이후의 시대는 미국인들에게 좋은 시기였다. 그들은 승리했기 때문에 큰 부를 얻을 자격이 있다고 생각했다. 전쟁은 미국 경제에 긍정적인 영향을 주었고, 이것은 이후 몇 년간 계속되었다. 예를 들어, 자동차 공장들은 군용 차량 수요를 맞추기 위해 생산 능력을 증대시켰다. 그 결과, 그들은 전쟁 후에 더 많은 차를 생산할 수 있었다. 귀향 군인들은 자동차와 집을 구매하고 싶어 했고, 이는 결국 교외 지역의 확장과 주간 고속 도로 시스템으로 이어졌다.

→ 전쟁에서의 그들의 승리에 자부심을 느낀 미국인들은 경제적 풍요로움을 누렸다.

해설 분사구문을 이용해야 하므로 Feeling proud로 시작해야 한다. proud는 전치사 of와 함께 쓰므로 Feeling proud of their victory로 쓴다.

서술형 빈출 구문 20 p. 14

A 1 He was sleeping with the television turned on. 2 I leaned against the wall with my arms crossed. 3 He stared into the distance with sweat running down his face. 4 She went outside with her dogs following her.

B 1 with the side mirrors folded 2 with her cat sleeping on her lap 3 With women entering the job market 4 with his left foot slightly raised

C 1 (a) approached → approaching (c) bowing → bowed (e) run → running 2 with the tiny travelers getting smaller

B

1 해설 「with+(대)명사+분사」 구문으로 쓰되, 사이드 미러가 접혀진 것이므로 수동을 나타내는 과거분사 folded를 써야 한다.

2 해설 고양이가 무릎 위에서 자고 있는 것이므로 능동을 나타내는 현재분사 sleeping을 써야 한다.

3 해설 여성들이 진입하는 것이므로 현재분사 entering을 써야 한다.

4 해설 발이 들어 올려지는 것이므로 과거분사 raised를 써야 한다.

C

1 해석 a. 시험이 다가오면서 그녀는 걱정스러워 보였다.
b. 그는 책을 덮은 채로 편지를 쓰기 시작했다.
c. 그 여자는 고개를 숙인 채로 조용히 서 있었다.
d. 그 호텔은 모든 객실이 호수를 향한 채 언덕 위에 서 있다.
e. 화석 연료의 매장량이 고갈되면서 대체 에너지에 대한 수요가 증가하고 있다.
해설 a. 시험이 다가오고 있는 것이므로 능동을 나타내는 현재분사 approaching으로 고쳐야 한다.
c. bow는 '(고개, 허리 등을) 숙이다'라는 뜻으로 고개는 숙여지는 것이므로 수동을 나타내는 과거분사 bowed로 고쳐야 한다.
e. 화석 연료의 매장량이 줄고 있다는 것이므로 능동을 나타내는 현재분사 running으로 고쳐야 한다.

2 지문 해석 어떤 모래는 조개 껍질이나 암초와 같은 것들로부터 바다에서 만들어지기도 하지만, 대부분의 모래는 먼 산에서 온 암석의 작은 조각들로 이루어져 있다! 그런데 그 여정은 수천 년이 걸릴 수 있다. 빙하, 바람 그리고 흐르는 물은 이 암석 조각들을 운반하고, 그 작은 여행자들(암석 조각들)은 이동하면서 더 작아진다. 만약 운이 좋다면, 강물이 그것들을 해안까지 실어다 줄지도 모른다. 그곳에서 그것들은 해변의 모래가 되어 여생을 보낼 수 있다.
해설 내용상 '작아진다'라는 능동의 의미이므로 현재분사 getting을 써야 하며, 더 작아진다고 했으므로 small의 비교급 smaller를 써야 한다.

서술형 빈출 구문 21 p. 15

A 1 She will never say who she voted for. 2 I can't figure out why he left the company. 3 I called them to check when they would arrive. 4 Most parents don't know what games their kids are playing.

B 1 when the match starts 2 What do you believe is the key 3 what our brain does during deep sleep 4 where coffee originated or who discovered it

C 1 (a) is he → he is (b) did it happen → it happened (d) is the building → the building is 2 what the weather was like

B

1 해설 동사 tell의 직접목적어로 「의문사+S+V」의 어순의 명사절 when the match starts를 써야 한다.

2 해설 주절이 do you believe일 때는 의문사가 문두로 나와야 하므로 What do you believe is the key로 써야 한다.

3 해설 동사 wonder의 목적절로 「의문사+S+V」의 어순이 되어야 하므로 what our brain does during deep sleep으로 써야 한다.

4 해설 두 개의 의문사절이 접속사 or로 연결되어 where coffee originated or who discovered it으로 써야 한다. 여기서 who는 의문사절의 주어 역할을 한다.

C

1 해석 a. 그가 왜 그렇게 인기 있다고 생각하니?
b. 그것이 어떻게 일어났는지 그녀가 너에게 말해 줬니?
c. 그들은 그가 어떤 호텔에 묵고 있는지 알아냈다.
d. 나는 그 건물이 얼마나 높은지 보고 놀랐다.
e. 너는 누구와 그 공연에 같이 갈지 정했니?
해설 a. 주절이 do you think일 때 문장의 어순은 「의문사+do you think+S+V」가 되어야 하므로 is he를 he is로 고쳐야 한다.
b. 동사 tell의 직접목적어인 의문사절은 「의문사+S+V」의 어순이 되어야 하므로 it happened로 고쳐야 한다.
d. 동사 see의 목적어인 의문사절은 「how+형용사+S+V」의 어순이 되어야 하므로 the building is로 고쳐야 한다.

2 지문 해석 여러분들은 아마도 나무 그루터기의 꼭대기 부분에 일련의 둥근 띠가 있는 것을 본 적이 있을 것이다. 나무는 비와 온도 같은 기후 조건에 민감하기 때문에 이 띠들은 과학자에게 과거의 그 지역 기후에 대한 정보를 제공해 줄 수 있다. 예를 들어, 나이테는 보통 온화하고 습한 해에는 (폭이) 더 넓어지고 춥고 건조한 해에는 더 좁아진다. 만약 나무가 가뭄과 같은 힘든 기후 조건을 겪게 되면, 그러한 기간에는 나무가 거의 성장하지 못할 수 있다. 특히 아주 오래된 나무는 기상 조건들이 기록되기 훨씬 이전의 기후에 대한 단서를 제공해 줄 수 있다.
→ 나이테는 나무의 일생 동안 날씨가 어땠는지 우리에게 말해줄 수 있다.
해설 나이테가 '날씨가 어떠했는지'를 말해 준다는 내용이 되어야 하고 의문사 what이 제시되어 있으므로 what the weather was like로 써야 한다. like는 '~와 같은'을 뜻하는 전치사로 의문사 what을 목적어로 한다.

서술형 빈출 구문 22 23 p. 16

A 1 She spoke so quietly that I could not hear her.
2 I sat near a window so that I could see my car.
3 The particles are so small that they are almost invisible. 4 He bought a map of the area so that he wouldn't get lost.

B 1 so cold that the sea froze 2 encourages us so that we feel confident 3 so much that I can hardly recognize 4 the window so that fresh air can come

C 1 (a) could no one → no one could (b) rude → rudely (e) extraordinary so → so extraordinary
2 are so dull that you can't get a thrill

B

1 해설 결과를 나타내는 「so ~ that+S+V」 구문을 사용하여 so cold that the sea froze로 써야 한다.

2 해설 목적을 나타내는 「so that+S+V」 구문을 사용하여 encourages us so that we feel confident로 써야 한다.

3 해설 결과를 나타내는 「so ~ that+S+V」 구문을 사용하여 so much that I can hardly recognize로 써야 한다.

4 해설 목적을 나타내는 「so that+S+V」 구문을 사용하여 the window so that fresh air can come으로 써야 한다.

C

1 해석 a. 그는 아무도 들을 수 없도록 그의 목소리를 낮췄다.
b. 그녀는 내게 너무 무례하게 말을 해서 나는 늘 모욕감을 느낀다.
c. 그는 오늘 밤에 오기 위해 회의를 취소했다.
d. 너무 많은 연기가 있어서 그들은 복도 건너편을 볼 수 없었다.
e. 그 이야기는 너무 이상해서 나는 그것을 믿지 않았다.
해설 a. 목적을 나타내는 「so that+S+V」 구문이 되어야 하므로 no one could로 고쳐야 한다.
b. speaks를 수식하는 부사가 와야 하므로 rude를 rudely로 고쳐야 한다.
e. 내용상 '너무 이상해서 믿지 않았다'는 결과의 내용이 되어야 하므로 so extraordinary의 어순으로 고쳐야 한다.

2 지문 해석 사람들은 익스트림 스포츠의 짜릿함을 매우 좋아한다. 익스트림 스포츠는 야외에 나가 도전적인 무언가를 하는 좋은 방법이다. 지금의 안전 장비의 발전은 심하게 다치지 않고 이런 활동들에 참여하는 것을 예전보다 더 쉽게 만든다. 한 스노보더는 다음과 같이 설명했다. "위험이 있지만 그것은 스노보딩이 가진 매력의 일부이다. 사람들은 위험의 끝에 가능한 한 가까이 가고 싶어 한다. 당신이 일단 익스트림 스포츠를 시도해 보면 자전거 타기나 스키는 더 이상 만족할 만한 정도가 안 된다. 그것들은 너무 따분해서 당신은 스릴을 느낄 수 없다."
해설 글의 흐름상 「so ~ that+S+V」 구문을 이용해서 '(자전거나 스키가) 너무 따분해서 당신은 스릴을 느낄 수 없다'는 내용이 되어야 하므로 are so dull that you can't get a thrill로 써야 한다.

서술형 빈출 구문 24 p. 17

A **1** Brian was the one who[that] suggested the idea. **2** We interviewed the man whose credit card was stolen. **3** She works for a company which[that] produces electrical goods. **4** I have written about those who[that] stayed behind in rural areas.

B **1** A teacher (who(m)[that]) I really admired retired last year. **2** The picture reminded him of the house (which[that]) he used to live in. / The picture reminded him of the house in which he used to live. **3** He was a Chinese immigrant who[that] moved to the U.S. in the late 1920s. **4** The student whose dog ran away has gone to look for it.

C **1** (b) whom → who[that] (c) which → whose (d) enables → enable **2** many patients whose hearts have stopped beating

B

1 해석 내가 정말 존경했던 선생님께서 작년에 은퇴하셨다.
해설 her는 A teacher(사람)이고 admire의 목적어이므로 목적격 관계대명사 who(m) 혹은 that을 이용하여 두 문장을 연결하는데, 목적격 관계대명사는 생략할 수 있다.

2 해석 그 그림은 그에게 그가 살았던 집을 떠올리게 했다.
해설 it은 the house(사물)이고 live in의 목적어이므로 목적격 관계대명사 which 혹은 that을 이용하여 두 문장을 연결하는데, 목적격 관계대명사는 생략할 수 있다. 「전치사+목적격 관계대명사」의 형태로 in which를 이용하여 연결할 수도 있다.

3 해석 그는 1920년대 후반에 미국으로 이주했던 중국계 이민자였다.
해설 두 문장의 He는 A Chinese immigrant이고 moved의 주어이므로, 주격 관계대명사 who 혹은 that을 이용하여 한 문장으로 연결한다.

4 해석 강아지가 도망간 그 학생은 강아지를 찾으러 나갔다.
해설 He가 the student이고 the student's dog에서 소유격으로 쓰였으므로, 소유격 관계대명사 whose를 이용하여 한 문장으로 연결한다.

C

1 해석 a. 그는 늘 모든 아이들이 좋아할 이야기를 쓴다.
b. 포르투갈 출신의 내 사촌은 우유 알레르기가 있다.
c. 그들은 언제라도 지붕이 무너질 수 있는 집에서 산다.
d. 우리 얼굴에는 얼굴을 움직이게 해 주는 많은 근육이 있다.
e. 긍정적인 판매자가 부정적인 판매자보다 더 잘 판다.
해설 b. My cousin이 관계사절의 주어이므로 whom을 주격 관계대명사 who 혹은 that으로 고쳐야 한다.
c. 관계대명사절의 roof는 의미상 a house's roof이므로 which를 소유격 관계대명사 whose로 고쳐야 한다.
d. 주격 관계대명사 which의 선행사는 lots of muscles이므로 복수형 동사 enable로 고쳐야 한다.

2 지문 해석 전통적으로, 사람들은 심장이 뛰기를 멈추고 숨쉬기를 멈출 때 사망한 것으로 선고되었다. 그래서 의사들은 심장 박동을 듣거나 그 사람의 호흡으로부터 나오는 습기를 확인하기 위해 거울을 이용하곤 했다. 하지만 지난 반세기 동안, 의사들은 심폐 소생술과 같은 여러 기술들을 이용하여 심장이 뛰기를 멈춘 많은 환자들을 소생시킬 수 있다는 것을 거듭하여 입증해 왔다. 그런 환자들은 '임상적으로 사망했던' 것으로 일컬어진다. 임상적으로만 사망한 사람은 종종 소생될 수 있다.
해설 동사 revive의 목적어로 many patients를 쓰고, patients' hearts가 되어야 하므로 소유격 관계대명사로 연결한다. stop은 목적어로 동명사를 취하므로 whose hearts have stopped beating으로 써야 한다.

서술형 빈출 구문 25 p. 18

A **1** Doing puzzles is what most kids like. **2** What you need now is a long holiday. **3** What annoys me is the way he drives his car. **4** Pay attention to what your mind really wants to do.

B **1** showed me what she had bought
2 What concerns us is **3** what you can do today
4 determine what was needed in the project

C **1** (b) what → that[which] / the accident 삭제
(c) that → what (e) are → is **2** what makes pyramids mysterious is that nobody knows

B

1 해설 '그녀가 산 것'은 관계대명사 what 다음에 목적어가 없는 불완전한 절인 she had bought를 써서 나타낸다.

2 해설 '우리를 걱정시키는 것'은 관계대명사 what 다음에 주어가 없는 불완전한 절을 써서 나타낸다. what이 이끄는 관계대명사절이 주어일 때 대개 단수로 취급하므로 동사는 is를 쓴다.

3 해설 '당신이 오늘 할 수 있는 것'은 관계대명사 what 다음에 목적어가 없는 불완전한 절을 써서 나타낸다.

4 해설 determine의 목적어인 '그 프로젝트에서 필요로 하는 것'은 관계대명사 what 다음에 주어가 없는 불완전한 절을 쓰고, the project 앞에 전체사 in을 써서 나타낸다.

C

1 해석 a. 그는 항상 자신이 옳다고 믿는 것을 한다.
b. 그녀는 경찰에게 자신이 목격한 사건에 대해 말했다.
c. '인내심을 가져라'는 우리가 종종 아이들에게 말하는 것이다.
d. George는 항상 최선을 다하는데 그것이 내가 그에 대해 좋아하는 점이다.
e. 그들이 알아내고 싶어 하는 것은 그 실험이 얼마나 오래 걸릴 것인지이다.
해설 b. 관계대명사 what 앞에는 선행사가 쓰일 수 없으므로, what을 that 또는 which로 고치거나, 선행사 the accident를 삭제해야 한다.
c. 내용상 '우리가 아이들에게 종종 말하는 것'이 되어야 하며 선행사가 없고 tell의 직접목적어가 없는 불완전한 절이므로, that을 관계대명사 what으로 고쳐야 한다.
e. 관계대명사 what이 이끄는 절이 주어로 쓰일 경우 주로 단수 취급하므로 is로 고쳐야 한다.

2 지문 해석 고대 이집트인들은 피라미드가 죽은 왕들로 하여금 사후 세계를 여행할 수 있게 한다고 믿었다. 이런 이유로, 피라미드를 지어지도록 하는 것은 살아 있는 왕들의 필수적인 의무였다. Giza의 대 피라미드를 건설하는 데는 약 20년간 2만 명의 노동자들이 필요했다고 한다. 하지만, 피라미드들을 신비롭게 만드는 것은 아무도 그것이 어떻게 지어졌는지 정확히 모른다는 것이다. 어떤 전문가들은 건설 부지가 진흙으로 덮여 있어서 무거운 돌을 제자리에 밀어 넣는 것이 더 쉬웠을 것이라고 생각한다. 다른 전문가들은 더 이상 존재하지 않는 기술이 사용됐다고 믿는다.
해설 '피라미드들을 신비롭게 만드는 것'은 관계대명사 what을 사용하여 what makes pyramids mysterious로 쓰고 what절이 주어로 쓰였으므로 동사는 단수형으로 '~이다'의 뜻인 is를 쓴다. 보어로 접속사 that이 이끄는 명사절 nobody knows를 쓴다.

서술형 빈출 구문 26 p. 19

A **1** Julie manages a team of workers, most of whom are in their 20s. **2** There will be 10 classes, most of which will be taught in English. **3** Tachinid flies come in many species, all of which help control pests. **4** Five people applied for this position, some of whom were women.

B **1** This island produces the best coffee, some of which is exported. **2** I know a lot of teachers, all of whom are highly qualified. **3** He tried several methods to solve the problem, none of which worked. **4** he saw more patients than usual, most of whom had caught a cold

C **1** (a) which → of which (c) whom → which
(e) and each of which → and each of them / and 삭제
2 neither of which is[are] possible

B

1 해석 이 섬은 최고의 커피를 생산하는데, 그 중 일부는 수출된다.
해설 뒷 문장의 it이 앞에 나온 the best coffee를 가리키므로 some of 뒤에 관계대명사 which를 써서 문장을 연결한다.

2 해석 나는 많은 교사들을 아는데, 그들 모두는 능력이 아주 뛰어나다.
해설 뒷 문장의 them이 앞에 나온 teachers를 가리키므로, all of 뒤에 관계대명사 whom을 써서 문장을 연결한다.

3 해석 그는 그 문제를 해결하기 위해 여러 가지 방법을 시도했는데, 그 무엇도 효과가 없었다.
해설 뒷 문장의 them이 앞에 나온 methods을 가리키므로, none of 뒤에 관계대명사 which를 써서 문장을 연결한다.

4 해석 지난달에 그는 평소보다 더 많은 환자들을 보았는데, 그들 대부분은 감기에 걸려 있었다.
해설 뒷 문장의 them이 앞에 나온 patients를 가리키므로 most of 뒤에 관계대명사 whom을 써서 문장을 연결한다.

C

1 해석 a. 책꽂이에는 많은 책이 있는데, 그 중 어떤 책들은 재미있어 보인다.
b. 그 직원들 중 절반이 시간제로 일하는데, 그 직원들은 직장을 잃을 것이다.
c. 나는 너에 대해 많은 이야기를 듣는데, 대부분이 사실이 아니다.
d. Ian은 한 무리의 과학자들 중 하나였는데, 그 과학자들은 모두 같은 학회에 속해 있었다.

e. 제조업자들은 다양한 방법을 가지고 있는데, 각각의 방법은 각기 다른 상황에 적합하다.

해설 a. 선행사인 books의 일부를 표현하기 위해서 some of which로 고쳐야 한다.

c. 선행사(a lot about you)가 사물이므로 which로 고쳐야 한다.

e. 접속사 and가 있으므로 which를 a range of books를 받는 대명사 them으로 고치거나, 계속적 용법으로 쓰인 관계대명사절로 보고 접속사 and를 생략한다.

2 지문 해석 사람이 죽은 후에 머리카락과 손톱은 계속해서 자랄까? 간단한 대답은 '아니다'이다. 그것은 사후에 인간의 몸에서 수분이 빠지면서 피부가 수축되게 만들기 때문에 그렇게 보일 뿐이다. 일반적으로 손톱은 하루에 약 0.1mm씩 자라지만, 그것이 자라기 위해서는 신체에 동력을 공급하도록 도와 주는 단당인 글루코스가 필요하다. 일단 몸이 죽으면 더 이상의 글루코스는 없다. 따라서 피부 세포, 머리카락 세포, 그리고 손톱 세포는 더 이상 새로운 세포를 만들어 내지 않는다. 더욱이, 복잡한 호르몬 조절 시스템은 머리카락과 손톱의 성장을 지휘하지만 일단 사람이 죽게 되면 그 어느 것도 불가능하다.

해설 문맥상 머리카락과 세포의 성장 중 어느 쪽도 불가능하다는 뜻을 나타내야 하므로 neither of which로 쓴다. neither는 원칙적으로 단수 취급하지만, 복수 동사와 사용되기도 한다.

서술형 빈출 구문 27 p. 20

A **1** I'm not sure of the reason why she failed. **2** The town where we usually go on holiday is on Jejudo. **3** Jimmy told me how he solved the problem. **4** Today is the day when I get my first paycheck.

B **1** I'm hoping for a time when we can be together again. **2** Please show me how you made this tasty cake. **3** The hall where you're giving your recital has a good sound system. **4** There are many reasons why poverty is getting worse.

C **1** (b) the way how → how[the way] (c) where → when (e) which → when[during which]
2 when they should be moving into their own place

B

1 해석 나는 우리가 다시 함께 할 수 있는 시간을 바라고 있다.

해설 때를 나타내는 a time이 공통 요소이므로, 뒷 문장의 at that time을 삭제하고 a time을 선행사로 하는 관계부사 when을 써서 문장을 연결한다.

2 해석 이 맛있는 케이크를 네가 어떻게 만들었는지 내게 알려 줘.

해설 방법을 나타내는 the way가 공통 요소이므로, 뒷 문장의 in that way를 삭제하고 관계부사 how를 써서 문장을 연결한다. the way와 how는 같이 쓸 수 없음에 유의한다.

3 해석 네가 독주회를 할 그 홀은 좋은 음향 장치를 갖추고 있다.

해설 장소를 나타내는 the hall이 공통되는 요소이므로 뒷 문장의 in the hall을 삭제하고 관계부사 where를 써서 문장을 연결한다.

4 해석 가난이 점점 더 심해지고 있는 데는 많은 이유들이 있다.

해설 이유를 나타내는 many reasons가 공통 요소이므로 뒷 문장의 for those reasons를 삭제하고 관계부사 why를 써서 문장을 연결한다.

C

1 해석 a. 나는 네가 그를 신뢰하지 않는 이유를 알고 있다.
b. 이것은 내가 20년 전에 가르쳤던 방식이다.
c. 나는 어제 그를 만났는데, 그때 그는 내게 그 소식을 말해 주었다.
d. 집은 우리가 감정을 표현할 수 있는 안전한 장소이다.
e. 그녀는 아이들이 혼자서 읽을 수 있는 시간을 정했다.

해설 b. the way와 how는 같이 쓸 수 없으므로 the way나 how로 고쳐야 한다.

c. 선행사가 yesterday이므로 장소가 아니라 시간을 나타내는 관계부사 when으로 고쳐야 한다.

e. 선행사가 a time이므로 시간을 나타내는 관계부사 when으로 고치거나 「전치사+관계대명사」를 써서 during which로 고쳐야 한다.

2 지문 해석 미국에서는 청년들이 대학에 진학해서, 학위를 받고, 그들 자신의 집으로 이사하곤 했다. 그러나 오늘날 젊은 미국인들은 졸업 후 그들의 부모가 사는 집으로 돌아갈 가능성이 더 높다. 이것은 불안정한 경제와 좋은 일자리의 부족을 포함한 여러 가지 요인들 때문이다. 많은 최근 졸업생들이 실직 상태에 놓여 있고, 직장을 간신히 구한 사람들도 직장을 잃을까 봐 걱정한다. 설상가상으로, 그들의 낮은 급여는 괜찮은 아파트에 사는 것을 어렵게 만든다.

→ 많은 미국 청년들이 대학 졸업 후 자신들의 집으로 이사해야 할 때, 다시 부모님의 집으로 돌아간다.

해설 관계부사 when을 사용하여, 대학 졸업 후라는 때를 부연 설명하는 관계부사절 when they should be moving into their own place를 완성한다.

서술형 빈출 구문 28 29 p. 21

A **1** I have scarcely felt so great a happiness. **2** She emailed us such lovely pictures of her kids. **3** It's taken them such a long time to send the guidelines. **4** It was such a perfect day to spend with my family at the ballpark.

B **1** He had so loud a voice that it could be heard across the room. **2** I had to tell Jonathan to stop doing such a good job. **3** We were shocked that he did such a reckless thing. **4** We visited such fascinating places on our trip through Asia.

C **1** (a) such → such a (c) so a short → such a short / so short a (e) frequently → frequent
2 having achieved such great success in the past

B

1 해석 그는 아주 큰 목소리를 가지고 있어서 방 건너편에서도 들을 수 있었다.
해설 「so+형용사+a[an]+명사」의 어순으로 써야 한다.

2 해석 나는 Jonathan에게 그렇게 좋은 일을 하는 것을 그만두라고 말해야 했다.
해설 「such a[an]+형용사+명사」의 어순으로 써야 한다.

3 해석 우리는 그가 그렇게 무모한 일을 했다는 것에 충격을 받았다.
해설 something so reckless를 such를 이용하여 such a reckless thing으로 바꿔 써야 한다.

4 해석 우리는 아시아 여행에서 정말 멋진 장소들을 방문했다.
해설 truly fascinating places를 such를 이용하여 such fascinating places로 바꿔 써야 한다.

C

1 해석 a. Liz는 아주 유머러스한 소녀여서 모두가 그녀를 좋아한다.
b. 금메달을 따는 것은 그렇게 어린 선수에게 주목할 만한 성과였다.
c. 이 나라는 그렇게 짧은 기간에 엄청난 경제 성장을 이루었다.
d. 그 작가들은 그렇게 훌륭한 책을 만든 것에 대해 축하를 받아야 한다.
e. 우울증이 의학 잡지에서 그렇게 빈번한 주제인 이유를 아십니까?
해설 a. girl이 보통명사이므로 such 뒤에 부정관사 a를 써야 한다.
c. so 대신 such를 써서 such a short라고 고치거나 so 다음에는 바로 형용사가 와야 하므로 so short a로 고쳐야 한다.
e. 뒤에 나온 명사 topic을 꾸며 주어야 하므로 부사 frequently를 형용사 frequent로 고쳐야 한다.

2 지문 해석 1800년대 후반에, 철도 회사는 미국에서 가장 큰 기업들이었다. 엄청난 성공을 거두고 심지어 미국의 풍경을 바꾸면서, '왜' 그들이 이 사업을 시작했는지를 기억하는 것이 그들에게는 더 이상 중요하지 않았다. 대신에 그들은 '무엇'을 하는지에 집착하게 되었고 결국 그들은 철도 사업 안에 머물렀다. 이러한 관점의 축소는 그들의 의사 결정에 영향을 미쳐서 그들은 선로와 엔진에 모든 돈을 투자했다. 그러나 20세기 초기에 새로운 기술인 비행기가 도입되었다. 그리고 모든 거대 철도 기업들이 결국 파산했다.
→ 과거에 그렇게 큰 성공을 거두었음에도 불구하고, 철도 회사들은 미래에 대한 전망이 부족하여 파산했다.
해설 전치사 despite 다음에는 완료동명사를 이용해 having achieved를 쓰고, 목적어 such great success를 써야 한다. success는 불가산명사이므로 such 다음에 부정관사 a를 쓰지 않는다.

서술형 빈출 구문 30 31 p. 22

A 1 It is essential that deadlines are met on time. 2 It is a rule of the sea to help other boats in distress. 3 Teenagers may find it difficult to resist peer pressure. 4 It is important to learn from the mistakes of others.

B 1 It is imperative to decide what a robot can do. 2 It was believed that the earth was flat in the 15th century. 3 The light from a phone or computer can make it hard to sleep. 4 I think it possible to juggle work and childcare.

C 1 (b) made one → made it (c) clarifying → to clarify (e) That → It 2 find it difficult to feed their own people

B

1 해설 주어 역할을 하는 to부정사구 대신 가주어 It을 써서 「It is imperative to-v」의 어순으로 쓴다.

2 해설 주어 역할을 하는 that이 이끄는 명사절 대신 가주어 It을 써서 It was believed that의 어순으로 쓴다.

3 해설 동사 make의 목적어 역할을 하는 to부정사 대신 가목적어 it을 써서 make it hard to sleep의 어순으로 쓴다.

4 해설 목적어 역할을 하는 to부정사구 to juggle work and childcare 대신 가목적어 it을 써서 「I think it possible to-v」의 어순으로 쓴다.

C

1 해석 a. 군인은 명령에 따르는 것을 당연하게 생각한다.
b. 그는 자기가 인용한 모든 글을 검토하는 것을 원칙으로 했다.
c. 나는 어떤 쟁점들에 대해 우리의 견해를 분명히 하는 것이 필요하다고 생각한다.
d. 사람들은 압박감을 느낄 때 실수를 연발하기 쉽다.
e. 시간을 지키지 않는 사람들을 기다리는 것은 나를 화나게 한다.
해설 b. 목적어인 to부정사구가 문장 뒤에 있으므로 동사 뒤에 가목적어 it을 써야 한다.
c. 가목적어 it의 진목적어는 to부정사로 나타내므로 to clarify로 고쳐야 한다.
e. to부정사의 가주어는 it으로 써야 한다.

2 지문 해석 아프리카의 농촌 사람들은 물을 길어 오기 위해 하루에 5킬로미터를 걸으면서 해바라기, 장미, 커피와 같은 환금 작물 밭을 지날 때 무슨 생각을 할까? 일부 아프리카 국가들은 자국민들을 먹여 살리거나 안전한 식수를 공급하는 데 어려움을 겪고 있지만, 귀한 물은 유럽 시장에 수출하는 작물을 생산하는 데 쓰인다. 아프리카 농민들은 그 작물들이 얼마 되지 않는 소득원 중 하나이기 때문에 그러한 작물들을 기를 수밖에 없다. 환경 보호 압력 단체들은 아프리카산 커피와 꽃을 구매하는 유럽의 소비자들이 아프리카의 물 부족을 악화시키고 있다고 주장한다.
해설 to부정사구를 대신하는 가목적어 it을 이용하여 find it difficult to feed their own people이라고 쓴다.

서술형 빈출 구문 32 p. 23

A 1 Neither of these qualifications is necessary.
2 Most of the people in the class are professionals.
3 Some of her art is intended to shock the viewer.
4 None of the new features are appealing to consumers.

B 1 Most of her life was spent
2 Both of the films are based
3 All of us send you
4 each of these stages is different

C 1 (b) was → were (d) is → are (e) is → are 2 Most of the health benefits of a vegetarian diet derive

B

1 해설 '인생의 대부분'이라는 의미의 Most of her life를 주어로 쓴다. 「most of+단수 명사」는 단수 취급한다.

2 해설 Both of the films를 주어로 쓰고, both는 복수 취급한다.

3 해설 All of us를 주어로 쓰고, 「all of+복수 명사」는 복수 취급한다.

4 해설 each of these stages를 주어로 쓰고, 「each of+복수 명사」는 단수 취급한다.

C

1 해석 a. 두 가지 방법 중 어느 것이나 목표 달성에 유용한 방식이다.
b. 이 성당의 바닥 타일 무늬는 둘 다 큰 정성을 들여 도안됐다.
c. 마라톤에서 뛰는 대부분의 주자들은 이것을 위해 열심히 훈련해 왔다.
d. 그 지역에 서식하는 일부 희귀 동물들이 위험에 처해 있다.
e. 이 마을 주민 중 그 누구도 이민자의 후손이 아니다.
해설 b. both는 복수 취급하므로 was를 were로 고쳐야 한다.
d. most of는 뒤에 나오는 명사(runners)의 수에 일치시켜야 하므로 is를 are로 고쳐야 한다.
e. none은 「none of+복수 명사」로 쓰일 때 복수 취급하므로 is를 are로 고쳐야 한다.

2 지문 해석 균형 잡힌 식단은 고기나 생선이 없는 식단보다 더 건강한 식단이다. 이것은 고기와 생선이 단백질, 철분, 그리고 비타민과 미네랄의 필수 공급원이기 때문이다. 채식의 건강상 이로운 점은 대부분 그 식단이 섬유질이 높고 지방과 콜레스테롤이 낮은 데 기인한다. 하지만 이것은 기름기가 많고 튀긴 음식을 줄이고, 식단에 기름기가 적게 구운 고기와 생선을 늘리면서 많은 양의 과일과 채소를 먹는 것으로도 가능하다. 고기와 생선을 완전히 피하는 식단은 단백질과 철분의 부족을 초래할 가능성이 더 높다.
해설 부사 mostly를 대신하여 「most of+명사」 구문으로 바꿔 쓴다.

서술형 빈출 구문 33 34 p. 24

A 1 This year's sales are not as bad as last year's.
2 Knowing your weaknesses is as important as knowing your strengths. 3 Customers tend to postpone payment as long as possible. 4 This tower is two times as big as the ancient monument

B 1 as quickly as he could
2 begin as early as possible
3 33 times as many antioxidants as
4 doesn't contract as much as other metals do

C 1 (a) more → much (c) as not → not as (d) well → good 2 Spending as much time as possible

B

1 해설 '가능한 한 빨리'를 나타내야 하므로 as quickly as를 쓰고 과거 시제이므로 could로 써야 한다.

2 해설 '가능한 한 일찍'은 as early as possible로 쓴다.

3 해설 '~배 많은 …'의 의미를 나타낼 때는 「배수사+as many+명사+as」로 쓴다.

4 해설 '~만큼 많이'를 나타내야 하므로 as much as로 쓴다.

C

1 해석 a. 고양이는 사람보다 두 배 더 많이 잔다.
b. 기존 메커니즘은 해야 하는 만큼 잘 작동하지 않는다.
c. 일부 국가들에서는 이 앱이 다른 나라에서만큼 인기를 끌지 못하고 있다.
d. 더 적은 예산에도 불구하고 발리우드 영화는 할리우드 영화만큼 훌륭하다.
e. 동봉한 계약서에 서명하시고 가능한 한 조속히 저의 사무실로 보내 주시겠습니까?
해설 a. as와 as 사이에는 원급을 써야 하므로 much로 고쳐야 한다.
c. 「as+원급+as」 구문의 부정은 「not as+원급+as」로 써야 하므로 not as로 고쳐야 한다.
d. are의 보어 역할을 하는 형용사 good으로 고쳐야 한다.

2 지문 해석 우리 대부분은 신속한 인식을 의심한다. 우리는 결정의 질이 그 결정을 내리는 데 들어간 시간, 노력과 직접적인 관계가 있다고 생각한다. 하지만 특히 시간에 쫓기는 중대한 상황 속에서는 서두르는 것이 일을 망치지 않는, 즉 우리가 순식간에 내리는 판단과 첫인상이 세상을 파악하는 더 나은 수단을 제공할 수 있는 순간이 있다. 생존자들은 어쨌든 이러한 교훈을 배웠고, 신속하게 인식하는 능력을 발전시키고 연마했다.
→ 결정을 내릴 때 가능한 한 많은 시간을 보내는 것이 언제나 최적의 접근법은 아니다.
해설 「as much+명사+as」 구문을 써서 '가능한 한 많은 시간을 보내는 것'의 의미를 나타내야 하므로, 동명사 주어 spending 뒤에 as much time as possible을 쓴다.

서술형 빈출 구문 35 36 p. 25

A 1 The taller the buildings, the higher the rent.
2 Inner beauty lasts longer than physical beauty.
3 We can achieve more by persuasion than by force.
4 The economy will grow less quickly than the government hopes.

B 1 is not always safer than going out
2 The warmer the chameleon, the brighter its color.
3 The faster you drive, the more dangerous
4 nonverbal feedback is more effective than direct advice

C 1 (b) much → more (c) more nice → nicer (e) more serious → the more serious 2 can cause more damage than most other natural disasters

B

1 해설 '더 안전한 것은 아닌'이라는 의미가 되어야 하므로 safer than 앞에 not을 써서 나타낸다.

2 해설 「the+비교급, the+비교급」을 써야 한다.

3 해설 the faster와 the more dangerous를 이용하여 나타낸다.

4 해설 '더 효과적인'이라는 의미는 more effective than을 써서 나타낸다.

C

1 해석 a. 태풍은 내가 예상했던 것보다 강하다.
b. 일반적으로 말하면, 더 많이 낼수록 더 많이 받는다.
c. 국내에서 휴가를 보내는 것이 해외에서 휴가를 보내는 것보다 더 나을 수 있다.
d. 상상력과 호기심이 전문적인 기술보다 더 중요하다.
e. 온도가 더 올라갈수록 지구 온난화의 영향은 더 심각해질 것이다.
해설 b. 「the + 비교급, the + 비교급」 구문이므로 much를 more로 고쳐야 한다.
c. nice의 비교급은 more nice가 아니라 nicer로 써야 한다.
e. '~하면 할수록 더 …하다'의 의미를 나타내는 「the+비교급, the+비교급」이 쓰였으므로, more serious 앞에 the를 써야 한다.

2 지문 해석 아시아에서는 열대 저기압이 태풍이라 불리는데, 미국에서는 허리케인이라고 알려져 있다. 이러한 폭풍우들은 왼쪽으로 빠르게 회전하며 대부분의 다른 자연재해보다 더 큰 손해를 일으킬 수 있다. 미국의 국립 허리케인 센터에서는 허리케인을 살펴보고 발견된 것에 이름을 붙인다. 이름들은 알파벳 순으로 정리된 여성과 남성의 이름들의 준비된 목록에서 가져온다. 예를 들어, 그해 첫 번째 허리케인이 Adam이라고 명명되면, 두 번째는 Britney라고 명명될 수 있다.
해설 비교급을 써서 나타내야 하므로 more damage than을 써야 한다.

서술형 빈출 구문 37 38 p. 26

A 1 The eye is one of the most delicate parts of the body. 2 It is the most delicious food that I have ever eaten. 3 Smoking is one of the worst things we can do to our bodies. 4 The Holocaust is one of the greatest tragedies the world has ever known.

B 1 the best party (that) I have[I've] ever been to
2 one of the best forms of brain training 3 one of the most exciting scenes (that) I have[I've] ever seen
4 one of the easiest ways to reward yourself

C 1 (a) attribute → attributes (c) are that → is that (d) sweeter → sweetest 2 Learning to ski is one of the most embarrassing experiences

B

1 해설 「the+최상급+(that) S+have[has] ever p.p.」의 최상급 표현으로 문장을 완성한다.

2 해설 '가장 좋은 방법 중의 하나'는 「one of the+최상급+복수 명사」로 표현할 수 있다.

3 해설 '가장 흥미진진한 장면 중 하나'는 one of the most exiting scenes로 쓰고, 관계사절 (that) I have[I've] ever seen을 뒤에 쓴다.

4 해설 '가장 쉬운 방법 중 하나'는 one of the easiest ways로 쓰고, 형용사적 용법의 to부정사를 이어서 쓴다.

C

1 해석 a. 인내는 리더에게 가장 가치 있는 자질 중 하나이다.
b. Nick을 해고한 것은 관리자가 저지른 최악의 결정이었다.
c. 토마토의 가장 좋은 점들 중 하나는 칼로리가 낮다는 것이다.
d. 나는 그것이 내가 먹어 본 것 중에 가장 달콤한 디저트라고 생각한다.
e. Gustav Klimt의 〈키스〉는 내가 본 가장 감명 깊은 예술 작품 중 하나이다.
해설 a. 「one of the+최상급」 다음에는 복수 명사를 써야 한다.
d. 주어가 one이므로 are를 is로 고쳐야 한다.
e. '먹어본 것 중 가장 ~한 것'의 의미가 되어야 하므로 최상급인 the sweetest로 고쳐야 한다.

2 지문 해석 스키 타는 것을 배우는 것은 성인이 겪을 수 있는 가장 당혹스러운 경험들 중의 하나이다. 어쨌든, 성인은 오랫동안 걸어 왔다. 그는 자신의 발이 어디에 있는지 알고 어딘가로 가기 위해 어떤 식으로 한 발을 다른 발 앞에 놓아야 하는지 안다. 하지만 그가 스키를 발에 신자마자, 그것은 마치 그가 처음부터 다시 걷는 것을 배우고 있는 것과 같다. 그는 발을 헛디뎌 미끄러지고, 넘어지고, 일어나는 데 곤란을 겪고, 대체로 바보같이 보이고 느껴지기도 한다.
해설 주어로 동명사구를 쓰고, '가장 당혹스러운 경험들 중의 하나'는 「one of the+최상급+복수 명사」를 써서 나타낸다.

서술형 빈출 구문 39 p. 27

A **1** She cannot have gone so far in such a short time.
2 I shouldn't have taken the brakes off the stroller.
3 Giant animals may have evolved from much smaller creatures. **4** Training programs should have been organized for national teams.

B **1** may[might] have been a factor in the accident
2 must have fallen from a great height
3 should have had a discussion before voting
4 cannot have misunderstood the question

C **1** (c) mustn't → must (d) shouldn't → should (e) may → cannot **2** should have been held in the conference room

B

1 해석 사람의 실수가 그 사고의 원인이었을지도 모른다.
해설 '~했을지도 모른다'라는 뜻으로 과거 사실에 대한 추측의 의미를 나타내는 「may[might] have p.p.」를 사용하여 문장을 완성한다.

2 해석 이 환자는 상당히 높은 곳에서 떨어진 것이 틀림없다.
해설 과거 사실에 대한 확신을 나타내는 「must have p.p.」를 사용하여 문장을 완성한다.

3 해석 우리는 투표 전에 토론을 했어야 했다.
해설 과거에 일어난 일에 대한 후회를 나타내므로 「should have p.p.」를 사용하여 문장을 완성한다.

4 해석 강연자가 그 질문을 오해했을 리가 없다.
해설 '~했을 리가 없다'라는 뜻으로 과거 사실에 대한 강한 부정적 추측을 나타내는 「cannot have p.p.」를 사용하여 문장을 완성한다.

C

1 해석 a. 네가 전화를 했을 때 나는 샤워를 하고 있었을 수도 있다.
b. 그렇게 어린 소년이 이런 연구 논문을 작성했을 리가 없다.
c. 우리가 처한 위험을 깨닫지 못했다니 내가 눈이 멀었던 것이 틀림없다.
d. 버스가 10분 전에 도착했어야 하는데 아직 안 왔다.
e. 길에 먼지가 많다. 어제 비가 왔을 리가 없다.
해설 c. 문맥상 위험을 깨닫지 못한 것에 대해 '눈이 멀었던 것이 틀림없다'는 의미가 되어야 하므로 mustn't을 must로 고쳐야 한다.
d. 버스가 10분 전에 도착했어야 했다는 의미가 되어야 하므로 「should have p.p.」가 되도록 고쳐야 한다.
e. 길에 먼지가 많은 것으로 보아 어제 비가 왔을 리가 없다는 내용이 되는 것이 자연스러우므로 「cannot have p.p.」가 되도록 고쳐야 한다.

2 지문 해석 저는 컨벤션 센터에서의 귀하의 강연이 유익하고 흥미로웠다는 것을 말씀드리고 싶습니다. 불행하게도, 회의장이 너무 크고 사람들로 북적였기 때문에 저는 강연을 제대로 듣지는 못했습니다. 많은 사람들이 강연을 듣는 것에 관심이 있었다는 것은 이해하지만, 그 강연은 비즈니스 호텔의 회의실에서 하는 소규모 행사로 훨씬 더 어울렸습니다. 그렇게 큰 장소에서 대중에게 개방함으로써, 귀하는 의도치 않게 저와 같은 참석자들에게 불편한 분위기를 만들었습니다.
→ 그 강연은 비즈니스호텔의 회의실에서 열렸어야 했다.
해설 너무 큰 공간에서 강연이 이루어진 것에 대한 아쉬움을 나타낸 글이므로 「should have p.p.」를 써서 문장을 완성한다.

서술형 빈출 구문 40 41 p. 28

A **1** What would happen if the earth were flat? **2** I had my notebook, I could prove it to you **3** I had known the circumstances, I would not have interrupted you
4 I had not accepted your advice, I could not have succeeded in business

B **1** I were[was] a poet, I could write beautiful poems
2 my cat could talk, I could know exactly how she feels **3** we had taken the subway, we could have arrived on time **4** he had sold his pieces, the artist wouldn't have been bankrupt

C **1** (a) cheat → cheated (c) had been → were[was]
(e) had gotten / be → got / have been
2 had not forced the managers to experience

B

1 해석 내가 시인이라면 나는 아름다운 시를 쓸 수 있을 것이다.
해설 현재 사실과 반대되는 일을 가정하는 가정법 과거로 써야 한다.

2 해석 우리 고양이가 말을 할 수 있다면 나는 고양이의 감정을 정확하게 알 수 있을 텐데.
해설 실현 가능성이 거의 없는 일을 가정하므로 가정법 과거로 써야 한다.

3 해석 우리가 지하철을 탔었더라면 정시에 도착했을 것이다.
해설 과거 사실과 반대되는 일을 가정하므로 가정법 과거완료로 써야 한다.

4 해석 그 예술가가 자신의 작품을 팔았더라면 그는 파산하지 않았을 것이다.
해설 과거 사실과 반대되는 일을 가정하므로 가정법 과거완료로 써야 한다.

C

1 해석 a. 경쟁자가 부정행위를 하지 않았다면 Tim이 이겼을 것이다.
b. 내가 네 입장이라면 나는 사장님이 요구하신 대로 할 거야.
c. 지민이 너만큼 키가 크다면 그녀는 이 코트를 즉시 살 것이다.
d. 만약 자연이 에너지 전환을 허용하지 않았다면 어떤 일이 일어났을까?
e. 만약에 북극곰이 우리에서 나왔다면[나온다면] 우리는 큰 위험에 처했을[처할] 것이다.
해설 a. 가정법 과거완료의 부사절은 「if+S+had p.p ~」로 쓰므로, cheat를 과거분사로 고쳐야 한다.
c. 문맥상 가정법 과거가 되어야 하므로 if절의 동사를 were로 고쳐야 한다.
e. 가정법 과거의 문장이 되려면 if절의 동사를 got으로 고쳐야 하고, 가정법 과거완료의 문장이 되려면 주절의 동사를 would have been으로 고쳐야 한다.

2 지문 해석 한 항공사의 관리팀이 어떻게 고객들에게 더 나은 경험을 제공할 것인지에 초점을 맞춘 워크숍을 열었다. 워크숍의 첫날 모든 사람들

이 회의에 참석하는 동안, 항공사의 마케팅 부사장은 각 사람의 호텔 방 침대를 비행기 좌석으로 교체했다. 그날 밤 비행기 좌석에서 하룻밤을 보낸 후 그 회사의 관리자들은 '획기적인 혁신안'을 생각해 냈다. 만약 부사장이 관리자들이 고객의 불편을 경험하도록 강제하지 않았다면, 그 워크숍은 놀라운 변화 없이 끝났을지도 모른다.

해설 주절로 보아, 가정법 과거완료의 문장이 되어야 하며 문맥상 부정의 의미를 나타내야 하므로 had not forced로 쓴다. force는 목적격 보어로 to부정사를 취한다.

서술형 빈출 구문 42 p. 29

A 1 I had skipped dinner, I would be hungry now 2 you had not been born, my life would be meaningless 3 Aiden hadn't died in the war, he would be twenty now 4 the equipment had been repaired, the traffic signal would work

B 1 had not learned effective parenting skills 2 had taken this route 3 If we had not beaten the Chinese team 4 they would not be endangered

C 1 (b) can → could (c) have been → be (d) didn't meet → hadn't met 2 had not been developed, many criminals would not be imprisoned

B

1 해설 과거에 '양육 기술을 배우지 않았다면'이므로 가정법 과거완료 had not learned로 써야 한다.

2 해설 과거에 '이 길을 택했다면'이므로 가정법 과거완료 had taken으로 써야 한다.

3 해설 과거에 '이기지 못했다면'이므로 가정법 과거완료 had not beaten으로 써야 한다.

4 해설 과거의 사실이 현재 코끼리들의 상태에 영향을 주고 있는 것이므로 가정법 과거 would not be endangered로 써야 한다.

C

1 해석 a. Jason이 내 충고를 따랐더라면 그는 고생하지 않을 텐데.
b. 네가 이 추리 소설을 읽었더라면 내가 지금 말하는 것을 이해할 수 있을 텐데.
c. 감염이 더 심각했더라면 그녀는 오늘 몹시 아플 것이다.
d. 고등학교 때 내가 영어 선생님을 만나지 않았더라면 나는 외교관이 아닐 것이다.
e. 내가 그 청구서를 지불했었더라면 추징금을 내지 않아도 될 텐데.
해설 b. '과거에 추리 소설을 읽었다면 지금 내 말을 이해할 것이다'라는 혼합 가정법 문장이므로, 주절의 can을 could로 고쳐야 한다.
c. '과거에 발생한 감염이 심각했다면 오늘 더 아플 것이다'라는 혼합 가정법 문장이므로, 주절의 동사를 would be로 고쳐야 한다.
d. if절이 과거인 고등학교 시절에 일어난 일에 대한 반대 가정이므로 가정법 과거완료인 hadn't met으로 고쳐야 한다.

2 지문 해석 지문처럼 모든 사람의 DNA는 서로 다르다. 만약 범인이 범죄 현장에 약간의 혈액 또는 아주 작은 피부 조각이나 머리카락만 남겨도 경찰은 그의 DNA를 얻을 수 있다. 이 DNA를 용의자의 DNA와 대조하여, 경찰은 누가 범죄를 저질렀는지 알아낼 수 있다. 이 기술로 인해 많은 위험한 범인들이 수감되었다. 만약 DNA 검사가 개발되지 않았다면 오늘날 많은 범죄자들이 수감되어 있지 않을 것이다.
해설 혼합 가정법이므로 If절은 가정법 과거완료 had not been developed로 써야 하고, 주절은 가정법 과거 would not be imprisoned로 써야 한다.

서술형 빈출 구문 43 44 p. 30

A 1 I wish they could understand how badly I need this. 2 I wish I had written down her telephone number last night. 3 You should live as if you were going to die tomorrow. 4 Ryan talked about his mistake as if he had nothing to do with it.

B 1 I could see what's inside your dreams 2 I had brought some earplugs 3 as if he were my teacher 4 as if she had studied genetics in college

C 1 (a) is → were (c) didn't → hadn't (e) can → could 2 as if he had meant to send checks to them

B

1 해석 내가 네 꿈속에 무엇이 있는지 볼 수 있다면 좋을 텐데.
해설 현재 네 꿈속에 무엇이 있는지 보고 싶다는 의미이므로 「I wish+가정법 과거」 구문으로 바꿔 쓸 수 있다.

2 해석 내가 여기에 귀마개를 가져왔었으면 좋았을 텐데.
해설 주절의 시점보다 먼저 일어난 일에 대한 유감을 나타내므로 「I wish+가정법 과거완료」 구문으로 바꿔 쓸 수 있다.

3 해석 Jacob은 마치 그가 내 선생님인 것처럼 내게 조언을 했다.
해설 '마치 ~인 것처럼'의 의미가 되어야 하므로 「as if+가정법 과거」 구문으로 바꿔 쓸 수 있다.

4 해석 Emma는 마치 대학교에서 유전학을 공부했던 것처럼 행동한다.
해설 '(과거에) 마치 ~했던 것처럼'의 의미가 되어야 하므로 「as if+가정법 과거완료」 구문으로 바꿔 쓸 수 있다.

C

1 해석 a. 당신의 인생에서 실패란 없는 것처럼 행동하세요.
b. 그가 가능한 한 빨리 요점을 말하면 좋겠어.
c. 나는 너희들이 하는 얘기를 못 들었으면 좋았겠지만 들어 버렸어.
d. 무언가가 밖에서 폭발한 것처럼 엄청난 굉음이 들렸다.
e. 우리 아버지는 작년에 돌아가셨어. 그를 다시 살아 돌아오게 할 수 있으면 좋겠어.
해설 a. 주절과 같은 시점의 사실에 대한 가정이므로 가정법 과거인 were로 고쳐야 한다.
c. 과거의 일에 대한 소망이므로 가정법 과거완료 hadn't로 고쳐야 한다.

e. 현재 사실에 반대되는 소망이므로 가정법 과거 could로 고쳐야 한다.

2 지문 해석 Andrew Carnegie가 한번은 자신의 누이가 그녀의 두 아들에 대해 불평하는 것을 들었다. 그들은 집을 떠나 대학을 다니면서 좀처럼 그녀의 편지에 답장을 하지 않았다. Carnegie는 자신이 즉각 답장을 받을 것이라고 그녀에게 말했다. 그는 그 소년들에게 편지를 보냈고, 그들 각각에게 100달러짜리 수표를 보내게 되어 기쁘다고 그들에게 말했다. 그때 그는 편지를 부쳤지만 수표를 동봉하지는 않았다. 며칠 이내에 그는 두 소년들로부터 훈훈한 감사의 편지를 받았고, 그들은 편지의 말미에 그가 유감스럽게도 수표를 넣는 것을 잊었다고 말했다.
→ Carnegie는 그들에게 수표를 보내려고 했던 것처럼 행동하여 두 조카에게서 답장을 받았다.
해설 Carnegie가 답장을 받은 것보다 수표를 보낼 것처럼 행동한 것이 더 이전의 일이므로 「as if + 가정법 과거완료」로 써야 한다.

서술형 빈출 구문 45 p. 31

A **1** Without the asteroid crash, the dinosaurs would be alive today. **2** If it had not been for Suho, we could not have sat here. **3** If it were not for injustice, humans would not know justice. **4** Without her help, I would have had a hard time.

B **1** it were not for advertising income, newspapers could not be sold so cheaply **2** it not for television, half the pleasure of our daily lives would be lost
3 it had not been for salt, our civilization would not have been built
4 it not been for the recommendation letter, he would not have gotten a job at the bank

C **1** (a) If / If were → If it / Were it (b) are not → wouldn't[would not] be (d) Were not → Were it not
2 Had it not been for humans

B

1 해석 광고 수입이 없다면 신문은 그렇게 싸게 팔릴 수 없을 것이다.
해설 가정법 과거의 without은 if it were not for로 바꿔 쓸 수 있다.

2 해석 텔레비전이 없다면 우리 일상의 즐거움의 절반이 사라질 것이다.
해설 가정법 과거의 without은 if it were not for로 바꿔 쓸 수 있는데, if를 생략하면 주어와 동사가 도치되므로 were it not for의 어순으로 써야 한다.

3 해석 소금이 없었다면 문명은 형성되지 않았을 것이다.
해설 주절의 동사로 보아 가정법 과거완료의 문장이므로 but for를 if it had not been for로 바꿔 쓸 수 있다.

4 해석 추천서가 없었다면 그는 은행에서 일자리를 구하지 못했을 것이다.
해설 if가 생략된 가정법 과거완료 구문이므로 주어와 동사가 도치된 Had it not been for의 어순으로 써야 한다.

C

1 해석 a. 우유가 없다면 우리는 치즈를 먹지 못할 것이다.
b. 엘리베이터가 없다면 고층 건물들은 실용적이지 않을 것이다.
c. 그의 실수가 없었다면 우리는 이겼을 것이다.
d. 상금이 없다면 패배는 문제가 되지 않을 것이다.
e. 너의 시의적절한 경고가 없었다면, 우리는 위험을 인식하지 못했을 것이다.
해설 a. 가정법 과거 문장이고 if절의 주어 it이 누락되었으므로 If를 If it으로 고치거나, if를 생략하고 누락된 주어 it과 동사가 도치된 Were it으로 고쳐야 한다.
b. 가정법 과거 문장이므로 주절의 are not을 wouldn't[would not] be로 고쳐야 한다.
d. if가 생략된 가정법 과거 문장에서 if절의 주어와 동사가 도치되어야 하므로 동사 were 뒤에 주어 it을 써야 한다.

2 지문 해석 인간의 등장 이전에는 매년 대략 백만 종 중 1종이 멸종했다. 그러나 지금은 상황이 엄청나게 변했다. 매년 수많은 종이 사라지고 있는데, 인간이 거의 날마다 적어도 1종의 멸종에 대한 책임이 있다고 추정된다. 현재의 속도라면, 30년 내에 5분의 1이 넘는 지구의 종이 영원히 사라질 것이다. 설상가상으로, 이 사라질 운명에 처한 종들은 과학자들에 의해 정체가 밝혀지지도 못한 채 지구상에서 사라질 것이다.
→ 인간이 없었다면, 많은 멸종한 종들이 살아남았을 것이다.
해설 '인간이 없었다면'이라는 내용을 나타내기 위해 If it had not been for humans라고 써야 하는데, 6 단어로 쓰라고 하였으므로 If를 생략하고 주어와 동사를 도치해서 쓴다.

서술형 빈출 구문 46 p. 32

A **1** Mom asked me what I wanted to eat for dinner.
2 The man told me that he would leave the next day.
3 She asked me if I'd be interested in the stock market. **4** My father told me not to go out late in the evening.

B **1** He said (that) he'd[he would] phone me the next day. **2** Karen asked me how I had managed to persuade him. **3** The physician told[advised] me to avoid red meat from then on. **4** He told me (that) he had decided to take matters into his own hands.

C **1** (a) is → was[had been] (c) said → told[said to] (e) did it take → it took **2** he had spelled the word correctly

B

1 해석 그는 내게 다음 날 전화하겠다고 말했다.
해설 직접화법을 간접화법으로 바꿀 때 주절의 시제가 과거이므로 will은 would로, tomorrow는 the next day로 바꿔 써야 한다.

2 해석 Karen은 내게 어떻게 그를 설득했는지 물었다.
해설 의문문의 화법 전환이므로 said to는 asked로, 인용문은 「의문사+S+V」의 어순으로 쓰되 주절보다 먼저 일어난 일이므로 how I had managed로 바꿔 써야 한다.

3 해석 의사는 내게 그때부터 붉은색 고기를 피하라고 말했다[권고했다].
해설 충고하는 내용이므로 told 외에 advised를 쓸 수 있으며 명령문의 화법 전환이므로 전달동사를 to부정사로 바꿔 써야 한다.

4 해석 그는 내게 문제를 자기가 처리하기로 결심했다고 말했다.
해설 결심한 것이 말한 것보다 먼저이므로 had decided로 바꿔 써야 한다.

C

1 해석 a. 그녀는 내게 그날 그것을 할 것을 계획 중이라고 말했다.
b. 교수님은 내게 그 글을 읽었는지 물으셨다.
c. 지난주에 그는 자신의 직업에 만족한다고 내게 말했다.
d. 어머니가 내게 동생을 학교에 데리고 가라고 말씀하셨다.
e. Amber는 내게 가장 가까운 약국까지 얼마나 걸리는지 물었다.
해설 a. 주절이 과거인 경우 that절의 동사는 과거(was) 또는 과거완료(had been)가 될 수 있다.
c. 간접화법 문장이므로 said를 told 또는 said to로 고쳐야 한다.
e. 간접화법 문장에서 인용문은 「의문사+S+V」 어순으로 쓰므로, did it take를 it took으로 고쳐야 한다.

2 지문 해석 몇년 전 한 소년이 철자 맞히기 대회에서 '들은 것은 무엇이든 반복하는 증상'을 의미하는 단어인 echolalia의 철자를 말하도록 요구받았다. 그는 실수를 하여 철자를 잘못 말했지만, 심판은 잘못 듣고 "너는 철자를 맞혔으니 다음 단계로 진출할 수 있다."라고 말했다. 그러나 그 소년은 정직했고 자신이 사실 철자를 틀렸다고 고백했다. 그 소년은 자신의 행동에 대해 많은 칭찬을 받았는데, 그것에 대해 질문을 받았을 때 그는 단지 "저는 거짓말쟁이 같은 기분이 들고 싶지 않았어요"라고 설명했다.
→ 심판은 소년의 답을 잘못 듣고 그가 단어의 철자를 바르게 말했고 다음 단계로 나아갈 수 있다고 말했다.
해설 심판이 소년에게 한 말을 간접화법으로 바꾸면 주절의 시제인 과거보다 이전을 나타내야 하므로 동사를 과거완료(had spelled)로 써야 한다.

B

1 해설 the news 뒤에 동격인 that절을 쓴다. 접속사 that 다음에 「S+V」의 어순으로 쓰되, 실종된 것이 소식을 들은 시점보다 먼저 일어난 일이므로 과거완료(had gone)로 쓴다.

2 해설 the belief 뒤에 동격인 that절을 쓴다.

3 해설 the conclusion 뒤에 동격인 that절을 쓴다.

4 해설 the fact 뒤에 동격인 that절을 쓴다.

C

1 해석 a. 내가 외국인이라는 사실이 큰 약점이었다.
b. 인간을 자유롭게 하는 진실은 대부분의 사람들이 별로 듣고 싶어 하지 않는 진실이다.
c. 그의 경험은 난방을 위해 전기를 사용하는 것이 천연가스를 사용하는 것보다 비효율적이라는 믿음을 확인시켰다.
d. 은하계가 한 번에 형성되는 것이 아니라는 생각은 이제 널리 받아들여진다.
e. 최근의 연구들은 일상적인 오존 노출이 사망 위험을 증가시킨다는 증거를 강화하고 있다.
해설 a. The fact와 동격인 명사절이 되어야 하므로 that으로 고쳐야 한다.
c. the belief의 의미를 보완해주는 절이 이어지므로 동격절을 이끄는 접속사 that으로 고쳐야 한다.
d. 주어가 단수인 the idea이므로 동사를 is로 고쳐야 한다.

2 지문 해석 당신이 길을 걷다가 동물 학대를 막기 위한 청원서에 서명해 달라고 요청받을지도 모른다. 이것은 작은 요구이고 대부분의 사람들은 그것에 동의할 것이다. 그 이후에 그 사람은 당신에게 (동물들에게) 잔인함을 가하지 않은 화장품을 근처 매장에서 사는 것에 관심이 있는지를 물어볼 것이다. 대부분의 사람들이 청원서에 서명해 달라는 이전 요구에 이미 동의했다는 사실 때문에, 그들이 그 화장품을 구매할 가능성은 더 높아진다. 청원을 받는 사람은 인간이 자기 말과 행동에 있어 일관되고자 하는 경향을 이용하기 때문에 사람들은 그러한 구매를 한다.
해설 the fact 뒤에 동격의 that절을 쓰며, '이미 동의했다'를 현재완료 have already agreed로 써야 한다.

서술형 빈출 구문 47 p. 33

A **1** We must not forget the fact that smoking is bad for our health. **2** There is not much hope that he will win the Grand Prix. **3** I have to accept the truth that he'll never come back. **4** Chaos theory is the idea that tiny things can have huge consequences.

B **1** the news that Erica had gone missing
2 the belief that plasma behaves like a liquid
3 the conclusion that life started to evolve
4 the fact that parents give us unconditional love / the fact that parents give unconditional love to us

C **1** (a) what → that (c) which → that (d) are now → is now **2** the fact that most people have already agreed to the prior request

서술형 빈출 구문 48 p. 34

A **1** did I dream of meeting you here **2** had we started when it began to rain **3** does one do one's best till one is forced to **4** did experts imagine the satellite would miss its orbit

B **1** Little did Dan know he was digging his own grave.
2 Not once did the audience applaud the singer.
3 No sooner had I sat down than there was a loud knock on the door. **4** Not only are good listeners appreciated by others, but they also have many opportunities to learn new things.

C **1** (a) it is → is it (c) the juice of grapes is → is the juice of grapes (e) they started → did they start
2 Not only will you be tired all the time

B

1 해석 Dan은 자기 자신의 무덤을 파고 있다는 것을 거의 알지 못했다.
해설 부정어 little을 문장 앞에 써서 「부정어+do[does/did]+주어+동사」의 어순으로 써야 한다.

2 해석 청중들은 그 가수에게 박수갈채를 한 번도 보내지 않았다.
해설 부정어구 not once를 문장 앞에 쓰고 did the audience applaud의 어순으로 써야 한다.

3 해석 내가 자리에 앉자마자 크게 문 두드리는 소리가 났다.
해설 부정어구 no sooner를 문장 앞에 쓰고 had I sat down의 어순으로 써야 한다.

4 해석 남의 말을 경청하는 사람은 다른 사람들에게 인정받을 뿐 아니라 새로운 것들을 배울 많은 기회를 얻게 된다.
해설 부정어구 not only를 문장 앞에 쓰고 are good listeners의 어순으로 써야 한다.

C

1 해석 a. 배움에는 결코 늦음이 없다.
b. 브라질에서는 눈이 거의 내리지 않는다.
c. 포도즙은 유용할 뿐만 아니라, 껍질과 씨앗 또한 다양한 것을 만드는데 사용될 수 있다.
d. 이런 가치 있는 프로그램에 이바지하기 위해 많은 사람들이 모이는 경우는 드물다.
e. 그들은 시작하자마자 또 다른 어려움을 마주했다.
해설 a. 부정어구 never가 문장 앞에 나왔으므로 is it의 어순으로 써야 한다.
c. 부정어구 not only가 문장 앞에 나왔으므로 is the juice of grapes의 어순으로 고쳐야 한다.
e. 부정어구 no sooner가 문장 앞에 나왔으므로 did they start의 어순으로 고쳐야 한다.

2 지문 해석 모두가 하루에 7시간보다 적게 자는 것이 나쁘다는 것을 알고 있다. 당신은 항상 피곤하게 될 뿐만 아니라 체중 증가와 우울증을 포함하여 다양한 건강상 문제들에 처하게 될 위험성이 더 높아진다. 그러나 과도한 수면도 위험하다는 것을 아는 사람은 많지 않다. 하루에 9시간을 넘게 자는 것은 당뇨와 두통의 위험성을 증가시킨다. 그러므로 잠에 관해서라면 여러분은 밤에 7시간에서 8시간의 적절한 타협점을 목표로 해야 한다.
해설 부정어구인 not only로 시작하고 「조동사+주어」의 어순으로 써야 하므로 will you be tired로 쓴다.

서술형 빈출 구문  p. 35

A **1** that he came to see me **2** that are the most damaging natural disasters **3** that brought about economic growth around the world **4** who built the largest empire in the history of the world

B **1** It is only with one's heart that one can see clearly. **2** It was during the conflict that the environmental damage occurred. **3** It was the locals that[who] requested continued monitoring and review of the issue. **4** It is in the early stages that[when] the likelihood of defeating cancer is greatest.

C **1** (c) what → that (d) did Jongno's traffic improve → Jongno's traffic improved (e) where → when[that]
2 It is not in spite of our culture that we are who we are

B

1 해석 정확하게 볼 수 있는 것은 오직 마음으로이다.
해설 It is와 that 사이에 강조하는 말 only with one's heart를 쓴다.

2 해석 환경 훼손이 일어난 것은 분쟁 중이었다.
해설 It was와 that 사이에 강조하는 말 during the conflict를 쓴다.

3 해석 지속적인 관찰과 문제점의 검토를 요구한 것은 주민들이었다.
해설 It was와 that 사이에 강조하는 말 the locals를 쓴다. the locals가 사람이므로 that 대신 who를 쓸 수도 있다.

4 해석 암을 이겨 낼 수 있는 가능성이 가장 높은 것은 초기 단계에서이다.
해설 It is와 that 사이에 강조하는 말 in the early stages를 써야 한다. in the early stages가 때를 나타내는 말이므로 that 대신 when을 쓸 수도 있다.

C

1 해석 a. 불가능한 것을 가능하게 만드는 것은 사랑이다.
b. 이 연극에서 가장 두드러진 인물은 바로 Shylock이다.
c. 위원회가 긍정적인 조치들을 옹호한 것은 처음이 아니었다.
d. 종로의 교통이 개선된 것은 1974년에 지하철이 개통되고 나서부터였다.
e. 내가 그 연구원에게 내 DNA 샘플을 준 것은 어제였다.
해설 c. not the first time을 강조하는 강조 구문이므로 that으로 고쳐야 한다.
d. that 다음에는 「주어+동사」의 어순이 되어야 하므로 did를 삭제하고 improved로 고쳐야 한다.
e. 시간을 나타내는 yesterday를 강조하는 구문이므로 when이나 that으로 고쳐야 한다.

2 지문 해석 우리들 중 많은 사람들이 왜 우리가 습관적으로 하던 것을 하는지에 대한 고찰 없이 삶을 살아간다. 왜 우리는 그렇게 많은 시간을 일하면서 보낼까? 우리는 "그것이 사람들이 하는 것이기 때문이다."라고 말함으로써 그 질문에 답할지도 모른다. 하지만 이것에 대해 자연스러운 것은 없다. 대신에 이와 같이 행동하는 것은 우리가 속해 있는 문화가 우리에게 그렇게 하도록 강요하기 때문이다. 우리의 문화는 가장 널리 스며 있

는 방식으로 우리가 생각하고, 느끼고, 행동하는 방식을 형성한다. 우리가 우리인 것은 바로 우리의 문화에도 불구하고가 아니라 정확히 우리의 문화 때문이다.

해설 It is와 that 사이에 강조하는 말 not in spite of our culture를 쓰고 that 다음에는 we are who we are의 어순으로 쓴다.

서술형 빈출 구문 50 p. 36

A 1 Migration flows have increased internationally. / Internationally, migration flows have increased.
2 The rain stopped when I arrived at the bank. / When I arrived at the bank, the rain stopped.
3 He walked out of the office without explanation.
4 The medicine that you brought here doesn't work on me.

B 1 is a big pine tree 2 came home, went straight upstairs 3 will not disappear soon 4 will not emerge as a global pandemic

C 1 (c) is occurred → occurs (d) laid → lay[lies] (e) raised → rose 2 The importance of a teacher's power arises not from its strength

B

1 해설 '~가 있다'는 「There+be동사+주어」의 어순으로 쓰는데 주어가 a big pine tree로 단수이므로 동사는 is로 써야 한다.

2 해설 수식어구는 주로 동사 뒤에 쓴다.

3 해설 조동사는 동사 앞에, 부사는 동사 뒤에 써야 한다.

4 해설 수식어구는 주로 동사 뒤에 쓴다.

C

1 해석 a. 이 사업은 그다지 이익이 나지 않는다.
b. 지구상에 처음 포유류가 나타난 것은 언제입니까?
c. 헬륨은 천연가스의 부산물로 발생한다.
d. 그녀의 생각에, 최선의 해결책은 교육에 있다.
e. 이 지역 집값이 작년에 5% 상승했다.
해설 c. 자동사인 occur는 수동태로 쓸 수 없으므로 occurs로 고쳐야 한다.
d. 목적어가 없는 자동사가 쓰여야 하므로 lie를 이용해 lay 또는 lies로 고쳐야 한다.
e. raise는 목적어가 필요한 타동사이므로 자동사 rise의 과거형인 rose로 고쳐야 한다.

2 지문 해석 회사 임원이나 군대 장교는 엄청난 힘을 갖고 있지만 교사는 그렇지 않다. 그러나 교사들은 다른 직업에서는 찾을 수 없는 특별한 종류의 힘을 가지고 있다. 교사의 힘의 중요성은 그 강력함에서가 아니라 지속적인 영향에서 비롯된다. 교사의 힘의 독특함은 사람들이 쉽게 외부의 영향을 받는 시기에 시작되어 지속적인 영향을 준다는 사실에서 온다. 교사들은 일종의 원료를 갖고 서서히 모양을 빚어서 완성시킨다. 다른 직업에서 사람들이 가진 힘이 더 인상적일 수는 있겠지만, 교사가 가진 힘처럼 그렇게 중요하고 고무적인 것은 없다.
해설 주어가 the importance of a teacher's power이므로 자동사 arise의 단수형 arises로 써야 한다.

서술형 빈출 구문 51 p. 37

A 1 Nicole felt seasick as soon as she got on the boat. / As soon as she got on the boat, Nicole felt seasick.
2 Anything you say will be kept confidential.
3 The drinking water has become contaminated with lead. 4 The soap smelled very good like a sweet green apple.

B 1 is hot and humid 2 sounded incredible 3 gets better with age 4 should stay cautious for six months

C 1 (a) embarrassing → embarrassed (c) reality → realistic[real] (e) reasonably → reasonable
2 Car sharing has become popular

B

1 해설 be동사는 형용사를 보어로 취하여 '~이다'의 의미로 쓰인다.

2 해설 감각동사 sound는 형용사를 보어로 취한다.

3 해설 상태동사 get은 형용사를 보어로 취한다.

4 해설 2형식 동사 stay는 형용사를 보어로 취한다.

C

1 해석 a. 그는 그녀의 비난에 당황했다.
b. 정부는 여전히 주된 복지 제공자이다.
c. 그 사업 계획은 현실적이지 않은 듯하다.
d. 고령에도 불구하고, 그의 정신적인 기능이 아직 약화되지 않았다.
e. 그들 대부분은 이성적이고 논리적으로 보였다.
해설 a. 동사 was의 보어로 형용사가 와야 하고, 주어가 동작의 대상이므로 embarrassed로 고쳐야 한다.
c. 동사 seem의 보어로 주어의 상태를 설명하는 형용사가 오는 것이 적절하므로 realistic 또는 real로 고쳐야 한다.
e. seemed는 2형식 동사이므로 보어로는 형용사 reasonable을 써야 한다.

2 지문 해석 요즘 차량 공유 운동이 전 세계적으로 나타나고 있다. 특히 대도시들에서 차량 공유는 사람들이 이동하는 방식에 강한 영향을 끼쳤다. 심지어 북미처럼 차량 문화가 강한 지역에서도 차량 공유가 인기를 얻었다. 미국과 캐나다의 도시들에서는 이제 차량 공유 회원 수가 성인 5명 중 1명을 넘어섰다. 공유된 각 차량이 약 10대의 개인 차량을 대체함에 따라 교통과 오염의 개선이 토론토에서부터 뉴욕까지에서 느껴지고 있다. 많은 교통량과 주차 공간 부족에 고심하는 도시의 정부는 이러한 경향을 주도하고 있다.
→ 차량 공유는 특히 도심 구역에서 인기를 얻고 있다.

해설 becom은 2형식 동사로 형용사를 보어로 취하므로 Car sharing has become popular라고 써야 한다.

서술형 빈출 구문 52 p. 38

A **1** I lost my job because of the economic crisis.
2 You can contact me if you have any questions.
3 Children between the ages of 6 and 15 must attend school. **4** More than 90 percent of students reached the required standard.

B **1** robbed the team of victory **2** met community leaders **3** took part in the conference and met his old friends **4** We have approached the issue

C **1** (c) marry with → marry (d) answer to → answer (e) enter into → enter
2 attempts at success, self-esteem

B

1 해설 rob은 'A에게서 B를 빼앗다'는 뜻의 「rob A of B」 구문으로 쓰는 타동사이므로 robbed the team of victory라고 써야 한다.

2 해설 meet은 목적어를 취하는 타동사이다.

3 해설 take part in과 meet 다음에는 목적어로 명사나 명사구가 나와야 한다.

4 해설 approach는 목적어 앞에 전치사를 쓰지 않는 타동사이다.

C

1 해석 a. Aaron과 그들의 반 친구들은 가난한 사람들에게 옷을 제공했다.
b. 펭귄은 남반구의 해안 지역에 서식한다.
c. 삼촌은 이달 말 한 여배우와 결혼할 예정이다.
d. 이 질문들에 명확하게 답할 수 있는 사람은 아무도 없었다.
e. 당신의 이메일 주소를 아래에 기입하면 새로운 비밀번호를 보내드리겠습니다.
해설 c. marry는 타동사이므로 전치사 with를 삭제해야 한다.
d. answer는 타동사이므로 전치사 to를 삭제해야 한다.
e. enter는 타동사이므로 전치사 into를 삭제해야 한다.

2 지문 해석 사람들은 간혹 성공하려는 자신의 시도들을 방해하는데 이런 종류의 행동은 '자기 불구화'라 불린다. 이러한 현상을 조사하는 연구자들은 사람들이 자신의 실패에 대해 책임을 지는 것을 회피하기 위해 이러한 반직관적 행동을 하는 것을 발견했다. 예를 들어, 공부를 열심히 하는 대신에 친구를 만나는 것을 선택함으로써 학생들은 나쁜 성적에 대해 자신의 무지함보다는 친구를 비난할 수 있는 것이다. 비록 이러한 행동이 자신의 자존감을 보호하는 데는 효과적이지만, 그것은 명백히 인생에 있어서 중대한 수준의 성취를 이루는 것을 방해한다.
→ 사람들은 때때로 실패가 가져올 그들의 자존감의 손상을 피하기 위해 성공하려는 자신의 시도들을 스스로 방해한다.
해설 글의 내용에 따르면 사람들이 방해하는 것은 성공하려는 시도들(attempts at success)이고, 실패로 인해 손상받을 수 있는 것은 자존감(self-esteem)이다.

서술형 빈출 구문 53 p. 39

A **1** My father bought my little brother a new bike.
2 The doctor told me that my ankle wasn't broken.
3 You owe him an apology for what you said.
4 Please give me a couple of dates to choose from.

B **1** The man asked the opinion of all his friends.
2 They sent some flowers to the parents of the child as a gesture of sympathy. **3** My cousin cooked a really amazing meal for me yesterday. **4** Our experience as refugees taught many valuable lessons to us.

C **1** (a) for → to (d) them → to them (e) to us → us
2 gave them fewer reasons

B

1 해석 그 사람은 그의 모든 친구들에게 의견을 물었다.
해설 ask는 3형식 문장에서 전치사 of를 쓰는 동사이다.

2 해석 그들은 연민의 표시로 그 아이의 부모에게 꽃을 좀 보냈다.
해설 send는 3형식 문장에서 전치사 to를 쓰는 동사이다.

3 해석 내 사촌은 어제 나에게 정말 놀랄 만한 요리를 해 주었다.
해설 cook은 3형식 문장에서 전치사 for를 쓰는 동사이다.

4 해석 우리가 난민으로서 겪은 경험은 우리에게 많은 귀중한 교훈을 가르쳐 주었다.
해설 teach는 3형식 문장에서 전치사 to를 쓰는 동사이다.

C

1 해석 a. 나는 그에게 영어로 된 서류의 사본을 전달했다.
b. 그들은 내게 어떻게 은행 대출을 받을 수 있는지 보여 주었다.
c. 사자들은 포식자들로부터 새끼 사자들을 보호해 준다.
d. 매니저는 그들에게 비상시에 어떻게 해야 하는지를 설명했다.
e. 그는 우리에게 캠핑 장비를 빌려주었다.
해설 a. pass는 3형식 문장에서 전치사 to를 쓰는 동사이다.
d. explain은 수여동사가 아니므로 전치사 to를 써야 한다.
e. lend는 수여동사이므로 간접목적어 앞에 전치사 to를 쓰지 않는다.

2 지문 해석 Houston 공항의 임원들은 수하물 찾는 데 걸리는 시간에 대한 많은 불평에 직면해서 수하물 담당자들의 수를 늘렸다. 비록 이것이 기다리는 시간을 평균 8분으로 줄였지만 불평은 멈추지 않았다. 도착 게이트에서 수하물을 찾는 곳까지 도달하는 데 약 1분의 시간이 걸리고 탑승객들은 그들의 가방을 기다리며 7분을 더 보냈다. 그 해결책은 도착 게이트를 수하물 찾는 곳으로부터 더 멀리 이동시키는 것이었고 그 결과 탑승객들이 수하물 찾는 곳으로 걸어가는 데 약 7분의 시간이 걸렸다. 이는 불평이 거의 0으로 줄어드는 결과를 가져왔다.
→ 탑승객들이 수하물 찾는 곳까지 걷는 데 더 많은 시간을 쓰게 한 것이 그들이 불평할 이유가 거의 없게 했다.

해설 과거시제의 글이므로 동사 give는 과거시제인 gave로 쓰고, 간접목적어는 them과 직접목적어 fewer reasons를 이어 쓴다.

서술형 빈출 구문 54 p. 40

A **1** We'll keep our fingers crossed for your safe arrival. **2** Brisk autumn days make me feel alive. **3** I consider this a quite extraordinary course of action. **4** The coach appointed David captain of our school baseball team.

B **1** lets kids experience a fantasy world **2** saw oil prices drop[dropping] **3** elected him chairman of the city council **4** want their families to visit them

C **1** (b) nervously → nervous (c) unturning → unturned (d) acquiring → (to) acquire **2** allowing the cycle to repeat forever

B

1 해설 let은 사역동사이므로 목적격보어로 원형부정사를 써야 한다.

2 해설 see는 지각동사이므로 목적격보어로 원형부정사나 현재분사를 써야 한다.

3 해설 elect의 목적어로 him, 목적격보어로 chairman of the city council을 써야 한다.

4 해설 want의 목적격보어로 to부정사를 써야 한다.

C

1 해석 a. 구조대원들이 희생자들이 지하 몇 피트 아래에 갇혀 있는 것을 발견했다.
b. 거미나 모기와 같은 곤충들은 나를 불편하게 만든다.
c. 우리는 온갖 수단을 다 써서 그 범인을 찾을 것이다.
d. 그 과정은 사람들이 사업을 운영하는 데 필요한 기술들을 습득하는 것을 도와준다.
e. 플라시보 효과는 환자들이 진짜 약을 먹지 않더라도 나아졌다고 느끼게 한다.
해설 b. 목적격보어 역할을 하는 형용사 nervous로 고쳐야 한다.
c. no stone이 목적어로 '뒤집어지지 않은'의 수동의 의미가 되어야 하므로 목적격보어는 과거분사 unturned로 고쳐야 한다.
d. help의 목적격보어이므로 원형부정사나 to부정사로 고쳐야 한다.

2 지문 해석 한 팀의 과학자들이 식물들의 DNA를 자연적으로 변형시켜서 빛이나는 식물들을 만들어 냈다. 생물 발광하는 버섯에서 추출한 4개의 유전 인자가 담배 식물의 DNA에 주입되었다. 각각의 유전 인자는 버섯이 카페산을 루시페린(발광소), 즉 에너지를 빛으로 발산하는 물질로 바꿀 수 있는 진행 과정에 연결된다. 가장 중요하게도, 루시페린은 그 순환이 영원히 반복되게 하면서 카페산으로 다시 전환된다. 유전적으로 변형된 담배 식물은 밝은 초록 빛을 발산한다고 한다.
해설 분사 allowing으로 분사구문을 시작하고, 목적어 the cycle을 쓴 뒤, allow의 목적격보어로 to부정사인 to repeat을 써야 한다.

시험에 더 강해지는 고등영문법

#등급
#상승
#비법

정답 및 해설

시험에 더 강해지는 고등영문법

#등급
#상승
#비법